C0-AVO-168

LEV GILLET
« UN MOINE DE L'ÉGLISE D'ORIENT »

Du même auteur

Prière et Sainteté dans l'Église russe, Paris, Éd. du Cerf, 1950, rééd. Bellefontaine, 1982.

Alexandre Boukharev. Un théologien de l'Église orthodoxe russe en dialogue avec le monde moderne, Paris, Beauchesne, 1977.

Le Ministère de la femme dans l'Église. Préface du Métropolite Antoine de Souroge, Paris, Éd. du Cerf, 1987.

Le Lieu du cœur. Initiation à la spiritualité de l'Église orthodoxe. Avec une contribution de l'évêque Kallistos Ware, Paris, Éd. du Cerf, « Théologies », 1989.

ÉLISABETH BEHR-SIGEL

LEV GILLET « UN MOINE DE L'ÉGLISE D'ORIENT »

Un libre croyant universaliste, évangélique et mystique

L'histoire à vif

LES ÉDITIONS DU CERF
PARIS
1993

(29, boulevard Latour-Maubourg
75340 Paris Cedex 07)

ISBN 2-204-04886-0
ISSN 0299-2833

PRÉFACE

Dans cet ample ouvrage, fruit d'une recherche scrupuleuse menée avec intelligence et beaucoup d'amour, Élisabeth Behr-Sigel nous fait rencontrer un destin. Destin d'un homme tourmenté et génial, qui, plus que son père spirituel, fut son ami, destin d'une Église aussi, l'Église orthodoxe brutalement implantée par une histoire tragique en Europe occidentale, présence dont le très occidental « moine de l'Église d'Orient » n'a cessé de scruter et de servir le sens.

Ce sens, pour lui, c'était le réveil de l'unité chrétienne, la réémergence de l'Église indivise. Enraciné dans un terroir provincial français ouvert à l'universel par la prophétie de La Salette, Lev Gillet, très tôt voué à la rencontre de l'Occident et de l'Orient chrétiens, fut contraint par sa conscience, après la dure encyclique Mortalium animos, *à un douloureux exode hors de l'Église de son baptême, de sa profession monastique et de son ordination. Pour anticiper à titre personnel, Soloviev inversé mais de semblable esprit, l'union que le durcissement de l'institution semblait désormais interdire. Un grand évêque orthodoxe, le métropolite Euloge, l'admit très simplement à concélébrer, sans exiger de lui ni re-baptême, ni chrismation, ni formule d'abjuration. Ainsi Lev Gillet fut-il intégré sacramentellement à l'Église orthodoxe sans rien renier des grâces reçues dans l'Église catholique, et toujours dispensées par elle. Extérieurement déchiré, comme tout converti de ce type, par la dualité canonique des deux Églises, il n'a jamais spirituellement conçu leur relation comme d'affrontement, de concurrence, pour tout dire : d'extériorité. « Le même Sauveur et les mêmes sacrements nous unissent », écrivait-il à sa mère. Et il pouvait jeter comme une boutade à la fin de sa vie : « Je suis un prêtre de l'Église romaine en pleine communion avec l'Église orthodoxe. » Refusant clairement la juridiction directe, universelle, « vraiment épiscopale » de la papauté sur tous les pasteurs et tous les fidèles, il n'ignorait pas que sous cette structure hypertrophiée, et dont son adhésion à l'Orthodoxie le délivrait, une vie chrétienne puissante et bonne continuait, sans que rien séparât le P. Charles de Foucauld ou sainte Thérèse de Lisieux d'un saint sérafim de Sarov ou d'un* starets *Silouane. Et il observait que le sang des martyrs, en notre siècle, lavait de ses péchés historiques l'Église orthodoxe, Église « étrange [...], si pauvre et si faible [...], Église de contrastes, à la fois si traditionnelle et si libre, si archaïque et si vivante [...], qui souvent n'a pas su agir mais qui sait chanter, comme nulle autre, la joie de Pâques... » Contre ceux des orthodoxes qui ignorent leur propre tradition et s'enferment dans un anticatholicisme obsessionnel, il affirmait que l'unité chrétienne serait inconcevable sans le ministère pétrinien, vocation à un service d'humilité et de charité à l'égard de toutes les Églises particulières, nullement réductible pourtant à une vague primauté d'honneur, mais doté de prérogatives réelles pour arbitrer les problèmes majeurs posés à l'ensemble de la chrétienté. Il n'a jamais cessé de prier pour Rome « afin que la grâce y produise des théophanies de charité et de lumière ».*

Simultanément ouvert à l'anglicanisme et aux communautés issues de la Réforme, ressentant « l'émotion luthérienne du salut par la grâce et l'intuition calviniste de la gloire de Dieu », attiré par l'extrême dépouillement de la Sola Scriptura, *par le silence quaker, voire l'évangélisme éthique d'un Tosltoï... Pour le P. Lev, en effet, l'intégration mutuelle du catholicisme et de l'orthodoxie eût permis l'épanouissement de ce « catholicisme évangélique » dont rêvaient de grands spirituels protestants. Faut-il ajouter qu'il avait découvert en pleine guerre, dès la fin de 1914, aux bivouacs de l'armée britannique, la* pietas anglicana *? L'Angleterre, où il servit* *longtemps, fidèlement, le Fellowship anglican-orthodoxe de Saint-Alban et de Saint-Serge fut son refuge, à l'écart des passions et des vaines polémiques du continent.*

Précurseur, il le fut d'abord dans ce contexte : précurseur d'une vision conciliaire de l'Église, d'une ecclésiologie eucharistique, d'un christianisme à la fois mystique et social ; toujours attentif aux développements du Mouvement œcuménique, mais plus encore à l'œcuménisme de Buchenwald et d'Auschwitz, aujourd'hui nous ajouterions : du Goulag.

Ce « libre croyant » – mais toujours respectueux de la discipline de l'Église qui protégeait sa liberté – fut d'abord fasciné par la Russie chrétienne, « grande mer tumultueuse des émotions ». Les philosophes religieux et théologiens de l'émigration, dont il refusa toujours d'endosser les querelles, étant un homme qui unit, non qui oppose, lui permirent de dépasser le thomisme appris à Rome (et dont certaines expressions lui resteront familières, mais dans une tout autre synthèse). Il découvrit ainsi la grande tradition patristique, celle d'une Église à la fois mystérique *et* pneumatique, *voie d'union au Christ, et en lui au Père, dans le mouvement de l'Esprit-Saint. Une Église qui met l'accent sur la joie pascale, sur la croix victorieuse par laquelle « la joie est entrée dans le monde », « lumière joyeuse » illuminant le tout de l'homme et de l'univers. Non pas seulement le « Dieu et mon âme » d'un certain augustinisme, mais un « panchristime » (inséparable d'un « panpneumatisme ») arrachant à la mort, à l'angoisse et à l'enfer l'humanité réunifiée. Et, malgré tant de déviations, l'humble amour, la folie en Christ, ce* iourodstvo *russe où le P. Lev voyait l'exorcisme, voire la transfiguration, d'une violence qu'il découvrait aussi en lui.*

Cet homme de passion vivait (mourait) nécessairement l'élan puis la retombée de ses passions. Il en fut ainsi pour le mythe russe. Puis pour le rêve du fondateur : fondateur d'une orthodoxie occidentale, qu'il voulait humble et fragile, sans esprit d'orgueil ni de haine, capable de témoigner en Occident du meilleur de l'Orthodoxie, capable d'intégrer dans l'Orthodoxie le meilleur de la modernité et une ouverture œcuménique. Fondateur trahi par la pesanteur institutionnelle. Cette Orthodoxie locale devait naître autrement, non pas voulue mais d'elle-même, grâce aux descendants d'émigrés librement rejoints par quelques Occidentaux. Dès 1935, après l'éblouissement qui l'envahit au bord du lac de Tibériade, il s'était dépris de cette passion, amené, par cette rencontre avec l'essentiel, à renoncer pour lui-même aux ambitions, fussent-elles d'ordre spirituel, comme aux grands desseins toujours lointains. Disponible cependant pour servir : d'où sa participation au renouveau antiochien, son rôle à lui dévolu par Athénagoras Ier, de conseiller spirituel auprès de la fédération mondiale des mouvements de jeunesse orthodoxe, Syndesmos, « le Lien », ses interventions pacificatrices auprès des orthodoxes francophones qu'il s'efforçait de rassembler en vue d'un témoignage commun.

Le Père Lev a toujours connu la tentation du désespoir, mais Dieu ne l'a jamais abandonné, venant à lui dans l'éblouissement du Christ en 1935, de l'Esprit en 1959, transformant au fond de lui la déréliction et l'acédie en « vocation de perte », oui, se perdre dans un abandon total pour une ultime re-création. Il y avait en lui, surtout dans les dernières années de sa vie, quelque chose d'un starets, *mais un* starets *ironique, voire sarcastique, sans doute par distance et pudeur. Avec ses enfants spirituels, c'était un être à la fois de rigueur et de compassion, dévoilant le péché, décelant aussi l'exigence de vraie vie qu'il exprime et bloque en même temps. Sa formation psychanalytique – à Genève, à la fin de la Première Guerre mondiale, il avait traduit* L'Interprétation des rêves, *de Freud – lui permettait d'aborder lucidement les tourments de la chair mais aussi de favoriser l'intervention de la grâce, de l'*agapè, *qui permet le transfert de l'*éros *sur la présence du Christ, en qui l'autre nous est rendu comme personne et comme visage. Là aussi précurseur : des « psychanalystes de l'existence », comme des recherches actuelles d'un Denis Vasse, d'un Maurice Bellet, d'une Marie Balmary...*

Son approche du mystère, telle qu'elle s'offre dans les grands ouvrages de la dernière étape de sa vie, est à la fois, pour jargonner (ce qu'il avait en horreur !) très apophatique et très kénotique. Pour lui la réalité divine est au-delà de toute conceptualisation, on peut seulement suggérer la lumière qui rayonne d'elle. Mais ce Dieu au-delà de Dieu est aussi le Crucifié – à la fois souffrant et vainqueur – sans que l'on puisse ici séparer le Père de son Fils. Dieu est innocent, le Christ reste crucifié sur toute la souffrance du monde, pour transformer en résurrection l'obscure passion de l'histoire. Vision résolument eschatologique où l'Ultime s'anticipe non seulement dans l'eucharistie mais dans l'instant, dans « le sacrement de l'instant présent ». « Que chaque matin soit pour moi le matin de Pâques ! » La loi, alors, fait place à l'image christique, à la fois divine et humaine, qui seule peut pénétrer et transformer le cœur de l'homme. « Au-delà du moralisme et de l'immoralisme, l'Évangile », c'est-à-dire le mystère de la personne et de la communion des personnes. Car « le sabbat est pour l'homme et non l'homme pour le sabbat ».

Spiritualité personnaliste, spiritualité cosmique aussi. De la sophiologie russe, celle surtout de Serge Boulgakov, le Père Lev gardait l'intuition du « Principe féminin » qui fait la beauté et la transparence des êtres et des choses, le chant en elles de la Sagesse.

Ce spirituel qui détestait le cléricalisme et la théologie des professeurs se sentait appelé à faire amitié avec ceux qui cherchent mais auxquels le langage traditionnel des Églises est étranger. Il comprenait la tentative athée de « vivre une vie à la fois rationnelle, jeune, spontanée, affranchie des superstitions et des restrictions antiques ». Mais il savait la mort, le désespoir, et donc que tout « désir d'intensité », toute volonté de transgression sont une aspiration à la seule Transgression définitive, celle de la mort, la Résurrection. À Hyde Park, il écoutait les athées et parlait à son tour pour dire la possibilité et l'étonnement d'aimer, le Dieu innocent et crucifié qui veut faire de nous des vivants.

Au premier rang de ces autres *auxquels il veut s'adresser, les Juifs, auxquels il consacre, au moment même où commence la* Shoah, *un livre de compréhension et de dialogue,* Communion in the Messiah. *Cette rencontre l'amène à une lecture renouvelée des Écritures, à un nouveau style de prédication où les grandes images bibliques remplacent souvent les concepts de l'hellénisme. Ce fut sa troisième passion, après sa ferveur russe puis le rêve de fonder une Orthodoxie occidentale. Là aussi vint la déception lorsque, après la guerre, le sionisme symbolique et spirituel de Magnes ou de Buber fut remplacé par un sionisme conquérant et guerrier.*

Déjà, grâce à l'expérience libanaise, venait la découverte de l'islam, sans qu'il ait jamais cessé d'admirer et d'aimer le « Judaïsme spirituel ». Plus loin encore, grâce à son travail au Spalding Trust, lié au World Congress of Faith, ce fut la découverte des traditions non abrahamiques. Le Père Lev décèle ce qu'on pourrait appeler le « christime » latent des grandes religions : dans la bakhti *hindoue, la compassion bouddhique, l'amidisme japonais. Faisant allusion au successeur de Gandhi, Vinoba Bhave, qui parcourait les campagnes de l'Inde pour obtenir un partage spontané des terres en faveur des pauvres, il disait voir plus d'évangile dans cette pratique d'amour actif « que dans toutes les liturgies pontificales ». Partout sont à l'œuvre les deux mains de Dieu, le Verbe et l'Esprit. Tout converge vers le Christ qui vient. Le plus beau des livres du Père Lev,* Amour sans limites, *est particulièrement destiné aussi bien aux athées qu'aux fidèles des religions non chrétiennes. Pour ouvrir – si peu que ce soit – l'intériorité sur le visage, la transcendance sur le foyer mystérieux de l'Amour.*

Et le mot de la fin : « C'est le Christ – j'ose le dire – qui fait l'unité de ma vie et de ses voies multiples. »

À quoi bon écrire encore, comme un copiste qui ferait une médiocre aquarelle après avoir contemplé l'immense fresque. Le livre d'Élisabeth Behr-Sigel n'a pas besoin de commentaire. Lisez-le, il vous introduira, dans le respect et l'intuition d'une vie et d'un service, à « l'Amour sans limites ».

OLIVIER CLÉMENT.

LIMINAIRE

Pèlerin de l'Absolu et moine dans la Ville, lien vivant entre des mondes différents qui restent encore à réunir et à réconcilier selon « le dessein bienveillant de Dieu » (Ep 1, 9), le spirituel qui signait ses livres « un moine de l'Église d'Orient » a traversé notre siècle tout à la fois en témoin lucide, en combattant souvent blessé et en croyant : conscient des « difficultés de croire de l'homme contemporain [1] », connaissant la morsure du doute, le Père Lev Gillet a assumé, au jour le jour, le noble risque de la foi qui est à l'opposé de la crédulité. Comme l'apôtre Pierre évoqué souvent dans ses homélies, il « marchait sur les eaux » qui menaçaient de l'engloutir, le regard fixé sur le Visage de lumière : clarté qui a éclairé ses nuits les plus obscures.

Le chemin de vie du « moine de l'Église d'Orient » n'a pas été simple et rectiligne. Comme lui-même l'écrit à propos de l'itinéraire spirituel de Vladimir Soloviev auquel il s'est parfois identifié, sa route a connu des « *corsi* et *ricorsi* ». Pourtant en profondeur, elle apparaît une. « C'est le Christ – j'ose le dire – qui sait l'unité de ma vie et de ses voies multiples », me confiait Lev Gillet vers la fin de sa vie. Mais le Christ toujours le même, hier, aujourd'hui et dans l'éternité, il le percevait aussi comme l'inconnu, l'*autre* toujours à découvrir de nouveau dans d'innombrables visages humains porteurs de son image.

---

1. Tel est le titre d'une conférence donnée par le Père Lev Gillet, à la fin des années 1950 à Paris, dans le cadre de la Cimade.

Refaire en pensée l'itinéraire du « moine de l'Église d'Orient », tenter d'en déchiffrer le sens, a été une obligation intérieure qui s'est progressivement imposée à moi. Des encouragements amicaux m'ont confirmée dans cet appel. « Le Père Lev Gillet nous a beaucoup donné à tous. Il faut le faire savoir », m'a écrit un moine bénédictin faisant écho à d'éminents théologiens orthodoxes. Pour autant, il ne s'agissait pas de produire un récit hagiographique, une « vie de saints », au sens banal du terme. Pour beaucoup d'entre nous, hommes et femmes, Père Lev a été un guide spirituel sûr, « l'instrument de Dieu », comme s'exprime le moine bénédictin. Mais il a été tel, ensemble en la richesse de ses dons intellectuels et spirituels et en sa fragilité humaine, en ses « hauts et ses bas », en ses éblouissements et en ses heures d'obscurité. La puissance de Dieu s'est accomplie dans sa faiblesse. Homme de désir, il nous a entraînés avec lui, unis à l'Esprit – le *rouach* des Sémites –, la Colombe qu'il chérissait, vers l'Amant suprême qui est « Amour sans limites ».

Ma première rencontre avec le Père Lev Gillet a eu lieu à Paris, en novembre 1928. Il m'avait donné rendez-vous dans le petit bureau qu'il occupait alors, au 10, boulevard Montparnasse, siège du Mouvement – Dvijénié – qui deviendra l'Action chrétienne des étudiants russes. Paris, à l'époque, était devenu la capitale spirituelle de l'émigration russe. Étudiante à la faculté de théologie protestante de l'université de Strasbourg, je m'étais inscrite pour un semestre à la faculté protestante parisienne. Par ce biais, j'espérais avoir l'occasion d'approfondir ma connaissance de l'Église orthodoxe : une Église qui, connue à travers quelques grands penseurs et la grande littérature russe, m'attirait. Sous le vêtement de ses rites archaïques et dans l'enchantement de ses chants, je l'avais découverte extraordinairement vivante au cours d'une veillée pascale en l'église de l'Institut de théologie orthodoxe Saint-Serge.

L'époque était celle du mouvement œcuménique naissant, pentecostal et charismatique. Un dialogue difficile mais authentique entre théologiens orthodoxes et théologiens des Églises issues de la Réforme du XVIe siècle semblait s'amorcer. Des représentants des Églises orthodoxes avaient participé en 1927 à l'importante conférence œcuménique de Lausanne sur le thème « Foi et constitution ». L'Église catholique romaine, au chagrin de quelques « veilleurs avant l'aurore », était absente. Dans son encyclique *Mortalium animos,* le pape Pie XI paraissait condamner ce qu'il nommait péjorativement le « panchristianisme ». La question pouvait se poser : héritière de l'ecclésiologie de l'Église indivise, purifiée et vivifiée par l'épreuve en sa sphère russe, l'Orthodoxie historique ne serait-elle pas appelée à devenir la matrice de l'unité symphonique de l'Église réconciliée des temps nouveaux ?

Ainsi étions-nous quelques-uns à rêver. C'est avec ses questions, ces rêves et quelques tourments personnels que je me rendais chez le prêtre orthodoxe français. Entré quelques mois plus tôt, par conviction, dans la communion de l'Église orthodoxe, il serait en mesure – m'avait-on dit – de comprendre mes interrogations. En fait, je me sentais anxieuse et intimidée. Mais la glace fut vite rompue. Je découvrais un homme doué d'un immense charisme d'écoute et de sympathie, en même temps un esprit rigoureux et lucide qui m'aidait à voir clair en moi-même. Ce premier entretien marqua le début d'une longue amitié. S'abstenant de tout prosélytisme, le P. Lev Gillet a accompagné ma quête de plénitude ecclésiale. Dans la misérable petite paroisse « orthodoxe française » qu'il était en train de faire surgir avec l'aide de quelques « garçons russes », j'ai été initiée à une Orthodoxie vivante, humble et évangélique. Sans reniement de mon baptême et des grâces rerçues dans l'Église luthérienne, j'ai été unie par lui à l'Église orthodoxe.

Nos relations ont été toujours, en grande partie, épistolaires. Nous n'avons que rarement, et pour de courtes périodes, habité dans le même lieu. Interrompue entre

1940-1945, notre correspondance a repris après la Deuxième Guerre mondiale. Elle s'est poursuivie jusqu'à la mort de mon ami.

Ce sont les lettres que le Père Lev Gillet m'a adressées pendant un demi-siècle – lettres par lesquelles il prenait part à ma vie, tout en me permettant de partager, dans une certaine mesure, la sienne – qui constituent l'une des bases de la biographie que j'ai crue devoir tenter d'écrire [2]. Mais j'ai puisé aussi à d'autres sources. Toute ma profonde reconnaissance va à ceux et à celles qui m'en ont permis l'accès.

Mme S. Gillet-Laurent m'a ainsi confiée les précieuses lettres adressées par son oncle, le P. Lev Gillet, à sa mère et à son frère aîné Pierre. Les moines du monastère de Chevetogne m'ont généreusement ouvert leurs archives, conservatoire d'une histoire dont Lev Gillet, avec ses amis dom Lambert Beauduin et dom Olivier Rousseau, fut l'un des acteurs.

Pour l'évocation du ministère du Père Lev en Grande-Bretagne, en particulier au sein du Fellowship de Saint-Alban et Saint-Serge, j'ai pu puiser dans les « mémoires » – en partie publiés, en partie inédites – mis à ma disposition par Miss Helle Georgiadis et Mrs Joan Rutt-Ford, ainsi que dans divers témoignages de l'évêque Kallistos Ware, enfin dans le fond Lev Gillet des archives du Fellowship. L'actuel secrétaire de cette association, le Dr Gordon Kendal, a mis gracieusement à ma disposition les photographies des fresques de la chapelle où pendant plus de trente ans le P. Lev Gillet a célébré la liturgie. Mme Militza Zernov a évoqué pour moi le ministère du Père Lev Gillet pendant la Deuxième Guerre mondiale avec ses célébrations de la liturgie sous le *Blitz*. D'autres multiples aspects de ce ministère anglais m'ont été révélés grâce aux témoignages du docteur John Vaccaro, de Mrs Pegeen O'Sullivan, de l'écrivain Constance Babington-Smith, de Sister Anna (Hoare), aujourd'hui animatrice

2. Ces lettres qui m'ont été adressées sont signalées par E.B.S.

courageuse d'un mouvement de réconciliation qui rapproche catholiques et anglicans en Irlande du Nord. Je dois à mon ami Vassily Frank et à M. Jean-Pierre Schweitzer de précieuses informations sur les relations de Père Lev avec les milieux juifs et judéo-chrétiens de Grande-Bretagne, au révérend Markus Bray-Brooke des indications sur son activité au sein du Congress of Faiths.

Une présentation du ministère si riche du Père Lev Gillet au sein du patriarcat d'Antioche a été possible grâce aux lettres et aux documents que m'ont confiés ses amis et enfants spirituels libanais : MM. Albert Laham et Raymond Rizk, Mme Emma Khoury, sans oublier le métropolite Georges (Khodr) du Mont-Liban.

À ces témoins et informateurs, j'associe dans la même gratitude tous ceux dont la sympathie m'a soutenue pendant ce long travail d'élaboration : Father Gareth Evans qui, avec son épouse Edwina, veilla sur Père Lev pendant les dernières années de sa vie, le Père Boris Bobrinskoÿ, doyen de l'Institut de théologie orthodoxe Saint-Serge, mon ami Olivier Clément qui a accepté de préfacer ce livre, les responsables du Centre Istina, à Paris.

Beaucoup d'autres seraient à nommer. Qu'ils me pardonnent de ne pouvoir, faute de place, les citer tous. Je ne les oublie pas.

En dernier lieu, je tiens à exprimer ma profonde reconnaissance, pour leur aide et pour leur intérêt, aux Éditions du Cerf et à M. Bernard Lauret, directeur littéraire, ainsi qu'à celles qui se sont chargées de l'ingrat travail de secrétariat : Mmes Anne-Marie Drouillon, Denise Bonfils, Hélène Protteau, Sylvie Mascle et Isabelle Dehoul.

Dans la fidélité à l'esprit de Père Lev, ce témoignage sur lui est notre œuvre commune.

ÉLIBABETH BEHR-SIGEL.

PREMIÈRE PARTIE

JEUNESSE

1893-1928

CHAPITRE PREMIER

ENFANCE, JEUNESSE ET ANNÉES DE FORMATION

Le P. Lev Gillet était dauphinois. Celui qui aimera se désigner comme « un moine de l'Église d'Orient » est né en la fête de la Transfiguration du Seigneur, le 6 août 1893, en France, à Saint-Marcellin, chef-lieu d'arrondissement du département de l'Isère. Il lui arrivait d'insister sur cette particularité provinciale, où il discernait le présage de sa destinée de pèlerin entre plusieurs mondes. Ancienne terre d'empire rattachée au royaume de France seulement au XIVe siècle, géographiquement lieu de passage entre le nord et le sud de l'Europe, entre la France, l'Italie et l'Helvétie, le Dauphiné lui paraissait avoir une vocation dépassant l'Hexagone – où lui-même, très tôt, s'est senti à l'étroit. Par quelques fibres profondes de son âme, ce cosmopolite restera cependant toujours attaché au terroir dont il est issu et aux paysages de son enfance : ceux de la France du Sud-Est, entre la vallée du Rhône – route vers la Méditerranée et les orients fabuleux – et les contreforts des Alpes et du Jura. Un pays d'hommes entreprenants, amoureux de la liberté, qui deviendra, pendant la Seconde Guerre mondiale, le berceau de la Résistance française au totalitarisme nazi. C'est dans cette province que s'inscrivent les chemins d'enfance du moine de l'Église d'Orient, dans un triangle délimité au sud par Valence, ville des grands-parents maternels, au nord par la région de Voirons où se trouve une propriété familiale, à l'est par Grenoble où le jeune Gillet fait ses études secondaires et une partie importante de ses études universitaires. Approximativement à égale distance de ces trois pôles d'attraction se trouve sa ville natale, Saint-Marcellin, cadre de la petite enfance, bercail où l'on revient aux vacances. Située au confluent de l'Isère et de son affluent, la Cumane, dominée par la haute falaise du Vercors, Saint-Marcellin, à l'époque – fin du XIXe et début du XXe siècle –, est une petite ville de quelques milliers d'habitants, sans industrie, à l'exception d'une filature de soie. C'est un gros marché agricole au centre d'un pays réputé pour ses bons vins et ses fromages savoureux.

De son enfance à Saint-Marcellin, il restera toujours, tout au fond du frêle et subtil Père Lev, un solide campagnard.

L'enfant reçoit au baptême le prénom de Louis en l'honneur du saint roi de France. Le milieu où il va grandir est typiquement celui de la bourgeoisie française provinciale de la fin du XIXe siècle. Les Gillet sont « gens de robe », en Dauphiné, depuis plusieurs générations. Le père de Louis, Jean-Baptiste Henri Gillet, après avoir été juge à Digne et Briançon, s'est établi comme avoué auprès du tribunal de Saint-Marcellin : une charge qu'a déjà occupée son père. Homme de principes, leur sacrifiant une carrière assurée, il a démissionné de la magistrature, la soupçonnant d'être infiltrée par la franc-maçonnerie. Plus tard, ayant vendu sa charge, il s'établira comme avocat indépendant : ces circonstances expliquent les difficultés financières auxquelles la famille doit faire face et auxquelles font allusion plusieurs lettres du jeune Louis Gillet.

Dans sa famille, le père Henri Gillet a laissé le souvenir d'un homme intègre, très scrupuleux, mais d'un caractère difficile, « sombre » et « autoritaire ». Politiquement, c'est un conservateur, un homme de la droite antidreyfusarde, qui boude une troisième République « radicale et laïque ». À ce comportement politique correspond un catholicisme intransigeant, sur la défensive, en même temps très fervent. Henri Gillet est oblat bénédictin. Comme tel, il est rattaché à l'abbaye Saint-Michel de Farnborough [1], au sud de l'Angleterre, dans le comté de Kent : le monastère où entrera son fils comme novice en 1920. L'abbaye de Farnborough est une fondation de l'impératrice Eugénie, veuve de Napoléon III. Après la mort d'Eugénie, en 1920, sa dépouille mortelle y reposera, selon sa volonté, dans la chapelle, auprès des sarcophages de son mari et du prince impérial.

Le choix de ce monastère indique-t-il une orientation politique ? Henri Gillet fut-il bonapartiste ? Plus probablement, c'est l'intérêt pour le mouvement liturgique qui l'a poussé à rattacher son oblature à Farnborough. À l'époque, l'abbé du monastère est le célèbre liturgiste dom Cabrol. La piété du père a dû se nourrir de l'opuscule de dom Guéranger de Solesme destiné aux oblats bénédictins, *L'Église de la louange divine* : livre qui invite au retour aux sources de la prière ecclésiale et, contre l'abus des « dévotions privées », à l'amour de la prière publique, traditionnelle, de l'Église. Cet amour, Henri Gillet le transmettra à ses deux fils. Des prières de la liturgie latine ne cesseront de hanter la mémoire du moine de l'Église d'Orient qui a voulu qu'on en lise certaines à ses funérailles [2]. Dans la prière commune liturgique de l'Église, en ses expressions orientale ou occidentale, cet apparent individualiste, tellement inclassable, a toujours vu le guide par excellence traçant l'itinéraire d'une vie chrétienne authentique, la préservant d'un subjectivisme appauvrissant.

Éclairée par une inspiration liturgique, la piété d'Henri Gillet présente cependant un versant plus sombre et peut-être morbide. Très scrupuleux, il est hanté par la crainte de l'enfer et l'idée des souffrances des âmes du purgatoire.

1. Une feuille volante trouvée dans les archives familiales – sur laquelle Louis Gillet a inscrit de sa main des versets de l'Ancien et du Nouveau Testament à lire aux funérailles de son père – porte l'inscription : *J.B.H.G., oblat de l'abbaye St. Michel Farnborough « Endormi dans le Seigneur »*. J. B. H. G. sont les initiales des prénoms et du nom du père.

2. Voir p. 613 s.

Il lui arrive, la nuit, de percevoir les appels des défunts ; il croit les entendre frapper à sa porte et, pour se tranquilliser, il fait dire pour eux des messes. Une de ses sœurs – tante de Louis – partage cette obsession qui inquiète l'enfant sensible.

Avec l'anxiété distillée par certains aspects de la religiosité paternelle, contraste heureusement la foi confiante, sereine et solaire, d'une mère au tempérament méridional. Nettement plus jeune que son mari, Henriette Gillet est la fille d'un médecin établi à Valence, le Dr Bonnet. Sa mère est originaire de l'Ardèche, d'une famille apparentée à celle du futur cardinal de Lubac. « Mon cousin de Lubac », s'amusait à dire Père Lev en parlant du grand théologien catholique de Lyon.

À tous ceux qui l'ont connue, Henriette Gillet a laissé le souvenir d'une femme belle, intelligente et gaie. On admire sa « patience, qui tient de la sainteté » : une vertu bien nécessaire pour supporter avec égalité d'âme les humeurs d'un mari souvent « peu commode ». En même temps, on lui reconnaît un « caractère affirmé » joint à une « ouverture d'esprit exceptionnelle chez une femme de son milieu et de sa génération » selon la tradition familiale. Elle aussi est une chrétienne catholique fervente. Quand naît le frêle petit Louis, sept ans après son frère aîné Pierre, elle confie l'enfant à la protection de Notre-Dame-de-la-Salette, la « Vierge dauphinoise ». Plus tard Louis, enfant, puis jeune adulte, accompagne sa mère en pèlerinage au sanctuaire de la « Vierge en pleurs ». À l'opposé de celle de son mari, la piété d'Henriette Gillet n'est pas marquée par la crainte d'un Dieu justicier. Elle est faite surtout de douceur et de compassion. Sur le visage de Marie, la compatissante, Henriette discerne le reflet de l'amour divin. Elle communiquera cette intuition à son fils.

Les relations entre Louis et sa mère seront toujours confiantes et profondes. Il restera toujours pour elle son « petit », comme il le lui écrit, déjà adulte et engagé dans la vie monastique. Persuadé que l'intelligence du cœur, jointe à l'intelligence tout court, permet à cette femme sans formation théologique de le comprendre, c'est à elle qu'il s'explique le plus clairement sur les motifs de sa décision de rejoindre l'Église orthodoxe – motifs que d'autres, mieux formés qu'elle, se révèlent incapables de saisir.

La première, à l'aube de son existence, Henriette Gillet a personnifié pour son fils ce « Principe féminin » pour lequel, vieillard, il rendra grâces au Seigneur Amour : « Seigneur Amour, je te rends grâces pour le Principe Féminin que tu as introduit dans ton univers et que tu as intimement associé au salut du monde. Souvent par lui, mieux que par la force virile, tu nous as révélé certains aspects de l'Amour divin, de l'Amour humain, de l'Amour cosmique [3]. »

Les relations de Louis avec son père semblent avoir été plus complexes et plus difficiles. Très autoritaire avec son fils aîné qu'il oblige à entreprendre des études de droit pour lesquelles ce dernier, très littéraire, n'a guère de goût, Henri se montre pourtant beaucoup plus souple avec le cadet qui, intellectuellement et moralement, s'émancipe très tôt. « Adolescent, j'étais passionnément dreyfusard. Mon père, lui, était contre Dreyfus et je le détestais à cause de cela », se souvint un jour en ma présence Père Lev. – Une façon de tuer symboliquement le père ? suggérai-je en plaisantant. – « Oui, acquiesça-t-il gravement, et pourtant je l'aimais. »

Avec ce père à la fois aimé et par moments haï – une ambivalence en somme assez courante – Louis, comme le constate sa mère et comme lui-même le reconnaît dans une lettre qu'il lui adresse après le décès d'Henri Gillet [4], partage en réalité de nombreux traits

3. UN MOINE DE L'ÉGLISE D'ORIENT, *Amour sans limites*, Chevetogne, 1971, p. 98.

4. *C'est vrai, comme tu le dis, beaucoup de traits de Papa se continuent en moi : je remarque qu'actuellement, lorsque j'écris trop vite, pour moi seul, mon écriture se met à ressembler de façon frappante à celle de Papa* (lettre du 12 mars 1924).

de caractère : tendance aux extrêmes oscillations d'humeur, au repliement mélancolique sur soi après des heures d'enthousiasme et d'extase, grande intransigeance morale. Ce père dont il s'est cru incompris et que ses options futures auraient sans aucun doute attristé et scandalisé – les avis à ce sujet sont unanimes –, Louis le porte en réalité en lui : un héritage lourd à assumer dont il prend progressivement conscience. Une « hérédité quelque peu pathologique », dira-t-il plus tard, « une croix qu'[il] est appelé à porter jusqu'à la fin », mais, ajoutera le croyant, « qui est en réalité la croix du Crucifié rayonnant, du Christ victorieux [5] ».

L'influence qui prévaut pendant ces années d'enfance et de jeunesse dauphinoises est pourtant celle, solaire, chaleureuse, de la mère, avec celle du frère aîné qui semble avoir hérité de l'heureux tempérament maternel. Pierre aime le « petit » et se considère comme son protecteur naturel : une relation qui semble avoir subsisté assez longtemps entre les jeunes adultes. Malgré des destins radicalement différents [6], les frères resteront unis, s'aimant et se respectant mutuellement au-delà d'une frange de mystère qui subsistera toujours. « Mon frère ne peut pas me comprendre », disait Père Lev.

Le climat familial chez les Gillet est imprégné de piété grave, « quelque peu janséniste », selon l'expression d'une nièce de Père Lev [7]. La religion commande jusqu'aux détails de l'existence quotidienne. On est loin, dans ce milieu provincial catholique « bien-pensant », du sécularisme qui a déjà gagné une grande partie de la société française – un sécuralisme contre lequel on se défend.

---

5. Je résume ici des confidences que m'a faites Lev Gillet, dans un moment de profonde émotion, quelques années avant sa mort.

6. Contraint par son père à s'engager dans des études de droit pour lesquelles il n'éprouve aucun goût, Pierre finira par faire une carrière militaire, comme officier dans l'armée française. Il la terminera avec le grade de colonel, pendant ou après la Seconde Guerre mondiale.

7. Je dois à Mme S. Gillet-Laurent, fille du frère aîné du Père Lev Gillet, ces détails sur sa famille paternelle.

L'année reste encore « l'an de grâce du Seigneur » – titre que le moine de l'Église d'Orient donnera plus tard à l'un de ses livres –, un temps dont l'écoulement est rythmé par les grandes fêtes chrétiennes : Noël, Pâques, Pentecôte, auxquelles il faut ajouter les fêtes des saints dont les membres de la famille portent les noms. Jamais Lev Gillet ne manquera de féliciter ses parents, puis sa belle-sœur pour la Saint-Henri, leur fête commune, son frère pour celle des apôtres Pierre et Paul. On observe scrupuleusement les règles et prescriptions de l'Église : l'obligation dominicale d'assister à la messe, les « jours maigres » et les « jours gras ». Adultes, Pierre et Louis se souviendront en souriant de la confusion de leur grand-mère maternelle quand, un vendredi – jour maigre –, la bonne posa sur la table familiale le rôti succulent commandé la veille, par mégarde, à la cuisinière et, bien entendu, aussitôt renvoyé honteusement à la cuisine. De ce légalisme strict qu'il dépassera, le spirituel retiendra l'intention positive : le souci de sanctifier l'existence tout entière jusqu'en ses aspects matériels, en apparence secondaires ; un souci qu'il retrouvera et admirera plus tard chez les juifs pieux, en particulier, dans le judaïsme talmudique.

Au-delà du cercle familial étroit, il y a la tribu parentale : les grands-parents, les oncles, les tantes, les cousins et toute une nébuleuse de relations dont il est question dans les lettres qu'échangeront plus tard Louis et Pierre.

Les vacances réunissent la famille dans de vastes maisons de campagne telles que La Murette, près de Voirons, propriété d'Henri Gillet et d'une de ses sœurs, ou encore dans la maison des grands-parents maternels à Valence. Située sur une hauteur qui domine la ville ancienne, en face du château de Crussol, c'est une vaste demeure où il fait délicieusement frais pendant les grandes chaleurs de l'été méridional. Elle est entourée d'un jardin en terrasses qui, aux enfants, paraît immense. On peut s'y cacher, jouer et rêver. La vente de cette propriété, après la mort du grand-père, sera ressentie par Louis et son frère comme la perte du vert paradis de l'enfance. Longtemps Lev Gillet, déjà hiéromoine orthodoxe, conservera parmi ses maigres bagages une photographie de sa grand-mère assise dans un coin de ce parc.

Louis est resté longtemps un enfant fragile. Une photographie le représente à l'âge de deux ans ou trois ans, habillé d'une robe qui le fait ressembler à une fillette. Des boucles sombres entourent l'ovale d'un petit visage grave où brillent de grands yeux au regard déjà extraordinairement intense. Il fait ses classes élémentaires chez les frères de la Doctrine chrétienne à Saint-Marcellin. On l'envoie ensuite comme pensionnaire au Rondeau, un collège – sorte de petit séminaire – tenu par des prêtres séculiers à Grenoble. C'est la première séparation d'avec sa mère. Malgré la présence de son grand frère, l'enfant la supporte mal. Ne pouvant s'habituer à la discipline rigoureuse de l'internat, il dépérit. La famille cède, ou plutôt cherche un compromis. On l'installe comme pensionnaire chez le curé de Sapey, un village sur les hauteurs qui entourent Grenoble. Le prêtre lui enseignera le latin et sans doute aussi les autres matières. Combien de temps a duré cet exil ? La chronique familiale n'en dit rien. De ce séjour à la montagne, Louis gardera surtout le souvenir de quelques descentes vertigineuses dans la vallée, pendant l'hiver, en luge, dans un nuage de neige poudreuse : une blancheur lumineuse et pure dont il rêvera toujours.

Le reste de la scolarité se passe sans incidents notoires. Surdoué, excellent en lettres comme en sciences et mathématiques, Louis assimile, en se jouant, toutes les matières scolaires. Fait rare à cette époque où leur enseignement est négligé, il s'intéresse particulièrement aux langues étrangères vivantes. Peut-être pour décourager les curiosités indiscrètes, son journal intime est tenu en anglais. Un professeur alsacien l'initie à la langue et à la culture allemandes. À la même époque ou un peu plus tard, il apprend aussi l'italien, lit la *Divine comédie* en sa langue originelle et en connaît par cœur certains passages. Plus tard, déjà étudiant, il se met au russe.

On ignore presque tout de l'évolution spirituelle du jeune garçon. Il fut certainement un enfant, puis un adolescent pieux, sensible à la poésie de la liturgie et des grandes fêtes chrétiennes. *Mes meilleurs souvenirs d'enfance, écrira-t-il plus tard à son frère, sont liés aux vacances et surtout au samedi de Pâques, si imprégné de la lumière de la Résurrection.* Jeune catholique élevé dans un milieu bourgeois clos, il éprouve cependant assez tôt le besoin d'en franchir les limites, de connaître « l'autre ». L'autre, en ces provinces du Sud-Est, ce sont les protestants longtemps persécutés mais qui ont survécu assez nombreux en Ardèche, présents aussi dans le Dauphiné et dans les montagnes de la Drôme et du Queyras qui leur ont servi de refuge. Entre catholiques et protestants on ne se fréquente guère. Un jour, en vacances avec ses parents dans un village ardéchois, passant devant le temple protestant, Louis voit la porte grande ouverte. Il hésite un instant. Puis, pour la première fois de sa vie, transgressant un tabou, il pénètre dans ce lieu de culte étranger. *J'ai vu une salle complètement nue. Ni statue, ni autel. Pas même un crucifix. Seulement quelques bancs et, au fond, une table et, sur cette table, la Bible ouverte : la Parole de Dieu, rien que la Parole de Dieu. Je me suis dit : « C'est cela la Vérité. »* Rapportée en ces termes plus d'un demi-siècle plus tard, cette expérience n'eut, sans doute, pas de suites immédiates. Mais, marquant profondément l'adolescent, elle amorce une quête, un cheminement spirituel. Pour Lev Gillet, la réalisation de l'unité chrétienne devient très tôt un impératif. Il ne la concevra jamais sans l'intégration du meilleur des exigences de la Réforme du XVIe siècle : « La Parole de Dieu présente dans les Écritures Saintes divinement inspirées comme fondement de toute spiritualité chrétienne [8]. »

---

8. UN MOINE DE L'ÉGLISE D'ORIENT, *Introduction à la spiritualité orthodoxe*, DDB, 1983, p. 17.

De cette Parole, lui-même se voudra toujours l'humble serviteur, se rappelant la prière du Christ. « Sanctifie-les dans la Vérité. Ta parole est la Vérité » (Jn 17, 17).

Au terme de ses études secondaires, probablement en 1910, Louis est reçu au baccalauréat avec d'excellentes notes, en particulier en philosophie. Son examinateur, se souvient-il, fut l'historien de la philosophie kantienne, Victor Delbos, qui félicite le jeune lycéen brillant. Est-ce dans la foulée de ce succès que Louis décide, ou plutôt « demande l'autorisation » d'entreprendre des études universitaires de philosophie ? Y est-il poussé par des motivations plus profondes ? Pour le jeune laïc qui ne se sent pas appelé à la prêtrise, des études de philosophie constituent, à l'époque, presque l'unique possibilité d'aborder sérieusement les grandes questions métaphysiques qui inquiètent une foi en quête d'intelligence.

Le père accède à son désir. Inscrit à l'université de Grenoble, l'étudiant passe aisément, mais sans se hâter, les examens requis pour obtenir la licence ès lettres et philosophie, premier grade, après le baccalauréat, de la hiérarchie universitaire. Plus libre maintenant, il peut s'adonner à des lectures éclectiques. La littérature, plus que la philosophie universitaire, le passionne : Paul Claudel, André Gide, Oscar Wilde, mais surtout les grands romanciers russes : Tolstoï, Dostoïevski qu'il découvre à cette époque, sont ses auteurs préférés. Avec une grande partie de l'Europe intellectuelle, l'étudiant suit passionnément l'agonie de Léon Tolstoï dans la gare d'Astapovo et partage l'émotion qui accompagne ses funérailles. Tolstoï est pour lui l'homme qui a voulu vivre selon l'esprit des Béatitudes et du Sermon sur la montagne. Même s'il n'a pas réussi, il est grand. Aspirant à partager – lui, le riche, l'aristocrate, l'écrivain célèbre – la vie des pauvres, des humbles, Tolstoï a indiqué la voie du véritable christianisme : une exigence d'absolu que les Églises ont édulcorée. La même quête s'exprime pour Louis dans *La Cantate à trois voix* de Claudel, qu'il connaît par cœur : quête de l'« instant absolu qui opère une coupe dans le temps pour en faire jaillir une source de transformation [9] ». L'instant de la décision serait-il aussi venu pour lui ? « Une voix intérieure m'appelait à tout quitter, à abandonner les études, à devenir pauvre parmi les pauvres. À travailler par exemple comme mineur dans une mine de fer ou de charbon », se rappelle plus tard Père Lev. Évoquant ce souvenir, il conclut : « Hélas, je n'ai pas eu le courage de suivre l'appel. »

Le temps de la kénose n'est pas encore venu pour lui. D'autres appels le sollicitent. En ces années grenobloises Louis, étudiant, connaît l'extase et le déchirement du premier grand amour humain. À qui s'adressait-il ? L'amant n'a jamais révélé le nom de l'aimée. On devine seulement qu'elle était étrangère, probablement Bulgare, d'un milieu aristocratique, peut-être apparentée à la famille royale. Ils se sont écrit. « Assis ici, sur cette terrasse de café, j'ai écrit de brillantes lettres d'amour », m'avoua un jour Père Lev en souriant, lors d'une rencontre à Grenoble.

L'automne 1913 trouve le jeune Gillet à Paris où il compte rédiger son mémoire de diplôme d'études supérieures et préparer mollement le concours d'agrégation vers lequel l'oriente son père. Lui-même rêve d'un autre destin. Ayant posé sa candidature à un poste de lecteur de français à l'étranger, il espère être nommé à l'université de Sofia et ainsi pouvoir rejoindre sa princesse lointaine.

L'année parisienne sera marquée par une importante rencontre intellectuelle. Louis suit au Collège de France les cours d'Henri Bergson. L'homme et sa pensée l'impressionnent profondément. Dans le désert d'une philosophie universitaire prisonnière de Kant, le bergsonisme apporte un souffle d'air frais. Le dualisme épistémologique de Bergson, sa distinction radicale entre la démarche de la pensée rationnelle scientifique qui mesure et quantifie,

9. Stanislas FUMET, Introduction à Paul CLAUDEL, « *Œuvre poétique*, Gallimard, coll. « Bibliothèque de la Pléiade », p. XXXV.

et l'*intuition* qui saisit le qualitatif, l'ineffable, permettent de dépasser – devine le jeune Gillet – le conflit qui oppose la science et la foi : un conflit qui déchire tant d'esprits nobles et sincères de sa génération.

La science et la foi ne sont pas en conflit, parce qu'elles appartiennent à deux ordres totalement différents », affirme Lev Gillet dans une interview accordée, à la fin de sa vie, à un chercheur scientifique. Et d'évoquer l'influence déterminante, sur lui, dans sa jeunesse, de Bergson [10].

Mais en ce début de l'été 1914 où Louis, le cœur plein d'espoir et l'esprit conquérant, rêve et médite au jardin du Luxembourg – « le jardin le plus intellectuel du monde » – où il arpente à Paris le boulevard Saint-Michel, en songeant à son départ espéré pour Sofia, les nuages s'amoncellent à l'horizon de l'Europe : meurtre de l'archiduc François-Ferdinand d'Autriche à Sarajevo. Le spectre de la guerre approche . Louis a juste eu le temps de soutenir en Sorbonne son mémoire de diplôme d'études supérieures de philosophie sur l'hégélianisme en Italie, quand il est mobilisé avec sa classe d'âge. Le temps des spéculations philosophiques est passé. Le chapitre d'une enfance et d'une jeunesse protégées est clos. En août 14, comme des millions d'autres jeunes Européens, Louis est jeté brutalement dans la boue et le sang de la Première Guerre mondiale.

---

10. Voir l'interview du Père Lev Gillet dans *This Time-Bound Ladder*, Ten Dialogues On Religious Experience, éd. Edward Robinson, Oxford, 1977, p. 29-47.

CHAPITRE II

LA GRANDE CASSURE : 1914-1918

Fait divers sanglant, l'assassinat le 19 juillet 1914 à Sarajevo de l'archiduc d'Autriche François-Ferdinand précipite l'Europe dans la guerre. Précédée de mobilisations partielles, la mobilisation générale est décrétée en France le 1er août. L'état de guerre entre la France et les puissances d'Europe centrale est déclarée deux jours plus tard. Dès juillet, Louis Gillet est appelé sous les drapeaux. En août, au terme d'une instruction militaire sommaire, il se trouve sur le front des Vosges. « Pluvieuses Vosges ! sanglantes Vosges », se souviendra plus tard Père Lev.

Quand, en septembre, le front vosgien se stabilise, son régiment est jeté dans la bataille de la Somme aux environs du village de Cheaulnes, enjeu de furieux combats. Une lettre de Louis à ses parents évoque la guerre dans toute son horreur : *Villages en flammes... monceaux d'hommes et de chevaux dans les champs... hurlements des blessés et sifflements des shrapnells* [1]. Traversant un champ sous le tir des mitrailleuses, le jeune soldat se sent frôlé par la mort. Des camarades tombent à ses côtés. Mais, le soir, dans les tranchées voisines, des soldats britanniques entonnent des cantiques émouvants. Ainsi, dans des conditions dramatiques, naît sa sympathie pour la *pietas anglicana*.

À la fin de septembre, attaques et contre-attaques se succèdent. Pendant l'une d'elles, le 25 septembre, Louis est blessé à la main gauche par deux balles. Une troisième

1. Lettre du 11 septembre 1914.

balle, qui a failli l'atteindre au côté, est déviée par le ceinturon. Tombé, il sent une charge de cavalerie passer sur lui, miraculeusement, sans le blesser grièvement. Il s'évanouit. Fait prisonnier, il se réveille dans les bras d'un infirmier allemand qui pose sur lui, écrira-t-il à ses parents, *un regard de sympathie compatissante... De tels moments restent ineffaçables.* Ayant reçu les premiers soins à Saint-Quentin, le prisonnier est transféré en la lointaine Poméranie, dans l'hôpital militaire de Stralsund, petite ville balnéaire au bord de la Baltique. Finie « la guerre fraîche et joyeuse » – vécue par Louis comme un cauchemar affreux – et commence la longue retraite d'une captivité de plusieurs années.

Les conditions de celle-ci à Stralsund sont relativement douces, explique-t-il dans la première lettre adressée à ses parents dans laquelle il cherche à les rassurer sur son sort. Après avoir décrit les circonstances dans lesquelles il fut blessé et fait prisonnier, Louis poursuit : *Nous occupons un petit hôpital au bord de la mer ; avec le soleil, les vagues et les boiseries blanches de nos salles, tout paraît gai. Ma blessure est en bonne voie ; un traitement sérothérapique a prévenu tout danger de tétanos ; sauf complications inattendues, ma main va cicatriser lentement et il ne restera qu'une certaine déformation de deux doigts... Les chirurgiens allemands travaillent avec beaucoup de douceur et de rapidité ; tout le service est minutieux, propre, bien outillé, comme dans la mieux aménagée des cliniques. On ne nous laisse manquer de rien (je vous affirme que je parle ici* spontanément*) ; les diaconesses sont très attentives à nos besoins ; les soldats nous traitent en camarades ; nous sommes bien nourris. Un jeune étudiant, candidat au doctorat, qui semble être le secrétaire de l'établissement, s'offre à me chercher la pâture intellectuelle : en attendant l'arrivée de celle-ci, je fais beaucoup d'allemand. Le pire tourment est de se figurer l'inquiétude de ceux qui restent. Je pense bien à vous. Rappelez-moi au souvenir de tous, parents et* *amis. Nous n'avons plus que la prière comme moyen d'amour et j'en use... Je vous embrasse* de tout mon cœur [2].

Une seconde lettre décrit avec humour l'emploi du temps des prisonniers. Tous leurs besoins essentiels sont satisfaits, y compris les besoins spirituels : une fois par semaine, un prêtre catholique vient dire la messe. Lui-même lit *beaucoup de philosophie allemande*.

Ces lettres frappent par leur objectivité et leur ton serein. On n'y trouve ni amertume, ni plainte, seulement çà et là une émotion contenue. L'accent est mis sur les aspects positifs de la situation, les bénéfices qu'il est possible d'en tirer, telle une meilleure connaissance de la langue et de la philosophie allemandes. Vécue douloureusement, la séparation d'avec les siens est acceptée et même voulue : Louis insiste pour qu'on ne lui écrive pas trop souvent. Il n'a besoin ni d'argent, ni de colis. Visiblement, il veut faire de sa captivité un temps de retraite qui, sans le couper des autres – de ses camarades comme de sa famille –, lui permette de rentrer en lui-même et de se trouver. Déjà se dessine la stature spirituelle du jeune chrétien.

L'égalité d'âme du prisonnier sera pourtant bientôt mise à l'épreuve. De l'hôpital de Stralsund, au régime très libéral, Louis va être transféré, début 1915, au camp de Altdamm : un « camp de représailles » où les conditions de vie sont particulièrement dures et pénibles. Ce transfert, d'après les récits de la famille Gillet, s'explique par une tentative d'évasion, non de Louis lui-même, mais d'un de ses camarades, tentative à la réussite de laquelle il aurait cependant contribué. Le récit est amusant et correspond bien à ce que l'on sait du tempérament et des talents de Père Lev. Pour détourner l'attention des soldats chargés de garder les prisonniers et ainsi permettre à l'un de ceux-ci d'échapper à leur surveillance, Louis se serait assis au piano. Sans avoir fait d'études pianis-

2. Lettre du 16 octobre 1914. Les passages soulignés le sont par l'auteur de la lettre.

tiques, il est capable d'improviser brillamment. De l'instrument, il tire des mélodies entraînantes ou langoureuses. Tout le monde, y compris les gardiens, est enchanté. Pendant que dure cet enchantement, le fugitif a le temps de prendre la clef des champs.

Après l'amusement, la pénitence : Louis passera deux années à Altdamm. Il y a l'occasion de perfectionner ses connaissances de la langue russe. En effet, au cours des premiers mois de 1915, de nombreux prisonniers russes arrivent dans ce camp. Louis Gillet, qui connaît déjà quelques rudiments de leur langue acquis grâce à des leçons particulières à Grenoble, se plaît en leur compagnie. Il aime ces *Russes si mobiles, si passionnés, si artistes, si dévoués à une idée* [3]. Dans la même baraque que lui dorment et vivent deux peintres russes, un acteur amoureux de Shakespeare, fondateur à la veille de la guerre d'un théâtre d'art à Moscou, un juriste qui s'est fait portefaix pour étudier les conditions sociales de la Russie, et enfin un philologue qui étudie des textes bouddhiques. Sous l'impulsion de ces intellectuels russes, le camp est devenu une *immense entreprise pédagogique. Chacun donne ou reçoit des leçons de quelque chose*. Il va de soi que lui-même se jette passionnément dans l'étude de la langue et de la littérature russes.

Les lettres du prisonnier à ses parents frappent par leur sérénité et leur lucidité. Il pense que la guerre sera longue. Envisageant la prolongation de sa captivité sans joie, il cherche surtout à rassurer les siens. Sa condition, les assure-t-il, n'a rien de pathétique en comparaison du sort de ceux qui, comme son frère, sont exposés au plus fort du danger.

Cependant, sous l'effet des privations, sa santé s'altère sérieusement. Au début de 1917, peut-être à la suite de démarches de sa famille, il est évacué vers la Suisse, pays neutre, dans un convoi de blessés et de malades de la Croix-Rouge internationale. On le soigne. Sa santé

3. Lettre du 23 octobre 1915.

rétablie, il obtient l'autorisation de résider à Genève, à quelques kilomètres seulement de la frontière française.

Relativement bref – moins de deux ans –, le séjour genevois marquera profondément le jeune intellectuel. Ville de Calvin mais aussi patrie de Jean-Jacques Rousseau, héritière d'une forte tradition spirituelle, mais devenue une cité cosmopolite, lieu de rencontres multiples et de tractations secrètes. En 1917, s'y prépare déjà l'après-guerre. À la fois bourgeoise, puritaine et ouverte au souffle de la modernité, cette Genève où il débarque, mûri par l'épreuve de la captivité, fascine Louis Gillet. Le lac Léman et ses paysages resteront toujours chers à son cœur. Après une enfance et une adolescence très entourées et très protégées, après l'expérience traumatisante de la guerre et de la captivité, il connaîtra sur ses rivages, pour la première fois de sa vie, dans un milieu intellectuellement stimulant, une existence entièrement indépendante et libre.

Après la grande cassure de la guerre et de la captivité, il a hâte de reprendre des études régulières. À Genève, il découvre de nouveaux horizons intellectuels. Psychologie expérimentale, psychanalyse freudienne... La première, représentée à l'université de Genève par Édouard Claparède, correspond au mouvement tendant à couper le cordon ombilical qui, trop longtemps, a lié la psychologie – une psychologie introspective et descriptive – à la philosophie. Il s'agit de faire de la psychologie une discipline scientifique autonome, indépendante de toute métaphysique. Dans l'entretien qu'il accorde vers la fin de sa vie à E. Robinson, Lev Gillet rappelle qu'il fut l'élève et le collaborateur de Claparède. À l'entrée de son laboratoire de psychologie expérimentale, celui-ci avait inscrit cette maxime du physicien anglais, Lord Kelvin : « Si tu es capable d'exprimer en chiffres ce dont tu parles, tu en possèdes une certaine connaissance. Si ce n'est pas le cas, ce que tu dis n'a guère de valeur [4] ». L'adhésion

4. Edward Robinson, *This Time-Bound Ladder*, Oxford, 1977, p. 85.

de l'étudiant à la sentence de Kelvin ne signifie pas qu'il se soit rallié à un positivisme scientiste réducteur. Il la situe par rapport à la pensée de Bergson telle qu'il l'a comprise et assimilée. En précisant la nature de la connaissance scientifique, la phrase de Kelvin en fixe aussi les limites. La possibilité d'autres approches de la réalité n'est pas niée. Mais elles ne sont pas de l'ordre de la connaissance scientifique et de ses applications.

L'acquis pour Louis de sa participation aux recherches de Claparède ne réside pas dans leurs résultats immédiats dont il se désintéressera bientôt. Il consiste dans l'initiation, vécue comme une ascèse intellectuelle, à la rigueur de l'expérimentation scientifique. De pair va l'apprentissage des méthodes de calcul différentiel et intégral : une forme de mathématiques pour laquelle l'étudiant se révèle particulièrement doué et où il trouve, avec des jouissances esthétiques, un remède à ses inquiétudes existentielles. « Résoudre un problème procure une certitude si sereine ! N'est-ce pas communier quelque peu au Logos universel ? » m'expliquera-t-il un jour.

À l'autre pôle – un pôle complémentaire – se situe la découverte, pendant ce séjour genevois, de la psychanalyse : une psychanalyse encore souvent volontairement ignorée des milieux universitaires français et tenue en suspicion. Louis Gillet entreprend de traduire en français l'œuvre fondamentale de Freud, *L'Interprétation des rêves*. Avec l'acuité intellectuelle qui le caractérise, il pressent la portée considérable des thèses freudiennes : l'inconscient – écheveau complexe de pulsions irrationnelles – n'est plus conçu comme une fonction psychique subalterne, mais comme une puissance, un immense réservoir de forces conflictuelles dont les conflits informent les comportements humains. La psychanalyse est considérée comme l'art de démasquer, en vue d'une prise de conscience libératrice, les travestissements de la *libido*, cause de tant de souffrances psychiques et psychosomatiques.

Ces souffrances, Louis les connaît-il alors par une expérience personnelle ? Il décide, en tout cas, d'entreprendre une psychanalyse. Pour diverses raisons – peut-être son retour en France –, elle ne sera jamais achevée techniquement. Plus tard, le croyant reconnaîtra dans le Christ « le véritable médecin des âmes et des corps ». Le jugement qu'il porte sur la psychanalyse ne sera cependant jamais totalement négatif. Refusant énergiquement à la psychanalyse le statut de science exacte, le P. Gillet ne lui déniera pas toute valeur, en tant qu'auxiliaire d'une thérapie de la personne envisagée dans sa totalité [5]. De la psychologie clinique, il retiendra l'importance d'une attitude d'écoute à la fois objective et bienveillante à l'égard d'individus aux conduites déviantes, tels – entre autres – les homosexuels. Sans renoncer au jugement moral, explique plus tard le P. Lev Gillet, il s'agit « de comprendre » et pour le clinicien – surtout s'il est chrétien – de « compatir, d'aider à trouver une issue positive » : une attitude qui est à l'opposé de condamnations sommaires. Tout comme l'ensemble des savoirs et des techniques modernes, la psychanalyse « doit être intégrée au monde de Jésus où elle trouve un sens radicalement nouveau ». La « vie selon la grâce n'est pas négation de la *libido* ». Elle pourrait être conçue comme son « *transfert*, au sens psychanalytique du terme, sur un objet unique qui est la personne du Christ englobant tout et tous [6] ». Telle est la fin – le *telos* – de la vie chrétienne. À Genève, en 1917-1918, cette fin n'est encore entrevue qu'obscurément par le jeune chrétien qui traverse alors une crise morale et spirituelle à laquelle font allusion certaines confidences. Mais courageusement, sans vouloir se laisser troubler « par la boue des bas-fonds que l'analyse a fait monter à la surface », il se met en route en quête d'une issue positive.

5. Dans cette perspective, il sera plus tard attentif à l'œuvre du psychanalyste chrétien, Paul Tournier.

6. Je résume ici une attitude générale de Lev Gillet et des idées exprimées par lui notamment dans un exposé enregistré fait à Genève en 1976 devant un cercle privé.

Le milieu où vit Claparède [7], et dans lequel Louis Gillet se meut à Genève, est agnostique ou protestant : d'un protestantisme très libéral. « Croire aux proclamations des antiques symboles de foi des premiers siècles de l'Église paraissait incongru », m'expliquera t-il plus tard.

C'est un milieu aussi où, « au-dessus de la mêlée » – selon le titre du manifeste pacifiste de Romain Rolland publié à Genève – en cette Suisse demeurée un havre de paix au milieu d'une Europe ensanglantée, on rêve généreusement aux lendemains qui chantent. Alors qu'une guerre absurde n'en finit pas d'agoniser sur les champs de bataille de la France et des Balkans, les regards se portent avec espoir vers une Russie où se lève l'aurore – à l'époque encore rose – d'une révolution destinée à accoucher de l'homme nouveau dans un monde radicalement transformé grâce aux développements de la culture humaine, des sciences et des techniques. Louis Gillet qui, au camp d'Altdamm, sympathisait avec des intellectuels russes dévoués à la cause de la révolution, a-t-il partagé cette utopie ?

De quelques confidences, il résulte qu'à Genève, à cette époque, Louis Gillet a été sensible à l'attrait d'un humanisme généreux mais agnostique et purement immanent. Parlant visiblement d'expérience personnelle, le moine de l'Église d'Orient écrira plus tard : « Avec nos connaissances nouvelles, créer une terre nouvelle, donner libre cours à des émotions nouvelles, vivre une vie à la

7. Faisant dans les années soixante plusieurs séjours à Genève, Lev Gillet, dans sa correspondance de cette époque, évoque à diverses reprises les « orages genevois » de sa jeunesse et l'impact sur son destin de sa rencontre avec Édouard Claparède. Il écrit : « Claparède a eu sur moi une influence immense. Ma vie intérieure a souvent été un dialogue entre Claparède et moi. Si Claparède – cet homme sincère, noble, consciencieux, bon, déchiré par ses hésitations – ne m'avait pas intellectuellement réduit en pulpe et acculé à un nihilisme catastrophique, je ne serais pas devenu moine » (lettre à E. B.S., 17 septembre 1964). Ailleurs, Lev Gillet parle du « mal » que, « sans s'en douter », lui a fait Claparède : un homme qu'il a « tant aimé et respecté » (lettre du 22 mars 1966).

fois rationnelle, jeune, spontanée, affranchie des superstitions et des restrictions antiques, rares parmi les croyants sont ceux qu'une telle tentation n'a pas assaillis ou tout au moins effleurés [8]. »

Cependant, en même temps que Louis cède peut-être à cette « tentation », qu'il « court de "soif en soif", vers des intensités toujours nouvelles », connaissant « les mouvements de la chair et la chair de l'esprit, les évasions frénétiques [9] », un *autre* appel – l'appel de *l'Autre* résonne en lui.

Paradoxalement, le jeune catholique, qui à l'époque s'est éloigné de l'Église de son baptême, entend cet appel dans les paroles que lui adresse un jour un pasteur protestant inconnu. L'événement est évoqué un demi-siècle plus tard, en 1976, par Père Lev animant une de ces « retraites genevoises » dont il sera question plus loin. Le souvenir, comme il me l'a confirmé, se rapporte à cette période genevoise de 1917-1918. Il s'agit, explique-t-il, d'un événement qui l'a définitivement marqué, de « l'une des émotions spirituelles les plus profondes de sa vie » : « Un jour assistant à un culte de Sainte Cène [protestant], j'ai osé, pour la première fois, m'approcher pour prendre la communion. Le pasteur connaissait la plupart des communiants. En donnant à chacun le pain et le vin, il prononce un verset de l'Église dont il pense qu'il est adapté à sa situation personnelle. Moi, il ne me connaissait pas bien. Mais il savait un peu qui j'étais. Il avait l'idée vague que j'étais attiré vers le Christ. Il me dit : " Si quelqu'un veut venir après, qu'il renonce à lui-même, qu'il prenne sa croix et qu'il me suive." Je fus bouleversé [10]. » Louis Gillet s'en alla-t-il « tout triste » comme le « jeune homme riche » du récit évangélique sur lequel porte la méditation au cours de laquelle ce

8. Un moine de l'Église d'Orient, *La Colombe et l'Agneau*, Chevetogne, 1979, p. 99.

9. « Lettre à mes paroissiens » (28 septembre 1937), *Contacts*, n° 116, p. 350.

10. Cité d'après l'enregistrement de cette homélie ou conférence donnée dans les années soixante-dix à Genève.

souvenir est évoqué ? Reviendra-t-il ? La suite n'est pas évoquée dans cette homélie. Mais tout porte à penser que l'événement a marqué pour le jeune intellectuel « l'invasion par l'inattendu divin » dont le moine de l'Église d'Orient parlera souvent plus tard. Du bouleversement ressenti jaillira, quelques mois ou années plus tard, la « décision radicale ».

L'armistice est signé en novembre 1918, Louis Gillet peut à présent rentrer en France. Il quitte Genève à la fin de décembre 1918 ou début janvier 1919. Après une séparation de plus de quatre années, il retrouve avec émotion les siens : sa mère, son père au visage ravagé par l'âge et les soucis, son frère aîné, Pierre qui, blessé et décoré de la croix de guerre, a été promu capitaine. La France où il revient, elle aussi, est profondément changée. Meurtrie, exsangue, elle compte ses morts, ses blessés, les destructions subies. Mais c'est aussi un pays exalté par la victoire remportée à un prix très lourd et qui va connaître la griserie des « années folles » : explosion de vie après le frôlement de la mort, libération des contraintes et des tabous d'une société ébranlée jusqu'en ses fondements. Discrètement s'y prépare aussi, après le triomphe du positivisme du XIXe siècle, un retour aux valeurs chrétiennes dans différents domaines : l'art, la littérature, la philosophie. Il est illustré, par l'annonce du retour en France des grands ordres religieux chassés en 1905 : bénédictins, dominicains, jésuites.

Pour régler sa situation militaire, Louis Gillet doit encore une fois revêtir l'uniforme. Quoique simple soldat, il est affecté – sans doute en raison de ses connaissances linguistiques – à un état-major du corps d'armée russe qui a combattu en France et que la Révolution bolchevique laisse dans une situation incertaine et inconfortable. Faisant fonction d'officier de liaison d'abord au Mans, puis à Laval – « ville choisie par les Russes pour son climat particulièrement doux », écrit-il –, Louis est chargé de rédiger des fiches confidentielles sur les officiers et soldats russes qui vont être démobilisés. C'est en uniforme qu'il se rend en août 1919 à Artemare au mariage de son frère Pierre avec Marguerite Pougeard-Dulimbert, fille d'un officier supérieur en retraite. Au début de septembre il se trouve dans la maison de vacances familiales à La Murette. De là une lettre datée du 2 septembre annonce laconiquement : *Je vais demain à Grenoble où je déposerai définitivement ma tenue moutarde.*

La grande parenthèse de la guerre est close. À vingt-six ans, mûri par l'épreuve et des expériences très diverses, Lev Gillet se trouve confronté au choix de l'orientation définitive à donner à sa vie.

CHAPITRE III

LA VOIE BÉNÉDICTINE : CLERVAUX ET FARNBOROUGH

1919-1920. Pansant ses blessures et relevant ses ruines, s'efforçant, en leur élevant des monuments, d'exorciser le souvenir de ses morts, la France – une partie de la France – s'apprête à connaître la frénésie des « années folles ». Traumatisés, les survivants des tranchées et des champs de bataille, pour la plupart, se taisent. Quelques-uns crient leur indignation. Pour la classe ouvrière et une poignée d'intellectuels, le soleil rouge de l'espérance se lève à l'est, avec la Révolution russe. En même temps s'esquissent les premiers signes d'une vigoureuse renaissance catholique dans l'aire culturelle française : le succès posthume de l'œuvre de Charles Péguy, la percée de poètes et d'écrivains comme Paul Claudel, Jacques Rivière, François Mauriac, ainsi que du néo-thomisme de Jacques Maritain (sans oublier Maurras et l'Action française) marqueront l'après-guerre. Expulsés de France, au début du siècle, par la troisième République laïque, les ordres religieux, à la faveur de l'Union sacrée scellée pendant la guerre, commencent à rentrer en France. Un patriotisme cocardier a gagné la bourgeoisie catholique.

Le retour à la vie civile de Louis Gillet s'effectue dans ce climat ambigu lui inspirant un profond dégoût qui s'exprime dans ses lettres. À lui seul, ce dégoût peut-il expliquer une décision que rien, un an plus tôt, ne laissait prévoir ? Normalement, Louis Gillet doit reprendre ses études interrompues à la mobilisation de 1914, préparer l'agrégation de philosophie où il a toutes les chances de réussir. Mais le 6 janvier 1920, il écrit à ses parents pour leur faire part d'une décision qu'ils semblent prévoir depuis peu. La lettre porte l'en-tête de l'abbaye bénédictine Saint-Maurice de Clervaux (grand-duché de Luxembourg) où Louis vient de faire une retraite. Il écrit : *Mes chers Parents, j'ai reçu vos lettres et mon livret militaire ; je vous remercie de vos souhaits et de votre affection : la mienne est bien vive, vous le savez. Je vous ai écrit le lendemain de mon arrivée. Mais maintenant je suis plus hôte, je suis postulant de fait, sans en avoir le titre. Le 1er janvier, j'ai été appelé chez le Révérendissime Abbé. Il m'a parlé comme un père, certes, mais aussi comme un frère aîné, avec une grande générosité d'âme... Le lendemain, 2 janvier, après avoir reçu la bénédiction du Père Abbé, je suis entré dans le groupe des novices et des postulants* [1].

Le ton de la lettre laisse penser que les proches de Louis s'attendaient à la décision qu'il vient de leur annoncer. C'est le liturgiste bien connu d'eux, dom Fernand Cabrol, qui a recommandé le jeune homme à l'abbé de Clervaux [2]. La date de la « vêture monastique », leur annonce Louis, est déjà fixée : elle aura lieu le 18 janvier prochain. Pour que ses parents puissent, par la pensée et la prière, s'associer à cet événement, pour qu'ils comprennent le sens de sa démarche exprimé par le symbolisme liturgique, il joint à sa lettre une description minutieuse de la cérémonie, ainsi que la traduction, faite par ses soins, des prières latines. Comme le disent ces prières, il aspire, *ayant dépouillé le vieil homme et ses actions, à être revêtu du nouvel homme créé selon Dieu dans la justice et la sainteté de la vérité.* Dorénavant, selon sa vocation, il *ne s'apppartient plus*. Le symbolisme de la ceinture monastique est destiné à lui rappeler sans cesse qu'*un Autre doit le ceindre et le conduire là où il ne veut pas.*

---

1. Lettre du 6 janvier 1920.
2. Le retour en France des bénédictins est à peine amorcé. D'où sans doute le choix de ce monastère luxembourgeois.

Le ton de la lettre est sobre, dépourvu d'emphase, mais grave. Elle est l'expression d'un profond changement, d'une *conversion* personnelle. Une année seulement s'est écoulée depuis le départ de Genève de Louis Gillet. Sa décision d'entrer dans la voie monastique étonne douloureusement ses amis genevois protestants libéraux ou agnostiques. Une de ses connaissances s'en indigne : « C'est un enterrement de première classe », lui écrit-elle ironiquement. Lev Gillet lui-même ne s'est guère exprimé sur les motivations précises de sa décision. « Il y a des choses dont je ne parlerai jamais », lui arrivait-il de dire. Les circonstances de sa vocation monastique font partie pour lui de ces choses qui appartiennent au « secret du Roi ». Quelques allusions cependant laissent penser que c'est à travers une catastrophe intérieure que le Seigneur lui a fait signe : anéantissement de l'espoir d'un grand amour humain [3], révélation de la ténèbre qu'il porte en lui, de ce qu'il nomme parfois en termes psychanalytiques, ses « complexes [4] ».

Acculé au désespoir – désespérant surtout de lui-même – il discerne dans le monachisme l'issue qui lui est indiquée par Dieu : une voie de purification et de « sublimation », le renouvellement de son baptême, la naissance à une vie radicalement nouvelle. Il se rappelle l'appel entendu à la sainte Cène réformée dans un temple de Genève : « Si quelqu'un veut me suivre, qu'il renonce à lui-même et qu'il se charge de sa croix... » Paradoxalement, c'est de la bouche d'un pasteur protestant qu'est venu l'appel divin qui le conduit vers un monastère bénédictin.

Qu'en 1920 cet appel évangélique prenne corps dans une vocation bénédictine s'explique sans doute par l'attrait puissant qu'exerce sur Louis Gillet le mouvement liturgique : un mouvement né dans les abbayes bénédictines

---

3. La guerre a définitivement séparé Louis Gillet de la jeune Bulgare qu'il a aimée et qu'en automne 1914 il espérait rejoindre à Sofia.

4. Lettre du 29 août 1923, à Olivier Rousseau.

et auquel s'intéressent vivement son père et son frère aîné. La correspondance entre Pierre et Louis Gillet en ces années témoigne de cet intérêt partagé. Chez le premier il paraît orienté surtout vers l'aspect archéologique, esthétique et, en quelque sorte, technique de ce renouveau. Chez le second, il correspond avant tout à une volonté de dépassement du subjectivisme et comme dom Emmanuel Lanne l'écrit à propos de dom Lambert Beauduin à « la perception essentielle du mystère de l'Église [5] ». Perception que d'autres expériences enrichiront et approfondiront. La similitude sur ce point du cheminement spirituel de deux hommes très différents qui fraterniseront quelques années plus tard, est remarquable.

Issu en France, au XIXe siècle, de l'abbaye bénédictine de Solesmes, le mouvement liturgique a connu deux orientations différentes. L'une romantique, esthétisante, quelque peu passéiste, à la Viollet-le-Duc, tend à la reconstitution archéologique des fastes ecclésiaux d'un Moyen-Âge idéalisé. On cultive le chant grégorien pour sa beauté appréciée par les connaisseurs ; cette tendance dévie parfois vers le goût des offices à grand spectacle. L'autre axe – axe principal –, sans négliger la beauté du service divin – de l'*Opus Dei* auquel le moine est consacré –, vise, au-delà, le recentrement du culte sur l'essentiel : la louange commune, ecclésiale, du peuple de Dieu rassemblé, la confession doxologique de la foi de l'Église. Ce sont cette dynamique communautaire, cette concentration sur l'essentiel et le fondamental, qui attirent Louis Gillet vers un bénédictisme rajeuni grâce au renouveau liturgique. L'homme qui semble lui avoir ouvert ces horizons est dom Fernand Cabrol : un bénédictin de Solesmes devenu le premier abbé du monastère franco-anglais Saint-Michel de Farnborough.

Éditeur du *Dictionnaire d'archéologie chrétienne et de*

---

5. E. LANNE, « Liturgie et unité chrétienne : continuité de la vision de dom Lambert Beauduin », dans : *Veilleur avant l'aurore*, Chevetogne, 1978, p. 293.

liturgie, dom Cabrol est à la fois un croyant et un érudit. C'est grâce à lui que, dépassant un romantisme et un esthétisme superficiels, le mouvement liturgique français a acquis ses lettres de noblesse scientifique. Fondé sur une étude à base historico-critique de la liturgie qui en dégage l'intentionnalité fondamentale, ce mouvement s'oriente, sous l'impulsion de dom Cabrol, vers le renouveau non seulement du culte, mais de la vie ecclésiale tout entière. Loin de la contredire, la rigueur scientifique est appelée à servir l'authentique piété en la décapant d'enduits superficiels qui occultent l'authentique Tradition de l'Église. Un décapage qui fraie aussi la voie, dans la sphère de l'Église latine, au renouveau patristique et à une meilleure connaissance des origines grecques et orientales de la théologie de l'Église indivise.

Les revues bénédictines dans lesquelles dom Cabrol signe des articles sont lues dans la famille Gillet. S'étant intéressé aux idées de l'auteur, Louis est entré en relation personnelle avec lui. Du reste, son père, lui-même oblat de Saint-Michel de Farnborough, connaît l'abbé. Il ressort de la correspondance familiale que c'est dom Cabrol qui a dirigé le postulant vers l'abbaye de Clervaux comme première étape de sa vie monastique, avant le noviciat proprement dit à Farnborough. C'est dom Cabrol également qui le recommande à dom Joseph Allardo, le nouvel abbé que la communauté de Clervaux s'est donné en décembre 1919. Les relations entre le jeune abbé et le postulant déjà mûri par l'expérience de la guerre seront toujours excellentes. Dans ses lettres, Louis Gillet vante non seulement la générosité mais aussi le « charme » de son révérendissime abbé. De son côté, le robuste Wallon, fils d'un boucher de Liège, s'inquiète des ménagements que lui semble exiger la santé fragile du jeune intellectuel. Pour Louis Gillet, ce printemps de sa vie monastique à Clervaux – nom qui signifie clairière, claire vallée – sera un temps heureux. Discernant le sens profond, libérateur de la discipline monastique – même si ses formes extérieures parfois le déroutent –, le postulant s'y plie aisément. Du reste, à Clervaux, l'ascèse monastique n'a rien d'inhumain. Elle est marquée par la « discrétion » : discernement de ce qui, pour chacun et selon les circonstances, est le meilleur. L'obéissance, de même, n'est pas infantilisante. Si Louis avoue qu'il « se perd » quelque peu dans un « cérémonial » complexe, il apprécie l'absence de toute contrainte spirituelle, de tout « endoctrinement » : *Nous ne sommes soumis à aucune compression mentale, à aucune surveillance étroite ; rien qui rappelle la caserne ou la pension. Tout est souriant et infiniment « discret »* [6]. Le « respect des personnes dans un climat de liberté », cette définition de l'atmosphère bénédictine par dom Cabrol lui paraît vérifiée à Clervaux.

Sur l'idéal bénédictin tel qu'il le conçoit, le postulant s'exprime avec plus de précision dans une lettre adressée de Clervaux à Pierre Gillet : *L'atmosphère bénédictine ! Ni l'Église séculaire, ni les autres ordres religieux, ni même les livres ou les lettres n'en peuvent donner une idée à qui ne s'est trouvé enveloppé lui-même de cette liberté, de cette mesure, de cette harmonie – de la « discrétion » (au sens de discernement) et de la « paix », pour employer les termes de saint Benoît. Il semble qu'aujourd'hui l'attention se reporte volontiers sur les vieilles vérités proclamées au* VI*e siècle par notre Père et que l'ordre bénédictin a gardées intactes... Je trouve très significatif à cet égard le mouvement entrepris par l'abbaye de Caldey (ce monastère anglican qui s'est converti en bloc au catholicisme). Caldey a donc fondé une Confraternité « Pax » qui groupe dans le monde entier des chrétiens désireux de prendre pour centre de leur vie spirituelle et de leur action sociale le précepte de Paix – paix avec leur Dieu, avec leur conscience, avec leurs frères. C'est par la vertu de notre devise,* Pax, *que, pendant tout le Moyen Âge, les Abbés du Mont-Cassin et de Cluny ont été les arbitres des luttes entre les féodaux, entre les évêques, entre les rois, entre le sacerdoce et l'empire. Est-il réservé à l'ordre de saint Benoît d'exercer une influence pacifiante dans les*

6. Lettre du 6 janvier 1920, à M. et Mme H. Gillet.

luttes d'idées et les luttes de classes de notre siècle ? Quoi qu'il en soit du futur, beaucoup d'hommes que l'Église séculière ne satisfait pas, viennent maintenant à l'ordre bénédictin où ils trouvent le Christ, l'Évangile, la pureté de l'Église primitive, une religion toute en grandes lignes simples et sévères ; là « l'Esprit souffle où il veut » et, comme me le disait dom Cabrol, l'essentiel y est « le respect souverain de la liberté des âmes [7] ».

« Paix » et « harmonie » (qui, il le sait, lui font souvent cruellement défaut), rayonnement de cette paix intérieure reçue dans le cloître et, à partir du cloître sur l'Église et le monde, par-dessus tout, « le Christ et l'Évangile en sa pureté », la vie dans l'« Esprit qui souffle où il veut », voilà ce que Louis Gillet cherche, espère et croit trouver en empruntant la voie bénédictine. À cette vision profonde – conductrice et inspiratrice comme l'étoile des Mages – vision tendue à la plénitude catholique *(katholon),* il restera fidèle à travers les *corsi* et *ricorsi* d'un itinéraire spirituel tourmenté où abondent la lumière et les ombres.

Avec la simplicité et la sincérité des relations humaines, l'aspect de la vie bénédictine qui frappe le plus le postulant est le souci d'authenticité : *chaque mot, chaque attitude sont (du moins, doivent être...) l'expression d'un sentiment profond* [8]. Par ce souci d'authenticité qui implique une conversion radicale et permanente, la vie monastique lui paraît s'opposer à *la façade d'insincérité, de convention, de compromis derrière laquelle les « gens du monde » vivent dans une religion de surface, de coterie qui prévaut dans l'Église séculière.* En cette hypocrisie teintée de moralisme lui paraît résider le mal d'un catholicisme embourgeoisé, bien plus qu'en ces grands maux de ce siècle dénoncés par les bien-pensants : *la lutte des classes des prolétaires, les convoitises sexuelles et d'autres désirs d'intensité, toutes choses qui, en leur genre, répondant à des*

7. Lettre du 5 mai 1920 à P. Gillet.

8. Lettre du 18 août 1920 à P. Gillet. – Les citations qui suivent sont extraites de la même lettre.

besoins sincères, profonds... sont des aspirations inconscientes vers le Christ.

Cependant, à la lumière d'une première expérience de vie monastique, la question surgit : cette religion de surface qu'on a voulu fuir en optant pour la vie monastique n'y pénètre-t-elle pas insidieusement ? Le monachisme n'est-il pas exposé, lui aussi, à la tentation d'un formalisme hypocrite ? La réponse du postulant est lucide et exigeante : *Combien il est difficile de se maintenir dans ce que j'appellerai « l'état de grâce monastique » ! J'entends par là la sincérité profonde avec laquelle nous devons envisager les moindres actes de notre vie. Ainsi, pour ne parler que de petites choses, dire « notre » au lieu de « mon »..., garder un silence absolu dans les lieux réguliers, accuser ses coulpes avec humilité, s'agenouiller devant son Abbé : voilà autant d'actes qui ont une valeur symbolique, qui valent surtout par l'intention, et qui, si on les comprend, si on s'y attache, nous entretiennent dans une fraîcheur d'âme toujours renouvelée et enveloppent d'une grave poésie spirituelle tout ce que nous faisons. Mais, si la routine et le formalisme s'introduisent, si l'on cesse de donner à ces gestes leur sens intérieur, alors l'Esprit qui vivifie disparaît et il ne reste que la lettre morte ; on peut continuer d'être un moine observant en apparence, on peut être par surcroît un scholiaste émérite – à moins que l'on se contente de vieillir en célibataire maniaque – mais l'on n'est plus un bénédictin.*

Ce danger de formalisme existe aussi pour la célébration liturgique en laquelle consiste l'œuvre essentielle du bénédictin. *La liturgie,* écrit Louis à son frère, *est à la fois notre grande joie et notre grande épreuve. L'*Opus Dei *selon le langage de saint Benoît, est la trame même de notre vie ; notre journée atteint son point culminant avec la liturgie eucharistique ; tout notre office est une préparation aux mystères ou une action de grâce après les mystères. Mais, pour peu que l'attention spirituelle se relâche, on tombe dans un ritualisme vide ou encore l'office tourne à la corvée. Tu as tout à fait raison d'écrire que la liturgie est la vie* *chrétienne, dans la mesure cependant où « notre esprit est d'accord avec notre voix », comme dit saint Benoît, dans la mesure où la prière est un « culte en esprit et en vérité » et où elle produit la « conversion des mœurs ». (Ce point de vue est peut-être un peu négligé par quelques-uns des fervents liturgistes qui vont à la rue Monsieur.)* Et Louis de tenter d'expliquer à son frère la signification profonde, constitutive de l'*Ecclesia*, de la liturgie eucharistique : *La liturgie est en soi la plus haute et la forme la plus normale d'union avec le Christ. Tout prêtre devrait se rappeler qu'il est un sacrificateur avant d'être un homme d'œuvres ; son principal effort devrait être de grouper autour de l'autel une assemblée – une Église, au sens étymologique du mot – et de faire participer le peuple aux mystères. Si l'assemblée éprouve les états d'âme qui appellent la fraction du pain et le baiser de paix, alors, oui, c'est vraiment la vie chrétienne.*

En juin-juillet 1920, Louis Gillet vit les dernières semaines de son séjour à Clervaux. Il participe avec plaisir aux travaux de la fenaison. Le soir, il respire l'odeur d'herbe coupée qui monte jusqu'à sa cellule. Elle lui rappelle son enfance dauphinoise. Fin août, il quitte Clervaux. Pour des formalités de passeport, il passe quelques jours à Bruxelles. Après une retraite de huit mois dans un monastère isolé des Ardennes, le retour dans le monde produit un choc. Pour la première fois, il s'y trouve en habit de moine – habit qui lui vaut des marques de respect qui l'amusent et en même temps le gênent : *On m'appelle « mon Révérend Père » et l'on entoure mon habit, sinon mon indigne personne, d'un respect qui me gêne. Puis, dans la rue, je suis obligé de me surveiller constamment pour ne pas siffler, pour ne pas m'arrêter devant les cartes postales fantaisie et pour ne pas marcher à une vitesse qui ne serait pas monastique.*

À l'amusement et au persiflage se mêle une bouffée de mélancolie : *Tu me parles des nostalgies produites en toi... Ce sentiment, je l'ai eu, sous une autre forme, ce soir en entendant du Beethoven par la fenêtre ouverte d'une maison voisine. Tout cela évoque pour moi des êtres et des scènes d'autrefois, le passé. « Et voilà tout ce que j'ai aimé »... comme dit un héros russe de Lermontov.*

Dans la même lettre est évoquée, sur un ton plus amer, l'incompréhension des « dirigeants de l'Église » pour l'authentique idéal bénédictin qui leur reste « étranger ».

Le lendemain, 19 août, Louis Gillet s'embarque à Ostende pour Douvres d'où, *via* Londres, il rejoindra Farnborough.

L'abbaye de Farnborough, dans l'extrême sud de l'Angleterre, non loin de Portsmouth, est située en pleine campagne. Louis Gillet vantera le charme, en été, de ce vert paradis. À l'origine de sa fondation se trouve le désir de l'impératrice Eugénie, veuve de Napoléon III, de voir des moines veiller sur les sépultures de son époux et du prince impérial, tué, comme officier de l'armée anglaise, au cours d'une expédition contre les Zoulous. Elle-même meurt en 1920 et sera également ensevelie dans l'église abbatiale. Père Lev se souviendra plus tard d'avoir veillé, jeune novice, auprès de son cercueil.

Les premiers moines de ce monastère, richement doté par l'impératrice, viennent de l'abbaye Saint-Michel de Frigolet dans le Vaucluse. À partir de 1903, des bénédictins de Solesmes, chassés de France, se joignent à ce premier groupe. Le monastère est érigé en abbaye et dom Fernand Cabrol en est élu le premier abbé. La maison, sous sa direction, devient un centre internationalement connu d'études d'archéologie et de liturgie chrétiennes.

L'arrivée de Louis Gillet correspond à une période de transition et de mutation. Le recrutement de Farnborough a été longtemps essentiellement français. Une coupure s'est produite pendant la guerre de 1914-1918. En 1920, il est en train de devenir majoritairement anglais. Ce changement n'est pas sans influence sur le style et l'atmosphère de la maison. Mais il ne déplaît pas à Louis Gillet qui s'adapte facilement au milieu anglo-saxon. Son meilleur ami à Farnborough sera un novice d'une dizaine d'années plus jeune que lui – parent d'un homme d'État connu –, David Balfour, sur lequel il exercera une profonde influence [9].

Dom Cabrol se réjouit de l'arrivée du jeune et brillant intellectuel en qui il voit un futur collaborateur, peut-être un successeur. Les relations entre Louis Gillet et le vieil érudit seront toujours particulièrement confiantes. Mais ce dernier, de plus en plus absorbé par ses travaux scientifiques, se décharge progressivement de la direction effective de la communauté sur le prieur, dom Bernard de Boisrouvray qui, en 1923, deviendra son successeur en titre. Avec dom Bernard – homme pieux mais peu porté aux élans mystiques –, les rapports du jeune moine seront beaucoup plus distants. Ils finiront par devenir franchement mauvais.

De l'automne 1920 jusqu'au début de l'hiver 1921, Louis Gillet mène à Farnborough l'existence ordinaire, paisible, d'un moine bénédictin : temps rythmé par l'office monastique mais qui comprend également, en ce qui le concerne, une part importante de travail intellectuel. Dom Cabrol le charge de traduire en français le texte latin original de la Règle de saint Benoît : une tâche dont il s'acquitte brillamment et d'une façon originale. Lui-même caractérise ainsi sa traduction : *Elle est très* littérale, *elle l'est même d'un degré choquant, presque barbare ; l'élégance (ou ce qui a paru tel) a toujours été sacrifiée à l'exactitude, la phrase française s'est appliquée à reproduire l'ordre même de la phrase latine, d'où des inversions fréquentes et de véritables acrobaties de style ; on a voulu faire passer quelque chose dans le français de ce que le latin de saint Benoît lui-même a de rude et de décadent (le texte latin adopté est celui de Butler en tenant compte des corrections proposées par dom Germain Morin) ; il n'y a rien qui ressemble à des explications ou à un commentaire ; çà et là une brève*

9. D. BALFOUR, « Memories of Father Lev Gillet », *Sobornost* du 4 février 1982, p. 203-211.

note précise le sens d'un mot, mais ce n'est jamais que pour éclairer matériellement la traduction[10].

Ce petit chef-d'œuvre sera publié en 1924 sous le titre *Nouvelle traduction littérale de la Règle de saint Benoît,* cosigné par dom Wilmart qui l'a revu et préfacé[11]. Aujourd'hui encore il garde toute sa valeur.

Au contact de dom Cabrol et de ses collaborateurs, le jeune bénédictin reçoit ainsi une solide initiation aux méthodes de l'histoire scientifique et de la critique des textes. Ses maîtres l'encouragent à user librement de ces méthodes, sans crainte, avec une entière honnêteté intellectuelle.

Dès 1907, préfaçant une réédition des premiers volumes du *Dictionnaire d'archéologie chrétienne et de liturgie,* dom Cabrol s'est expliqué sur ses positions d'historien chrétien. Son ouvrage, écrit-il, « est conçu dans un esprit strictement scientifique. Il ne peut y avoir conflit entre les vérités historiques et les vérités d'ordre surnaturel. Les unes et les autres ayant la même source et un domaine distinct. Dès lors, sur le terrain historique, c'est la vérité de cet ordre qu'il faut chercher[12]. »

À la fois courageux et subtil, le point de vue de dom Cabrol, même dans les années vingt, est encore loin d'être courant dans les milieux ecclésiastiques catholiques et leurs franges intellectuelles traumatisées par la crise moderniste. Il est cependant entièrement partagé par Louis Gillet qui l'approfondit et le généralise philosophiquement dans la ligne de la distinction bergsonienne entre le domaine du mesurable, objet de la connaissance scientifique et celui du qualitatif appréhendé par l'intuition.

D'une façon générale, les années passées à Farnborough, entre août 1920 et août 1924 – avec l'interruption

10. Lettre du 5 février 1924, à Olivier Rousseau (Archives de Chevetogne).
11. Éd. Art catholique, Paris, 1924.
12. Le même point de vue sera exprimé par Lev Gillet dans la préface à son livre *Jésus de Nazareth d'après les données de l'histoire*, p. 4 (en russe). Voir plus loin, p. 243-246.

de deux semestres passés à Rome – constituent pour le jeune moine une période d'intense travail intellectuel. La riche bibliothèque de l'abbaye lui permet de satisfaire un « insatiable appétit de lecture » et une « curiosité universelle », plaisamment évoqués par David Balfour : « Périlleusement perché au sommet d'un escabeau, dom Gillet avec aisance se frayait un chemin à travers une masse de livres rédigés en une demi-douzaine de langues [13]. »

Et Balfour d'ajouter malicieusement que les lectures de son ami n'étaient pas toutes des seuls domaines de la théologie et de la spiritualité : « Je me souviens de lui prenant beaucoup de plaisir à la lecture d'un best-seller des années vingt tel *Gentlemen prefer blondes* ».

L'insatiable appétit de lecture du novice cachait-il un certain désenchantement ? Balfour semble l'insinuer. « Cette homme au profil d'oiseau, nerveux, émacié, d'une intelligence si originale et d'une expérience si étendue de la vie et de la culture séculière, se trouvait visiblement hors de son élément dans une communauté en majorité composée d'anciens séminaristes... Cependant, la profondeur de sa pensée et de ses convictions religieuses nous impressionnaient. J'avais seulement vingt ans et je tombais sous son charme. »

Le 1er novembre 1921 – en la fête de la Toussaint – Louis Gillet prononce ses premiers vœux monastiques temporaires. L'invitation à la cérémonie porte en exergue une prière latine d'offertoire qui exprime les dispositions intérieures du jeune moine : « *In spiritu humilitatis et in animo contrito suscipiamur a te, Domine, et si fiat sacrificium nostrum in conspectu tuo hodie ut placeat tibi, per Dominum nostrum Jesus Christum. Amen.* »

Sa mère et son frère aîné sont venus à Farnborough pour assister à la cérémonie. Son père, dont elle exauce

13. D. BALFOUR, « Memories... ». – Les citations qui suivent sont extraites du même article.

certainement un des vœux les plus chers, est décédé quelques mois plus tôt.

Le 18 décembre suivant, Louis annonce à sa mère qu'il est « envoyé » à Rome où vraisemblablement son séjour sera assez long. Le message est bref. Mais on y sent vibrer une joie contenue, comme le pressentiment d'un grand dessein à la réalisation duquel le jeune moine se sent appelé à participer.

CHAPITRE IV

LE GRAND DESSEIN UNIONISTE

Le 22 décembre 1921, Louis Gillet quitte Farnborough. Traversant la France du nord au sud, il arrive à Valence juste à temps pour fêter Noël avec sa mère et sa grand-mère. Dès le lendemain il se remet en route pour Rome. L'Italie – *magna mater italica* – comme il la nomme dans une lettre à son frère, l'attire. Jeune étudiant, lors d'un séjour de vacances à Florence, il a découvert avec ravissement ces « terres de soleil », ces « paysages chargés d'histoire ». Pourtant ce n'est pas en touriste avide d'émotions esthétiques qu'en cette fin de décembre, il s'élance vers la Ville éternelle. Ni la Rome antique, ni celle de la Renaissance et du baroque ne le toucheront profondément. À la beauté formelle qu'il reconnaît et admire, il oppose dans la même lettre l'*intériorité germanique et slave* dont il se sent plus proche. À Rome, seuls vont l'émouvoir profondément les vestiges paléochrétiens : les catacombes avec leurs peintures murales, telle l'image du Berger [1] aux traits juvéniles et surtout le souvenir des martyrs.

Il va à Rome, officiellement, pour recevoir au collège Saint-Anselme – la grande maison internationale d'études de l'ordre bénédictin – un complément de formation théologique. Mais ce but officiel se double d'espoirs et

1. D'après D. BALFOUR, « Memories of Father Lev Gillet », *Sobornost* du 4 février 1982, p. 204), L. Gillet publie en 1924 une étude, « Le Bon Berger dans l'Église primitive », dans la revue bénédictine *La Vie et les Arts liturgiques*. Plus tard il fera du bon Berger le thème de méditations qui ont été publiées en Angleterre.

de projets plus secrets. Pour le jeune moine son « envoi » à Rome, décidé par ses supérieurs, est le signe objectif qui authentifie un appel intérieur entendu quelques mois plus tôt à l'occasion d'une rencontre décisive pour son avenir. L'éveilleur d'une vocation latente, d'une nostalgie inavouée – peut-être refoulée – en tout cas jamais jusqu'ici exprimée, est un évêque *uniate* : le métropolite comte Andréas Szeptykij, chef spirituel de l'Église unie à Rome de Galicie orientale. De passage à l'abbaye de Farnborough, dans le courant de 1921, Szeptykij a eu un long entretien avec ce novice étrangement intéressé par le christianisme slave dont lui-même est le messager. C'est l'appel lancé par lui qui attire Louis Gillet à Rome, centre spirituel de l'Église d'Occident, mais pour lui première étape d'un lointain pèlerinage dont le terme – l'Orient chrétien – reste encore enveloppé de brume.

La forte personnalité de celui que le P. Gillet appellera toujours le « métropolite André » doit ici être évoquée et située dans son contexte historique et ecclésial : un contexte où le moine français tentera – en vain – d'inscrire son propre projet, ou plutôt sa « vocation » : ce qu'il croit être le projet de Dieu pour lui.

La personne et l'œuvre de Szeptykij sont inséparables du destin tragique – au XXe siècle – de l'Église grecque-catholique de Galicie orientale, appelée aussi Église ruthène [2] : une entité ecclésiale issue à la fin du XVIe siècle de l'Union dite « de Brest ». Ainsi est nommé l'acte qui ratifie en 1595 la soumission au pape de Rome de plusieurs diocèses détachés de l'antique métropole orthodoxe de Kiev, berceau de la Russie – ou plus

2. Les lignes qui suivent ont été rédigées avant la publication des conférences données par d'excellents spécialistes catholiques et orthodoxes sur le problème uniate et son histoire, à l'occasion de colloques organisés par les moines du monastère de Chevetogne. Leur lecture devrait compléter et, peut-être, sur certains points corriger mes propres explications. Voir *Irénikon*, n°s 2, 3, 4. Voir également pour un point de vue orthodoxe, Jean-Claude ROBERTI, *Les Uniates*, Paris, Éd. du Cerf, coll. « Bref », 1992. La « Galicie orientale » désigne, dans l'Empire austro-hongrois, la région appelée aujourd'hui Ukraine occidentale.

exactement de la *Rous* chrétienne. Opérée en partie sous des pressions politiques, à la suite de l'intégration du territoire de ces diocèses au royaume catholique de Pologne, l'Union contient une concession importante quoique ambivalente : ces Églises « unies » sont autorisées par Rome à conserver le rite byzantin qui leur est traditionnel, un clergé paroissial marié et une organisation qui, sur certains points, diffère de celle de l'Église latine. En fait, il s'agit dans l'esprit de la plupart des représentants de l'autorité romaine, d'une simple tolérance en attendant que devienne possible une latinisation complète. Celle-ci est favorisée à la fois par l'habile propagande des jésuites très influents en Pologne et par une législation d'État discriminatoire en défaveur des Églises de rite oriental. Synonyme d'occidentalisation, c'est-à-dire d'accès à une civilisation considérée par les élites sociales comme supérieure, cette latinisation est acceptée, voire souhaitée par une grande partie de l'aristocratie galicienne. Conservé par les milieux populaires, dans les campagnes, le rite byzantin-slave devient l'expression liturgique d'une Église de second ordre, paysanne, folklorique. À son clergé réputé ignorant – il n'y a pas de séminaires ruthènes – et, parce que marié, considéré comme d'un niveau moral inférieur, les élites préfèrent le clergé latin instruit et célibataire.

La situation n'évolue guère quand, au XVIIIe siècle, à la suite du partage de la Pologne, la Galicie se trouve intégrée à l'empire austro-hongrois. À l'influence polonaise se substitue ou se surajoute seulement celle de la culture allemande prédominante dans l'empire des Habsbourg. Dans les familles aristocratiques on parle le français ou l'allemand, à la rigueur le polonais. La langue du peuple, un dialecte slave proche de l'ukrainien, n'est utilisée qu'avec les domestiques. Le propriétaire terrien noble possède une chapelle privée de rite latin alors qu'à l'église du village on célèbre selon le rite oriental, ou plus exactement selon un rite hybride contaminé par des latinismes. Un revirement se produit avec le réveil des nationalités, au XIXe siècle, dans toute l'Europe centrale et orientale, sous l'influence conjuguée du romantisme et des idées de la Révolution française. Pour certains patriotes ukraino-galiciens, l'Église de rite oriental devient le symbole de l'identité nationale. C'est dans ce contexte qu'il faut situer l'option surprenante du jeune aristocrate romain Szeptykij pour le rite de cette Église méprisée dans son milieu. Se sentant appelé à la vie monastique, il décide de devenir moine basilien, membre de la seule communauté monastique de rite oriental où sont habituellement choisis les évêques de l'Église ruthène. Déplorée par sa famille qui y voit une déchéance, cette décision manifeste la volonté du jeune homme de s'identifier à l'« essence spirituelle » de son peuple : celle d'une « nation opprimée depuis des siècles » dont, devenu évêque, il se dit prêt à « étreindre tous les besoins pour tenter d'y porter remède [3] ».

Cet aspect kénotique de la personnalité du métropolite André, sa volonté d'être le serviteur de son peuple susciteront l'admiration de Louis Gillet. Ils correspondent à son propre idéal chrétien. Plus réservée sera son attitude à l'égard du nationalisme ukrainien et des desseins politiques de Szeptykij. Sans nier le bien-fondé des aspirations historiques du peuple ukrainien, il prendra ses distances.

Promu jeune à l'épiscopat, devenu archevêque grec-catholique de Lvov – aujourd'hui Lviv – Szeptykij ne séparera jamais ses préoccupations proprement pastorales – l'aspiration à un réveil spirituel au sein de l'Église de Galicie – du souci de promouvoir chez le peuple galicien une prise de conscience de son identité à la fois nationale et spirituelle. C'est dans cette double perspective qu'il œuvre pour un ressourcement de l'uniatisme ruthéno-ukrainien dans l'authentique Tradition des Églises d'Orient, avant le schisme de 1054. Il s'agirait, en par-

3. Lettre du métropolite Szeptykij au P. Genocchi dans : Cyrille KOROLEVSKY, *Le Métropolite André Szeptykij (1865-1944),* Rome, 1964. Sur Szeptykij, voir également, Gregori PROKOPTSCHUK, *Der Metropolit,* Munich, 1955.

ticulier, de purifier la liturgie en usage dans les églises ruthènes des latinismes qui y ont été introduits et de restaurer aussi un monachisme qui renouerait avec la grande tradition des monastères de Constantinople, tel Stoudion.

Prenant sous sa protection une petite communauté de moines paysans qui se sont rassemblés pour vivre ensemble l'Évangile, le métropolite rêve d'en faire le foyer d'un renouveau oriental dont le rayonnement s'étendrait à toute l'Église ruthène. Celle-ci ne pourrait-elle devenir le modèle d'une Église orientale unie à Rome sans être absorbée, sans perdre son identité et sa Tradition spirituelle spécifique ? Szeptykij reste un partisan convaincu de l'Union, mais d'une union avec Rome compatible avec un pluralisme réel, respectueuse de la Tradition spirituelle propre des Églises orientales. Peu élaborées sur les plans théologique et ecclésiologique, les vues généreuses du métropolite manquent de cohérence. De ce manque d'unité provient une action par à-coups selon les circonstances qui se présentent. Dans ses relations avec l'Église orthodoxe russe qu'il connaît mieux que d'autres et pour laquelle il éprouve une sincère sympathie, Szeptykij ne parviendra jamais à choisir clairement entre les méthodes de l'unionisme catholique romain traditionnel (qui ne dédaigne pas les calculs politiques et la diplomatie secrète) et celles de l'œcuménisme qui point à l'horizon du XXe siècle. Cette hésitation se manifeste, en particulier, quand la chute du régime tsariste semble offrir au catholicisme romain de nouvelles chances de pénétration en Russie.

Au printemps 1917, Szeptykij se trouve en Russie où, à la suite de l'occupation de la Galicie par les troupes russes, en 1914, il a été exilé et interné dans une prison monastique sur ordre du gouvernement tsariste. Libéré par le gouvernement provisoire, il se rend aussitôt à Petrograd pour organiser en « Église orthodoxe-catholique » ayant pignon sur rue, un petit groupe jusqu'ici semi-clandestin de catholiques russes, disciples de Vladimir Soloviev. En vertu de « facultés exceptionnelles secrètes » reçues du pape Pie X en vue de la « mission en Russie », il se croit autorisé à nommer un exarque avec pouvoirs épiscopaux en la personne du prêtre Léonide Fédorov. Ainsi serait posé le fondement d'une Église russe unie à Rome [4].

En même temps que ce projet unioniste grand-russe (dont la poursuite se révélera d'ailleurs bientôt aléatoire et dangereuse à cause de la persécution religieuse générale déclenchée par le parti bolchevique) s'en ébauche un autre petit-russien et ukrainien. Dans les convulsions de la guerre civile est née, avec une république autonome d'Ukraine, une Église orthodoxe d'Ukraine qui, dans des conditions canoniques irrégulières, se déclare autocéphale. Non reconnue par le patriarcat de Moscou dont elle s'est unilatéralement détachée, c'est une Église fragile qui pourrait être attirée dans l'orbite de l'Église romaine. Quelques nationalistes ukrainiens songent au métropolite de Galitch, dont le patriotisme grand-ukrainien est connu, comme candidat possible à la dignité de premier patriarche de cette nouvelle Église nationale. L'offre est prise en considération par Szeptykij qui semble prêt à l'accepter à condition qu'elle entraîne l'« union » avec Rome [5].

Ce prélat qui tire les fils – quitte à s'y embrouiller – d'une diplomatie ecclésiastique enchevêtrée, reste cependant un spirituel et un homme d'une générosité exceptionnelle. Dans son palais épiscopal – comme le constatera le P. Gillet –, il offre l'hospitalité aux réfugiés de toutes catégories qui réussissent à franchir les frontières

4. La persécution religieuse consécutive à l'avènement du parti bolchevique dispersera ce groupe. La plupart de ses membres périront dans les camps. Tel sera le sort notamment de l'exarque Fédorov déporté aux Solovki, comme aussi d'innombrables prêtres et évêques de l'Église russe orthodoxe.

5. Voir C. KOROLEVSKY, en particulier la lettre adressée par Szeptykij en juin 1918 à l'archiduc Guillaume de Habsbourg, lui aussi mêlé à ce projet ukrainien. Sur la naissance de l'Église autocéphale d'Ukraine, voir l'article récent de B. DUPUY, « Un épisode de l'histoire de l'Église d'Ukraine », *Istina*, 1985, nº 4.

encore perméables au début des années vingt entre l'URSS, l'Ukraine et la Pologne : socialistes révolutionnaires, catholiques uniates, prêtres, moniales et évêques orthodoxes. Parmi ces derniers, reçu avec tout le respect dû à son rang, figure le métropolite Euloge [6], évêque à qui le patriarche Tikhon confiera la pastorale des émigrés russes en Europe occidentale.

Entre 1920 et 1923, le métropolite Szeptykij fait plusieurs séjours à Rome entrecoupés de voyages à travers l'Europe, ainsi qu'une importante visite pastorale aux paroisses uniates ruthènes et ukrainiennes en Amérique du Nord.

Son arrivée sur la scène romaine d'après-guerre coïncide avec la « fièvre russe » propagée dans les milieux de la curie par le jésuite Michel d'Herbigny. Le pape Benoît XV a placé, en 1917, le P. d'Herbigny à la tête de l'Institut pontifical oriental. Interprète catholique officiel de la pensée du philosophe russe Vladimir Soloviev dont il a écrit une biographie [7], le brillant jésuite fait miroiter l'espoir, dans les milieux romains, d'une conversion en masse des Russes au catholicisme, après la perte par l'Église orthodoxe du soutien de l'État tsariste. Sous l'influence de d'Herbigny se propage l'idée de l'urgence d'une action missionnaire catholique parmi les Russes, au sein de l'Émigration russe en Europe mais surtout en Russie même. Il faut, pour cela, user de tous les moyens : aide philanthropique aux populations affamées, connaissance de la langue et de la psychologie russes, sans dédaigner la diplomatie secrète. Entre l'utopie du jésuite et les desseins plus flous du métropolite, il existe une certaine convergence. Pendant quelque temps, chacun croit trouver en l'autre un allié ou pouvoir se servir de lui pour réaliser ses propres desseins. Mais attiré par

6. Dans ses Mémoires en russe publiées à Paris, le métropolite Euloge rapporte une des conversations mémorables qu'il a eues avec son hôte durant son séjour à Lvov (voir *Iz Perejitago,* p. 330-334).

7. Michel D'HERBIGNY, *Vladimir Soloviev (1853-1900) Un Newman russe,* Paris, Beauchesne, 1911, rééd. 1934.

l'ambition et l'esprit de conquête de celui qui est devenu « monseigneur » d'Herbigny, le conflit entre les deux hommes finira par éclater. De cette opposition, le P. Gillet et sa vision mystique feront les frais. Il en résultera une rupture douloureuse. Mais en ce début d'année 1921-1922 – début de ses relations avec le métropolite Szeptykij –, on est encore loin de ce dénouement dramatique.

Szeptykij est arrivé à Rome en décembre 1920. Quelques semaines plus tard, dans le courant du mois de février suivant, il prononce à l'Institut pontifical oriental, sous les auspices du P. d'Herbigny, un discours-programme mémorable. Embrayant sur les vues du jésuite, il déclare que, concernant une pénétration de l'Église catholique en Russie, en ces lendemains de la Révolution bolchevique, tous les espoirs sont permis : « Les murs de Jéricho sont tombés ; la forteresse derrière laquelle s'abritait l'esprit du césaro-papisme n'existe plus... une large porte s'ouvre à l'action catholique en Orient ; pour la première fois, depuis des siècles, est donnée aux missionnaires catholiques une large possibilité de travailler à la solution du problème de la réunion des Églises [8] ».

Après cette envolée oratoire, vient l'exposé d'un projet concret : il s'agit d'œuvrer pour la restauration d'un monachisme authentiquement oriental au sein des Églises uniates, comme il le fait lui-même en Galicie. Un tel monachisme pourrait être l'instrument d'un véritable rapprochement des esprits et des cœurs. Pour réaliser ce projet, il a besoin de moines occidentaux qui, tout en apportant à l'œuvre leurs connaissances, leur culture, sauraient se faire une âme orientale. Son appel s'adresse en particulier aux bénédictins plus aptes que d'autres, comme le pensait déjà le pape Léon XIII, à une telle osmose spirituelle.

L'originalité du discours du métropolite tient à l'idée

8. Cité dans É. FOUILLOUX, *Les Catholiques et l'Unité chrétienne*, Éd. du Centurion, 1982, p. 86. L'ensemble de la conférence est publié dans la revue *Stoudion*, février 1923.

d'associer le monachisme – comme expression de la vocation chrétienne en ce qu'elle a de plus profond et de plus radical – à l'effort en vue de rapprocher l'Église catholique et l'Église orthodoxe. Tirée de sa gangue de prosélytisme naïf par quelques orfèvres de génie, l'idée s'incarnera en ce joyau d'un œcuménisme authentique au sein de l'Église catholique qu'est l'œuvre des moines de l'union d'Amay-Chevetogne.

Dans les mois qui suivent, Szeptykij, visitant diverses abbayes bénédictines européennes, réitère son appel. Partout aimablement reçu, il n'obtient guère de résultats tangibles. Deux rencontres importantes, aux lointaines conséquences, marquent cependant ce périple bénédictin. À l'abbaye du Mont-César à Louvain, le métropolite sympathise avec un petit moine énergique, bouillonnant d'idées, comme lui intéressé par un ressourcement monastique. Le dialogue ainsi amorcé avec dom Lambert Beauduin se poursuivra avec fruit à Rome où, dès le mois de septembre suivant, le bénédictin belge est appelé à enseigner la dogmatique au collège bénédictin de Saint-Anselme.

L'autre rencontre a lieu à l'abbaye franco-anglaise de Farnborough. Szeptykij y découvre l'oiseau rare : un bénédictin qui parle et lit le russe, passionnément attiré par la Russie et le monde slave, dom Louis Gillet. Les deux hommes s'entretiennent longuement. Le métropolite discerne immédiatement les dons intellectuels exceptionnels du novice. Celui-ci, à son tour, est fasciné par ce prélat aristocratique, à la conversation à la fois cordiale et étincelante d'intelligence. Dans ce géant à la stature du Moïse de Michel-Ange, rayonnant d'une vitalité exceptionnelle, le génial mais frêle Louis Gillet a-t-il cru découvrir le « père » compréhensif qui lui a toujours manqué ? Plus tard, déjà revenu de certaines illusions, il continuera d'aimer et d'admirer le métropolite André. S'exprimant à son sujet, il écrit à un ami, le P. Olivier Rousseau : *Nous connaissons ses faiblesses. Mais il y a en lui ce que j'admire le plus chez un homme : une force créatrice simple.* Et d'ajouter : *J'irais au feu pour lui.*

Le métropolite a-t-il suggéré à l'abbé de Farnborough l'idée d'envoyer le jeune moine à Rome dans l'espoir que, le revoyant là-bas, il pourrait le gagner à ses projets ? L'hypothèse est plausible. Quoi qu'il en soit, envoyé par ses supérieurs à Saint-Anselme, Louis Gillet sait qu'il trouvera à Rome un milieu déjà sensibilisé au grand dessein russe dont lui-même, sous l'influence de Szeptykij, commence à rêver.

À la fin de décembre 1921, Louis Gillet s'installe à Saint-Anselme. Accroché au flanc de l'Aventin, dans un cadre à l'époque encore champêtre, le collège apparaît comme un lieu idéal pour une retraite studieuse. Du haut des terrasses, on domine la Ville sainte étendue entre ses sept collines, du sombre Colisée au château Saint-Ange et au dôme de Saint-Pierre qui, au loin, scintille au soleil. Tout près, la basilique Sainte-Sabine à l'architecture italo-byzantine évoque l'âge d'or de l'Église indivise.

Le P. Gillet ne passera qu'environ un an et demi à Saint-Anselme. Mais c'est un temps qui comptera dans sa vie, plein d'espoirs et de projets. Il y acquiert ou précise quelques bases de théologie catholique traditionnelle teintée de thomisme. Mais l'essentiel est ailleurs : l'essentiel est la maturation, sous le soleil de l'amitié, en dialogue avec des amis qui communient dans le même idéal et cherchent en tâtonnant les voies de sa réalisation, d'une vocation à la fois commune et intensément personnelle.

Pendant son temps d'études à Saint-Anselme, Louis Gillet a pour professeur dom Lambert Beauduin : ce moine de l'abbaye du Mont-César avec lequel le métropolite André a sympathisé lors de son passage à Louvain [9].

---

9. Parmi les publications sur Lambert Beauduin on peut consulter : Louis BOUYER, *Dom Lambert Beauduin. Un homme d'Église.* Tournai, 1964 ; Sonya A. QUITSLUND, *Beauduin, A prophet vindicated,* New York-Toronto, 1973 ; *Veilleur avant l'aurore,* Colloque Lambert-Beauduin, Chevetogne, 1978.

Séparés par une grande différence d'âges et de statuts – Lambert Beauduin a près de cinquante ans, Louis Gillet est de vingt ans son cadet, l'un est professeur, l'autre, étudiant – les deux hommes prennent conscience de leurs affinités : une inspiration commune puisée dans la prière liturgique comme prière du peuple de Dieu tout entier, l'aspiration à un ressourcement de la piété catholique dans la grande Tradition de l'Église indivise. Tous les deux aussi sont attentifs aux signes du temps et soucieux de les déchiffrer.

À l'époque de son arrivée à Rome, le futur fondateur du monastère d'Amay se trouve à une croisée de chemins. Entré à l'âge de trente-trois ans comme postulant à l'abbaye du Mont-César, il apporte dans le monachisme, tout comme Louis Gillet – quoique de façon différente – une riche expérience de la vie séculière. Jeune prêtre, il s'est engagé dans l'évangélisation du monde ouvrier au sein d'une société sacerdotale d'aumôniers du travail. Désireux d'être proches des travailleurs, ces aumôniers vivent dans des hôtelleries ouvrières. Ils encouragent la fondation d'associations chrétiennes d'ouvriers pour la défense des travailleurs : c'est la première esquisse d'un syndicalisme chrétien qui se heurte, bien entendu, à l'opposition du patronat catholique. Par ce souci de partager la vie des pauvres, par la volonté de ne pas séparer le combat spirituel intérieur du combat pour la justice sociale, Lambert Beauduin – qui n'a jamais renoncé à l'idéal de sa jeunesse – est proche de Louis Gillet. Celui-ci, jeune étudiant attiré par l'évangélisme de Léon Tolstoï, n'a-t-il pas rêvé d'aller travailler au fond d'une mine, saluant plus tard, comme une grande espérance, les débuts de la Révolution russe !

À l'abbaye du Mont-César, Lambert Beauduin sera parmi les promoteurs d'un mouvement liturgique destiné, dans son esprit, à renouveler la piété d'une élite monastique, comme celle aussi du peuple chrétien tout entier. De ce renouveau espéré, il se fera l'apôtre enthousiaste en Belgique et au-delà, dans d'autres pays francophones.

Pour lui, comme pour dom Gillet, le dépassement du subjectivisme et un nouveau discernement de l'Église comme Corps du Christ sont le fruit de l'approfondissement du sens de la prière liturgique. Revenu au Mont-César après la grande parenthèse de la guerre de 1914-1918 qui l'a amené à faire un séjour en Grande-Bretagne et à connaître l'anglicanisme, il y apporte des préoccupations nouvelles. Il s'agit maintenant de réveiller un bénédictinisme qui risque de s'assoupir dans les fastes liturgiques, au mieux dans de savantes recherches d'archéologie chrétienne : un assoupissement qui va de pair avec une fausse mystique de l'obéissance monastique qui transforme celle-ci en « simple démission [10] », les moines risquant de rester d'éternels enfants immatures. Au Mont-César on salue probablement avec soulagement le départ pour Rome de ce moine turbulent et non conformiste.

À Saint-Anselme, Beauduin va retrouver un de ses anciens élèves du scolasticat de Louvain, dom Olivier Rousseau, un jeune moine de l'abbaye de Maredsous particulièrement doué et attiré par la patristique grecque. Très vite les deux Belges vont reconnaître dans le nouveau-venu de Farnborough un frère et un compagnon de route d'une envergure intellectuelle et spirituelle exceptionnelle.

Stimulé par la rencontre avec Szeptykij, encouragé par ce dernier quand il se trouve à Rome, le trio Lambert Beauduin, Olivier Rousseau, Louis Gillet va constituer une cellule où s'élaborent, à partir d'une première intuition encore confuse, l'idée et la stratégie d'un authentique œcuménisme catholique : œcuménisme qui n'ose encore ni dire son nom ni couper totalement le cordon ombilical qui l'attache à l'unionisme catholique, encore vivace, des siècles précédents.

Les relations entre dom Lambert et les deux étudiants, et, en particulier, entre lui et Louis Gillet ne sont pas celles de maître à disciple. Il s'agit d'une amitié entre

10. L. Bouyer, p. 104.

égaux où chacun à son tour reçoit et donne. Témoin de leur rencontre, Olivier Rousseau écrit dans ses souvenirs : « dom Gillet et dom Beauduin » fraternisèrent dans un même idéal [11]. Séduit par les dons intellectuels exceptionnels du bénédictin de Farnborough, Beauduin le désigne comme un « génie [12] ». De son côté, le P. Gillet voit en dom Lambert un ami et un sage conseiller. Acculé à un choix déchirant, c'est de lui qu'il sollicite l'avis qui pourrait être l'indication divine.

Plus profonds encore sont les liens tissés au cours de leur séjour commun à Rome entre Louis Gillet et Olivier Rousseau. Ce dernier aussi est un « jeune homme riche » : riche de dons intellectuels et spirituels. De cinq ans plus jeune que Louis Gillet, d'une expérience moindre de la culture séculière, il éprouve pour son ami une immense admiration. Elle se double, chez ce robuste Wallon, d'une tendre compassion pour l'ami à la fois génial, émotif et fragile qui lui ouvre son cœur avec une confiance entière.

Autour de la *Droujina* [13] – nom donné par L. Gillet au trio amical de Saint-Anselme –, on discerne une nébuleuse de sympathisants, d'informateurs comme le P. Cyrille Korolevsky [14], fondé de pouvoir à Rome du métropolite Szeptykij, et d'alliés dont certains, comme le P. d'Herbigny, se transformeront en redoutables adversaires.

Rassemblés sous le même toit, dans un esprit de complicité fraternelle, Lambert Beauduin, Olivier Rousseau et Louis Gillet vont approfondir ensemble l'appel lancé par le métropolite Szeptykij et adressé particuliè-

---

11. O. Rousseau, « Après dix ans : la semaine unioniste de Bruxelles de 1925 », *Irénikon*, 1935, nº 6, p. 170.

12. C'est par ce terme qu'il le désigne au P. Serge Heitz qui m'a rapporté cette confidence.

13. Le mot *droujina*, du même radical que *droug* (ami) désigne en russe ancien la troupe de guerriers qui entoure le prince et combat pour et avec lui.

14. Sous le pseudonyme de C. Korolevsky se cache un Français du nom de Charon, devenu prêtre de rite oriental d'abord melkite puis rattaché à l'Église ruthène de Galicie.

rement à l'ordre bénédictin. Celui-ci paraît bien loin de ces préoccupations missionnaires et unionistes. Mais l'autorité suprême dans l'Église catholique romaine – en l'occurrence le pape Léon XIII – n'a-t-elle pas émis, il y a déjà quelques décennies, des souhaits analogues à ceux formulés par le métropolite galicien ? Le temps n'est-il pas venu de leur donner suite ?

Recevant en 1887 la première promotion d'étudiants de Saint-Anselme, Léon XIII a exprimé le désir que leur maison devienne, tout comme le Collège grec, également confié aux bénédictins, un foyer d'études orientales. L'enseignement qui y serait dispensé, espérait-il, devrait permettre aux bénédictins, conformément à leur devise *Pax*, d'œuvrer pour la réconciliation tant désirée de l'Orient et de l'Occident : tâche à laquelle les prédisposait leur tradition liturgique et contemplative.

« Pierre jetée dans les eaux profondes du silence bénédictin, n'y soulevant pas la moindre ride [15] », l'exhortation papale n'a guère produit d'effets immédiats. Mais opportunément redécouverte dans les archives vaticanes par le P. Korolevsky, elle ne peut que confirmer Louis Gillet et ses deux amis dans leur enthousiasme oriental et leur désir d'œuvrer pour la réconciliation des Églises d'Orient et d'Occident comme à la fois condition et manifestation d'un grand renouveau spirituel chrétien.

Du reste, ces préoccupations semblent être celles aussi du nouveau pape, de l'élu du conclave de février 1922 : le cardinal A. Ratti devenu Pie XI. Tous ceux qui connaissent l'ancien nonce papal à Varsovie savent que l'unité de l'Église et l'expansion catholique vers l'Orient – surtout vers l'Orient slave en pleine ébullition – seront parmi les grandes priorités de son pontificat. On peut donc espérer qu'il donnera son appui à une initiative qui, surgie de l'appel du métropolite Szeptykij, semble aller dans le sens de ses désirs. Sous cette convergence se cachent cependant des ambiguïtés. Les mêmes mots

15. L. Bouyer, p. 114.

recouvrent des visées différentes : « Travailler pour l'union », cette phrase n'a pas le même sens pour tous. Un jour l'obligation d'une clarification et d'un choix crucifiant s'imposera gravement au P. Gillet. Tel sera le dénouement d'un drame personnel dont le séjour sur la colline de l'Aventin avec dom Lambert Beauduin et dom Olivier Rousseau constitue le premier acte heureux et encore plein d'espoir.

La maturation de cette crise de conscience personnelle se produira dans un contexte historique précis : la gestation lente et difficile – car elle exige une véritable conversion, une *metanoïa* – de l'« idée » œcuménique au sein du catholicisme romain : catholicisme qui, pour commencer, la rejette. L'œcuménisme se heurte à d'antiques résistances apparemment dogmatisées.

Marquées par l'offensive catholique unioniste en direction de la Russie, les années vingt sont aussi celles du premier grand essor au sein des Églises non romaines, d'un mouvement orienté vers l'unité chrétienne, vers la réconciliation d'Églises, hélas, divisées. Né au début du siècle, au sein d'organisations internationales d'origine protestantes, telle la Fédération universelle des associations chrétiennes d'étudiants (FUACE), et associé à des préoccupations missionnaires, ce qui, après des débuts modestes, va devenir le Mouvement œcuménique, est alors porté par une vague de fond : après l'une des guerres les plus meurtrières de l'histoire, nombreux sont les chrétiens qui prennent conscience de la responsabilité des divisions chrétiennes dans le déclenchement (que les Églises n'ont pas su empêcher) d'une catastrophe où la civilisation chrétienne occidentale a été blessée, peut-être même blessée à mort.

En tant que mouvement qui commence à s'organiser, l'œcuménisme bénéficie du soutien des grandes confessions historiques du protestantisme. Mais le premier des patriarcats orthodoxes – *primus inter pares* –, le patriarcat œcuménique de Constantinople, s'y joint dès 1920, tout comme le fait, en cette même année, la Communion anglicane qui, elle aussi, se considère située dans la tradition « catholique ». En revanche, l'Église catholique romaine est absente. À l'invitation qui lui a été adressée de participer à la préparation des premières grandes conférences œcuméniques qui auront lieu à Stockholm (1925) et à Lausanne (1927), elle a répondu par une refus, un *non possumus* poli mais ferme. Pouvait-il en être autrement à l'époque ? La doctrine catholique romaine officielle est claire : seule Église du Christ sur terre, l'Église de Rome ne peut qu'exhorter « schismatiques » et « hérétiques » à *revenir* dans l'unique bercail sur lequel veille le souverain pontife romain, « vicaire du Christ » sur terre. La soumission à l'autorité papale, telle que l'a définie le concile du Vatican en 1870, est le prix à payer par ceux du dehors – protestants, anglicans et orthodoxes – pour être intégrés à l'unité catholique qui n'a jamais manqué à l'Église romaine. Tout effort vers l'unité se situant en dehors de cette perspective doit être considéré comme vain. L'Église catholique romaine ne saurait donc s'y rallier.

Cependant, de la part de l'autorité supérieure romaine, aucune condamnation ou critique officielle de l'œcuménisme naissant n'est encore intervenue en ce début des années vingt. À titre personnel, un certain nombre de catholiques – et parmi eux des universitaires et des théologiens, surtout en Allemagne – sympathisent avec le mouvement. Une voix comme celle de l'historien protestant des religions, Friedrich Heiler (qui aspire à un « catholicisme évangélique »), jouit d'une audience incontestable dans les pays germanophones, y compris parmi une minorité de catholiques. Louis Gillet est attentif à ces signes. Il connaît et apprécie certains ouvrages de Heiler qu'il évoque dans sa correspondance. Étant allés jusqu'à la participation à une sainte Cène protestante, ses contacts avec le protestantisme l'ont ouvert aux richesses spirituelles authentiques de la Réforme, même si un puissant appel intérieur, à l'époque de son séjour romain, l'oriente préférentiellement vers la Russie orthodoxe. Du rétablissement de la communion entre l'Église de Rome et l'Église russe et par elle avec tout l'Orient grec et byzantino-slave, il attend un renouveau global de la foi et de la vie chrétienne : un espoir qu'il s'applique à faire partager à ses amis anselmiens. Or certains accents dans les discours du nouveau pape peuvent laisser croire à un assouplissement des vues romaines sur les relations avec les Églises « schismatiques ». Certes Pie XI ne renie pas la doctrine selon laquelle un véritable statut ecclésial, l'ecclésialité en sa plénitude sont refusés par Rome aux Églises orthodoxes d'Orient. Mais l'expression de cette conviction fondamentale est atténuée chez lui par souci de manifester sa bienveillance paternelle à ces Églises et particulièrement à l'Église russe, prête, selon l'avis de conseillers comme le P. d'Herbigny qui a l'oreille du pape, à se rallier, en masse, à l'Église catholique romaine. Pie XI se plaît à souligner l'« éminente dignité de l'Orient chrétien, les convergences décisives en ce qui concerne le mystère eucharistique et le culte marial [16] ». Il laissera évoquer par d'autres « la sainteté préservée dans les Églises d'Orient qui mérite respect et sympathie [17] ».

Dûment repérés, scrutés et pressés, de tels propos ne constituent-ils pas autant de brèches par où des idées neuves, germées en quelques esprits audacieux, sont susceptibles d'être introduites dans la citadelle catholique ? Évangélisme russe et patristique grecque dont deux jeunes moines se sont épris seront la charge de dynamite dont l'explosion, espèrent-ils, fera crouler les murs de la cité fermée. Galvanisés par l'appel du métropolite galicien, dans l'effervescence de l'après-guerre et des débuts du pontificat de Pie XI, la volonté et l'espoir de desserrer l'étau du catholicisme romain posttridentin sous-tendent la réflexion commune du trio anselmien. Son but précis est l'élaboration d'un projet de fondation monastique qui, tout en servant la cause de l'union des Églises d'Orient

16. Finale de l'encyclique *Ecclesiam Dei.*
17. *Irénikon*, 1927, n° 1, p. 21.

et d'Occident, permettrait aussi de renouer avec la tradition antique d'un monachisme libre et charismatique ouvert à toutes les vocations, « celle du travailleur manuel comme celle du travailleur intellectuel, celle du contemplatif comme celle de l'homme d'action ». Ainsi le dira quelques années plus tard le P. Gillet en présentant un projet plusieurs fois remanié en sa forme, au gré des circonstances, mais toujours identique selon son intentionnalité profonde.

À Rome, la réflexion des amis avance prudemment, inspirée par une vision claire et lumineuse, dès l'origine, dans la pensée ailée de Louis Gillet, mais pour laquelle il faut découvrir des modalités concrètes d'incarnation. Pour réussir celle-ci, le solide bon sens, la ténacité et l'entregent de dom Lambert se révèlent indispensables. Les conspirés se réunissent tantôt dans la cellule de ce dernier, au collège Saint-Anselme, tantôt au Collège grec [18] où Olivier Rousseau a ses entrées, parfois – quand il est de passage à Rome – autour du métropolite Szeptykij dans sa chambre de l'hôtel de la Via Vittorio Veneto où le prélat a ses habitudes.

Parcimonieusement accordées par les autorités du Collège, quelques sorties en tête à tête – par exemple pour se rendre le dimanche à un concert de musique religieuse – permettent à Louis Gillet et Olivier Rousseau de se concerter sur la stratégie à suivre pour pousser dom Lambert, plus prudent et plus hésitant, à quelque démarche audacieuse. Ainsi, tout en déambulant dans les jardins de l'Aventin, échafaudent-ils le plan d'un voyage commun d'exploration en Galicie, à l'invitation du métropolite : un projet auquel – devant l'opposition de l'abbé primat von Stotzingen – dom Lambert renoncera. Pour Louis Gillet, ces sorties sont aussi l'occasion d'entrer

18. C'est à Rome, en fréquentant le Collège grec que Louis Gillet reçoit une première initiation à la patristique grecque qui l'enthousiasme et qui le marquera pour toujours. Voir sa lettre de remerciement adressée au recteur de ce collège (15 mars 1924). Archives de Chevetogne.

furtivement en quelque chapelle « schismatique » où il lie connaissance avec le clergé russe ou grec : rencontres qui, à l'époque, sont insolites et même interdites aux séminaristes. C'est le fidèle Olivier Rousseau qui se charge de surveiller les alentours pour que l'audace de son ami, surprise par quelque ecclésiastique non initié, ne donne pas lieu à une dénonciation dangereuse.

Avide de contacts avec le monde non clérical, le P. Gillet – toujours au témoignage du même Olivier Rousseau – profite de son séjour romain pour entrer en relation avec les personnalités les plus diverses. Il se lie ainsi d'amitié avec l'écrivain récemment converti au catholicisme Giovanni Papini, auteur d'une *Vie du Christ*. Il restera longtemps en correspondance avec lui. Cette capacité de nouer des relations profondes avec des « chercheurs de Dieu » hors des milieux chrétiens traditionnels sera toujours l'un des traits distinctifs du moine de l'Église d'Orient. À Rome, parallèlement au projet oriental pour lui essentiel, ces contacts occupent une partie importante des loisirs de Louis Gillet alors qu'« extraordinairement doué », c'est « un jeu pour lui d'assimiler les matières [d'enseignement] [19] ».

La rencontre avec cet étudiant brillant, que ses expériences antérieures et toute sa structure intellectuelle et spirituelle prédisposent à l'ouverture, eut-elle une influence sur ce que d'aucuns nomment « la conversion » à l'œcuménisme de dom Lambert Beauduin ? La question ne saurait être éludée.

Certes, appliquée à l'évolution unioniste de dom Lambert, au cours de son séjour romain, le terme de « conversion » peut paraître inadéquat. Acquise dans la participation au mouvement liturgique, « la perception essentielle du mystère de l'Église comme rassemblement de tous les frères dans l'unique Corps du Christ pour s'élever en lui vers le Père », cette intuition fondamentale « est restée toujours la même » chez le fondateur d'Amay,

19. O. Rousseau, p. 176.

comme le souligne le P. Emmanuel Lanne [20]. Elle préexiste à ses expériences romaines et le dispose à les faire fructifier. Cependant, comme il le reconnaît lui-même dans un fragment autobiographique, les préoccupations concernant la réconciliation des Églises séparées lui sont à cette époque totalement étrangères. Sa vision de ces Églises est conforme à la plus stricte orthodoxie romaine. Voilà comment lui-même décrit son état d'esprit : « Totalement étranger jusque-là aux questions unionistes, j'étais aussi exclusivement latin qu'on peut l'être, c'est déjà trop dire : la question était pour moi inexistante. Dans mes valises, des notes de cours préparées pendant les vacances étaient soigneusement classées : schismatiques et hérétiques en compagnie des Juifs et des infidèles y étaient condamnés en bloc ; les quatre notes classiques de la véritable Église, ni plus ni moins, d'une évidence lumineuse, laissaient à peine place à la bonne foi ; et l'axiome « hors de l'Église, point de salut » ne souffrait aucune exception ; mon orthodoxie était irréprochable [21]. »

Ce que Lambert Beauduin acquiert auprès du jeune moine attiré par l'évangélisme russe et par les vastes horizons de la patristique grecque, c'est un nouveau regard sur les chrétiens séparés de Rome et, surtout, sur les Églises d'Orient. Avec les yeux du jeune Louis Gillet, il porte sur elles maintenant un regard d'amour ; le regard qui discerne en elles *l'autre* qui est semblable, égal en dignité en son ineffable différence, *autre* désiré en l'absence duquel quelque chose manque à la plénitude catholique. De ce nouveau regard témoignent les articles du P. Gillet dans les premiers cahiers de la revue *Irénikon* où il collabore si étroitement avec dom Lambert. C'est dans la ligne de ce changement de regard – sous l'influence du regard de son jeune ami – que la per-

20. E. LANNE, « Liturgie et unité chrétienne : continuité de la vision de dom Lambert Beauduin », *Veilleur avant l'aurore,* p. 293.

21. L. BEAUDUIN, « Mémoires de ma vie », f° 1 (six pages dactylographiées), Archives de Chevetogne.

ception du mystère du Corps du Christ se mue pour l'aîné en exigence concrète d'œuvrer pour l'unité, pour la réconciliation, afin que l'Église *catholique* devienne en vérité ce qu'elle est.

Certes d'autres influences aussi ont joué : l'appel de Szeptykij, le grand rêve du P. Michel d'Herbigny, un climat général favorable à Rome à un nouvel essor de l'unionisme. Mais qu'en serait-il advenu, quelles eussent été les conséquences concrètes sans la pression amicale, pleine de déférence, d'un jeune séducteur, « plus fascinant s'il se peut que dom Lambert lui-même [22] » ?

La part prise par le P. Gillet dans la fondation par Lambert Beauduin de l'Œuvre des moines de l'union d'Amay-Chevetogne a son origine dans leur séjour commun à Rome.

Il ne saurait être question de retracer ici l'histoire des origines mouvementées de cette communauté qui joua et continue de jouer un rôle unique et exemplaire en vue du rapprochement et de la compréhension réciproque entre chrétiens d'Orient et d'Occident, entre l'Église catholique romaine et les Églises orthodoxes. On ne saurait cependant laisser plus longtemps ignorer – sauf de quelques initiés – qu'à ces origines le P. Gillet se trouve étroitement mêlé et cela dès la gestation de l'intuition spirituelle profonde dont l'œuvre de Beauduin est issue.

Pendant longtemps, quand il était question de ces origines, le nom de ce collaborateur entré dans la communion de l'Église orthodoxe (et par conséquent traité de « renégat », voire d'« apostat », par ceux – l'immense majorité des catholiques de l'époque – qui ne peuvent comprendre le sens de sa démarche) était systématiquement omis.

Légitime, s'expliquant par le souci de sauvegarder une œuvre longtemps menacée, ce silence, qui aujourd'hui n'a plus lieu d'être, a été heureusement rompu par l'un

22. L. Bouyer, p. 117.

des derniers témoins de l'époque héroïque des débuts d'Amay.

Dans l'article nécrologique qu'il consacre en 1980 au moine de l'Église d'Orient, dom Olivier Rousseau écrit : « Au moment de la mort du P. Lev Gillet, on a écrit qu'il aurait été l'un des fondateurs du monastère d'Amay, aujourd'hui à Chevetogne. Canoniquement la chose n'est pas exacte, puisque Père Lev n'a jamais fait partie de la communauté fondée par dom Lambert. Mais, dans sa dimension spirituelle la plus profonde, il est sans doute l'un de ceux qui ont le mieux saisi l'intuition centrale du projet en cours de réalisation... En ce sens, il a été l'un des fondateurs d'Amay-Chevetogne [23]. »

De fait, la saisie de cette « intuition centrale » originelle et sa progressive mise en forme ont lieu à Rome, en ce printemps spirituel « merveilleux » des années 1922-1923. Elles sont l'œuvre commune de Lambert Beauduin, Olivier Rousseau et Louis Gillet. Mais l'inspiration puissante, l'enthousiasme contagieux et l'intelligence lumineuse du dernier nommé y ont joué un rôle essentiel.

Timides encore, tâtonnantes, les réflexions du trio anselmien annoncent un changement d'optique radical, une véritable révolution copernicienne : l'idée surgit ou resurgit d'une unité ecclésiale plurielle quant aux expressions de la foi trinitaire commune. Cela à l'opposé de l'idéal du bloc monolithique. La vision de l'Église-communion n'est plus occultée par celle de l'Église-société parfaite, pyramidale, centralisée et hiérarchisée. Auprès de Lambert Beauduin, le jeune Louis Gillet est l'orfèvre génial qui, recevant l'idée unioniste dans sa gangue institutionnelle, en fait sortir le joyau de Golconde d'une vision conciliaire, symphonique de l'unité ecclésiale dans l'amour et le respect mutuel de personnes et d'Églises-sœurs reconnues comme des sujets responsables.

En juillet-août 1922, Louis Gillet fait un séjour méditatif et solitaire au monastère du Mont-Cassin, berceau du

---

23. O. ROUSSEAU, p. 183-184.

monachisme bénédictin. Pendant les vacances d'été de 1923, il comptait se rendre avec ses amis en Galicie. Ce projet, comme on l'a vu, ne se réalisera pas. Dom Cabrol, qui n'a autorisé cette expédition qu'à contrecœur, rappelle le jeune moine à Farnborough. Pour des raisons obscures, dom Gillet n'est pas autorisé à poursuivre sa formation théologique à Rome, comme il semble l'avoir désiré.

De son côté, Olivier Rousseau retourne à Maredsous. Seul Lambert Beauduin reste à Rome où il va suivre à l'Institut pontifical oriental un cours accéléré d'initiation aux problèmes de l'Orient chrétien. Tous les espoirs d'obtenir l'approbation papale indispensable à la réalisation du projet monastique unioniste élaboré en commun reposent sur lui. Commence alors pour les trois amis, géographiquement séparés mais unis dans une commune aspiration, un temps d'attente, d'oscillation entre l'espoir et l'inquiétude qui trouve un exutoire dans l'abondante correspondance qui s'établit entre eux.

CHAPITRE V

ATTENTE

Dans une longue lettre adressée fin août 1923 à Olivier Rousseau, Louis Gillet évoque les paysages du sud de l'Angleterre où se trouve Farnborough et l'atmosphère anglaise retrouvés, semble-t-il, sans déplaisir. En même temps percent la nostalgie et l'espérance partagées avec l'ami. La campagne autour de Farnborough : *c'est délicieusement conventionnel et artificiel. Comme un parc immense, avec des prairies vertes et des arbres pluri-séculaires, des ruines d'abbayes, des cottages roses, de petites églises gothiques normandes, si « ritualistes », confortables et recueillies.* Il y a aussi *le charme de l'atmosphère anglicane, l'atmosphère de Westminster Abbey et d'Oxford, cette* pietas litterata *chère à Érasme*. Traditionaliste et libérale, pieuse et cultivée, mère de l'*habeas corpus* et du parlementarisme, une certaine Angleterre sera toujours chère au P. Gillet. Apaisante pour un cœur inquiet, elle ne saurait cependant combler tous ses désirs. Et dom Gillet d'ajouter : *Mais le germanisme aussi est prenant, et l'italianité, et surtout la grande mère tumultueuse des émotions russes*.

Pour l'instant les occupations ne lui manquent pas. Ayant retrouvé *sa* bibliothèque, il s'y plonge comme un poisson qui aurait été longtemps privé de son élément. Il se propose de poursuivre « sans professeurs » des études de théologie interrompues par son départ de Rome. À sa demande, dom Cabrol a établi pour lui un « petit » plan d'études d'histoire du dogme, de dogmatique systématique, de patristique, liturgie, histoire ecclésiastique pendant les cinq premiers siècles, et d'introduction à l'exégèse (histoire du Canon, méthode de critique textuelle)... *Le tout dans un esprit « scientifique », historique et critique en allant directement aux textes et en ayant le moins possible recours aux « manuels ».* Ce travail systématique le conduit à approfondir la théologie trinitaire des Pères grecs. *Leurs théories,* écrit-il, *– priorité des personnes sur la nature, « donations » substituées aux processions « psychologiques », dynamique substituant l'action à l'être, etc. – diagramme rectiligne au lieu de diagramme triangulaire [le] satisfont plus que l'interprétation augustino-thomiste.*

Ainsi se poursuit et s'approfondit sur le plan de la réflexion théologique une orientation amorcée à Rome. L'attirance affective vers l'Orient s'éclaire de l'appropriation de la théologie orientale comme trésor appartenant à l'*Una Sancta Catholica*. En même temps sont découvertes les richesses de la spiritualité byzantine du Moyen Âge, en continuité avec la pensée patristique. Louis Gillet y discerne plusieurs directions parallèles : d'une part la tendance ascético-orientale dérivée des Pères du désert et de saint Basile, d'autre part, la tendance mystico-platonicienne dérivée du Pseudo-Denys : Syméon le Nouveau Théologien, Maxime le Confesseur, enfin avec Nicolas Cabasilas, l'école « mystagogique » et liturgique : une spiritualité splendide, ecclésiastique, sans révélations privées, sans mièvreries sentimentales. Et de brosser en quelques lignes, à partir de l'admirable *Vie dans le Christ* de Nicolas Cabasilas, le plan d'un petit traité de spiritualité, dont il suggère l'idée à Olivier Rousseau et qu'il finira par écrire lui-même un quart de siècle plus tard [1].

Cette plongée dans les études byzantines ne l'empêche pas de s'intéresser à la pensée théologique contemporaine. Il a *lu* Der Katholizismus *du théologien protestant allemand Friedrich Heiler : une étude très dense et très informée sur l'essence du catholicisme par un non-catholique.* Heiler, constate Louis Gillet, *aime le catholicisme tout en lui*

1. Il s'agit de *Orthodox Spirituality* publié en 1945 à Londres.

résistant : une position avec laquelle lui-même paraît sympathiser. Comme Heiler, il espère que *le mouvement liturgique et la conception religieuse qu'il porte en lui feront craquer quelques vieux cadres : l'esprit romain, le jésuitisme, le curialisme, la casuistique.*

Ainsi s'accentue une évolution qui éloigne Louis Gillet non de l'essence du catholicisme, mais de ses expressions historiques empiriques, de la morale et de la théologie enseignées dans les séminaires.

Dans la même lettre, il évoque aussi des événements récents et ses préoccupations actuelles : son inquiétude pour le sort du métropolite André arrêté par les autorités polonaises, la venue inopinée à Farnborough du P. Michel d'Herbigny, un d'Herbigny mondain *en veston court et chapeau mou* avec lequel, tout en ironisant sur ses « vaticinations », il s'entretient *des heures durant de la Russie.* Car c'est vers elle, la Russie bien-aimée, « terre parcourue par le Roi du ciel ployant sous le poids de la Croix » – selon les paroles du célèbre poème de Tioutchev – que convergent toutes ses pensées et toutes ses aspirations en l'espérance d'une nouvelle rencontre féconde entre l'Orient et l'Occident chrétiens. C'est dans cette espérance qu'il communie avec Olivier Rousseau : *Que sera votre avenir, que sera le mien ?* Speramus... *Et tenons ferme notre idéal hellénique, l'« hellénisme du Golgotha couronnant l'hellénisme de l'Acropole », comme le disait l'ex-patriarche Meletios Metaxakis... Une renaissance des idées grecques dans le catholicisme du* XX*e* *siècle...* fiat, fiat [2] !

Cependant les semaines et les mois passent sans que la réalisation du projet commun semble progresser. Louis Gillet s'impatiente. S'adressant à Lambert Beauduin, il l'exhorte à « agir », à « entreprendre » car, dit-il, *livré à lui-même, le métropolite [Szeptykij] ne fera rien*. Pour tuer le temps, il écrit sur commande, avec facilité, des articles

---

2. L. Gillet a trouvé cette citation qui l'a frappé et sur laquelle il reviendra à diverses reprises dans l'article « Intellectualisme » signé Rousselot du *Dictionnaire d'apologétique*.

pour différentes revues bénédictines. Répondant à une demande d'Olivier Rousseau, il rédige pour lui une bibliographie sur saint Théodore le Studite en vue d'une étude, qu'encore une fois, il finira par écrire lui-même. Mais il ronge son frein et ses confrères de Farnborough l'entendent pendant la nuit marcher dans sa cellule, de long en large, « comme un lion en cage ».

Nostalgique à l'approche de Noël, il écrit à Olivier Rousseau : *J'ai encore dans l'oreille vos chants de Noël sur l'orgue l'année dernière*. Le climat anglais, *du brouillard depuis des semaines*, le déprime et le rend mélancolique. Cependant l'homme de foi reprend le dessus et la lettre s'achève dans un cri d'espérance : *Nous voici à la fin d'une année pendant laquelle nous avons – vous et moi et d'autres encore – beaucoup pensé, beaucoup parlé, et, peut-être, beaucoup « semé » pour un avenir qui ne se dessine par très clairement mais dans lequel j'ai une grande confiance. Vous sentez vous-même tout ce que je sens, quand je jette un regard sur ce passé encore si proche et sur les années qui viennent – Je pense au Κύϱιος ἐγγίς dont parle votre dernière carte. Comment viendra-t-il pour nous ? Pour* notre ami *de Lwow ? Oh, qu'il vienne de quelque manière que ce soit ! – Qui sait ? Si le grain de froment ne tombe pas en terre et ne meurt pas..., mais s'il meurt... la moisson lèvera ! Il y a là un rêve si beau, trop beau – Ναι, ἐϱχομαι ταχύ. Αμγν ἐϱχου, Κυϱιε Ιησου*[3] !

Au cours des premiers mois de 1924, les nouvelles, qu'elles viennent de Rome ou de Lvow, soufflent tantôt le chaud, tantôt le froid. Le métropolite est pessimiste. Dom Lambert se plaint « des lenteurs romaines qui découragent les meilleures volontés ». Puis, soudain, en mars 1924, c'est l'annonce du bref papal *Equidem verba* qui, obtenu à l'arraché [4], semble permettre tous les espoirs.

---

3. Lettre du 11 décembre 1923. Cette finale de l'Apocalypse (Ap 22, 20) est un des textes du Nouveau Testament les plus souvent cités par le P. Gillet.

4. Sur les conditions dans lesquelles cet écrit papal a été obtenu, voir É. FOUILLOUX, *Les Catholiques et l'Unité chrétienne*, Éd. du Centurion, p. 142.

À la suite d'un rapport de Lambert Beauduin transmis à Pie XI par le cardinal Mercier, primat de Belgique, le souverain pontife adresse une lettre au primat de l'ordre bénédictin, l'exhortant à s'intéresser tout particulièrement à la restauration de l'unité avec les chrétiens séparés d'Orient et, en particulier, de Russie. En vue d'œuvrer pour ce but, les abbés bénédictins sont priés de désigner par pays où par congrégation un monastère particulièrement voué à l'étude de l'orthodoxie russo-slave. En fait, malgré le sceau papal, le bref est fraîchement accueilli par le primat Fidèle von Stotzingen comme par la plupart des autres abbés bénédictins, sauf, peut-être, en Belgique et dans les Pays-Bas où dom Lambert jouit de solides sympathies. Soutenu par le cardinal Mercier, Lambert Beauduin croit pouvoir s'autoriser de *Equidem verba* pour tenter de réaliser son projet monastique.

À Farnborough la situation est complexe et les perspectives sont incertaines. Dom Cabrol qui aime et protège Louis Gillet ne partage pas ses enthousiasmes slaves et orientaux ! Du reste, l'érudit bénédictin est en train de se retirer complètement des affaires. La direction effective de la communauté est déjà laissée à son successeur présumé, le prieur dom Bernard de Boisrouvray. Homme pieux dans la ligne beuronienne, dom Bernard met l'accent sur l'obéissance et la stabilité monastique en tant que vertus essentielles du « bon moine » : deux vertus qu'on reproche précisément à dom Lambert Beauduin de trop ignorer. Les élections pour désigner à dom Cabrol un coadjuteur avec pleins pouvoirs abbatiaux ont lieu le 5 mai 1924. Comme prévu, dom de Boisrouvray est élu. En annonçant la nouvelle à son ami, Louis Gillet souligne que le coadjuteur dispose *dès maintenant des* pleins *pouvoirs*. Il veut cependant encore espérer que ce changement de direction n'affectera pas sa collaboration à l'œuvre commune. Mais quelques jours plus tard il envoie à Olivier Rousseau ce message laconique : *Merci pour* tout...

Oui, cette lettre [5] *sera le point de départ d'une grande œuvre. Je me réjouis de tout cœur pour vous car maintenant je vois clairement votre avenir. Je crois que moi-même je ne pourrai être que le témoin lointain de vos efforts. Les circonstances ont changé. J'ai l'impression que la Russie est pour moi un chapitre clos. Mais l'œuvre seule importe. Que Dieu vous aide. Que dire de plus ?* Frater tuus in X°. *Louis Gillet.*

Que s'est-il passé entre le premier et le second message ? La correspondance de Louis Gillet avec son frère, avec quelques autres informations, permet de reconstituer la suite des événements.

L'existence et le contenu du bref *Equidem verba*, que le primat s'est gardé de divulguer, ne sont connus d'abord que de quelques initiés. Alertée par dom Lambert, la presse belge en publie un résumé dans le courant de mai. Le texte entier paraît dans la *Revue liturgique et monastique* dont Olivier Rousseau, depuis l'automne de 1923, assure le secrétariat. C'est ainsi que le bref devient l'objet de conversations et de discussions dans les abbayes bénédictines. Celles-ci font apparaître le clivage entre la portée attribuée à la lettre par dom Lambert et ses amis et son interprétation très restrictive par le primat von Stotzingen, suivi par la plupart des abbés bénédictins. Les notables de l'ordre ne cachant pas leur crainte que, « sous couvert d'unionisme, dom Lambert ne poursuive ses rêveries anti-stabilité [6] ».

C'est dans ce climat tendu que Louis Gillet estime nécessaire de s'entretenir avec le nouveau supérieur au sujet de son avenir. L'entretien a lieu dans le courant de mai.

Au jeune moine qui lui expose son désir d'œuvrer pour l'*unité* dans le cadre esquissé par *Equidem verba*, l'abbé coadjuteur répond sèchement que la décision à ce sujet

5. Il s'agit du bref *Equidem verba*.

6. Lettre de dom Lambert Beauduin du 29 mai 1924, à Olivier Rousseau, citée par É. FOUILLOUX, p. 147.

appartient à l'ordre et, plus particulièrement à la congrégation de Solesmes dont Farnborough fait partie. Il lui paraît hautement improbable que les abbés de cette congrégation décident de prendre une part active à la réalisation du projet dont dom Lambert est l'inspirateur. Lui-même, du reste, n'y est pas favorable. Et de conclure : « un moine de Farnborough ne peut donc compter s'employer à cette œuvre. »

Le coup est douloureux. Le premier mouvement de dom Gillet est de s'en remettre à la volonté de Dieu dans un état de totale disponibilité. En la fête de la Sainte Trinité, il écrit à sa mère sans donner d'autres précisions : *Il n'y a qu'à se remettre entre les mains de Dieu, en abdiquant tout désir et toute préférence propres, en demandant seulement que sa volonté soit connue, aimée et accomplie par nous et en ayant la certitude que toutes nos épreuves, toutes nos croix, quelles qu'elles soient, tourneront finalement à notre avantage et font partie d'un dessein de bonté et de miséricorde.*

S'établir en cet état de paix dans la remise totale à la volonté divine n'est pas synonyme cependant de passivité. Il s'agit de chercher QUELLE *est la volonté de Dieu pour moi* ? L'abbé lui-même a entrouvert une porte : jusqu'ici, fait-il remarquer, Louis Gillet n'est lié à Farnborough et à la congrégation de Solesmes que par des vœux temporaires qui expirent le 1er novembre 1924. Il lui appartient de décider s'il veut y prononcer des vœux définitifs. Il doit prendre cette décision *en toute liberté intérieure et choisir sa voie sans s'arrêter aux considérations de reconnaissance ou d'affection mais en se plaçant sur le terrain juridique et sur celui de ses intérêts spirituels. Lui-même se défend d'exercer une influence et ne croit pouvoir donner aucun conseil*[7].

Placé devant ce choix qui engage son avenir, Louis Gillet se confie à Lambert Beauduin comme à un homme qui le connaît et qui peut comprendre sa situation. Ayant

7. Lettre de L. Gillet du 1er juin 1924 à dom Lambert Beauduin.

exposé le point de vue de son supérieur, il poursuit : *L'abbé de Solesmes viendra ici pour la bénédiction abbatiale, le 2 juillet ; je le verrai, m'informerai de ses intentions personnelles qui ne peuvent manquer d'être du plus grand poids dans la congrégation, et tâcherai de savoir de lui s'il y a définitivement incompatibilité entre l'apostolat russe et les obligations auxquelles m'astreindraient des vœux perpétuels contractés à Farnborough. Si cette incompatibilité n'existe pas, aucune question ne se pose et je peux me lier par des vœux perpétuels sans renoncer à ma vie présente ni à mes espérances. S'il y a incompatibilité, alors, au contraire, une question très grave se pose, et je tiendrai pour un devoir de prudence de reconsidérer toute ma situation. Dans cet examen, je ne me demanderai pas quelle est la ligne de conduite la plus séduisante, la plus désirable à mon point de vue subjectif. Il n'y aurait évidemment pas de pire manière de se poser la question. Je me placerai au point de vue objectif, c'est-à-dire au point de vue de Dieu, et chercherai à savoir si cet attrait – je puis dire cet attrait violent – que j'éprouve pour la Russie est un appel divin auquel il faille répondre. Je vois assez clairement, je crois, le pour et le contre de la question. D'une part, on prend facilement pour un appel divin ce qui n'est qu'illusion et recherche inconsciente de soi-même ; personne n'est jamais indispensable et je n'ai certes pas la naïveté ou l'outrecuidance de me croire nécessaire ou particulièrement utile à une œuvre que Dieu, de toute façon, saura mener à bonne fin : il y a toujours une présomption de sécurité en faveur de la voie où l'on est déjà régulièrement engagé, lors même qu'on n'y est pas encore fixé par un lien juridique définitif ; enfin, je sens très bien la grandeur et le mérite d'une vie cachée, consacrée au seul effort de réalisation du royaume de Dieu dans sa propre conscience (et par répercussion dans tout le corps mystique du Christ), et, souvent même, j'aspire à une vie où il y aurait moins d'intellectualité que de prière, de méditation et de travail des mains. D'autre part, n'y a-t-il pas une finalité divine dans les circonstances qui, depuis douze ans*[8]*, m'ont mis en contact étroit avec les Russes, m'ont permis d'acquérir une certaine culture russe et, au témoignage de plusieurs de mes amis russes, de me faire jusqu'à un certain point une âme russe, grâce à laquelle la sympathie s'établit aisément entre les Russes et moi ? Ne dois-je pas reconnaître cette finalité au travers des divers événements et des diverses relations qui ont marqué mon séjour à Rome ? Dois-je considérer comme une illusion ce besoin passionné que j'éprouve de travailler à la cause de l'Union et – ce serait là le plus haut bonheur – de souffrir pour l'Union et même de* DONNER *ma vie pour elle ? Si, par hypothèse, j'ai reçu un don, un « charisme » de cet ordre (je prend le mot « charisme » dans un sens tout « accommodatice »... et dépourvu d'ambition), n'est-ce point pour me donner à mon tour ? Je n'ose pas dire que j'ai quelque chose à donner et, même, si j'avais quelque chose à donner, ce ne serait rien par rapport à Dieu qui seul « est » et qui seul « a » ; mais enfin, m'interrogeant humblement, loyalement, il me semble parfois que j'ai reçu de Dieu quelque chose (oh ! bien peu de chose sans doute !) à transmettre, ou plutôt que je puis, dans une faible, infinitésimale mesure, aider certains autres à recevoir quelque chose de Dieu.*

Comprenez bien : je ne cherche pas à m'enorgueillir, j'essaie de parler objectivement. Je n'ai pas le droit de me dissimuler que, en certaines circonstances, Dieu – j'en ai l'humble certitude – s'est servi de moi, homme médiocre et pécheur, auprès d'autres. J'éprouve un désir de servir que je ne puis guère dissocier de l'idée de la Russie et de la grande vision catholique de l'Unité. Dieu m'a-t-il donné quelque aptitude en ce sens ? Si cela est, m'a-t-il fait cette grâce en vain ? M'a-t-il, comme au serviteur de l'Évangile, prêté un talent que je dois faire fructifier ? Et – toujours si cela était – n'aurais-je pas alors le devoir, sans renoncer à la vie monastique, d'essayer de me placer dans les conditions les plus favorables pour répondre à l'appel divin ? Dans l'ordre

8. L'intérêt pour la Russie remonte donc chez L. Gillet à l'époque où il faisait des études de philosophie à Grenoble. Voir p. 30 s.

des réalisations, cela signifierait pour moi, soit l'émission de vœux perpétuels dans une congrégation bénédictine où ma vocation russe (supposée existante) pourrait être utilisée, soit une collaboration immédiate et sur place avec le métropolite André ; je n'ignore pas les difficultés pratiques immenses que présentent l'un et l'autre parti.

Il y a l'autre face de l'option : reconnaître mon grand espoir pour une illusion ambitieuse, renoncer à ce rêve russe dont j'ai vécu, m'appliquer simplement à la vie bénédictine dans ce monastère de Farnborough où l'on a toujours été pour moi meilleur que je ne le mérite.

Je dis bien « renoncer »... Car, si la Russie n'est pas pour moi un objet d'activité pratique, je n'en pourrai jamais faire un objet d'étude : outre qu'il n'y a pas dans ce monastère l'outillage scientifique nécessaire, une telle étude me causerait une nostalgie trop douloureuse, mieux vaut l'amputation radicale. Donc, si le choix s'impose, Dieu veut-il que je renonce – ou que je cède à la voix intérieure qui, depuis longtemps, semble m'appeler ? Tel est le problème, telles sont les possibilités diverses. Je ne procéderai pas à l'élection sans avoir pris conseil de ceux qui sont le mieux à même de comprendre et d'apprécier la situation.

... Quant à moi, j'essaie de m'établir dans l'état d'indifférence. Je n'éprouve pas la moindre anxiété : je suis tout à fait calme. J'ai la confiance que Dieu me manifestera clairement sa volonté. Peut-être serez-vous son organe. Si en juillet vous pouvez faire un détour par l'Angleterre, combien j'en serais heureux, et combien ce pourrait être utile. Rien ne vaut l'échange direct des pensées, sans l'intermédiaire de l'écriture. Priez pour moi.

On ne connaît ni la réponse de dom Lambert à cette lettre, ni le résultat de l'entretien avec l'abbé de Solesmes, si toutefois il a eu lieu. En effet, après le départ de dom Cabrol qui l'aimait et le protégeait, Louis Gillet se heurte à Farnborough à des hostilités ouvertes. On lui laisse entendre que sa candidature aux vœux perpétuels dans ce monastère, vu son « manque d'équilibre », serait de toute façon jugée « inacceptable [9] ». Le rejet est blessant mais il résout le problème. Au début de juillet la décision est prise [10]. Dans une lettre adressée à son frère au lendemain de l'intronisation du nouvel abbé, Louis Gillet lui expose, avec beaucoup de calme, les grandes lignes de l'orientation nouvelle donnée à sa vie. L'arrachant au cadre paisible de la vie bénédictine, cette orientation nouvelle ne représente cependant pas une rupture. Il la vit comme un accomplissement auquel ses expériences précédentes l'ont préparé : *Notre vie est toujours calme, semblable à elle-même, telle que tu la connais dans ses grandes lignes. Peut-être, dans ma propre vie, suis-je arrivé à pied d'œuvre et vais-je maintenant commencer ce que les années précédentes ont préparé. Les traits de cette œuvre ne sont pas encore précis, et cependant il me semble qu'ils se dégagent peu à peu. Il ne s'agit pas d'une œuvre littéraire, mais de l'œuvre active d'une vie. Tu sais que la « grande pensée » du pontificat présent, pensée que j'ai recueillie des lèvres mêmes de Pie XI, est celle de l'Union des Églises. Par mes connaissances théoriques, mon expérience personnelle, mes relations et mes amitiés, je puis, dans une humble mesure être l'un des ouvriers du rapprochement entre l'Église catholique, les Églises protestantes et l'Église orientale orthodoxe. Il semble que les circonstances m'engagent particulièrement du côté de cette dernière. Il se peut qu'un appel autorisé m'applique prochainement à cette œuvre et me transporte* in media res, *géographiquement. Ce sera une tâche difficile. L'Union ne sera pas faite par notre génération. Ce ne sera pas davantage une œuvre de polémistes ou de diplomates. L'union des cœurs devra précéder celle des esprits. Il y faudra beaucoup de charité et de sacrifices personnels* [11].

La profession de foi œcuménique énoncée dans cette

9. D. BALFOUR, « Memories of Father Lev Gillet », *Sobornost* du 4 février 1982, p. 205.

10. *Je suis absolument déterminé à ne pas demander à être admis à la profession solennelle* (lettre du 8 juillet 1924 à Olivier Rousseau).

11. Lettre du 12 juillet 1924.

lettre se passe de commentaire. Il faut cependant souligner sa nouveauté à une époque où l'œcuménisme, à peine sorti des limbes, est encore inexistant dans les sphères officielles de l'Église romaine. L'appel entendu par le jeune moine est étranger à l'unionisme catholique ordinaire. Louis Gillet ne semble pas appelé à œuvrer pour la réunion à Rome de chrétiens séparés, pour leur soumission à l'autorité du pape. Il ne se voit pas militant d'une conquête spirituelle. Le but encore lointain, dont la réalisation exige le don de soi et une totale abnégation, est la réconciliation dans la charité mutuelle des cœurs et des esprits. L'œcuménisme, pour Louis Gillet, est une voie spirituelle, une mystique : une voie d'union à Dieu, à l'« Amour sans limites ».

Le métropolite Szeptykij n'est pas nommé dans cette lettre. Mais c'est de lui que Louis Gillet attend « l'appel autorisé » qui le transportera *« in media res »*. Quelques jours plus tôt, il a annoncé à Olivier Rousseau : *J'ai écrit au Métropolite. S'il m'invite à venir auprès de lui, j'*irai. *Je veux devenir oriental. C'est une gigantesque décision. Mais ma lettre l'a-t-elle atteint ? S'il n'y a rien à faire de ce côté-là, je ne sais pas ce que je ferai. Mais je me sens fort, parce que je crois que, si j'ai une tache à remplir, Dieu me mettra à même de la remplir* [12].

La réponse positive de Szeptykij parvient à Farnborough à la fin de juillet. Tout en mettant la dernière main à un article sur le monachisme russe au Moyen Âge pour le bulletin de Maredsous et en s'inquiétant de la publication chez un éditeur parisien d'une Histoire religieuse du peuple russe [13], le P. Gillet se prépare au départ.

Ayant pu régler sa situation canonique – ce vagabond anarchisant aura toujours un grand souci de la légalité –, il quitte vers le milieu de septembre « le pays des rhododendrons », sans regrets, mais sans amertume.

12. Lettre du 8 juillet 1924.

13. Il s'agit de Beauchesne et l'œuvre compterait 240 pages imprimées. J'ignore si elle a été publiée (E.B.S.).

Obligé de s'arrêter à Paris pour obtenir le visa polonais, il fait un crochet par la Belgique pour revoir encore une fois Lambert Beauduin et Olivier Rousseau. C'est ce dernier, toujours fidèle et généreux, qui offre l'argent nécessaire au long voyage jusqu'en Pologne. Ayant peut-être manqué un dernier rendez-vous, le voyageur laisse à l'ami ce message griffonné au crayon sur une feuille d'agenda et précieusement conservé par le destinataire : *Adieu encore. Les dernières lignes des* Karamazov *expriment bien la conclusion de* TOUT CECI [souligné de deux traits dans le manuscrit] : « Nun gehen wir Hand in Hand... und für ewig so, für das ganze Leben, Hand in Hand [14]. »

Avant de quitter les siens, le nomade passe encore quelques jours sous la tente familiale : à Artemarre, dans la propriété de campagne de son frère, où il joue avec sa nièce, à Valence, dans la vieille maison familiale, où il accorde quelques jours à sa mère et à sa grand-mère. Le départ a lieu dans les derniers jours de septembre 1924. Le voyage se fera par étapes. Entre deux trains, le P. Gillet s'arrête à Genève, puis à Vienne où il a donné rendez-vous à David Balfour. Ce dernier, sous son influence « subversive », écrit-il à dom Olivier, est sur le point d'entreprendre des études de russe à Prague. Le 30 septembre, Louis Gillet arrive à Lvov où le métropolite André le reçoit chaleureusement. La page bénédictine est tournée. Une nouvelle vie commence.

14. « Nous allons maintenant la main dans la main... et ainsi toujours pour l'éternité, pour toute la vie, la main dans la main », *Les Frères Karamazov*, épilogue.

CHAPITRE VI

LA VOIE UNIATE

Les premiers mois de son séjour en Galicie sont pour Louis Gillet un enchantement des yeux, du cœur et de l'intelligence. Je suis dans la joie, écrit-il à Olivier Rousseau. *Il me semble que je rêve et je crains de m'éveiller* [1]. Ce réveil viendra. Mais pour l'instant, il est tout à la joie de découvrir les êtres et les choses *tels que les décrivent les romans de Tourgueniev et de Tolstoï : forêts de bouleaux claires et vertes, églises à coupoles en bulbe, ciel d'un bleu vaporeux léger, croix de bois orthodoxes à deux travées dans les champs où tombèrent les soldats russes pendant la guerre. Blouses russes, bottes, fourrures, chemises ukrainiennes à broderies rouges ; types slaves blonds, yeux bleu clair.*

Le métropolite, dont la forte personnalité subjugue le jeune moine, prend paternellement soin de lui et l'invite fréquemment à partager sa table : *J'ai passé trois semaines chez le Métropolite, parlant intimement avec lui.* Je suis complètement pris [2] *par lui. Il faut le voir dans son cadre, pasteur, apôtre, chef de son peuple. Enfin maintenant je lui appartiens canoniquement.*

La lettre est écrite au lendemain d'un séjour de plusieurs semaines dans la laure d'Ouniov. Le P. Gillet a renouvelé ses vœux monastiques entre les mains du

---

1. Lettre du 22 octobre (4 novembre 1924). – Les citations qui suivent sont extraites de la même lettre. La double datation s'explique par le retard de 13 jours du calendrier julien, ou « ancien style », sur le calendrier grégorien, ou «nouveau style ».

2. Phrase soulignée de la main de Louis Gillet.

métropolite agissant en qualité d'archimandrite de cette communauté monastique. Selon la coutume monastique orientale un nouveau nom est imposé à celui qui désormais est « un moine de l'Église d'Orient ». Louis est devenu Lev, forme slave de Léon : un nom qui le place symboliquement sous le patronage de deux grands papes de l'Église indivise, mais qui évoque aussi – il le fait remarquer dans une lettre à sa mère – le grand romancier russe cher à son cœur, Lev Nicolaïevitch Tolstoï, porte-parole génial et révolté de l'évangélisme russe.

Le jeune religieux français porte maintenant le *riassa* des moines orientaux. Comme eux, il se laisse pousser la barbe : *une barbe dure comme du crin et dorée tirant sur le roux* [3]. S'amusant de cette transformation, il signe ses lettres « Lev Ivanovitch » tirant le patronyme Ivan du second prénom de son père, à la place du « Henri » intraduisible.

Il ne s'agit cependant pas d'une mascarade superficielle. Les signes extérieurs sont l'expression d'une volonté profonde et réfléchie : devenir un homme nouveau, s'ouvrir à cette Lumière qui vient de l'Orient et se laisser transformer par elle.

Les premiers pas sur cette voie nouvelle (en continuité cependant avec tout ce qui a précédé) s'accomplissent à la laure d'Ouniov, une sorte de hameau monastique, en pleine campagne galicienne, loin de toute ville, de tout moyen de communication moderne. Le récit de la fondation de cette communauté, sous la plume du P. Gillet, a une saveur évangélique et franciscaine épicée d'une pincée d'esprit libertaire : *Cinq paysans se groupèrent un jour, sans prêtre, sans reconnaissance des autorités ecclésiastiques, pour vivre la vie évangélique. Le Métropolite informé, les encouragea et leur acheta un terrain* [4].

En cette communauté issue du peuple, semblable à

3. Lettre du 23 octobre 1924.

4. Lettre du 22 octobre (4 novembre 1924) à Olivier Rousseau. – La citation qui suit est extraite de la même lettre.

celle que formèrent les premiers chrétiens, le nouveau-venu voit l'embryon d'une Église réconciliée. *Le Père Clément admet comme possible de recevoir des orthodoxes dans un monastère catholique pour qu'ils participent à la vie monastique « sans se faire catholique ». Une voie s'ouvre ainsi hardie et intéressante, féconde peut-être pour l'Union : celle de monastères* mixtes, *avec orthodoxes et catholiques.*

La vie des moines d'Ouniov est simple, pauvre, le cadre presque misérable. Le décorum des nobles abbayes bénédictines d'Europe occidentale en est totalement absent. L'existence de ces néo-studites galiciens, comme celle de leurs modèles byzantins et russes, allie la prière, le travail manuel et le service social. Pour assurer leur subsistance, les moines travaillent la terre. Une école d'arts et métiers est installée dans quelques petites maisons de torchis pour une quarantaine d'orphelins de guerre. Ancien pavillon de chasse transformé en monastère, l'édifice principal, « malgré une propreté méticuleuse, respire la gêne et la pauvreté. Les chambres ont dû être transformées en dortoirs. Un peu partout, dans les angles des corridors, des paravents dissimulent d'humbles couchettes [5]. »

Loin de le rebuter, le dénuement de cette communauté suscite le respect et l'admiration du P. Gillet. Ses lettres évoquent *l'ambiance à la fois libre, héroïque et charismatique autour du Métropolite et ses studites, gens simples, comparables aux apôtres.* Ces moines sont destinés à accomplir une œuvre missionnaire en Union soviétique. Prolétaires parmi les prolétaires, ils y seront, en milieu athée, les témoins du Christ assumant tous les risques de ce témoignage. Le P. Gillet rêve de partager leur sort. C'est à Ouniov qu'il reçoit le premier choc de l'immensité russe et comme un appel à s'y « perdre pour se trouver, en vérité ». Un appel qui se renouvellera pour lui quelques mois plus tard dans les forêts de Biélorussie : *Il y a des bois et des bois sans fin. Quelques petites collines. Elles*

5. Cyrille KOROLEVSKY, *Le Métropolite André Szeptykij (1865-1944)*, Rome, 1964, p. 270.

finissent dans une grande plaine que j'ai vue l'autre soir, déjà couverte d'une brume bleue, et mon guide m'a dit : « Nous ne sommes qu'à trente kilomètres de la frontière de l'ancien empire russe. Vous voyez cette plaine : elle va jusqu'à Moscou. Moscou est là-bas... Là, à votre droite, c'est Kiev et la route de l'Orient. » Ç'a été ma première rencontre encore lointaine avec la Russie [6].

De l'humble communauté où il a reçu son initiation au monachisme oriental, le P. Gillet continuera à se sentir solidaire bien des années après l'avoir quittée. David Balfour, qui lui rendra visite en 1926, croit pourtant constater la solitude morale de son ami qu'un « abîme culturel » sépare de ces moines paysans ukrainiens. Du point de vue psychologique, il a sans doute vu juste. Mais spirituellement, par quelques fibres de son âme, Lev Gillet restera toujours un moine d'Ouniov. Au sort tragique de cette communauté, pendant et après la Seconde Guerre mondiale, il compatira profondément, imputant, avec chagrin, une part de responsabilité dans ce malheur à l'Église russe officielle [7].

Pendant la plus grande partie de son séjour en Galicie, le P. Gillet ne résidera pas à Ouniov, mais auprès du métropolite Szeptykij dans la capitale, Lvov, ou Leopol – une grande ville à la population très mélangée. On lui a alloué deux pièces dans une maison proche de la demeure épiscopale : une maison destinée – espère-t-il – à devenir un jour le siège d'un Institut d'études slaves. Sous le même toit habitent deux jeunes studites qui sont censés faire des études de théologie, ainsi que le P. Ildefonse Dirks, un bénédictin de Maredsous. Professeur au Collège grec à Rome où il a sympathisé avec le trio anselmien, lui aussi, succombant au charme du métropolite, a voulu tenter l'expérience galicienne. La petite

6. Lettre du 23 octobre 1924 à Mme H. Gillet.

7. À la suite du rattachement à l'URSS de la Galicie, la communauté, privée d'existence légale, se disperse. L'higoumène, le P. Clément, meurt en déportation. L'Église uniate de Galicie est incorporée de force à l'Église patriarcale russe.

de se plonger dans les lectures russes : une plongée dont la bibliothèque du métropolite lui offre l'occasion. Le séjour à « Leopol des Ukrainiens » correspond pour le P. Gillet à une première grande initiation à la pensée religieuse russe contemporaine et, par celle-ci, à une théologie et une spiritualité orthodoxes vivantes, actuelles : initiation à laquelle s'ajoute celle, par imprégnation journalière, de la liturgie byzantine dorénavant fréquentée et servie avec amour.

Sa formation antérieure liturgique et théologique a déjà familiarisé Lev Gillet avec la patristique grecque. Mais celle-ci, jusqu'ici, restait essentiellement pour lui une matière d'enseignement ou d'études érudites. En sa forme historique, elle semble appartenir au passé. L'audace et la fraîcheur de la philosophie religieuse russe, en continuité avec l'humanisme transfiguré des Pères grecs, la lui font découvrir soudain vivante et actuelle. Une bouffée d'air frais pénètre dans la citadelle romaine où règne encore trop souvent, selon lui, une scolastique desséchée relayée, pour les âmes religieuses, par un mysticisme doloriste. C'est l'enthousiasme de cette découverte libératrice – enthousiasme dont le P. Gillet corrigera plus tard les excès – qui s'exprime dans une lettre adressée à Olivier Rousseau : *Ici,* in Leopoli Ikrainorum, *nous vivons dans l'attente, d'une part prêtant l'oreille à ce frémissement qui monte du jeune bénédictisme occidental d'autre part nous penchant vers cette terre russe toute proche, dont la séduction demeurera toujours irrésistible en ceux qui l'ont une fois sentie... Ce que vous dites sur l'optimisme des Pères grecs touche à un point très sensible en moi. Oui, c'est un grand malheur que « le christianisme grec » (rappelez-vous la belle parole de l'évêque Synesios cité par Rousselot : « Être vraiment grec c'est savoir converser avec les hommes »), n'ait pas prévalu. Christianisme de Clément d'Alexandrie, de Basile, des deux Grégoire – paysage classique doré par le soleil –, hellénisme du Golgotha couronnant l'hellénisme de l'Acropole (cette expression est du dernier patriarche de Constantinople, Meletios Metaxakis). Notre Église d'Orient*

– je dis notre*, puisque je suis maintenant un moine de l'Église orthodoxe-catholique russe – a conservé cette tradition. Et justement deux publications récentes, l'une* Orthodoxie et culture*, série d'essais par des écrivains russes émigrés, l'autre* L'Église d'Orient et la Mystique *par N. Arseniev, professeur à l'Université de Saratov, viennent de bien mettre ce point en relief. L'âme de l'Église d'Orient, disent les uns et les autres, c'est la « joie pascale ». Aucune « mystique de la Passion » : si la liturgie orientale parle de la Croix, c'est pour dire avec insistance que « par elle la joie est entrée dans le monde ». Aucune hantise du péché, car l'Église d'Orient adore avec prédilection le Logos, la « lumière joyeuse », qui illumine et sanctifie toute nature : le Cosmos entier. D'où contrastes avec l'ascèse latine : vous savez par exemple que le monachisme grec a toujours rejeté les « instruments de pénitence » ; là où les Latins disent « mortification », l'Orthodoxie byzantine dit « transfiguration » : il y aurait toute une étude à faire sur cette notion de* preobrajenie *ou transfiguration de la nature humaine chez les écrivains russes. Enfin, depuis Augustin, l'Occident a toujours eu une tendance à s'absorber dans le sublime et le redoutable tête à tête que Harnack exprime ainsi : « Dieu et l'âme – l'âme et son Dieu. » L'Orient maintient la notion du Christ cosmique paulinien – non seulement christocentrisme, mais « panchristisme » : il se soucie du salut collectif, du plérôme, plus que du salut individuel. Un petit exemple significatif : le dimanche, le fidèle byzantin est tenu à être présent, non à toute la liturgie, mais à une partie* quelconque *de la liturgie ; en effet, du moment que la liturgie, œuvre collective de toute l'Église, se célèbre intégralement, peu importe que* vous *en particulier soyez présent à telle ou telle partie ; l'Église, elle, est toujours présente : vous, il suffit que vous indiquiez votre participation comme vous l'entendez. Ce n'est pas le juri[di]sme latin...*

Faut-il aller plus loin et dire, avec Vladimir Soloviev, que l'Orient est appelé à résoudre les antinomies de l'Occident – que, répudiant à la fois la Freiheit *individualiste de l'esprit germanique et l'*imperium *de l'esprit latin, l'Orient* *demeure fidèle à ce que Dostoïevsky (avez-vous lu* Les Frères Karamazov *?) appelle l'« humble amour », et qu'il n'est de salut que là ? C'est ma pensée intime ; je n'ose le dire trop haut* [13].

Avec ses intuitions et ses antithèses simplificatrices, en sa clairvoyance comme en ses naïvetés, cette lettre est caractéristique de l'enthousiasme et des grandes espérances qui remplissent en ces années celui qui audacieusement se désigne comme un « moine de l'Église orthodoxe-catholique russe » et qui va mettre en question l'autosuffisance triomphaliste du catholicisme romain. Ce dernier n'a-t-il pas besoin de l'orthodoxie, héritière du lumineux divino-humanisme des Pères grecs pour être authentiquement *catholique* ? Les deux termes « orthodoxe » et « catholique », compris en leur sens profond, ne se recouvrent-ils pas ? Significative aussi est la référence à Vladimir Soloviev qui, en tant que visionnaire de l'unité chrétienne, devient en ces années non seulement le maître à penser mais le modèle de Lev Gillet qui va s'identifier à lui.

De sa fréquentation de la pensée de Vladimir Soloviev et de la profonde sympathie du P. Gillet pour la personne du philosophe, témoignent trois études écrites par lui entre 1925 et 1926, publiées dans les premiers fascicules de la revue *Irénikon* qui vient d'être fondée par les moines d'Amay [14]. Leur contenu éclaire son cheminement personnel, intellectuel et spirituel.

Soloviev n'est pas un inconnu pour le jeune P. Gillet à l'époque de son arrivée en Galicie. Dans les milieux unionistes de Rome qu'il fréquente, il est souvent question

---

13. Lettre du 4 janvier 1925 citée par Olivier Rousseau, « Après dix ans : la semaine unioniste de Bruxelles de 1925 », *Irénikon*, 1935, nº 6, p. 179-181. Noter la reprise de la citation attribuée au patriarche Meletios Metaxakis qu'on trouve déjà dans une précédente lettre, voir p. 73.

14. Hiéromoine Lev, « Vladimir Soloviof : le chrétien », *Irénikon*, 1926, nº 1 ; « Roma Amor. Une vue de Vladimir Soloviof sur la primauté de Pierre », *Irénikon*, nº 2 ; « Vladimir Soloviof : l'homme, le philosophe, le Russe », *Irénikon*, 1926, nº 3.

de la « conversion » au catholicisme de celui en qui le P. Michel d'Herbigny voit un « Newman russe ». Mais c'est précisément de cette « conversion » – terme qu'il récuse – que les investigations entreprises par lui à Leopol amènent Lev Gillet à donner une interprétation nouvelle. Il en jaillira pour lui une lumière qui orientera, d'une façon décisive, son destin personnel. Évoquant trente ans plus tard « la signification de Soloviev », le moine de l'Église d'Orient, tout en la corrigeant sur quelques points de détail, maintiendra pour l'essentiel sa première interprétation. Dès 1926, Lev Gillet – au risque de scandaliser alors beaucoup de catholiques – ose affirmer que Vladimir Soloviev ne s'est pas converti au catholicisme au sens où conversion veut dire retournement total, impliquant rupture avec le passé et, dans le cas du philosophe russe, rupture avec l'Église orthodoxe. Dans une perspective universaliste et fidèle à l'enseignement des Pères de l'Église indivise, Soloviev aurait adhéré à l'Église catholique romaine, comme à celle qui, selon l'expression d'Ignace d'Antioche, « préside dans la charité ». Ce pas, il a cru devoir l'accomplir pour se conformer « à la position à l'égard de la catholicité des Pères grecs, de saint Irénée, de saint Jean Chrysostome » comme des « plus grands docteurs de l'Église byzantine que sont Jean Damascène, saint Maxime le Confesseur ». Cependant la reconnaissance de la primauté de Pierre, au sens où il l'entendait, « n'a impliqué pour lui à aucun moment l'obligation d'abandonner l'Église orthodoxe russe ». Croyant pouvoir appartenir ensemble à l'Église orthodoxe russe et à l'Église catholique, Soloviev fonde cette conviction sur des raisons historiques : n'ayant pas participé à l'échange des anathèmes entre les Églises de Rome et de Constantinople, l'Église russe, selon lui, n'est séparée de la première que *de facto*, par suite d'un long *estrangement*, mais non *de jure*. Surmontant cet *estrangement*, lui-même pouvait donc s'unir au siège romain sans avoir à quitter l'Église de son baptême. Ainsi s'expliquerait le geste accompli par lui sur son lit de mort : « Sur le point de mourir, à la campagne, c'est d'un prêtre orthodoxe que Soloviof reçut les derniers sacrements... Dans sa vie comme dans sa pensée, il concilia donc la Tradition orientale, russe et orthodoxe, avec la Tradition catholique. » Informé de cette position, « le siège de Rome ne l'en aurait pas dissuadé [15] ».

Acceptant le principe de la primauté de Pierre et de ses successeurs, Soloviev, explique encore Lev Gillet, l'aurait interprété d'une façon originale – quoique fondée en Tradition – de manière à répondre aux critiques des slavophiles et à la rendre acceptable aux orthodoxes russes. Ceux-ci, à la suite d'Alexis Khomiakov, dénoncent dans la primauté romaine l'expression d'une volonté de domination, un « impérialisme ». Comme tel s'est effectivement trop souvent manifesté l'exercice historique de l'autorité papale. Faut-il pour autant « condamner la papauté » ? demande Soloviev. Et de donner cette réponse : « Un papisme arbitraire, absolu, violent, aboutit finalement à révolter les hommes. Demandons la solution non point au papisme, mais à la papauté. » La vérité, au sujet de la papauté, il faut la chercher dans la triple question « m'aimes-tu ? » adressée par le Christ à Pierre. De la primauté de Pierre et de ses successeurs, elle fait une primauté d'amour, du pasteur privilégié, le dépositaire de l'amour du Christ pour l'universalité de l'Église. Appelé à porter sur ses épaules le fardeau de « la sollicitude de toutes les Églises, *sollicitudinem omnium Ecclesiarum*, selon l'antique formule romaine », il doit être, selon une autre formule, « le serviteur de tous les serviteurs de Dieu, *servus servorum Dei* ». Ainsi « le pouvoir universel [du pape] ne doit pas être défini en termes d'honneur et de domination : il faut le concevoir comme un service d'humilité et de charité à l'égard de toutes les Églises

15. « Vladimir Soloviof : le chrétien », p. 25-26. – Les citations qui suivent sont extraites du même article (p. 25).

particulières[16] ». Il ne vise pas leur asservissement mais s'honore de leur liberté ainsi que l'écrit le pape saint Léon dans une lettre citée par Soloviev : « Le pouvoir suprême brille de tout son éclat là où il ne diminue en rien la liberté des subordonnés. » La thèse du penseur russe est que la doctrine de la primauté contient « plus d'amour » que la doctrine purement collégiale, qu'elle contient un « maximum d'amour[17] ». Tel est le sens de l'anagramme *Roma Amor*. Cependant, toujours à nouveau, la question se pose et Soloviev ne l'élude pas : « La pratique répond-elle à cette théorie ? » Même si la réponse doit être négative, il reste que dans l'Église, selon la promesse du Christ, « l'élément divin soutient l'élément humain et ne lui permet pas d'errer touchant le message révélé du Christ dont le maintien intégral est la première fonction de la charité de "Pierre" à l'égard des Églises particulières[18] ». Critique à l'égard du « papisme » historique, en même temps croyant, Soloviev aurait continué d'espérer que « Pierre qui vit dans ses successeurs..., n'a pas entendu en vain les paroles du Seigneur ».

Telle serait, affirme Lev Gillet, l'attitude à la fois lucide et critique, croyante et espérante, à l'égard de la papauté, du philosophe chrétien russe : une attitude qu'il partage à l'époque où il écrit ces articles et dont, tout en s'unissant canoniquement à l'Église orthodoxe, il ne se départira fondamentalement jamais.

De Soloviev, le P. Gillet reçoit également la confirmation de l'idée qui lui est chère d'une mission spirituelle spécifique du peuple russe humble et souffrant. « Le moujik russe, écrit Soloviev, a ramassé et gardé précieusement la perle de l'Évangile que Byzance a laissée tomber dans la poussière. » Rachetant par « l'humble

16. « Roma Amor... », p. 77. – La citation qui suit est extraite du même article (p. 77).
17. « Roma amor... », p. 75.
18. *Ibid.*, p. 78. – La citation qui suit est extraite du même article (p. 78).

amour » le péché d'orgueil de Byzance, le peuple russe est appelé à œuvrer pour la réconciliation de l'Orient et de l'Occident et pour l'avènement d'un nouvel humanisme ou plutôt d'un divino-humanisme – le « théandrisme » de Soloviev – dont dépend le salut du monde. Enraciné dans la foi apostolique, héritier de la vision lumineuse des Pères grecs, seul ce divino-humanisme est capable de répondre créativement aux blasphèmes passionnés de l'homme moderne. Et Lev Gillet de citer longuement une page du penseur russe où il a lui-même entendu une parole libératrice : « L'Évangile n'est pas un message de mort et de deuil mais l'annonce d'un salut véritable, joie et lumière. Loin d'être fondé sur la mort, le christianisme est fondé sur le premier-né d'entre les morts, et le Ressuscité, garantissant sa promesse par son exemple, promet une vie éternelle à tous ceux qui le suivront. Est-ce là une religion de déshérités, d'esclaves, de parias ? Le christianisme n'est ennemi ni de la beauté, ni de la vigueur. Il refuse seulement d'estimer suffisante la vigueur d'un infirme qui descend vers la mort ou la beauté d'un corps en voie de décomposition. Des fantômes de puissance et des apparences de beauté, dans la réalité laideurs et impuissances, asservissaient l'homme ; le Christ nous a délivrés de ce joug. Depuis lors, tout vrai chrétien s'attache à la source infinie de ce qui est, à Celui qui est vraiment puissant et beau [19]. »

Ouvrant « au-delà de la philosophie moderne issue de Descartes, au-delà de la scolastique latine » de lumineux horizons, la voie indiquée et suivie par Soloviev n'est pourtant pas la « route large et aisée » contre laquelle Jésus met en garde ses disciples. Le P. Gillet souligne les sacrifices qui ont jalonné la vie du philosophe : renoncement à une carrière qui aurait pu être brillante [20]

---

19. *Ibid.*, p. 21. – La citation qui suit est extraite du même article (p. 21).
20. Ayant conseillé au tsar Nicolas II, dans une lettre ouverte, de pardonner aux meurtriers de son père, Soloviev, sanctionné, a été obligé de quitter le service académique.

et à l'amour humain qu'il a pourtant connu. Il rappelle les paroles de Soloviev agonisant : « Le service du Seigneur est rude. » Dans sa vie, affirme-t-il, Soloviev a incarné « l'idée que Dostoïevsky a formulée à propos d'Aliocha Karamazov : *smirennyi lioubof*, un humble amour. Comme tel, il peut servir de guide spirituel [21] ».

En même temps qu'à Soloviev dont il reçoit cette puissante inspiration, le P. Gillet s'intéresse à ses multiples fils spirituels, aux représentants dispersés dans le monde de la Renaissance religieuse russe : une Renaissance qui jette ses derniers feux dans l'émigration, à Prague, à Berlin et à Paris. C'est dans la riche bibliothèque du métropolite, sans cesse enrichie de nouvelles acquisitions, qu'il trouve la matière de chroniques succinctes mais substantielles, publiées dans diverses revues bénédictines – surtout *Irénikon* à partir de 1926 – qui exposent aux lecteurs occidentaux les grands courants de la pensée religieuse russe contemporaine, leur révélant l'existence de philosophes originaux tels S. L. Frank, Vycheslevtsev, Nicolas Berdiaev ainsi que la sophiologie du P. Serge Boulgakov évoquée avec sympathie [22].

Une autre *terra incognita* l'attire : celle de la sainteté et de l'hagiographie russes. Longtemps confinées dans la piété populaire, les vies de saints sont, à partir du milieu du XIXe siècle, redécouvertes en Russie même en leur richesse spirituelle reconnue dans les milieux intellectuels, sous l'influence conjointe du mouvement slavophile et d'un renouveau religieux authentique. Lev Gillet pressent l'importance de cette redécouverte des racines spirituelles de la sainte Russie. Avec l'immense appétit de lecture qu'on lui connaît, il absorbe toute la littérature du sujet : d'humbles ouvrages d'édification destinés au peuple croyant aux travaux de grands historiens comme Kliout-chevsky. Avec la figure du grand mystique Sérafim de

21. « Roma Amor... », p. 125. Pour la citation en russe nous avons conservé la transcription phonétique utilisée par l'auteur.

22. *Irénikon* 1927, nº 5 ; 1928, nº 2.

Sarov exhalant la joie pascale et invitant au renouvellement de la Pentecôte dans la vie de chaque chrétien [23], un autre groupe de saints exerce sur lui une véritable fascination : celui des *iourodivy* ou « fols en Christ ». Dans ces hommes et ces femmes qui simulent la folie ou la simplicité d'esprit par soif d'humiliation, pour « se rapprocher du Christ humble des Béatitudes et du Sermon sur la montagne, du Christ flagellé et couronné d'épines, bafoué et crucifié », il voit l'expression – parfois ambiguë – du maximalisme spirituel caractéristique de l'âme russe dont il se sent lui-même très proche, ceci sans en ignorer les dangers : « le *iourodstvo* ne renferme-t-il pas certains dangers latents ?... Suprême démission de soi-même et don total – ou romantisme religieux, mysticisme ; le fol en Christ s'intoxique d'une sorte d'opium spirituel ?... La Russie et l'Orient chrétien ne s'arrêtent guère à ces pensées. Et, pour ce qui est des étrangers, leur attitude mentale à l'égard du *iourodstvo* est peut-être le critère qui laisse le mieux discerner dans quelle mesure ils sont aptes à comprendre et pénétrer l'âme religieuse du peuple russe [24]. »

Dans le *iourodstvo* russe, Père Lev ensemble aime et redoute une violence qu'il sait porter en lui mais que le Christ, et le Christ seul, par le don de sa grâce, peut changer en sainteté.

À la fin du printemps 1925, un événement important survient dans la vie du moine : son admission aux vœux perpétuels et son ordination sacerdotale. De la laure d'Ouniov où il fait une retraite, Lev Gillet envoie le 6 juin 1925 un bref message à sa mère. Griffonné au crayon sur une feuille de papier arrachée à un carnet, il est confié à un hôte de passage, car il n'y a pas de bureau de poste à proximité. *Les événements, en ce qui me*

---

23. Hiéromoine LEV, « Un moine russe : Sérafim de Sarov », *Revue liturgique et monastique*.

24. Hiéromoine LEV, « Une forme d'ascèse russe : la folie pour le Christ », *Irénikon*, 1927.

concerne, se précipitent. J'étais ici dans une paix délicieuse, habitant un pavillon indépendant et passant mon temps dans la forêt. Je comptais faire mes vœux perpétuels le 24 juin. Mais le Métropolite est arrivé hier, vendredi 5 juin, et m'a dit que demain, dimanche 7 juin, il recevrait ma profession monastique perpétuelle (qui se fera non selon un rite « uniate », mais selon le rituel russe orthodoxe en usage dans le grand monastère schismatique des Cryptes de Kief) ; que, le lundi 8 juin, il me conférerait le sous-diaconat, le dimanche 14 juin, le diaconat, et le jeudi 18 juin le sacerdoce... Ainsi donc il est probable que je serai prêtre quand je t'écrirai de nouveau. Je n'ajoute rien à cette nouvelle : je demande seulement à chacun de prier pour moi. Je célébrerai ma première liturgie en concélébration avec le Métropolite. J'aurai une intention spéciale pour Papa, pour toi, pour les Pierre [25] *et l'enfant qui va naître, pour notre famille. Préviens de mon ordination qui tu juges bon. Je ne préviendrai moi-même que Dom Cabrol et par lui Farnborough... La profession que je vais émettre demain va me lier pour toute ma vie envers l'Église et le peuple russes et envers le Métropolite André. Je le fais sans hésitation et avec joie. Et quant aux charismes qui me seront donnés dans la quinzaine suivante, demande à Dieu que je les reçoive dignement et que mon sacerdoce soit utile aux hommes. Je vous embrasse bien tous. L. G.*

Un message encore plus sobre fait part de la même nouvelle à Olivier Rousseau.

Des deux lettres il ressort que, par ces vœux accomplis, non selon le rite uniate hybride, mais selon l'antique rite orthodoxe du monastère de Kiev, de la *Kiévo-Petcherskaïa Lavra*, berceau du monachisme russe, Lev Gillet se considère comme lié pour la vie, au-delà de la communauté d'Ouniov, à « l'Église et au peuple russes ». Un lien spirituel personnel l'unit au métropolite André Szeptykij. Il subsistera, dans le cœur du moine, alors même que les liens canoniques seront rompus. Quant à l'ordination

25. Pierre Gillet et sa femme Henriette ainsi que leurs enfants.

sacerdotale il veut la recevoir non comme une promotion, comme l'élévation à une dignité supérieure, mais comme un appel à servir, un envoi par l'Église, au nom du Christ, vers les hommes, ses frères [26].

La précipitation avec laquelle cette ordination a été décidée s'explique peut-être par des raisons d'ordre pratique. Dom Lambert Beauduin réclame la présence du P. Gillet en Belgique pour l'été 1925. Le métropolite Szeptykij juge préférable qu'il s'y rende en tant que hiéromoine afin de pouvoir célébrer – comme la demande en est faite de divers côtés – la liturgie de rite byzantin. Il reste au jeune prêtre quelques semaines pour se familiariser avec cette célébration avant son départ pour ce qui est censé devenir une grande tournée « unioniste », ou plutôt, selon la vision personnelle du P. Gillet, une première grande manifestation « œcuménique » en Belgique et en France.

---

26. Sur sa conception du ministère du prêtre – conception qui n'a jamais varié –, le P. Gillet s'est exprimé beaucoup d'années plus tard dans un opuscule publié par le Mouvement de la jeunesse orthodoxe du Liban : *Sois mon prêtre. Quelques mots sur l'appel du Christ à ses prêtres*, par un prêtre (Beyrouth, 1962).

CHAPITRE VII

RÉALISATIONS ET DÉSILLUSIONS

Géographiquement séparé de ses amis, Olivier Rousseau et Lambert Beauduin, Lev Gillet reste en contact avec eux. Des lettres sont échangées. Des messagers vont des uns aux autres. Tous les trois, avec des nuances différentes, restent attachés au projet d'une œuvre monastique, ou plus précisément, d'une fédération d'œuvres monastiques, aux branches occidentales et orientales, consacrée au travail pour l'union des Églises. Lambert Beauduin, qui a suivi à l'Institut pontifical oriental un cours d'initiation accélérée aux problèmes de l'Orient chrétien, s'active à Rome pour trouver des appuis. Conscient de l'opposition qu'il rencontre au sein de l'ordre bénédictin, il envisage diverses solutions. L'une d'elles consisterait à placer la nouvelle fondation sous la juridiction canonique du métropolite Szeptykij. Au printemps 1925, il parvient enfin à réaliser le projet, plusieurs fois remis, d'un voyage d'exploration en Galicie. Lev Gillet accueille son ami avec beaucoup de joie et d'espoir. La venue de dom Lambert rompt un isolement moral dont, malgré quelques relations mondaines – dîners en ville, dans des familles de l'aristocratie locale, conférences données au Sacré-Cœur « latin » (!) – il souffrira toujours à Leopol. L'espoir est de voir bientôt franchie la première étape décisive sur la voie de la réalisation concrète du projet commun. Servant d'intermédiaire entre le métropolite et les bénédictins belges – Lambert Beauduin et ses deux compagnons – le P. Gillet est l'artisan principal de l'élaboration d'une charte destinée à sceller le jumelage de l'œuvre orientale dont Ouniov et le Studion de Lvov constitueraient l'embryon.

Dans le courant d'avril est effectivement signé, entre les frères Szeptykij d'une part, dom Lambert et ses compagnons d'autre part, le « typicon de la confédération des monastères de l'Orient et de l'Occident pour l'œuvre d'union des Églises ». Il sanctionne « sous l'égide de la seule "Règle des Pères" une association respectueuse de la liberté de chacun [1] ». Pour le P. Gillet cette signature marque l'aurore d'une grande œuvre commune. Il n'est pas sûr que dom Lambert lui ait attribué la même importance. Dans une lettre à Olivier Rousseau – il est vrai antérieure à son séjour en Galicie – il évoque l'hypothèse d'une liaison canonique avec le métropolite Szeptykij comme le moyen d'obtenir *une carte d'identité de complaisance* pour *exister indépendamment de la Congrégation [bénédictine] belge* [2]. Dès l'automne 1926, il envisage de renoncer à ce qu'il nomme une *formule juridique transitoire* [3]. Quoi qu'il en soit dans l'avenir, en ce printemps 1925, tous les espoirs de travail commun paraissent permis. Beauduin obtient du métropolite la promesse qu'il lui « prêtera » Lev Gillet pour la préparation et l'organisation d'une grande semaine d'information sur le problème de l'unité des Églises, prévue à Bruxelles pour la fin de septembre 1925.

En mai 1925 paraît la brochure-programme *Une œuvre monastique pour l'union des Églises.* Lev Gillet qui a le don des formules justes, précises et élégantes participe à sa rédaction définitive. Dès le mois d'août, il se trouve en Belgique à la « Semaine liturgique » de l'abbaye du Mont-César. Avec dom Lambert il met la dernière main à la préparation de la « Semaine de Bruxelles » destinée à sensibiliser l'opinion catholique belge et internationale,

1. É. Fouilloux, *Les Catholiques et l'Unité chrétienne,* Éd. du Centurion, p. 148. L'auteur se réfère à un dossier qui se trouve dans les archives du monastère de Chevetogne.
2. É. Fouilloux, p. 149.
3. Lettre du 8 décembre 1924, É. Fouilloux, p. 145.

d'une part à la question de l'unité chrétienne en général, d'autre part au lancement concret d'un projet monastique belge auquel s'est rallié l'abbé du Mont-César.

La Semaine a lieu du 21 au 25 septembre. Elle connaît un succès certain, marquant l'émergence d'un œcuménisme catholique qui n'ose encore dire son nom. Elle en groupe les principaux précurseurs et inspirateurs dans l'espace francophone. Sur la photographie souvenir de l'événement [4], figurent, au centre, le cardinal Mercier, à sa droite, Mgr Van Caloen, un évêque bénédictin en retraite, vieux routier de l'unionisme du temps de Léon XIII, à gauche – barbu et monumental, tel le Moïse de Michel-Ange – le métropolite Szeptykij, derrière lui, debout, un peu à part, se tient humblement le P. Lev Gillet. Aux deux extrémités du premier rang, on reconnaît le P. Portal, animateur des Conversations de Malines, et dom Lambert Beauduin.

Avec ce dernier, Lev Gillet est le principal artisan de ce colloque. Il y prend, à plusieurs reprises, publiquement la parole. Aux liturgies de rite byzantin célébrées en grec, chaque matin, dans une des églises de Bruxelles, il prononce l'homélie en langue française. Déjà il se révèle comme ce maître de l'homélie qu'il restera jusqu'à la fin de sa vie. Le 23 septembre, il fait un exposé sur « La répartition actuelle des Églises chrétiennes du point de vue de l'Union [5] ». Devant un auditoire qui a tendance à confondre christianisme et catholicisme romain, il souligne l'importance numérique des communautés chrétiennes séparées de Rome. Une place à part est faite à l'Église russe devenue « étrangère à l'Église de Rome », selon la thèse de V. Soloviev reprise par l'orateur, « seulement par suite de circonstances historiques, sans qu'il

4. On trouve une reproduction de cette photographie dans *Irénikon*, 1935, n° 6, illustrant l'article d'Olivier ROUSSEAU, « Après dix ans : la semaine unioniste de Bruxelles de 1925 ».

5. Voir O. ROUSSEAU, p. 181-182.

y ait eu – comme ce fut le cas entre Rome et Constantinople – échange d'anathèmes et rupture juridique ».

Le lendemain, 24 septembre, remplaçant un conférencier défaillant, le P. Gillet fait un second exposé à propos du projet d'« Œuvre monastique nouvelle pour l'union des Églises » : projet dont il se fait l'avocat convaincu et convaincant. Publié dans un recueil des « Plans et résumés de cours et conférences » de la Semaine de Bruxelles, repris dans son article par dom Olivier Rousseau, le schéma de cette intervention du P. Gillet mérite d'être cité. Il témoigne non seulement d'une vision claire et prophétique de l'œuvre à entreprendre mais de la part prise très concrètement par Lev Gillet dans l'avènement de l'Œuvre des moines de l'union d'Amay-Chevetogne : œuvre dont il n'a pas été canoniquement un des fondateurs, comme l'écrit justement Olivier Rousseau, mais qu'il a tenue sur les fonts baptismaux. Voici ce texte :

L'Union des Églises est un idéal assez absorbant pour que des hommes appelés par Dieu lui consacrent leur vie entière : d'où la nécessité d'un organisme religieux ordonné à cette fin. C'est à quoi s'occupent présentement, sous l'impulsion et l'autorité du Siège apostolique, des moines bénédictins occidentaux, travaillant en liaison avec des moines orientaux.

Sans exclure aucune législation particulière, ces moines seront avant tout « moines », selon la tradition primitive, et c'est de l'ensemble des Pères monastiques qu'ils se réclameront. Autant ils s'attacheront à l'enseignement doctrinal authentique de l'Église, autant ils éviteront de s'engager dans les opinions et discussions d'écoles ; plutôt que de se livrer à des polémiques irritantes, ils essaieront de montrer la *coïncidence des traditions patristiques orientale et occidentale et de mettre en lumière l'antique héritage commun des chrétiens malheureusement désunis* [6].

Leur monachisme sera systématiquement traditionnel ; ils concevront sur le type oriental la relation entre moines prêtres et moines laïcs ; ils accueilleront, dans leurs maisons d'Orient, les formes les plus authentiques de l'ancienne ascèse byzantine.

6. Nous soulignons. Lev Gillet exprime ici une de ses convictions maîtresses qu'il n'a jamais reniée.

Ils s'efforceront de maintenir aux liturgies orientales leur intégrité et leur splendeur.

Tant en Occident qu'en Orient, ils travailleront à l'Union par la prière, par l'étude, par l'apostolat direct, par l'exercice de la charité sous toutes les formes, surtout par l'exemple d'une vie qui voudra être vraiment évangélique. Leurs communautés, autonomes mais fédérées, tendront à être des « cités de Dieu » largement ouvertes à toutes les bonnes volontés, où toute vocation, celle du travailleur manuel comme celle du travailleur intellectuel, celle du contemplatif comme celle de l'homme d'action, trouvera une issue.

Des communautés semblables s'ouvriront aux femmes.

C'est surtout en développant en eux-mêmes et autour d'eux l'humilité et l'amour que ces moines espéreront servir le Christ et son Église unie. Ils ne croient pas que ce qu'ils se proposent soit présomptueux ou placé trop haut : car la forme de vie qu'ils envisagent est simplement dans son essentiel l'idéal chrétien [7].

Rédigée plus de trente ans avant le deuxième concile du Vatican, cette déclaration d'intention est audacieusement prophétique, sans manquer d'habileté : en attribuant l'audace de l'entreprise à l'impulsion « reçue de la plus haute autorité romaine », elle s'abrite des foudres des congrégations romaines. Elle ose dire pourtant des choses inouïes : alors que l'Église catholique romaine, selon l'enseignement officiel de l'époque, se considère comme l'unique Église du Christ sur terre, marqué du sceau de l'unité qui manque à toutes les autres confessions chrétiennes, le schéma propose comme but prioritaire — exigeant de quelques-uns une consécration totale — l'« Union des Églises » : des Églises au pluriel. La nature de cette « Union » n'est pas explicitée mais elle apparaît nettement en filigrane : l'unité envisagée et espérée serait le rétablissement de la communion visible entre Églises-sujets, principalement entre l'Église d'Occident et les

7. O. ROUSSEAU, p. 182-183.

Églises orthodoxes d'Orient, non par le « retour » de ces dernières à l'unité romaine qu'elles auraient quittée, mais grâce au discernement et à la mise en lumière d'une unité qui existe déjà dans les profondeurs. Pour les uns et les autres, et en particulier pour l'Église romaine, il s'agit de reprendre possession, de conscientiser et d'actualiser « l'antique héritage commun ».

Quant aux méthodes préconisées pour hâter la prise de conscience de cette « coïncidence » dans l'essentiel – allant de pair avec le respect de l'autre en sa différence –, elles sont variées : prière, étude, apostolat direct, exercice de la charité. L'accent est mis sur le rôle spécifique d'un monachisme ressourcé dans l'Évangile et la Tradition des Pères, monachisme qui, dans « son essentiel » est seulement l'expression prégnante de « l'idéal chrétien » universel.

L'attention aux femmes, la mention de communautés féminines « semblables », en ce qui concerne leur structure et leur apostolat, aux communautés masculines vouées à l'œuvre de l'unité, apparaît également comme un élément remarquable du projet ici annoncé.

Dans le courant du même automne 1925, des journées d'information sur les problèmes de l'union des Églises sont organisées également à Louvain, Verviers, Liège. Chaque fois, on fait appel au « hiéromoine Lev » dont le talent est reconnu par tous. Il est ce « séducteur » évoqué par le P. Louis Bouyer dans son essai biographique sur dom Lambert Beauduin, qui, aux « prudentes » (et parfois lourdes) « formules » de ce dernier, substituait des essais parlés et écrits, dont la perfection achevée enchantait [8].

En décembre, le P. Gillet accompagne le métropolite Szeptykij à Paris où a lieu une Semaine des liturgies catholiques. Il y assiste son évêque au cours d'un office célébré en slavon dans la cathédrale Notre-Dame, sans

8. L. BOUYER, *Dom Lambert Beauduin. Un homme d'Église*, Tournai, 1964, p. 117.

doute la première, peut-être, l'unique célébration de ce genre.

Avant de retourner en Galicie, il a tout juste le temps de revoir sa mère et de bénir le mariage d'un de ses cousins. L'homélie prononcée par lui à cette occasion a été conservée dans les archives familiales. Elle frappe : à la place des considérations morales banales énoncées d'habitude en ces occasions, on y trouve une théologie profonde du mariage chrétien compris comme un « mystère » et une voie spirituelle différente mais comparable à celle de la consécration monastique : des vues qui annoncent celles de Paul Evdokimov avec qui, quelques années plus tard, le P. Gillet entrera en relations profondes et dont il sera, parfois, l'inspirateur.

Au cours de ce même automne, dom Lambert, avec deux compagnons pour commencer, s'installe à Amay-sur-Meuse dans les locaux désaffectés d'un carmel découverts par le P. Lev Gillet.

En janvier 1926, après une absence de près de cinq mois, Lev Gillet est de retour à Lvov. Il reste confiant. Quelques nuages ont assombri, à Bruxelles, les relations entre dom Lambert et le métropolite Szeptykij. Mais il espère les avoir dissipés [9]. Il pense que le démarrage en flèche d'Amay auquel il a tant contribué sera bénéfique aussi à la réalisation du dessein monastique en Galicie. Or cet espoir ne se réalisera pas. Pris par l'organisation de sa propre fondation, dom Lambert est dans l'impossibilité et peut-être peu soucieux d'offrir à son ami l'aide que celui-ci lui a si généreusement prodiguée. Lev Gillet a le sentiment d'être abandonné.

En avril 1926, dom Ildefonse Dirks, qui n'a pas pu s'acclimater, quitte définitivement Leopol. Vers la même époque, aux vacances de Pâques, arrive en Galicie le

9. L'intervention très hostile à l'unionisme ukrainien d'un émigré russe, à la conférence de Bruxelles, semble avoir rendu dom Lambert attentif à la méfiance des milieux russes à l'égard de toute initiative « unioniste » venant d'un évêque de cette Église ukrainienne unie à Rome.

jeune David Balfour que le P. Gillet aime et à la vocation orientale duquel il n'est pas étranger. Secrètement il nourrit l'espoir que Balfour pourrait se joindre à lui pour faire progresser l'affaire studite. Mais le jeune moine, sous l'influence de Lambert Beauduin, a déjà pris la décision d'entrer dans la communauté d'Amay. Lev Gillet ne cherche pas à le retenir. Mais visiblement il souffre de son isolement. Un jour, éclatant en sanglots, il confie à son jeune ami : « rien de ce que j'entreprends ne réussit [10]. » Dépressif, il connaît certainement à cette époque la tentation d'une sorte de désespoir avec le sentiment d'avoir perdu la grâce d'un ministère sacerdotal qu'il n'a guère l'occasion d'exercer à Lvov. À sa mère qui le félicite à l'occasion de l'anniversaire de son ordination, il écrit : *Il faut demander à Dieu de faire en moi ce que saint Paul écrivait à Thimothée : « Renouvelle en toi la grâce que tu as reçue par l'imposition des mains. »* Cette tentation du désespoir accompagnera Père Lev durant tout son pèlerinage terrestre. Cependant, homme de foi, il ne s'y abandonnera jamais.

Avec la prière, le meilleur remède au spleen est l'oubli de soi-même par le travail et le service des hommes. Le P. Gillet en fait l'expérience. Il continue de remplir consciencieusement sa tâche de secrétaire du métropolite. Elle présente l'avantage, parfois décevant, de l'initier aux arcanes de l'*Ostpolitik* hésitante du Vatican.

Se liant d'amitié avec des étudiants russes dont les familles, fuyant la persécution soviétique, se sont réfugiées en Pologne, il s'intéresse à leur sort, s'efforçant de leur trouver l'aide morale et matérielle dont ils ont besoin. Ses lettres à ses amis belges sont pleines d'appels en faveur de ses jeunes amis. Certains de ceux-ci sont orthodoxes, d'autres se proclament athées. Peu importe ! L'idée de lier l'aide philanthropique à une forme quel-

---

10. David BALFOUR, « Memories of Father Lev Gillet », *Sorbornost* du 4 février 1982.

conque de prosélytisme religieux est totalement étrangère au P. Gillet qui respecte toutes les convictions sincères.

Lecture et écriture constituent une autre forme d'évasion de soi-même. Au cours de l'année 1926, Lev Gillet rédige une importante étude : « Les Orientations de la pensée religieuse russe contemporaine ». Elle sera publiée dans la série *Irénikon-Collection*, supplément de *Irénikon*, la revue des moines d'Amay à laquelle le P. Gillet, en ce temps, collabore très régulièrement. Jusqu'en 1928 sa signature apparaît presque dans chaque numéro d'une revue qui anticipe l'avènement de l'œcuménisme catholique dont il est lui-même un des inspirateurs.

Sous une forme succincte, l'étude que nous venons de mentionner offre un panorama complet des courants religieux qui subsistent et continuent à se manifester dans une Russie sous régime athée. Évitant les simplifications courantes, elle met en lumière la complexité et la variété de ces tendances. L'article garde encore aujourd'hui un intérêt certain. Il est révélateur aussi de l'état d'âme du P. Gillet, de sympathies et d'antipathies qui se manifestent en dépit de son souci d'objectivité.

L'auteur commence par constater la renaissance d'une pensée religieuse russe « traditionnelle » grâce au retour à l'Église orthodoxe d'une partie de l'*intelligentsia*. En même temps, il décèle des courants variés et complexes – certains non sans danger – dans ce retour du religieux au sein en particulier de l'émigration russe. Une dépendance trop grande par rapport à certains aspects de la pensée de Dostoïevski lui paraît entretenir une atmosphère apocalyptique un peu trouble. Nicolas Berdiaev lui-même, cité comme référence, se plaint de ne pas y trouver la clarté cristalline de l'Évangile [11].

Évoquant les mouvements de réforme religieuse au sein de l'Église orthodoxe en URSS, L. Gillet en reconnaît

11. Tout en reconnaissant en Dostoïevski un écrivain génial, Lev Gillet refusera toujours de voir en lui un prophète chrétien. Il se montre particulièrement choqué par l'antisémitisme de l'écrivain.

les aspects positifs, malheureusement, compromis par le soutien ambigu des autorités soviétiques à l'« Église vivante ». Il parle également avec sympathie du *Raskol* [12], « expression authentique de l'âme populaire russe et, dans son aspiration à la liberté religieuse et à la liberté tout court ».

Un chapitre est consacré à la pensée révolutionnaire dans ses rapports avec le problème religieux, aux « occidentalistes » tourmentés du temps de Nicolas Ier, au léninisme, « version crue et simplifiée du matérialisme historique de Marx, additionné d'éléments humanitaires et émotionnels propres à agir sur l'âme russe ». Lucidement, le P. Gillet reconnaît le « succès provisoire » de cette idéologie auprès des masses où elle rencontre à la fois des « répugnances et des affinités ».

Curieusement il n'est guère question dans ce texte de l'influence du catholicisme romain si ce n'est pour la déclarer – malgré Soloviev ! – « quasi inexistante ». En revanche tout un chapitre – le dernier de l'étude – est consacré au tolstoïsme « dont on ne parle plus guère », écrit L. Gillet, mais dont il n'exclut pas qu'il pourrait jouer un rôle important dans l'avenir : « Le christianisme rationaliste et anarchiste de Tolstoï, qui rejette absolument toute violence et tout militarisme, toute autorité et toute force d'État, qui propose l'*homme*-Christ à l'imitation de tous et le sermon sur la montagne comme règle littérale de la vie, qui annonce le salut par la pitié et l'amour fraternel, n'est pas conciliable avec l'idéologie officielle du communisme russe. Mais le tolstoïsme n'est pas mort. Peut-être dans le silence auquel sont contraints ses adeptes, prépare-t-il pour la Russie “une grande renaissance spirituelle” ? » (P. 31-32.)

D'une veine différente, quoique écrite à la même

12. Nom donné au schisme, *raskol*, des vieux-croyants, des traditionalistes qui, au XVIIe siècle, se sont opposés aux réformes liturgiques du patriarche Nikon que le tsar Alexis voulut imposer par la force. Persécutés sous tous les gouvernements de la Russie impériale, le *Raskol* subsista.

époque, une étude sur la sophiologie russe de Vladimir Soloviev à Serge Boulgakov [13] souligne – malgré quelques réserves – l'intérêt de ce courant pour un renouveau de la pensée chrétienne sur la Mère de Dieu.

Ces recherches et ces travaux ne sauraient cependant distraire le P. Gillet de son principal chagrin : la souffrance de ne pouvoir pénétrer en Russie. L'utopie d'un séjour privé, voire clandestin, en URSS paraît abandonnée. Reste à trouver le moyen d'obtenir les autorisations nécessaires ! Dans une lettre datée de juin 1926, Gillet exprime l'espoir d'être chargé, par l'intermédiaire du P. d'Herbigny avec lequel il reste en relation, d'une mission officielle vaticane. Mais quelques mois plus tard cet espoir semble évanoui. Dans une conversation avec son frère qu'il rencontre au début de 1927, il avoue amèrement que « les Jésuites l'ont roulé ». Lucide, il se reconnaît pris entre deux feux dans la rivalité qui oppose le P. d'Herbigny au métropolite Szeptykij : une rivalité qui, selon lui, ruine et discrédite le travail unioniste. Doté par le pape Pie X de « facultés » secrètes exceptionnelles en ce qui concerne les relations avec la Russie, Szeptykij s'est longtemps considéré comme le principal agent de la politique vaticane en Europe de l'Est. Mais dans la décennie qui suit la Révolution de 1917, il se trouve progressivement évincé par le Père, bientôt « Monseigneur », d'Herbigny dont l'influence grandissante s'exerce, en particulier, sur le pape Pie XI. On sait que le P. Michel d'Herbigny, après plusieurs voyages en URSS (accomplis en partie grâce à la complicité du Quai d'Orsay français) est consacré évêque, en 1926 à Berlin, à l'insu de tous, par le nonce Pacelli, le futur Pie XII. À son tour, après Szeptykij il reçoit des « facultés exceptionnelles » en vue de l'apostolat en Russie. Dès lors, se considérant comme le maître d'œuvre d'une colossale entreprise de conquête pour l'Église romaine, en direction de la Russie et, par-delà, de la Chine et de l'Extrême-Orient, il est décidé d'écarter de sa route

13. « Sedes Sapientiae », *Irénikon*, 1927, nº 5.

tous ceux qui risquent de contrarier ses projets. Comme un tel gêneur lui apparaît le métropolite Szeptykij dont le patriotisme ukrainien irrite les Grands-Russiens et le gouvernement soviétique. L'unionisme de Szeptykij lui paraît – non sans raison – trop lié à l'utopie d'une restauration monarchique dans une Ukraine libérée de la domination soviétique. Lui, d'Herbigny, ne croit pas à une disparition rapide du régime communiste. Il espère, en revanche, à l'aide de quelques concessions, obtenir du gouvernement soviétique une tolérance de fait, sinon de droit, de la pénétration catholique en Russie [14].

Personnellement étranger à ces combinaisons politico-religieuses, le P. Gillet ne les ignore pas. Par loyauté envers le métropolite, il arrive qu'il lui serve d'intermédiaire.

À Lvov, le climat politique est lourd. Dans ses lettres, Lev Gillet se montre de plus en plus préoccupé par les tensions politiques qui hypothèquent le travail pour l'union. Clairvoyant et pessimiste, il prévoit, dès 1926, l'éventualité d'une nouvelle conflagration mondiale due au conflit des nationalités – attisé par des puissances extérieures – au sein d'un État polonais héréroclite.

Ne voyant plus d'avenir pour l'œuvre unioniste en Galicie, il finit, à la fin de 1926, par accepter la proposition, d'abord repoussée, d'un ministère temporaire sur la Côte d'Azur française, en association avec une œuvre catholique d'assistance aux émigrés russes.

Aux raisons circonstancielles de ce départ, s'ajoutent, comme il l'explique, des motivations plus profondes.

Dans le courant du printemps 1927, il va s'installer à Nice, son nouveau lieu de résidence. Auparavant il s'acquitte de quelques missions dont l'a chargé le métropolite.

---

14. Dans des conditions restées en partie mystérieuses, ce grand projet, comme on sait, va échouer. Tombé en disgrâce auprès du pape, Mgr d'Herbigny subira une longue pénitence. Elle inspirera au P. Lev Gillet une compassion pour l'homme dont la condamnation lui paraît injuste. Voir p. 605-606.

C'est ainsi qu'il rend visite au grand-duc Cyrille Romanov à qui il transmet un message de la part de son évêque.

En route vers le Midi de la France, il s'arrête à Valence pour revoir sa mère. D'un long entretien avec lui, elle retient qu'« il est désillusionné et ne croit plus à l'Union, sinon dans un avenir très lointain ». Ceux qui s'occupent du problème appartiennent, selon lui, à trois catégories : Il y a « les Jésuites, maîtres au Vatican et dans toutes les congrégations et tous les comités s'occupant de l'affaire. Ils y voient une domination de la Compagnie en Russie et en Asie. Ils cherchent plutôt des conversions que l'Union ». Les Bénédictins – en relations fluctuantes avec le métropolite Szeptykij – constituent un deuxième groupe. « Chargés officiellement par le pape de l'Union... ils réussiront probablement à créer une congrégation orientale de l'Ordre de saint Benoît, mais pas autre chose. » Il leur faut renoncer aux vastes perspectives d'antan. Il reste une troisième catégorie, ajoute-t-il, sarcastique : « des isolés, des mystiques ou des fumistes [15]. » Avec une pointe d'humour noir, c'est dans cette troisième catégorie que le P. Gillet se range lui-même.

Commencée dans l'enthousiasme, l'expérience unioniste s'achève ainisi dans l'amertume. Déjà latente, la crise intérieure de Lev Gillet éclatera à Nice.

---

15. Cité d'après des notes manuscrites de Mme H. Gillet.

CHAPITRE VIII

LA CRISE

[illegible] parmi les émigrés russes de la [illegible] évêque de Gérard Van Caloen, bénédictin de Maredsous, évêque en retraite, installé après un passé fécond au Brésil, au Cap d'Antibes. Homme de [illegible], préoccupé par la question de l'union [illegible], Van Caloen a fondé en 1923 une association d'aide aux émigrés russes de la région des Alpes-Maritimes. Elle répond à des besoins urgents. Après la défaite des armées blanches en Russie méridionale, couronnée par celles de la Crimée et le départ de la flotte russe de Sébastopol, des centaines de milliers de réfugiés russes, soldats, marins et civils confondus, se sont déversés sur l'Europe, sur Constantinople, les Balkans principalement, mais aussi sur les régions méditerranéennes de la France. La Côte d'Azur, entre Cannes et Nice, où une partie de l'aristocratie russe, avant la Révolution, avait ses quartiers d'hiver, voit ainsi déferler sur elle une vague d'émigrés russes, hommes, femmes, enfants souvent démunis de tout.

Comme beaucoup d'autres œuvres russes fondées sur l'initiative catholique, celle de [illegible] association niçoise de [illegible] autonomie [illegible] charité. Elle œuvre en dispensaire et une école puis entreprend la construction d'un orphelinat. Mais elle comporte aussi une chapelle de rite oriental placée sous l'autorité de l'évêque catholique de Nice. Elle n'échappe ainsi pas au soupçon, exprimé par les orthodoxes, de se livrer au prosélytisme sous couvert de philanthropie. Le projet de

CHAPITRE VIII

LA CRISE

L'appel à un ministère parmi les émigrés russes de la Côte d'Azur émane de Gérard Van Caloen, bénédictin de Maredsous et évêque en retraite, installé, après un ministère fécond au Brésil, à Cap-d'Antibes. Homme de cœur et de longue date préoccupé par la question de l'unité chrétienne, Mgr Van Caloen a fondé en 1923 une « association d'aide aux émigrés russes de la région des Alpes-Maritimes ». Elle répond à des besoins urgents. Après la défaite des armées blanches en Russie méridionale, entraînant l'évacuation par elles de la Crimée et le départ de la flotte russe de Sébastopol, des centaines de milliers de réfugiés russes, soldats, marins et civils confondus, se sont déversés sur l'Europe : sur Constantinople et les Balkans principalement, mais aussi sur les régions méditerranéennes de la France. La Côte d'Azur, entre Cannes et Nice, où une partie de l'aristocratie russe, avant la Révolution, avait ses quartiers d'hiver, voit ainsi déferler sur elle une vague d'émigrés russes, hommes, femmes, enfants souvent démunis de tout.

Comme beaucoup d'« œuvres russes » fondées sur initiative catholique à cette époque, l'association niçoise de Van Caloen croit pouvoir concilier « unionisme » et « charité ». Elle ouvre un dispensaire et une école puis entreprend la construction d'un orphelinat. Mais elle comporte aussi une chapelle de rite oriental placée sous l'autorité de l'évêque catholique de Nice. Elle n'échappe ainsi pas au soupçon, exprimé par les orthodoxes, de se livrer au prosélytisme sous couvert de philanthropie. Le projet de statuts de l'œuvre ne dit-il pas que son but est « de favoriser l'Union avec la Sainte Église Romaine de tous les chrétiens dissidents de quelque nationalité qu'ils soient, soit au moyen de conversions individuelles, soit en aidant aux mouvements généraux qui se manifestent [1] ».

Plus crûment, le prêtre bulgare grec catholique attaché à la chapelle « orientale » se dit chargé de « gagner les Orthodoxes par l'intérêt matériel en recevant leurs enfants dans les écoles catholiques et en leur faisant toute sorte de charité – même sacramentelle – s'il le juge utile » : tâche qu'il se considère d'ailleurs incapable d'accomplir « dans un milieu aussi cultivé que l'émigration russe ».

Ces calculs mesquins sont étrangers à Van Caloen lui-même qui s'efforce – en vain – de libérer son œuvre des ambiguïtés d'un système dont elle semble prisonnière. Accusé de laxisme doctrinal parce qu'il a fraternellement accueilli les évêques orthodoxes de l'émigration russe – le métropolite Euloge en résidence à Paris et l'archevêque Vladimir arrivé à Nice en 1925 –, il fait l'objet de critiques acerbes de la part des congrégations romaines, de l'orientale surtout. À la suite de ces remontrances, il se voit obligé, en janvier 1927, de changer le titre du bulletin de l'Œuvre de Nice. De *Union dans l'Église* qui évoque l'idée d'une unité rétablie dans l'Église, celui-ci devient *L'Union*. La publication dans ce périodique d'une conférence du baron russe C. Wrangel qui loue la « délicatesse d'âme » de Van Caloen (opposée implicitement au grossier prosélytisme d'autres organisations catholiques) attire sur ce dernier les foudres du puissant Mgr Michel d'Herbigny. C'est dans ce contexte tendu que l'évêque Van Caloen songe à faire appel au Père Gillet rencontré à la Semaine de Bruxelles et dont il apprécie les qualités intellectuelles et spirituelles. L'Œuvre de Nice manque d'hommes. De nouveaux bâtiments s'élèvent sans qu'on

1. É. FOUILLOUX, « De Gérard Van Caloen à Lambert Beauduin : réalité et limites d'une influence », dans : *Les Catholiques et l'Unité chrétienne,* Éd. du Centurion, p. 158. – La citation qui suit est extraite du même ouvrage (p. 152).

sache qui les prendra en charge et à quoi ils serviront. Le jeune moine pourra-t-il sauver une entreprise autour de laquelle se fait le vide ? Comme à Bruxelles, saura-t-il galvaniser les énergies et regagner la confiance des Russes ? En réalité, il est trop tard. Le moment favorable est passé. Minée par son ambiguïté, l'Œuvre de Nice ne peut plus devenir un lieu de rencontre entre orthodoxes et catholiques. Quant à Lev Gillet, faisant siennes les critiques orthodoxes, il ne croit plus à un unionisme trop souvent en trompe l'œil et associé à des projets politiques illusoires.

Installé à Nice depuis quelques semaines, il adresse le 5 juin 1927 une longue lettre à Olivier Rousseau. Elle est révélatrice de son état d'âme : *Vous savez déjà ma présence à Nice... Il faut que je vous explique mon changement de résidence. J'écarte d'abord les interprétations erronées (qui circuleront sans doute). D'abord (et bien entendu) je ne suis pas brouillé avec le métropolite André. C'est par sa volonté et avec une mission explicite de lui que je suis ici. Ensuite je ne suis pas ici pour préparer une fondation studite à Nice ou ailleurs. Une telle fondation a été désirée et formellement demandée au M[étropolite] par les évêques Van Caloen et Ricard, pour sauver de l'écroulement l'« œuvre russe » de Nice, et moi-même je croyais cette solution possible l'hiver dernier, mais le M[étropolite] ne veut pas envoyer de studites en France, et il a raison. Le motif* officiel *de mon séjour est que j'assure par interim le service de l'église russe catholique de Nice entre le départ du P. Stoïtchef*[2] *et la nomination de son successeur ; mais vous pensez bien que je ne serais pas venu à Nice (où je ne reçois pas de traitement et où la vie est singulièrement chère) pour desservir une église qui ne comporte pas un seul fidèle régulier.*

L'origine de mon déplacement est une idée mystique – dirait le P. Lambert – du Métropolite et de son frère. Ils croient que j'ai une vocation spéciale pour agir parmi les

2. Le prêtre bulgare uniate nommé plus haut.

Russes. Ils voudraient que j'exerce cette action et développe ma propre vie spirituelle dans le sens du « startsisme[3] *», avec une grande liberté, mais dans une pauvreté et une humilité absolues, sans propagande extérieure, sans « travail pour l'Union », simplement en essayant de tendre à la « prière continuelle » et de me donner aux Russes – être le « frère universel » selon la formule de de Foucauld au Hoggar. Car cet effort que je tente actuellement, je le place sous le signe de trois grands chrétiens de confessions différentes – Charles de Foucauld, Sérafim de Sarov, le Sadhu Sundar Singh*[4] *(le Métropolite est enthousiaste de ce dernier et a fait venir sa vie et ses œuvres).*

Bien entendu je ne veux pas faire ici une propagande confessionnelle. Mon programme est simple : donner chaque jour deux heures à la prière mentale[5]*, célébrer (seul le plus souvent) toutes les heures de l'office monastique oriental dans l'église, avec liturgie, observer l'ascèse russe (lever de nuit, abstinence perpétuelle, jeûne strict le vendredi, etc.), voir le plus de Russes possible, les persuader que, quels que soient leur foi ou leur genre de vie, tant que j'aurai un toit et un morceau de pain, chacun d'eux y aura autant de droits que moi.*

Vous souriez en lisant ce beau programme et vous dites que j'en suis bien loin. Je le sais. Il n'y a en moi qu'orgueil, ironie et sensualité. Et cependant il y a en moi un réel désir

3. Du russe *starets,* terme qui désigne un moine expérimenté, doué de charismes, de clairvoyance spirituelle et de charité qui font de lui un guide sûr des âmes. Voir au sujet du « startsisme », É. BEHR-SIGEL, *Prière et sainteté dans l'Église russe,* Éd. de Bellefontaine.

4. Sadhu Sundar Singh était un sikh de Rampur (Pendjab, Inde) qui s'était converti, en 1904, à l'âge de quinze ans, après avoir eu une apparition du Christ. Il avait été baptisé dans l'Église anglicane. Prédicateur de l'Évangile, il menait une vie de haut ascétisme avec des phénomènes mystiques. Il était venu en Europe en 1920 et 1922. Soederblom et Heiler s'étaient intéressés à son cas et le P. L. de Grandmaison lui avait consacré une étude (dans *Recherches de science religieuse,* n° 12, 1922, p. 1-29) qui avait fait grande impression sur le P. L. Gillet. Dans une lettre adressée à Farnborough à Olivier Rousseau, L. Gillet évoque l'attrait exercé sur lui par ce mystique indien anglican.

5. Il s'agit sans doute de l'oraison dite *Prière de Jésus* ou *Prière du cœur.*

de charité. Voilà pourquoi le Métropolite croit que je dois essayer. Je serai presque sans argent. Le Métropolite désire que je sois aussi pauvre que le plus pauvre des Russes. Il croit que, si Dieu bénit mon effort, peut-être un, deux, trois Russes voudront se joindre à moi et mener la même vie que moi. Vous comprenez bien que ce ne serait pas une concurrence à Amay. Ceux qui viendraient avec moi ne se destineraient pas à la vie intellectuelle et apostolique des « moines de l'Union » mais essaieraient de s'organiser en « communauté de travail » — ce qui est la forme des monastères actuels en Russie soviétique : ouvriers travaillant au-dehors, mais essayant de vivre en commun l'Évangile. Avec quel argent ? Nous n'en savons rien. Du jour où il y aurait quelques « candidats », le Métropolite leur conférerait l'existence canonique orientale et verrait ce qu'on pourrait faire pour eux matériellement. Il y a ici un archevêque et trois églises russes. Quarante mille Russes entre Nice et Menton.

Le Métropolite ne croit pas aux fondations monastiques faites selon les règles, où l'on envoie un cadre de moines avec des Constitutions — il pense que les communautés doivent naître spontanément, « dans la prière et dans les larmes » comme dit la Chronique de Nestor à propos de la Laure des Cryptes. Il voudrait que du sein de l'émigration russe naisse spontanément un tel monachisme, vraiment russe, à la Sérafim de Sarov, pas à la bénédictine, selon la ligne de l'exarchat russe[6] *— une « fraternité » à la fois très libre et sous le souffle de l'Esprit. Plus d'évangélisme que de ritualisme.*

Vous voyez, nos buts sont trop différents de ceux d'Amay pour que nous risquions de nous faire concurrence. (C'est bien l'avis de B.[7] *que j'ai vu à Salzbourg). Le Métropolite*

---

6. Il s'agit de l'entité ecclésiale dite « Église catholique-orthodoxe russe », un groupuscule d'inspiration soloviévienne, dont le chef spirituel est l'exarque Léonide Fédorov sacré évêque par le métropolite Szeptykij. Voir plus haut, p. 64.

7. Il s'agit sans doute de David Balfour.

m'envoie comme Noé lâcha de l'arche un corbeau ; le corbeau revint sans résultat positif, et plus tard une colombe réussit sur terre là où le corbeau avait échoué. Ce sera probablement mon histoire. Je veux dire qu'un plus digne réussira. Humainement parlant, je n'ai aucune chance de réussir, et il est convenu que, dès que je verrai que la situation est pour moi intenable, je rentrerai en Galicie (je ne suis pas sans espoir d'entrer dans l'URSS), peut-être dès cet automne.

Je ne vous dis rien de la situation russe que j'ai trouvée à Nice, tant elle est navrante. Trois ans de travail catholique n'ont gagné, semble-t-il, aucun cœur et en ont repoussé beaucoup. Ce n'est pas la faute de Van C[aloen], mais autour de son œuvre on a accumulé les incompréhensions et les petitesses. Oh ! si on avait le cœur large du métropolite André ! Et les malheureux Russes de la Riviera, si souffrants matériellement, moralement – et si démoralisés ! J'aurai moi aussi beaucoup à souffrir par eux, sans compter ce que j'aurai à souffrir des catholiques – et le plus dur sera d'être (moi !) tenu pour un ennemi hypocrite des Russes, pour un acheteur de consciences, etc. Car cela sera. Mais je les aime tant ! Ce sont des écorchés vifs, les nerfs à nu, comment ne se pencherait-on pas vers eux ? Escrocs, hystériques, cocaïnomanes, morphinomanes, prostitués – oui, mais quelle âme au-dedans, et comment ne pas les aimer ? Et au fond ils valent mieux que moi. Je rejoins ici l'idée du Métropolite : je puis aider à sauver les Russes non en organisant ou en construisant, mais en me perdant moi-même, en allant au devant de quelque grand sacrifice ou grande souffrance que je ne vois pas encore clairement, mais qui se présentera sans aucun doute. Cette expérience spirituelle est la raison d'être de ma présence ici.

Et maintenant j'attends de vous une aide. Voilà comment : si vous rencontrez quelque Russe (catholique ou orthodoxe, peu importe) qu'attire l'idée d'un monachisme russe *et qui soit décidé à traverser les difficultés les plus dures pour trouver le* Christ russe *et l'Évangile – un Russe qui aura compris Sérafim ou Aliocha – mettez-nous en contact. Ne faites pas de propagande pour moi, mais dites ce que vous croirez pouvoir dire. C'est surtout sur vous, c'est, puis-je dire, uniquement sur vous, que je compte pour comprendre ce que j'essaie et le faire comprendre à des Russes. Donc* AIDEZ-MOI. *D'ailleurs ne croyez pas que je veuille jouer au fondateur ou à l'organisateur. Du jour où quelques Russes seraient réunis – et le Christ au milieu d'eux « là où sont deux ou trois », etc. ; on pourrait très bien essayer orthodoxes et catholiques ensemble) –, je considérerais ma tâche comme achevée et probablement me retirerais.*

De cette longue lettre-confession, il ressort que Lev Gillet, au moment où il l'écrit, au début de l'été 1927, a déjà rompu, non avec le métropolite André – de la direction spirituelle duquel il continue à se réclamer – mais avec l'unionisme catholique officiel. De cet unionisme dont il rejette à la fois la fin et les méthodes, il constate l'échec. Sa propre voie, souligne-t-il, est également différente de celle des moines de l'Union du prieuré d'Amay, voire d'un bénédictisme savant et liturgique, orienté au travail pour l'unité dans une perspective qui est déjà celle, en partie, du Mouvement œcuménique naissant. Il ne blâme pas cette orientation. Il l'approuve. Mais ce n'est pas la sienne. Sa propre vocation, pense-t-il, est différente. C'est celle d'un monachisme intériorisé, libertaire – sans règle contraignante – à la fois évangélique et mystique, alliant « prière perpétuelle [8] » et travail. Il pense à l'époque à un travail manuel, à l'opposé de l'intellectualisme orgueilleux dont il sent en lui la tentation. L'idéal, c'est une petite communauté fraternelle, une fraternité libre « vivant l'Évangile » – en toute la radicalité de ses exigences – « sous le souffle de l'Esprit » : une existence de pauvreté, de partage, vécue en solidarité avec ceux qui sont les plus pauvres à la fois sur les plans matériel, moral et spirituel, portant pourtant en eux un trésor caché.

Cet idéal, Lev Gillet le croit conforme aux aspirations

8. Déjà, sans doute, la « Prière de Jésus » dont il sera question plus loin.

les plus profondes de l'âme russe. Il espère le réaliser avec des Russes et se réclame de l'inspiration de celui que le peuple russe vénère comme le plus grand saint russe des temps modernes : saint Serafim de Sarov. En même temps, il s'agit pourtant d'une vision qui peut rassembler des chrétiens de toutes les confessions. Le saint russe la partage avec le Sadhu Sundar Singh, et avec le moine catholique, Charles de Foucauld. De ce dernier, Lev Gillet retient l'expression « devenir le frère universel ». Elle exprime l'idéal auquel il aspire et continuera d'aspirer jusqu'à sa mort [9].

Mais cette longue lettre est aussi un appel au secours. Lev Gillet se sent seul et incompris de presque tous. Écrit en lettres majuscules « AIDEZ-MOI » est souligné. Au-delà d'une analyse lucide de la situation présente et d'un projet inspiré, se profile l'intuition d'une « vocation de perte »: expression qui revient souvent dans ses confidences à ses amis. À vues humaines, l'échec est inéluctable et il y consent d'avance. Pourtant, contre toute espérance, il continue d'espérer.

Adressé trois mois plus tard, le 20 septembre 1927, à David Balfour [10], devenu moine à Amay, une autre longue missive témoigne de l'effort entrepris par Lev Gillet pour donner à la vocation exposée à Olivier Rousseau un début de réalisation. Sans rompre tous les liens avec Van Caloen, il a quitté la « Maison des œuvres russes », tout en continuant à assurer les célébrations liturgiques dans la chapelle avec un autre prêtre uniate, le P. Alexandre Deubner [11]. La lettre évoque l'existence pittoresque – pittoresquement évangélique – que Lev Gillet semble partager sans déplaisir avec quelques marginaux qu'il a

9. On en retrouve l'idée dans la conclusion de la méditation « La Coupe » du recueil *La Colombe et l'Agneau.*, publié en 1979 peu avant sa mort.

10. Cette lettre, comme celle du 5 juin adressée à Olivier Rousseau, se trouve dans les Archives de Chevetogne.

11. Alexandre Deubner est le fils du P. Ivan Deubner, prêtre à Petrograd de l'église « catholique-orthodoxe » de l'exarque Léonide Féodorov. Sur Alexandre Deubner, voir p. 194 s.

cru devoir accueillir : *Quant à moi, j'habite à deux kilomètres de Nice, dans une villa où j'ai loué deux pièces et un corridor. J'ai installé dans ce petit appartement sept Russes des deux sexes (tous orthodoxes) qui avaient besoin d'aide matérielle, je mange avec eux ; pendant l'été je couche par terre dans le jardin et maintenant je couche par terre dans un coin de la cuisine. Comme travail manuel, j'aide un ouvrier plombier-électricien, ancien lieutenant de la Garde, tout à fait le type Dimitri Karamazov (la cocaïne en plus du vin, du jeu et des femmes) et infiniment sympathique. Au point de vue financier, nous vivons au jour le jour. Aussi bien le Père Alexandre que A. et moi, nous ne savons jamais si nous aurons de quoi manger la semaine suivante. Je dois dire que nous avons violé toutes les règles de la prudence humaine. Nous avons donné et donnons autour de nous tout ce que nous avons. Le Père Alexandre [Deubner] et moi marchons avec des souliers qui n'ont plus de semelles. Le Métropolite a écrit qu'il approuvait notre manière de vivre et ce qu'il appelle « cette charité un peu extravagante » et l'higoumène* [12] *nous disait de son côté de dédaigner toutes les critiques qui pourraient nous venir d'en haut et d'en bas et de chercher seulement « l'Évangile dans la grandeur de la simplicité ». Si je vous raconte tout cela, ce n'est pas pour nous proposer à votre admiration. C'est pour vous décrire objectivement notre effort – pour remercier Dieu qui nous a donné l'occasion de nous rapprocher un peu de l'Évangile et lui demander pardon de n'avoir pas fait* tout *ce qu'il aurait été possible de faire.*

J'ai acquis (gratuitement) une petite maison à vingt-deux kilomètres de Nice, en haute montagne, isolée près d'une source, avec des arbres, des fleurs, des fruits. Il n'y a pas un seul meuble (seulement quatre pièces avec une *chaise et de la paille). C'est un endroit idéal pour y passer des jours de silence et de solitude. Cette maison étant près d'une vieille et jolie petite statue de « Notre-Dame-des-Prés », je*

12. Le P. Clément Szeptykij, higoumène de la laure d'Ouniov.

l'ai nommée Skitj Loujevskoï Bogoroditsyi [13]... *À Nice, il y a trois églises russes dont deux en communion avec Euloge et une avec Antoine. Dans la division actuelle* [14]*, on ne s'est pas étonné qu'une quatrième église se soit ouverte en communion avec l'archevêque de l'ancienne Rome et plusieurs [Russes] viennent à nous avec sympathie. Nous achevons de mettre debout un cercle Vl. Soloviev (interconfessionnel) pour l'étude des dogmes orthodoxes. Les Russes ont compris notre position d'« orthodoxes-catholiques » et vous sentez vous-même qu'il y a un abîme entre « orthodoxe-catholique » et « catholique de rite byzantino-slave ».*

Détaché de tout « travail unioniste » à visée de prosélytisme, récusant le modèle uniate, ses rites et sa théologie hybrides, Lev Gillet reste persuadé qu'il est possible d'être à la fois catholique et orthodoxe, que les deux termes, en réalité, se recouvrent et qu'une interprétation « orthodoxe » de l'autorité papale est admise, ou du moins tolérée par Rome.

En même temps, avec quelques Russes qui se sont joints à lui, il continue de nourrir l'espoir d'une installation, sinon en Russie soviétique, du moins dans une région proche, par exemple, en Estonie. Pour cette fondation, il a besoin, écrit-il, de l'aide financière de Lambert Beauduin, éventuellement de son appui moral pour lancer un emprunt. David Balfour est chargé de transmettre cette requête.

La lettre se termine par un aveu et un pathétique appel au secours : *Je ne peux pas vous dire à quel point je me sens éloigné des curés, des églises, du cléricalisme, de la théologie, de la morale des séminaires... Je ne trouve de contentement que dans l'Évangile. Et je vais vous dire*

---

13. Traduction en russe de « Notre-Dame-des-Prés ».

14. Séparation juridictionnelle entre paroisses de l'émigration, les unes sous l'autorité du métropolite Euloge, nommé par le patriarche Tikhon administrateur des communautés russes en Europe occidentale, les autres sous celle du Synode des évêques de l'Église russe hors frontières, présidé par le métropolite Antoine et ayant son siège en Yougoslavie, à Karloutsi. Sur ces divisions juridictionnelles, voir plus loin p. 177 s.

un secret. Demain je vais quitter l'habit ecclésiastique pour me mettre complètement en ouvrier, pour me livrer plus entièrement à mon métier de plombier-électricien (je m'arrange pour que les gens qui me voient en habit ecclésiastique ne me voient jamais en ouvrier et vice versa, *et ainsi il n'y a pas de scandale). C'est que je sais que c'est comme ouvrier que je trouve le Christ davantage*[15]. *Mais là encore, n'y a-t-il pas quelque chose d'humain, de trop humain, comme disait Nietzsche : une vraie passion pour le Dimitri Karamazov dont je vous ai parlé ? Mais non. Je peux trouver le Christ dans les hommes, par les hommes, à travers les hommes. À ce propos, demandez au P. Olivier s'il a le récent et étonnant* Numquid et tu *? d'André Gide. De grâce, ne racontez pas tout cela à Amay.*

J'attends une réponse immédiate. Écrivez, écrivez tout de suite. Nice, en tant que ville, est odieuse. Ce n'est que l'étalage d'une luxure libidineuse de mauvais goût. Il n'y a que le climat, et pour ce climat, je deviendrais lâche. J'ai besoin de soleil. Et pourtant j'ai aussi besoin, comme d'une purification, de l'Alpe, et plus encore, de la neige slave... C'est là que nous devons aller, n'est-ce pas ? Ne tardez pas. Travaillez-y. À vous dans le Christ russe, « The great white Christ who is to be coming out of Russia » *(Wilde,* De profundis*).*

D'une lettre de David Balfour à Olivier Rousseau[16], il ressort que dom Lambert se montre peu disposé à aider une fondation indépendante de la sienne et spécifiquement russe. Il semble qu'il redoute la reconstitution d'une dyarchie comme celle qui aurait résulté de la liaison « Amay-Lemberg » (Lvov) : liaison qu'il a précisément cru nécessaire de rompre. Quant à Balfour, il sympathise avec Lev Gillet. Mais malgré l'appel pressant que celui-ci a adressé, il reste, pour le moment, à Amay. Lev

15. Prêtre-ouvrier avant la lettre, le P. Gillet l'est pour des raisons d'ordre mystique et non par militantisme social, bien que l'Évangile comporte pour lui l'exigence de la justice sociale.

16. Lettre du 1er octobre 1927 (Archives de Chevetogne).

Gillet se sent abandonné par ses amis, incompris d'eux, peut-être rejeté et appelé à suivre une voie solitaire. Pour tous, d'ailleurs, les nuages annonciateurs d'un orage s'amoncellent à l'horizon. La bourrasque emportera beaucoup d'espoirs et de rêves. Cependant, paradoxalement, c'est à Nice, ville de luxe et de luxure, et sous le soleil méditerranéen que Lev Gillet connaîtra, sous une forme imprévue, la « purification par la neige slave », par le « Christ russe » qu'il a tant désirée.

Le 8 janvier 1928 est publiée à Rome l'encyclique papale *Mortalium animos*. Pour le P. Gillet – il me l'a confié à plusieurs reprises –, cette publication et le contenu de l'encyclique constituent un choc qui précipitera une décision douloureusement mûrie au cours des mois précédents. Pour commencer, ils le plongent dans un découragement profond constaté par un membre de sa famille qui le revoit à cette époque [17].

Pourtant, l'encyclique ne fait que rappeler en termes clairs la doctrine romaine traditionnelle depuis le Moyen Âge et surtout le concile de Trente : « Hors de l'Église point de salut. » Par « Église », il faut entendre, souligne-t-elle, l'Église catholique romaine, hiérarchiquement organisée, « société parfaite », dont la tête terrestre est le pape romain, vicaire de Jésus-Christ. « L'unité chrétienne ne peut se réaliser que par le *retour* à l'unique bercail de ceux qui se sont séparés, par leur soumission au pape « quand il enseigne » et leur obéissance "quand il commande" [18]. »

Le rappel énergique et public de ces principes se situe dans un contexte et vise un but précis. Il s'agit pour Pie XI d'expliciter clairement la position catholique – globalement négative – face au phénomène nouveau et d'une ampleur croissante que constitue le Mouvement

17. Lettre de Pierre Gillet à son frère, sans date, reçue probablement au début d'avril 1928.

18. Nous empruntons ces citations et les suivantes à la traduction française de l'encyclique, Paris, Éd. Bonne Presse, 1932.

œcuménique : un mouvement auquel adhèrent non seulement diverses communautés protestantes mais – plus grave à ses yeux – des Églises se réclamant de la Tradition catholique, telle la Communion anglicane et les Églises orthodoxes d'Orient, notamment le Patriarcat œcuménique de Constantinople. Ce n'est pas un pur hasard, que la publication de *Mortalium animos* ait lieu six mois après la tenue à Lausanne de la première grande assemblée organisée par la tendance Foi et Constitution du Mouvement œcuménique : un groupe dont les promoteurs théologiens ont longtemps souhaité et espéré la participation à leur entreprise de l'Église catholique romaine. Dissipant des espoirs nés de l'attitude d'expectative prudente observée par Rome, l'encyclique met brutalement fin à toute équivoque. Fondée sur l'indifférentisme doctrinal et des aspirations humanistes, affirme-t-elle, l'unité, telle que l'envisagent les « panchrétiens », est totalement étrangère à l'unité voulue par le Christ pour son Église et réalisée dans le catholicisme romain. « De pareils efforts n'ont aucun droit à l'approbation catholique » (p. 65). « Sous une fausse apparence de bien », ils reposent sur des « erreurs pernicieuses » qui ne peuvent qu'« égarer le troupeau du Seigneur » (p. 67). Plus encore qu'aux « acatholiques », l'avertissement s'adresse à ceux des catholiques qui risquent de se laisser attirer par le chant des sirènes œcuméniques. Personne n'est nommé. Mais l'allusion est claire. Dom Lambert Beauduin et ses amis se reconnaissent visés [19]. Lev Gillet n'est pas seulement heurté par la condamnation sans nuances du Mouvement œcuménique : condamnation orgueilleuse, ressentie par lui comme un péché contre l'Esprit et à laquelle il oppose l'humble, quoique critique,

19. Voir son commentaire embarrassé de *Mortalium anamos* dans *Irénikon,* 1928, n° 2.

ouverture des orthodoxes [20]. Mais il se sent désavoué personnellement et frappé dans sa conviction intime la plus chère : celle de l'unité profonde, au-delà de séparations historiques dont les responsabilités sont partagées, au-delà de divergences théologiques – qui, à son avis, ne concernent pas l'*essentiel* et l'« unique nécessaire » – des Églises d'Orient et d'Occident : une unité dont la prise de conscience pourrait susciter le renouveau de la foi et de la vie chrétienne dont un catholicisme occidental, appauvri par le Schisme, selon lui, a un urgent besoin. Au lieu de cela, *Mortalium animos* insiste sur une séparation dont la faute incomberait unilatéralement aux orthodoxes, notamment aux « erreurs de Photius » (p. 80). Seul nommé parmi tous les fauteurs de schisme et d'hérésie, depuis le haut Moyen Âge, le patriarche de Constantinople serait en quelque sorte leur père spirituel à tous. Ses enfants sont appelés à revenir dans cette « unique Église du Christ » où « personne ne se trouve à moins de reconnaître et d'accepter avec obéissance l'autorité et la puissance de Pierre et de ses successeurs » (p. 80). « Revenir à l'Église romaine » *« mater et magistra »*, « se soumettre à son gouvernement » est pour eux une « question de vie et de mort » : rude injonction tempérée seulement par l'affirmation que le « père commun », c'est-à-dire le pape romain, « les accueillera avec toute sa tendresse ».

Un tel langage est inacceptable pour les Églises orthodoxes. Lev Gillet le sait. L'encyclique de 1928 ne justifie-t-elle pas, *a posteriori*, la dénonciation par les slavophiles (à laquelle Soloviev avait cru pouvoir opposer un démenti) de l'autoritarisme et de l'esprit de domination romains ?

---

20. Il est frappé par l'attitude du représentant du patriarche œcuménique de Constantinople, le métropolite Germanos de Thyatire qui, tout en reconnaissant qu'entre la foi orthodoxe et l'expression protestante de la foi chrétienne il semble exister « un abîme pour l'instant difficile à supprimer », fait le pari de continuer à participer au dialogue œcuménique (notes prises à l'occasion d'un entretien avec le P. Gillet).

Alors que faire ? Cette question que l'*intelligentsia* russe s'est posée avec angoisse au XIXe siècle, tourmente le P. Gillet pendant les mois qui suivent la publication de *Mortalium animos.* Patienter, en attendant des jours meilleurs ? C'est l'attitude qu'adopteront ses amis dom Lambert Beauduin et dom Olivier Rousseau. Il ne les critiquera pas et il ne les jugera pas. Mais, de sa part, explique-t-il aux siens – à sa mère, à son frère –, la soumission aux thèses de l'encyclique papale exigée, de tout catholique romain et principalement d'un prêtre, serait un acte déloyal contraire aux exigences de sa conscience. Au nom même de la morale catholique, il ne saurait s'y résigner [21].

Tirant un trait sur le passé, ne lui reste-t-il donc qu'à « abandonner tout », le monachisme, le sacerdoce, pour vivre dans le monde en « libre croyant » – terme qu'il s'est parfois appliqué – détaché de toute institution ecclésiasle ? Évoquée discrètement dans une lettre à son frère, cette idée ou cette « tentation » l'effleure à certaines heures de tristesse et de découragement. Mais un autre appel ou plutôt, dira-t-il, l'appel d'un Autre, plus fort et plus persuasif, se fait entendre, l'attirant vers une troisième voie : la décision folle, choquante et scandaleuse aux yeux du milieu catholique dont il est issu, pénible pour ses proches et longtemps incompréhensible même pour ses meilleurs amis, de sceller la communion spirituelle où il se sent avec l'Église orthodoxe russe par la communion sacramentelle.

Déjà en hiver, mon option intérieure était faite et du côté du catholicisme oriental, écrit-il en juillet 1928 à Pierre Gillet [22]. Jalonnée de périodes de cruelle indécision où il se sent déchiré entre des impératifs de conscience apparemment opposés, la maturation de sa décision prendra plusieurs mois. Ces hésitations et ces tourments, explique-t-il dans la même lettre, étaient dus à des

21. Lettre du 24 juillet 1928 à Mme H. Gillet.
22. Lettre du 24 juillet 1928 à Pierre et Marguerite Gillet.

considérations de personnes, considérations qui *agissaient puissamment sur [son] esprit.* Il appréhende le chagrin qu'il causera à sa mère. Il ne se sent ni le droit, ni le désir de rompre les liens non seulement canoniques mais spirituels et affectifs qui l'unissent au métropolite André. Alors c'est dans la prière et la méditation – une méditation nourrie aussi de lectures, de réflexions et de nouvelles rencontres humaines – qu'il a trouvé la paix et l'intégrité spirituelles qu'exige, pour être prise en toute lucidité, une « décision vitale » : une décision qui devra être *mûrie jusqu'à se présenter, non plus comme le terme auquel achemine telle ou telle raison particulière mais comme un postulat de l'être tout entier*[23].

Pénible, douloureuse, mais vécue comme une ascension vers « plus de lumière », la gestation de cette décision s'accomplit au cours du premier semestre de 1928. À la fin de janvier le P. Gillet semble avoir quitté définitivement l'œuvre russe de Gérard Van Caloen dont le bulletin *L'Union*, à cette époque, cesse de paraître « faute d'argent et d'hommes[24] ».

Comment cette rupture a-t-elle eu lieu, discrètement ou avec éclat ? Nous l'ignorons. Selon un bruit invérifiable qui courait alors dans les milieux de l'émigration russe à Nice, Lev Gillet aurait été assigné pendant quelque temps à résidence par les autorités catholiques, au monastère cistercien de l'île Saint-Honorat au large de Cannes. Rompant les amarres, il l'aurait quittée de son propre chef. Quoi qu'il en soit, il se trouve au début du printemps à Toulon (où il rencontre sa belle-sœur), puis à Marseille, puis de nouveau à Nice chez Mme L. Raybaud. C'est à cette époque, semble-t-il, d'après des témoignages convergents, qu'il entre en relations suivies et intimes avec le milieu ecclésiastique et la hiérarchie orthodoxe russe de

---

23. Lettre du 9 avril 1928 (A. P.).

24. Voir É. Fouilloux, p. 190, nº 195. Le lien entre cette disparition et l'encyclique *Mortalium animos* – difficile à établir selon É. Fouilloux –, doit être cherché du côté du P. Gillet qui cesse de collaborer à *L'Union.*

Nice. En quête d'une issue positive de l'impasse où il se trouve, il s'adresse à l'évêque orthodoxe en charge des paroisses de l'émigration russe dans le Midi de la France. Il fait ainsi la connaissance de l'archevêque Vladimir Tikhonitsky, évêque-vicaire du métropolite Euloge dont il deviendra, après la Seconde Guerre mondiale, son successeur à la tête de l'exarchat russe en Europe occidentale du patriarcat œcuménique de Constantinople. La rencontre avec ce saint évêque va éclairer la route encore obscure où avance le P. Gillet. En l'humble pasteur d'une pauvre communauté d'émigrés – homme de prière avant tout –, il discerne le messager, l'incarnation de cette sainte Russie qu'en Galicie, de tout son être, il avait aspiré à rejoindre corporellement. Cette Terre promise qu'il n'a pas réussi à fouler de ses pieds, il la touchera par le cœur, sur la Côte d'Azur française où s'étale tant de luxure. Il la rencontre en la personne d'un petit moine chétif, diaphane : homme devenu tout entier prière, dira Père Lev, et dont la prière entraîne vers le royaume des cieux.

Né en 1873 dans une famille vouée au service de l'Église et des hommes – son père était prêtre, l'un de ses frères, médecin, sera fusillé par les bolcheviques – l'archevêque Vladimir est arrivé à Nice en 1925. Ancien évêque de Bialistok en Biélorussie – région annexée à la Pologne après la Première Guerre mondiale –, il a été chassé de son diocèse et expulsé vers la Tchécoslovaquie par le gouvernement polonais. Venu en France, il se met à la disposition du métropolite Euloge qui, en résidence à Paris, est chargé par le patriarche de Moscou, Tikhon, de la pastorale de l'émigration russe en Europe occidentale. Vicaire d'Euloge auquel il succédera, Mgr Vladimir est et restera toujours essentiellement un moine : un homme de prière, ni théologien, ni administrateur. Rayonnant de douceur – une douceur qui n'exclut pas la fermeté en certaines circonstances –, il a su pacifier une communauté qu'agitent les remous politiques et ecclésiastiques de l'émigration russe des années 1920-

1930[25]. Tel est le pasteur – non « prince de l'Église » mais son humble « serviteur » – à qui le « pèlerin de l'Orient » se confie en une heure pour lui décisive. Évoquant cette rencontre beaucoup d'années plus tard dans l'article nécrologique qu'il dédie au métropolite Vladimir, le P. Gillet lui donne pour titre la phrase tirée d'une version latine des psaumes : *« Cor ad cor loquitur »*, (le cœur parle au cœur) : « Un cœur parlant au cœur... Tel m'apparut Mgr Vladimir lorsque je le rencontrai à Nice en 1928, à un moment qui fut un tournant de ma vie et où son accueil aimant me permit de m'identifier, pour un temps, à la pathétique émigration russe des premières années... Bien des choses auraient pu rendre étrangers l'un à l'autre ce Russe, si pur Russe, et le Français que je suis, hôte et pèlerin de l'Orient. Mais, au-delà des structures intellectuelles, nous nous sentions en étroite communion, le cœur parlait au cœur. Son cœur prenait chaque fois possession du mien... Il savait s'attacher à certaines idées avec une grande force quoiqu'il pût sembler parfois faible et hésitant. En réalité, il était un de ces doux auxquels appartient le Royaume. Sa douceur était son arme, c'est par elle qu'il dominait. Il portait et il rayonnait une lumière qui rendait impossible le mensonge. Sa conversation semblait déjà être dans les cieux. Son regard, si clair, appelait à la pureté, la communiquait[26]. »

Nostalgiquement souhaitée quelques mois plus tôt, dans la lettre à David Balfour, « la purification par la neige slave » est reçue par l'intellectuel occidental tourmenté,

---

25. C'est l'époque de la tension grandissante entre le métropolite Euloge qui se trouve encore sous la juridiction du patriarche de Moscou et les évêques émigrés en Yougoslavie qui créent un synode indépendant des évêques de l'« Église russe hors frontières ».

26. Archimandrite Lev GILLET, « Cor ad cor loquitur », *Messager orthodoxe*, 1959, n° 8, p. 3-4. Il existe une biographie, riche en détails intéressants, du métropolite Vladimir publiée en langue russe en 1965, sans nom d'auteur, à Paris, Centre culturel de la cathédrale orthodoxe. Elle a été rédigée par deux religieuses, les « sœurs Giers », qui ont bien connu le P. Gillet à l'époque où il entra en relation avec l'archevêque Vladimir.

d'un humble moine russe, « frêle, lumineux, transparent, homme devenu tout entier prière [27] ».

C'est cette prière qui entraîne l'homme déchiré qu'est alors Lev Gillet vers la montagne de la Transfiguration.

De l'émigration russe, le P. Gillet a connu jusqu'ici surtout, selon sa propre expression, les « types dostoïevskiens », les épaves assistées par les œuvres catholiques. Pour ces victimes, il continue d'éprouver une compassion passionnée. Mais dans l'entourage et dans le rayonnement de Mgr Vladimir, il apprend à connaître aussi une autre émigration : des hommes et des femmes que l'épreuve a éveillés à une foi vivante, qui assument avec dignité leur nouvelle pauvreté. Le témoignage de vie de moines comme l'évêque Vladimir, mais aussi de simples laïcs et de prêtres mariés comme l'admirable père Alexandre Eltchaninoff [28] que Lev Gillet fréquente à cette époque à Nice, attestent à ses yeux la vitalité spirituelle de l'orthodoxie russe et l'attirent de plus en plus vers elle. S'ajoutant à cet attrait puissant et au rayonnement de la personnalité de l'évêque Vladimir, une méditation ecclésiologique intense nourrie de lectures va emporter sa décision de s'unir par la médiation de l'Église russe à l'Église orthodoxe. Au cours des mois qui la précèdent, Lev Gillet lit (ou relit) l'article intitulé « Pensées sur l'union des Églises » du prince-abbé Max de Saxe. Cette lecture va exercer sur lui une influence déterminante.

Fruit de la réflexion d'un théologien catholique lucide et courageux, cet article a été publié en 1910 dans le périodique *Rome et l'Orient* de la communauté monastique de Grotta-Ferrata, près de Rome. Le contenu de l'article a été vivement critiqué et publiquement condamné par

27. Archimandrite Lev GILLET, *Messager orthodoxe,* p. 3.

28. Les *Écrits spirituels* du P. Alexandre ELTCHANINOFF que le P. Gillet a connu à cette époque à Nice ont été publiés aux Éditions de Bellefontaine (1979).

le pape Pie X[29]. L'étude circule cependant dans les milieux romains orthodophiles. Lev Gillet a pu en prendre connaissance pendant son séjour à Rome. Mais c'est pendant la crise de 1927-1928 qu'il se souvient de cet écrit. Il va le lire, le méditer. Tentant d'expliquer à sa mère les motifs ecclésiologiques de sa décision de s'unir à l'Église orthodoxe, ce sont les « Pensées sur l'union des Églises » de Max de Saxe qu'il joint à sa lettre. Elles dessinent les contours de ses propres positions, lui fournissant les arguments historiques et ecclésiologiques solides qui emportent sa décision. Elles lui permettent de réconcilier le cœur qui l'attire vers la Russie avec l'intelligence théologique.

Théologien catholique romain et s'affirmant tel, Max de Saxe invite son Église à faire son autocritique en ce qui concerne sa façon d'aborder le problème de l'union des Églises et, en particulier, du rétablissement de la communion entre l'Orient et l'Occident chrétiens : une réconciliation dont, affirme-t-il, « dépend le salut de la chrétienté » (p. 59). Jusqu'ici toutes les tentatives en vue de réaliser cette union si désirable – des conciles de Lyon et de Florence aux efforts de l'« unionisme » moderne – se sont soldées par des échecs. Seul résultat tangible, l'existence d'Églises de rite oriental unies à Rome – Églises appelées par les orthodoxes « uniates », avec une nuance péjorative – « loin de faire avancer la question de l'union en général sert plutôt à la retarder » (p. 64). C'est que l'Église latine s'en tient à une conception de l'union inacceptable du point de vue des orthodoxes qu'elle ne cherche pas à comprendre et, de plus, insoutenable du point de vue historique, inspirée consciemment ou inconsciemment par l'orgueil et l'esprit de domination :

29. Le texte de l'article de Max DE SAXE, précédé de la condamnation papale, se trouve dans *Rome et l'Orient,* traduit par la baronne Nathalie d'Uxkull, Berlin, 1912, p. 58-77. Nous le citons dans cette édition. – Le bulletin *L'Union* de l'Œuvre de Van Caloen, dont Lev Gillet est le rédacteur, dans une livraison de 1927, a commencé la publication de ce texte. Mais celle-ci s'est interrompue après le départ du P. Gillet.

« L'Église latine toujours habituée à commander a simplement voulu imposer à l'Église orientale sa notion d'union à elle, sans lui demander si cette idée agréait à sa sœur... Pour l'Église occidentale l'union était toujours identique avec soumission complète. L'Église orientale était considérée comme fille rebelle de l'Église romaine » (p. 60).

Or ce point de vue ne résiste pas à un examen historique honnête. Il est démenti aussi bien par l'Écriture que par la Tradition de l'Église des premiers siècles : « On oublie l'histoire et on ne sait même plus ce qui était anciennement. Voilà pourquoi on veut créer à l'Église orientale une situation qu'elle n'a jamais occupée. La constitution ecclésiastique, telle qu'elle se présente aujourd'hui est bien différente de ce qu'elle était anciennement. Notre Seigneur avait donné des privilèges à saint Pierre. Cependant nous ne rencontrons point de vestige de soumission de saint Paul vis-à-vis de lui. Au contraire, il se considère comme un frère absolument égal à saint Pierre et se vante même de l'avoir blâmé. De même, de fait, pendant des siècles l'Église catholique n'était point une monarchie. Chaque évêque gouvernant librement son diocèse, celui de Rome néanmoins avait des droits tout particuliers. Il s'occupait des affaires de l'Église universelle et exerçait une très grande puissance. Mais celle-ci était de tout temps beaucoup plus grande en Occident, où il était patriarche, qu'en Orient. Il n'exerçait point de juridiction directe sur les diocèses d'Orient, mais exerçait indirectement une influence sur eux lorsqu'il s'occupait des affaires de l'Église universelle » (p. 63).

C'est seulement à partir du IXe siècle que « la constitution ecclésiastique a radicalement changé en Occident. L'Église devient une monarchie absolue et ressemble à un État qui est divisé en provinces. L'Évêque de Rome devient le supérieur immédiat de tous les évêques » (p. 64).

« Se conformer à la Tradition veut donc dire revenir sur ces développements ultérieurs : non exiger de l'Église d'Orient qu'elle se soumette inconditionnellement à l'autorité du pape romain – ce qui n'a jamais été le cas dans le passé – mais que, traitée par l'Église d'Occident en égale et en sœur, elle reconnaisse au pontife romain seulement les droits qu'il a eus et exercés au temps de l'Église indivise ».

Projetant dans l'avenir sa vision prophétique d'une communauté réconciliée, d'une Église d'Orient en communion avec l'Église de Rome sans être absorbée par elle, Max de Saxe écrit : « il faut suivre un système tout différent de celui qu'on a suivi jusqu'ici. L'Église orientale doit vraiment rester ce qu'elle est. Elle ne doit pas changer de caractère. Le mot "union" ne signifie pas qu'une partie soit complètement changée pour être rendue semblable à l'autre, mais ce mot désigne deux choses qui restent ce qu'elles sont, et ne recherchent que des relations mutuelles entre elles » (p. 65).

Les relations entre l'Église de Rome et les Églises orthodoxes d'Orient doivent redevenir ce qu'elles étaient, « dans l'antiquité chrétienne, avant la séparation ». La « primauté [romaine] serait sauvegardée » sous la forme de l'acceptation par l'Orient d'un arbitrage « dans les grandes affaires qui regardent toute la chrétienté ». De son côté, la papauté devrait renoncer, du moins en ce qui concerne l'Orient, à la revendication d'une juridiction directe, telle qu'elle l'exerce en Occident. « Si Rome peut jamais se résoudre à accepter cette idée, l'union sera possible. Aussi longtemps qu'on tendra à soumettre les Orientaux au système ecclésiastique actuel, toute tentative d'union sera vaine » *(ibid.)*.

Comparé aux termes de l'encyclique *Mortalium animos,* l'article du prince-abbé de Saxe ne peut que confirmer le P. Gillet dans son opposition aux thèses de cette dernière et dans son pessimisme quant aux possibilités d'union aux conditions posées par Rome. Prisonnier d'une ecclésiologie monarchique qui s'est développée au Moyen Âge, le « système ecclésiastique [romain] » se révèle impuissant à opérer le changement d'orientation radical, la « conversion » à laquelle l'invitait quinze ans plus tôt un théologien catholique clairvoyant.

Dans la conclusion de ses « Pensées sur l'union des Églises » Max de Saxe écrit : « Il faudrait des sacrifices pour obtenir l'union ; il faudrait renoncer à certaines traditions existant depuis des siècles. Mais une œuvre aussi grande que la réconciliation de la chrétienté ne mérite-t-elle pas qu'on lui fasse chaque sacrifice nécessaire ? » Cet appel au sacrifice ne peut qu'émouvoir – « mouvoir » – profondément le moine Lev Gillet. Il ne s'agit pas de sacrifier la vérité mais de *se* sacrifier, de sacrifier ses privilèges au nom et pour cette vérité occultée depuis des siècles. L'appel adressé à l'Église comme à chaque disciple personnellement est de laisser tout pour suivre Celui qui est – ensemble – Vérité et Amour. Et Max de Saxe de laisser entrevoir le rayonnement nouveau que pourrait acquérir la papauté romaine « si elle exerçait un jour cet acte d'abnégation et de sacrifice » (p. 85-86).

Hélas, croit constater le P. Gillet, par l'encyclique *Mortalium animos,* la papauté et l'institution romaine paraissent s'engager dans la voie opposée : celle d'une revendication hautaine de leurs droits et privilèges. Une voie qui aboutit en réalité à une impasse. L'esprit de domination est l'obstacle majeur à une réconciliation, plus que des différences doctrinales qui, pense-t-il (avec Max de Saxe), ne concernent pas l'essentiel de la foi catholique et pourraient être dépassées dans la mouvance d'une réflexion théologique menée dans un esprit de conciliation, de « symphonicité » et de discernement de l'essentiel.

D'un tel intelligent et loyal effort d'élucidation, à propos de deux questions controversées, l'introduction du *Filioque* dans le Credo occidental, la place de l'épiclèse dans l'eucharistie orientale, l'article de Max de Saxe fournit un modèle et la démonstration. Mais cet effort a été condamné sans aucune réserve par le pape Pie X. Quant à l'encylique *Mortalium animos,* elle ignore superbement aussi bien l'histoire de l'Église et de la formation des dogmes que l'idée d'une hiérarchie des vérités dogmatiques.

Face à la constatation de ce désastre se pose toujours la même question : que faire ? Où se situe le devoir de ceux qui sont lucidement conscients de l'enjeu ? Déposant les armes de la « vérité et de la charité » qu'il avait pourtant exaltées, l'auteur des « Pensées sur l'union des Églises » s'est incliné. Cédant aux pressions qui se sont exercées sur lui, il s'est rétracté. Lev Gillet fera-t-il de même ? Ou bien, comme le souhaitait Max de Saxe, dans sa conclusion, une « charité ingénieuse » lui indiquera-t-elle le chemin et « la manière dont elle pourra se manifester » ? (P. 76.)

Dans une situation apparemment désespérée, Lev Gillet se sent appelé à poser, comme jadis Vladimir Soloviev [30], un acte de foi et d'espérance. Prenant une décision inverse de celle pour laquelle a opté le philosophe russe, il réalisera, à titre personnel, l'union qui paraît impossible au niveau institutionnel. Témoignant de la lumière discernée dans l'orthodoxie, sans renier la foi catholique, il s'unira à cette Église, trop souvent méprisée par les Latins, et qui est aujourd'hui en Russie, écrit-il, une « Église souffrante et martyre ». Plus rien alors ne le sépare de ses « frères russes » avec lesquels il portera, comme Simon de Cyrène, la croix du Christ, la croix déjà rayonnante de la lumière de la Résurrection.

Pèlerin, parvenu en ce printemps 1928 à une nouvelle croisée des chemins, le P. Lev Gillet entend résonner en lui l'appel déjà entendu en d'autres circonstances : appel à « se perdre pour se trouver », appel à l'ek-stase du don de soi total qui ne cessera de le hanter jusqu'à la fin de son cheminement terrestre. Jadis quelque peu romantique, nébuleuse et vague, cette vocation prend

30. « Soloviev pose un acte très conscient, d'autant plus qu'il ne l'accomplit pas dans sa période de ferveur unioniste mais dans la période de déception et de tristesse qui suivit celle-ci » (UN MOINE DE L'ÉGLISE D'ORIENT, « La signification de Vladimir Soloviev » dans : *1054-1954 : l'Église et les Églises,* Chevetogne, 1955.

dans les circonstances présentes un sens très précis. S'unir à l'Église orthodoxe signifie pour lui, *ici et maintenant,* s'engager dans une voie inconnue, accepter l'incompréhension, la solitude, les condamnations sommaires. C'est s'exposer à souffrir et pis, faire souffrir, blesser des êtres chers. Cette dernière perspective surtout rend la décision si difficile ! Ainsi s'expliquent les hésitations des derniers mois. Prise en hiver, l'option de rejoindre l'Église orthodoxe est remise en question dans le courant d'avril. Lev Gillet n'oublie pas ses vœux accomplis à Ouniov. Il reste très attaché à la personne du métropolite Szeptykij à qui il continue de se confier et de demander conseil. S'exprimant au sujet de ses relations avec le métropolite, Lev Gillet écrit à son frère : *Il sait ce que je fais et ce que je pense... Il est exactement au courant de tous les éléments de questions qui peuvent se poser à moi... Là où il échoue à me persuader, nulle autre voix ne pourrait me persuader. Ses avis, même quand je ne crois pas pouvoir les suivre, sont sollicités par moi et reçus avec vénération* [31].

En réalité, malgré l'estime et l'affection qu'il ne cesse de lui porter, Lev Gillet ne partage plus les espoirs et les convictions unionistes de son père spirituel. Cependant, il hésite à se séparer de lui canoniquement, alors que le métropolite André se trouve aux prises, précisément à cette époque, avec de grandes difficultés : une situation économique désastreuse en Pologne [32], des intrigues contre lui, au Vatican, qui minent et limitent son autorité, les menaces de destruction totale qui pèsent sur l'exarchat catholique-orthodoxe en URSS. Est-ce le moment de l'abandonner ? Lev Gillet qui, à plusieurs reprises, s'est offert de l'aider – y compris financièrement – ne s'en sent pas le courage.

C'est le métropolite lui-même qui, avec grandeur d'âme, semble avoir tranché le nœud. Peiné, mais généreux et lucide, il exhorte le « fils » à suivre sa conscience. Faisant

31. Lettre de Lev Gillet datée du 9 avril 1928 à Pierre et Marguerite Gillet.
32. Lettre du 24 avril 1928 à Pierre Gillet.

abstraction de l'attachement à sa propre personne, puisse-t-il – lui écrit-il – ne rechercher que « la grâce et la vérité ». Quelle que soit la décision prise par le P. Gillet – assure le métropolite –, il lui garderait son affection paternelle [33].

De cette générosité qui le libère sans rompre les liens spirituels, le « fils » gardera une profonde gratitude au « père » qui l'a aidé et encouragé à devenir lui-même et à assumer ses responsabilités en chrétien adulte. Jusqu'à la fin de sa vie, Père Lev vénérera le métropolite André – *son* métropolite – comme un saint [34].

---

33. Lettre au même, ainsi que lettre à Mme H. Gillet, les deux datées du 24 juillet 1928. À l'époque, l'apparente ambiguïté de la situation canonique du P. Gillet semble néanmoins avoir gêné le métropolite Szeptykij. Olivier Rousseau, dans le brouillon d'une lettre conservée dans les Archives de Chevetogne, cite une phrase de ce dernier qui lui aurait dit : « Ce pauvre Lev qui dit à tout le monde qu'il me considère toujours comme son évêque, me compromet. »

34. Voir à ce sujet Helle GEORGIADIS, « Pioneers of Corporate Unity », *Chrysostom*, nº 8, 1980. Inspiré par une profonde amitié, cet article est cependant déparé par des hypothèses fantaisistes concernant les circonstances de l'entrée du P. Lev Gillet dans la communion de l'Église orthodoxe.

CHAPITRE IX

LE DÉNOUEMENT : UNE DÉCISION VITALE

Ainsi le dénouement de la crise est proche. Intérieurement pacifié au terme d'un combat spirituel qui s'est prolongé pendant plusieurs mois, Lev Gillet est prêt, en mai 1928, à se joindre à l'Église orthodoxe – comme il l'écrit – *par une adhésion personnelle, volontaire et libre*.

Par l'intermédiaire de l'archevêque Vladimir, il entre en contact avec le métropolite Euloge. Des lettres sont échangées [1].

À la mi-mai, le P. Gillet se rend à Paris. Il est hébergé à l'Institut de théologie orthodoxe Saint-Serge. Pour plusieurs professeurs qui ont lu ses articles et ses chroniques dans la revue *Irénikon*, il n'est pas un inconnu. On accueille avec sympathie ce Français qui s'intéresse à la pensée religieuse russe. Le pas décisif est franchi le dimanche 25 mai. Le métropolite Euloge invite le hiéromoine français à concélébrer la liturgie célébrée sous sa présidence dans la chapelle semi-privée du prince Grégoire Troubetskoï, à Clamart, dans la proche banlieue

---

1. L'hypothèse de H. Georgiadis exprimée dans un article publié après la mort de Lev Gillet dans un article de la revue grecque catholique anglaise *chrysostom* (V, nº 8, p. 238-239, 248), selon laquelle le P. Lev Gillet se serait joint à l'Église orthodoxe « à la demande du métropolite Szeptykij, au su et avec l'aval du métropolite Euloge », afin de poursuivre, parmi les émigrés russes en France, la « réalisation de l'espoir unioniste » de l'évêque ukrainien, est dépourvue de tout fondement objectif. Elle est en complète contradiction tant avec le témoignage du P. Lev Gillet lui-même qu'avec celui du métropolite Euloge dans ses *Mémoires* (voir plus loin p. 167 s., 191 s.). De façon malencontreuse, elle jette, certes involontairement, le soupçon d'une sorte de double jeu, à l'aide de tractations secrètes, à la fois sur les deux évêques et sur l'homme dont H. Georgiadis croit devoir défendre la mémoire.

de Paris. L'officiant principal est le P. Serge Boulgakov, doyen de l'Institut de théologie Saint-Serge. Des personnalités marquantes du milieu orthodoxe russe de Paris ont tenu à témoigner par leur présence de l'intérêt qu'elles portent à l'événement. Parmi les fidèles se trouvent le philosophe Nicolas Berdiaev, les Pr Karsavine et Georges Florowsky – ce dernier, futur promoteur de l'école néopatristique, à l'époque encore laïc –, la poétesse Marina Tsvetaïeva et le poète Constantin Balmont. Le chef de chœur est un tout jeune homme, Evgraf Kovalevsky, futur évêque Jean de Saint-Denis [2].

Concélébrant la liturgie avec le clergé orthodoxe, le P. Gillet récite le symbole de Nicée-Constantinople sans l'addition latine du *Filioque*, comme du reste, il le récitait déjà à Lvov. Du moine du Studion de Leopol, fils spirituel du métropolite André, on n'a rien exigé sauf la profession de foi selon l'antique Credo de l'Église indivise. Aucune abjuration ne lui a été imposée. On ne lui a appliqué aucun des rites de réception pourtant habituels, en cas pareils, dans l'Église orthodoxe russe. La concélébration n'a fait qu'attester publiquement une communion spirituelle qui existait déjà. Tout geste signifiant une rupture a été évité. S'unissant sacramentellement à l'Église orthodoxe, le hiéromoine Lev ne renie pas les grâces reçues en l'Église de son baptême. Il n'est pas allé vers une autre lumière que celle qui brille aussi dans l'Église catholique, mais vers la même lumière – la lumière du Christ – discernée, dans l'Église orthodoxe, « à un degré plus pur [3] ». D'une plénitude, il est allé vers une plénitude plus grande. Mieux que tout commentaire, la lettre adressée à sa mère pour lui faire part de l'événement explique le sens de la « décision vitale » prise par le P. Gillet. Il

2. Ces détails nous ont été aimablement communiqués par le Pr Nicolas Poltoratzky – aujourd'hui décédé –, professeur au séminaire d'Odessa qui participa à cette liturgie comme lecteur.

3. *Je suis allé là où j'ai trouvé, je ne dis pas une autre lumière, mais la même lumière du Christ à un degré plus pur* (lettre du 24 juillet 1928 à Pierre et Marguerite Gillet.

y évoque l'atmosphère « pentecostale » d'un camp-conférence du Mouvement des étudiants chrétiens russes à Clermont-en-Argonne, auquel il vient de participer, puis poursuit : *en lisant ceci, tu dois te demander quelles sont exactement mes relations religieuses avec les Russes « orthodoxes ». J'ai le devoir de te dire sur ce point tout ce qui est, et le moment est venu où je dois te le dire. Je pense d'ailleurs que ce ne sera pas pour toi quelque chose de tout à fait nouveau. Ma situation est donc telle : rien, aujourd'hui, ne me sépare de mes frères russes. En d'autres termes, je me trouve en pleine communion avec l'Église catholique d'Orient ou Église orthodoxe. Pour cela je n'ai rien eu à abjurer ; je n'ai pas eu à changer une seule syllabe du Credo que je récitais auparavant. L'Église catholique orientale possède un rite spécial pour recevoir dans son sein des fidèles venus du catholicisme occidental ; ce rite ne m'a pas été appliqué. Tout ce qui s'est passé, c'est que, depuis que je suis à Paris, les évêques russes m'ont admis, soit à concélébrer, soit à célébrer dans les églises russes ; on ne m'a demandé de souscrire à aucune formule ni d'émettre aucune profession de foi, et on m'a formellement invité à continuer à faire mention du Métropolite André dans la liturgie. Ma décision était prise dès cet hiver et Mgr André la connaissait. Il a été, dans cette circonstance, d'une bonté et d'une compréhension parfaites pour moi. Naturellement, il ne se place pas au même point de vue que moi sans quoi il ne resterait pas métropolite uniate. Mais il m'a assuré que nos relations personnelles resteraient ce qu'elles étaient et qu'il continuerait à être un père spirituel pour moi. (Il était ces jours-ci en Italie et, à mon grand regret, n'a pu venir en France.) Ayant donc pris la décision de m'unir à l'Église catholique d'Orient, il était naturel que ce fût à sa branche russe, puisque c'est auprès des Russes et avec eux que je travaille ; c'est donc au Patriarcat de Moscou que je suis rattaché et je considère comme un grand honneur d'être adopté par l'Église russe au moment où elle est une Église souffrante, ensanglantée, crucifiée, une Église martyre. Bien entendu, la qualité de moine m'est conservée ; rien donc de ma formation précédente n'a été inutile ; mes vœux anciens subsistent ; non seulement il n'y a pas de rupture entre ce qui a été et ce qui est, mais c'est une sorte de marche logique qui m'a conduit du Bénédictinisme (c'est-à-dire de ce que l'Église latine a de plus ancien et de plus traditionnel) à l'Orient (et c'est la même marche logique qui conduit, aujourd'hui, des Bénédictins d'Amay à l'Orient). Les évêques russes m'ont déclaré qu'ils me recevaient dans la famille russe « avec un grand amour » ; de fait, de toute part, on m'a manifesté une sympathie très touchante. Les Russes me disent que j'ai reçu un don pour parler aux cœurs russes et que je les comprends mieux qu'ils ne se comprennent eux-mêmes. Je sens très bien que Dieu m'a appelé au milieu d'eux et ma vie, mon activité, leur appartiennent. Je suis dans une grande paix intérieure. Non seulement l'Orthodoxie connue « du dedans » ne m'a pas désillusionné, mais j'y ai trouvé certainement la présence et l'action de Notre Seigneur Jésus-Christ. Pour quelles raisons exactes ai-je cru devoir aller à l'Orient ? Tu n'es pas théologienne, mais je crois cependant que je dois te l'expliquer dans toute la mesure du possible. C'est pourquoi je t'envoie, comme imprimés, quelques écrits. L'un est le texte d'une leçon que j'ai faite à Clermont au « séminaire » (ou groupe d'études) pour l'étude des confessions non orthodoxes [4] ; lis-le et tu y trouveras les raisons de ma position. Je t'envoie aussi un article du Prince Max de Saxe, prêtre latin et professeur à l'université catholique de Freibourg ; il est curieux que ce théologien latin ait formulé mieux que quiconque la justification de l'attitude orthodoxe. Je t'envoie enfin le texte d'un sermon que j'ai prononcé à Clermont [5] et le texte d'une prière que des jeunes gens russes ont composée eux-mêmes. Ces deux derniers documents n'ont pas de rapport direct avec la question « Orthodoxie ou Rome », mais je te les*

4. Le texte de cette « leçon » semble malheureusement avoir disparu, de même que celui de la prière composée par les jeunes Russes.

5. Il s'agit d'un sermon sur le ministère et la mission spécifique de Pierre.

communique pour te montrer quel esprit nous anime. Peut-on dire que c'est un esprit d'orgueil ou de haine ?

Et maintenant, j'appelle ton attention sur les points suivants : tu as été élevée dans une tradition strictement catholique. Tu ne connais pas d'autres milieux religieux que les milieux catholiques latins. Pour que tu comprennes mon évolution, je te demande de faire un effort. Si les conceptions romaines ne sont pas admises par un grand nombre d'hommes dont la science et la sincérité ne sont pas contestables c'est que leur évidence n'est pas aussi forte que les manuels d'apologétique le supposent. – Je comprends bien, ma chère Maman, que tout ceci te fait une grande peine, et cette pensée me navre. Mais il est évident que de telles questions sont du domaine exclusif de la conscience et que c'est pécher contre l'Esprit que d'y lier des considérations de famille ou de personne. Le Métropolite André m'a écrit textuellement ceci : « Je vous le répète cent fois, ne pensez pas à moi. Cherchez seulement la vérité et la grâce. Faites ce que Dieu vous inspirera. » Que cette attitude soit aussi la tienne. Il serait profondément déloyal de ma part de demeurer dans l'Église romaine alors que je suis convaincu que la pleine lumière du Christ se trouve dans le catholicisme orthodoxe. Du moment que j'ai cette conviction, mon devoir est de me joindre à l'orthodoxie. Rappelle-toi que la morale catholique enseigne qu'une action crue bonne devient obligatoire pour celui qui la croit bonne, même si elle est mauvaise en soi, et que l'on pèche en n'accomplissant pas ce que l'on croit, même faussement, être un devoir. Ce que Dieu demande de chacun, c'est qu'il agisse selon sa conscience. C'est ce que je fais. Je n'ai pas l'impression de me séparer spirituellement de toi et de Papa. Je suis bien loin de rejeter le catholicisme romain comme un mensonge. Je suis convaincu que la grâce et la lumière de Notre Seigneur sont dans l'Église romaine, mais qu'elles sont à un degré plus pur dans le catholicisme traditionnel qui est l'Orthodoxie. Il va de soi que rien ne doit être changé dans nos rapports personnels. Il vaut mieux (ce n'est pas difficile à réaliser) que Grand-Mère ne sache pas ma position, elle ne comprendrait pas et s'affligerait inutilement. Donc, pour elle, il n'y aura jamais rien de changé. Ce n'est pas là un mensonge, mais un devoir de charité. Je crois aussi qu'il est inutile de donner de la publicité à mon évolution parmi nos amis et même dans la famille. Je m'efforce d'éviter tout ce qui pourrait scandaliser qui que ce soit. À Paris, je passe inaperçu. Seuls, quelques spécialistes du mouvement unioniste connaissent ma situation... D'ailleurs je ne rougis pas et ne dissimule pas ce que j'ai fait. J'ai le devoir de m'en expliquer loyalement si l'on m'interroge.

Je te demande instamment de demeurer en paix, avec la pensée que j'ai fait ce que je croyais devoir faire. Au fond, rien ne nous sépare. Le même Sauveur et les mêmes sacrements nous unissent. Sois donc calme. Ne t'afflige pas. Je prie du fond du cœur Notre-Dame-de-la-Salette auprès de laquelle tu te rendras bientôt, de t'aider et de te faire comprendre toutes ces choses [6].

Lev Gillet sait que sa décision peinera profondément sa mère, catholique fervente. Il souffre pour elle. Selon les idées reçues dans son milieu, elle risque de considérer son fils cadet comme un « apostat », un « prêtre perdu ». Ses longues explications sont destinées à lui faire comprendre qu'il n'en est rien. S'unissant à l'Église orthodoxe, il n'a renié ni sa foi, ni ses engagements antérieurs. Il la supplie de lire sa lettre quand elle sera seule et à tête reposée. Bien qu'elle n'ait aucune formation théologique, il la croit capable de saisir l'argumentation du théologien Max de Saxe. Croyant, il compte – au-delà de ses propres efforts – *sur la grâce pour adoucir l'amertume et produire une acceptation apaisée* [7]. À cet apaisement, il prie son frère et sa belle-sœur de contribuer. Sachant que sa mère se rendra le 6 août, jour anniversaire de son fils cadet, au sanctuaire de la « Vierge dauphinoise » à qui, jadis, elle avait confié son « petit », il lui adresse un second message : les circonstances ne

6. Lettre du 24 juillet 1928.
7. Lettre du 24 juillet 1928 à Pierre et Marguerite Gillet.

lui permettant pas de l'accompagner à la Salette, comme il l'a fait jadis. Qu'elle y allume, du moins, un cierge pour lui, humble signe de leur communion spirituelle et de sa confiance en l'intercession de la Mère de Dieu qui aidera sa propre mère à entrer dans le dessein mystérieux de Dieu pour son « petit ».

Le miracle espéré a lieu. Passé le premier choc, Mme Gillet accepte une décision prise en conscience. Pierre, de son côté, dans une lettre admirable de tact et de générosité, s'efforce de la rassurer : *Il n'y a dans la décision de Louis ni orgueil ni ambition, ni rien de bas. Il est allé là où il a cru pouvoir faire le plus de bien... Et puis, la destinée de Louis est tellement hors du commun, il semble avoir été conduit là d'une façon si surnaturelle que je crois vraiment que Dieu a sur lui des vues mystérieuses... Doit-il de près ou de loin, être un artisan de cette union des Églises tant souhaitable ? C'est très possible. Par sa préparation antérieure latine (et il est toujours latin, plus qu'il ne le pense, la lecture de sa conférence et de son allocution en est la preuve), il peut, de même que les bénédictins d'Amay, mieux que personne œuvrer pour réunir, sans les confondre, les deux branches séparées il y a quelques siècles.* Il faut prier pour lui, « non comme on prierait pour la conversion d'un apostat mais pour que Dieu le soutienne dans la voie où il a voulu l'appeler ». Peiné par la décision de son frère, Pierre, ne disposant pas, comme il l'écrit, de « lumières surnaturelles », ne se sent pas en droit de la juger.

Cette attitude de non-condamnation portera des fruits. Les relations de Lev Gillet avec les siens ne seront pas affectées par sa nouvelle orientation. Celui qu'on a parfois qualifié d'« esprit sans attaches [8] », restera jusqu'à la fin de sa vie très attaché à sa famille comme en témoigne une immense correspondance conservée dans les archives familiales. Quand les circonstances et tant que ses forces

8. Louis BOUYER, *Dom Lambert Beauduin. Un homme d'Église*, Tournai, 1964, p. 117.

le lui permettront, le moine de l'Église d'Orient, chaque année, fera un pèlerinage aux sources, se retrempant pendant quelques jours dans ce milieu familial si traditionnellement catholique et français.

Plus douloureuse sera l'explication avec ses amis d'Amay. S'ajoutant à d'autres difficultés, alimentant les soupçons et les critiques romaines dont il se sait l'objet, la « conversion » du P. Gillet constitue pour dom Lambert Beauduin « une épine dans la chair de son œuvre [9] ». « Lev joue son Vladimir Soloviev », se contentera-t-il d'observer, résigné et non sans perspicacité [10]. Lui aussi s'abstiendra de porter un jugement.

Le plus affecté certainement est Olivier Rousseau, le confident, l'ami fidèle. Il sait que dom Lambert n'a pas pu ou voulu répondre au pathétique appel au secours lancé par Lev Gillet en septembre 1927. Peut-être se reproche-t-il de n'avoir pas fait pour ce dernier tout ce qu'il aurait pu faire. Sans nouvelles directes, inquiet des bruits qui courent sur son ami, il s'adresse pour information et, sans doute aussi pour tenter une ultime intervention, à un ecclésiastique de Valence, la ville où habitent la mère et la grand-mère du P. Gillet. Mis au courant de cette démarche qu'il juge indiscrète, celui-ci y réagit par une philippique courroucée. Elle est suivie, après les excuses et les regrets présentés par Olivier Rousseau, d'un message qui se veut apaisant mais où s'exprime, douloureux pour l'ami, le désir d'une rupture, du moins provisoire. Réaction d'un homme qui souffre, cette lettre contient en même temps des explications précises, quoique paradoxales : *Je ne sais ce que l'on peut dire de moi et cela m'est égal. Ma situation actuelle est si complexe que presque personne ne peut la comprendre. Il m'est impossible de tout vous expliquer. Je me bornerai à vous dire ceci : 1. Je collabore avec des Russes orthodoxes*

9. Lettre de L. Gillet du 29 mai 1947 à dom Clément Lialine (Archives de Chevetogne).

10. Remarque notée par Olivier Rousseau (Archives de Chevetogne).

et me trouve en communion liturgique avec les Églises relevant du Patriarcat de Moscou ; 2. Il est inexact de dire que j'ai passé du catholicisme à l'orthodoxie, car : en premier lieu, je n'ai pas cessé de professer la foi catholique, je n'ai ni oralement ni par écrit souscrit à aucune formule dogmatique impliquant la négation de quelque article de foi professé par l'Occident latin, et jamais on ne m'a appliqué le « rite de la réunion d'un catholique à l'orthodoxie » qui est cependant de rigueur chez les Russes ; en second lieu, comme ni oralement ni par écrit je n'ai contracté aucun engagement d'obéissance ou d'allégeance envers un hiérarque russe quelconque, et comme ni le Métropolite André ni le Père Higoumène Clément n'ont pris aucune mesure d'exclusion ou sanction disciplinaire à mon égard, j'estime que mon lien canonique envers l'éparchie de Lvow et la laure d'Ouniov n'a pas été aboli ; 3. je demeure en relations avec le Métropolite André qui n'a pas cessé d'être d'une bonté parfaite à mon égard et que je vénérerai toujours comme un père... Je ne doute pas de votre amitié et je vous en remercie, mais pour le moment, je demande que personne ne s'occupe de moi, ne cherche ma trace et ne veuille rompre le silence où volontairement je veux m'enfermer[11].

Dom Olivier – quoi qu'il ait pu lui en coûter – respectera le désir de Lev Gillet. L'intelligence du cœur, chez lui aussi, jointe à l'intelligence tout court, lui permet d'entrer dans la logique déconcertante de son ami. Chez les deux hommes la blessure mettra du temps à cicatriser. Ils ne reprendront contact et ne se reverront qu'après la Seconde Guerre mondiale.

---

11. Lettre non datée parvenue au destinataire, selon une note manuscrite de dom Olivier Rousseau, début novembre 1928. Elle a donc dû être écrite fin octobre ou dans les premiers jours de novembre. Ce détail n'est pas sans importance. À cette date, le P. Lev Gillet n'est encore chargé d'aucun ministère dans l'Église orthodoxe et son statut canonique reste flou. C'est seulement fin novembre qu'il est chargé, par le métropolite Euloge, de la responsabilité – au titre de recteur – de la paroisse orthodoxe de langue française en gestation depuis un an. Dorénavant, c'est délégué par ce dernier qu'il exercera un ministère presbytéral au sein de cette paroisse, nommant Euloge comme l'évêque dont il dépend.

À l'aide des documents dont je dispose, j'ai tenté de retracer le plus exactement possible l'itinéraire du P. Lev Gillet entre son départ de Lvov, au début de 1927, et son entrée dans la communion de l'Église orthodoxe au printemps 1928. Commencé dans l'obscurité, dans « la crainte et le tremblement » – pour parler le langage de Kierkegaard avec qui, tout en voulant dépasser le « tragique kierkegaardien », le moine de l'Église d'Orient se sentait des affinités [12] –, ce cheminement s'achève dans le sentiment d'une clarification et d'un apaisement croissants. *Je suis dans une grande paix intérieure*, écrit-il à sa mère en lui annonçant sa décision.

Le secret ultime de celle-ci – comme le reconnaît humblement Pierre Gillet – appartient à Celui par qui son frère cadet s'est voulu laisser guider : au Seigneur qui, comme aimera dire plus tard Père Lev, « écrit droit avec nos lignes courbes et embrouillées ». Quelle que soit pourtant la part irréductible de mystère que contient – comme toute décision humaine profonde – le choix, en 1928, de Lev Gillet, le témoignage de ses lettres est clair. Il dément certaines interprétations de son geste données, un demi-siècle plus tard, après sa mort, par des personnes qui ignoraient presque tout d'un passé dont lui-même ne parlait guère ou seulement par boutades difficiles à décrypter. Due en partie à l'absence d'informations précises, l'erreur s'explique aussi par la personnalité de Père Lev perçue, plus il vieillissait, par ceux même qui l'aimaient et l'admiraient comme « énigmatique, déconcertante et pleine de paradoxes [13] ». Effectivement, elle semblait échapper aux catégories logiques, à celles en particulier qui définissent d'ordinaire l'appartenance ecclé-

12. Au sujet de ces affinités et de cette différence, voir : Lev GILLET, « Dieu est Lumière » dans : *Vues sur Kierkegaard*, réunies par G. Henein et M. Wahba (Le Caire, 1955).

13. Cette remarque est faite par l'évêque Kallistos Ware dans sa préface à la traduction anglaise de l'ouvrage de Père LEV : *La Prière de Jésus*. Voir : *A Monk of the Eastern Church. The Jesus Prayer* avec une préface de Kallistos Ware, Crestwood, New York, 1987.

siastique. À mesure qu'il avançait en âge – se situant sur un autre plan – Père Lev transcendait ces catégories en ce qui le concernait personnellement.

Lancée par le P. Gillet au cours d'un entretien [14] avec deux amies, quelques mois avant sa mort, une de ses boutades provocantes se trouve ainsi à l'origine d'une hypothèse fantaisiste sur les circonstances dans lesquelles il se serait joint au métropolite Euloge : il se serait agi d'un geste dicté par la situation politique et ecclésiastique – l'échec de la « mission russe » du jésuite Michel d'Herbigny, la persécution des croyants en URSS –, voire d'une manœuvre de la diplomatie secrète vaticane ou du métropolite Szeptykij. Ce dernier aurait négocié l'affaire avec le métropolite Euloge, plaçant le P. Gillet dans une situation « ambiguë » dont, par fidélité au secret juré, il ne se serait pas cru en droit de sortir. Telle est, en ses grandes lignes, l'hypothèse émise par l'auteur de l'article publié en 1980 dans la revue anglaise *Chrysostom* [15]. Contre le gré, certes, de cet auteur, elle risque de faire apparaître Lev Gillet comme le héros douteux (ou malheureux) d'une sorte de polar ecclésiastique.

Il semble presque inutile de dire que cette construction fondée sur des erreurs et des approximations historiques est contredite par le témoignage de Lev Gillet lui-même tel qu'il ressort des lettres adressées à des proches : témoignage dont la sincérité et l'exactitude peuvent difficilement être mises en doute. À l'évidence, l'acte posé en toute lucidité et en pleine conscience de ses conséquences par Lev Gillet en 1928 ne relève ni de considérations opportunistes de politique ecclésiastique, ni des visées de l'unionisme catholique romain ordinaire de cette époque avec lequel il signifie précisément la rupture. Lev Gillet sait (et il le dit clairement dans la lettre adressée

14. Au sujet de cet entretien, voir p. 174.
15. Helle GEORGIADIS, « Pioneers of Corporate Unity », *Chrysostom*, n° V-8, automne 1980 (en particulier p. 234-240).

à sa mère) que le métropolite Szeptykij ne partage pas son point de vue à ce sujet *sans quoi il ne resterait pas métropolite uniate* [16]. Incontestablement – comme il l'écrit également à son frère – il désire préserver les liens personnels et même – du moins théoriquement et symboliquement – les liens canoniques qui l'unissent à son père spirituel et à la laure d'Ouniov [17]. Cependant il ne peut ignorer et il n'ignore pas qu'en concélébrant la liturgie eucharistique avec et sous la présidence d'un évêque orthodoxe, il a transgressé une règle, franchi une limite posée par l'Église romaine : règles, limites réaffirmées solennellement avec force et clarté par l'encyclique papale de 1928. Obéissant à un *dictamen* de sa conscience, il a témoigné publiquement, quoique sans ostentation, de sa conviction que la lumière, la vérité et la grâce du Christ brillent d'un éclat plus pur dans le « catholicisme orthodoxe » que dans le catholicisme romain. Ce faisant, souligne-t-il, il n'a cependant fait qu'obéir à une règle d'ordre éthique enseignée aussi dans l'Église romaine. Il n'a pas voulu simuler la soumission au principe ecclésiologique dont l'encyclique *Mortalium animos* est l'expression : principe étranger à la tradition ecclésiologique de l'Église indivise et savait inacceptable pour les orthodoxes. Quittant, selon les critères canoniques institutionnels (mais non spirituellement) l'Église romaine, il s'est montré en réalité loyal envers elle au nom d'une loi supérieure

16. Voir p. 159. Dans une lettre adressée à sa mère le 14 juillet 1928, le P. Lev Gillet écrit : *Chaque fois que je vois le Métropolite Euloge, nous nous répandons en louanges du Métropolite André et en regrets de le voir si mal traité de ceux même qui auraient dû le soutenir – car il n'est plus guère que le très noble représentant d'une cause perdue.*

17. *Le lien canonique qui m'unit au diocèse de Lwow et au monastère d'Ouniov n'a pas été officiellement rompu, quoique je sois en communion avec le patriarcat de Moscou. Le Métropolite aurait assurément le droit de rompre ces liens, mais il n'a pas, je crois, l'intention de le faire si bien qu'à la liturgie je continue de mentionner, outre la hiérarchie russe, le Métropolite André et son frère l'Higoumène. Cet illogisme est au fond assez logique... Je suis très heureux de conserver à l'égard du Métropolite André cette dépendance extérieure, même toute théorique en même temps qu'une dépendance intérieure très réelle* (lettre non datée écrite probablement en août 1928, adressée à Pierre Gillet).

divine qu'elle reconnaît elle-même. Comme il l'écrit à son frère : *Il eût été déloyal (envers l'Église romaine tout d'abord) et contraire à ma conscience d'agir autrement* [18].

Inexacte, du point de vue des faits historiques et méconnaissant la signification spirituelle profonde et, en un sens déchirante, de l'acte posé par Lev Gillet en 1928, l'opinion exprimée par l'auteur de l'article de *Chrysostom* contient néanmoins une part de vérité. Désaveu ouvert de l'ecclésiologie latine médiévale et post-tridentine, la concélébration de Clamart ne signe pas une « conversion », c'est-à-dire, au sens plein du terme, un retournement spirituel radical. En entrant dans la communion sacramentelle de l'Église orthodoxe, Lev Gillet non seulement n'a pas changé de foi – au sens où la foi chrétienne est adhésion personnelle au Christ comme Seigneur et Sauveur – mais il n'a pas eu à renier – et il y insiste dans toutes les lettres à ses proches – les formulations dogmatiques propres à l'Église latine [19]. Dans l'Église orthodoxe d'Orient, gardienne de la Tradition de l'Église indivise des premiers siècles, il discerne en 1928 *la lumière du Christ à un degré plus pur, mais c'est la même lumière et non une autre qui brille aussi dans l'Église d'Occident*. Il a le sentiment de progresser, mais c'est à l'intérieur de la même Église, au sein du même peuple de Dieu, cheminant vers la pleine lumière du Royaume en Orient et en Occident. Jamais, ni en 1928, ni plus tard, il ne met en question l'ecclésialité de l'Église latine

18. Lettre du 24 juillet 1928 à Pierre et Marguerite Gillet.

19. Voir les lettres à son frère, à sa mère et à Olivier Rousseau. La question se pose : le non-rejet des formulations dogmatiques propres à l'Occident latin concerne-t-il aussi le dogme de l'infaillibilité papale, en son expression de 1870 ? Avec des nuances et des degrés variables Lev Gillet semble avoir toujours partagé l'opinion de V. Soloviev selon laquelle ce dogme est susceptible d'une interprétation qui le rendrait acceptable aux orthodoxes. Seule son interprétation sous forme de juridiction directe sur l'ensemble des Églises locales est jugée par lui incompatible avec l'ecclésiologie de l'Église indivise. Voir Lev Gillet, « Papal infaillibility and Sobornost », *Sobornost,* juin 1944.

ou la réalité de la grâce accordée par ses sacrements [20]. Ayant contrevenu à ses règles, il se sait *formellement* exclu de sa communion sacramentelle. Il en souffre. Mais spiritualiste convaincu, croyant avec toute l'Église – et particulièrement avec l'Église orthodoxe – en la souveraine liberté de l'Esprit, il affirme paisiblement que « les cloisons humaines ne montent pas jusqu'au ciel ».

Ce spiritualisme ne signifie cependant pas subjectivisme et indifférentisme doctrinal. Dans l'ecclésiologie orthodoxe, telle qu'il apprend à la connaître à cette époque par les penseurs religieux russes, dans la *sobornost* des slavophiles [21] explicitée notamment par le P. Boulgakov, Lev Gillet croit discerner le principe qui permettra de résoudre l'antinomie occidentale de la liberté des consciences personnelles et de l'autorité de l'Église enseignante, de la subjectivité et de l'autorité extrinsèque [22]. Sa critique de l'Église catholique romaine ne se situe pas sur le plan de la doctrine trinitaire. Les discussions à propos du *Filioque* lui apparaîtront toujours comme le fruit d'un « malentendu ». Sa propre critique concerne essentiellement l'exercice de l'autorité dans l'Église. S'unissant au « catholicisme orthodoxe », il adhère à une vision de l'Église non plus pyramidale, monarchique, mais « conciliaire », dans le rayonnement de l'amour des Trois qui sont Un. Il est caractéristique que dans une « Introduction à la foi orthodoxe » rédigée par Lev Gillet vers 1930, sous forme d'un commentaire du Symbole de Nicée-Constantinople, le développement le plus long, le seul où soit soulignée une différence entre l'enseignement de l'Église orthodoxe et l'enseignement catholique romain,

20. *Au fond rien ne nous sépare. Le même Sauveur, les mêmes sacrements* (lettre du 24 juillet 1928 à Mme H. Gillet).

21. Forgé par le théologien slavophile Alexis Khomiakov, le terme russe *sobornost* est rendu par Lev Gillet en français, dans sa traduction de *L'Orthodoxie* de S. BOULGAKOV, par « conciliarité », traduction aujourd'hui adoptée généralement.

22. Voir sa lettre à Olivier Rousseau (O. ROUSSEAU, « Après dix ans : la semaine unioniste de Bruxelles de 1925 », *Irénikon*, 1935, n° 6, p. 181).

concerne précisément le problème du lieu et de la nature de l'autorité dans l'Église. Il est nettement inspiré de l'ecclésiologie unanimiste d'Alexis Khomiakov : « L'Église du Christ est une et universelle : elle s'étend à tous les hommes, à tous les lieux ; sa foi est celle qui a été reçue toujours, partout et par tous ; elle ne pense et ne vit qu'unanimement : c'est ce qu'exprime le mot “catholique” qui n'est pas le monopole de la confession romaine... L'infaillibilité est immanente à l'unanimité des fidèles ; la révélation de la vérité est une réponse à notre amour fraternel. C'est pourquoi la tradition “orthodoxe” – celle à laquelle nous nous rattachons – n'admet pas les doctrines romaines sur l'autorité dans l'Église et, en particulier, sur le pouvoir du pape [23]. »

Cependant, même à cette époque d'enthousiasme pour l'ecclésiologie slavophile qui coïncide avec son entrée dans la communion de l'Église orthodoxe, Lev Gillet n'ira pas jusqu'à nier le charisme de Pierre et de ses successeurs : charisme – précise-t-il et croit-il – fondé sur la promesse du Christ. Avec Soloviev, il déplore seulement une praxis qui, trop souvent dans l'Église romaine, a changé en instrument de domination, voire d'oppression, l'appel à un service d'humble amour. Une des premières – peut-être la première – de ses homélies prononcée en 1928, dans le cadre d'une liturgie orthodoxe est précisément un commentaire des péricopes évangéliques concernant l'apôtre Pierre : de sa foi, et de son manque de foi jusqu'à l'humble confession d'amour du dernier entretien. C'est cette homélie qu'il joint à la lettre d'explication destinée à sa mère.

Sans être une « conversion » au vrai sens du mot, l'entrée de Lev Gillet dans la communion de l'Église orthodoxe a été pour lui un acte grave, engageant toute sa personne, son cœur, sa conscience morale mais, aussi, son intelligence théologique, son ecclésiologie : « une déci-

---

23. Hiéromoine LEV, « Introduction à la foi orthodoxe », *La Voie*, septembre 1930.

sion vitale mûrie jusqu'à se présenter comme le postulat de l'être tout entier [24].

Pèlerin de l'Absolu, inséré à partir de la décision de 1928 dans le tissu historique des Églises orthodoxes, Père Lev connaîtra des déceptions. Elles ne le rendront heureusement pas amer. L'abandon confiant à la Volonté divine et une bonne dose d'humour lui permettront de toujours dépasser des colères parfois violentes mais toujours passagères. Il souffrira de la sclérose institutionnelle des Églises orthodoxes, du ritualisme et du nationalisme qui les parasitent, du clivage entre la théorie – la vision céleste – et la pratique concrète, de leurs divisions si contraires au principe de la *sobornost* ! Il s'indignera du triomphalisme naïf de beaucoup d'orthodoxes qui ignorent l'Occident et en particulier l'Occident chrétien, ou n'ont de lui qu'une connaissance déformée par des préjugés. Il lui arrivera de regarder avec nostalgie vers l'Église de son baptême. Toujours « aux écoutes de la parole qui vient du pasteur de Rome », selon l'injonction d'un discours imaginaire qu'il prête à Soloviev [25], ne cessant d'espérer de l'Église romaine le fait nouveau que pourra produire une intervention divine », Père Lev demeurera cependant jusqu'à sa mort dans l'Église orthodoxe, en la situation qu'il a librement choisie. Du point de vue canonique, elle sera toujours parfaitement régulière. Fils et petit-fils de juristes, ce mystique qui plane au-dessus des lois et hait le légalisme, respecte cependant les règles ecclésiastiques à leur niveau propre. En tant que prêtre orthodoxe, il exercera un ministère humble et discret dont il n'attendra ni honneurs, ni même le nécessaire pour vivre. Jusqu'au dernier jour, il gagnera sa subsistance par son travail. À l'Église orthodoxe qui l'a reçu avec générosité, il sera reconnaissant de lui accorder, avec le partage de ses richesses spirituelles, la liberté dont il a

24. Lettre à Pierre Gillet, 9 août 1928.

25. UN MOINE DE L'ÉGLISE D'ORIENT, « La Signification de Soloviev », dans : *1054-1954 : l'Église et les Églises*, Chevetogne, 1955, p. 378-379.

besoin pour respirer. Sans être aveugle aux misères de l'élément humain en elle, il pénétrera profondément dans son mystère qu'il tentera d'exprimer un jour, dans la prose poétique dont il avait le don : « Ô étrange Église orthodoxe, si pauvre et si faible, qui n'a ni l'organisation, ni la culture de l'Occident et qui se maintient comme par miracle à travers tant de vicissitudes et de luttes ; Église de contrastes, à la fois si traditionnelle et si libre, si archaïque et si vivante, si ritualiste et si personnellement impliquée, Église où la perle de grand prix de l'Évangile est précieusement conservée, parfois sous une couche de poussière ; Église qui maintient au premier plan, dans l'ombre et le silence, les valeurs éternelles de virginité, de pauvreté, d'ascétisme, d'humilité et de pardon ; Église qui souvent n'a pas su agir, mais qui sait chanter comme nulle autre, la joie de Pâques... »

Et, pensant particulièrement à l'Église russe, il ajoutera : « Église qui a lavé sa robe tachée dans le sang de l'Agneau [26]. »

À l'époque où il s'unit à l'Église orthodoxe, le P. Gillet a trente-cinq ans. Pendant le temps – plus d'un demi-siècle – qui lui reste à vivre, il continuera de penser, de réagir intellectuellement et émotivement aux événements et aux rencontres. Il connaîtra de nouveaux enthousiasmes et de nouvelles déceptions. Progressivement sa vie intérieure se concentrera et s'unifiera : il deviendra le vieil homme qui ne trouve de contentement que dans l'Évangile en sa bouleversante simplicité. En même temps son horizon ne cessera de s'élargir par la participation, notamment, au dialogue œcuménique, par la rencontre aussi avec le judaïsme et les autres grandes religions mondiales. Malgré ces expériences multiples qu'il faudra évoquer, malgré des tentations et des ébranlements profonds, il restera cependant fidèle, ou comme il l'écrit

26. Homélie prononcée au service anniversaire de la mort d'Irénée Winnaert en février 1938. Voir Vincent BOURNE, *La Queste de vérité d'Irénée Winnaert*, Genève, 1966, p. 335.

dans la conclusion d'un de ses livres, « obéissant à la vision céleste » : vision de l'unité en Christ reçue à l'aube de sa vie monastique et à laquelle il s'est senti appelé à consacrer sa vie.

Le secret de sa situation personnelle si unique et inclassable, il le livrera peut-être dans la boutade provocatrice évoquée plus haut, boutade lancée, quelques mois avant sa mort, à deux femmes étonnées. Dans le feu d'une conversation où, comme il lui arrive, il s'est quelque peu échauffé, Père Lev jette abruptement qu'il se considère comme « un prêtre de l'Église catholique romaine en pleine communion avec l'Église orthodoxe [27] ». Boutade assurément mais qui a un sens profond. Ni aveu d'une situation canonique ambiguë, ni divagation d'un vieillard qui aurait perdu la tête, elle dévoile, sous le voile du paradoxe, l'aspiration qui a sous-tendu le cheminement complexe de Père Lev : anticipation dans une existence personnelle de l'unité voulue par le Christ pour son Église ; unité *catholique*, selon la plénitude – *kat' holon* – où seraient intégrés Rome et l'orthodoxie, l'Orient et l'Occident chrétiens, en leurs différences complémentaires et leurs multiples richesses.

---

27. Helle GEORGIADIS, p. 237. – Concernant les circonstances de cet entretien, voir plus loin p. 605.

DEUXIÈME PARTIE

LE MINISTÈRE PARISIEN

1928-1938

CHAPITRE PREMIER

L'ÉGLISE DES ÉMIGRÉS

Entré dans la communion de l'Église orthodoxe par l'intermédiaire de l'Église russe en exil, Lev Gillet va se fixer à Paris. Une décision qui paraît aller de soi : éclipsant Prague et Belgrade – premières destinations de beaucoup d'intellectuels russes après la Révolution bolchevique – Paris devient dans l'entre-deux-guerres la capitale intellectuelle et spirituelle de la Diaspora russe.

Dans une lettre adressée à la fin de 1928 à son frère, Lev Gillet estime à deux cent mille le nombre de Russes fixés dans la région parisienne. Même si ce chiffre, d'après l'historien P. Kovalevsky [1], paraît exagéré, il correspond à l'impression de densité de la population d'origine russe dans certains quartiers et de certaines banlieues de la capitale : le 15e arrondissement, Boulogne-Billancourt où les usines d'automobiles Renault ont attiré des milliers d'ouvriers russes.

Parmi les émigrés, peu nombreux sont ceux qui ont pu sauver quelques miettes de leur ancienne fortune. Dans leur immense majorité, les émigrés russes sont pauvres et ne peuvent compter pour subsister que sur le travail de leurs mains, sur leur ingéniosité et leurs dons intellectuels et artistiques qui sont heureusement nombreux. Pauvre en biens matériels, l'émigration russe est riche culturellement et spirituellement, étincelante de talents divers. Elle connaît une vie associative intense [2].

---

1. Pierre KOVALEVSKY, *La Dispersion russe à travers le monde et son Rôle culturel*, Chauny, 1951, p. 8-9.
2. *Ibid.*, p. 12-17.

Les Russes sont manœuvres dans les usines, chauffeurs de taxi, mais aussi danseurs, chorégraphes, musiciens, écrivains, philosophes et théologiens. Ils ont ouvert des écoles de différents niveaux, fondé des bibliothèques, un conservatoire de musique, des dispensaires, de nombreuses œuvres d'entraide où les femmes se montrent particulièrement actives. Ils ont créé deux quotidiens en langue russe et éditent des revues littéraires, politiques et religieuses.

Nullement monolithique, cette émigration est traversée par de violentes tensions politiques. Celles-ci sont illustrées précisément dans les années que Père Lev passe à Paris, par plusieurs faits divers dramatiques : assassinat du président de la République Paul Doumer par l'anarchiste russe Paul Gorgoulof en 1932, enlèvements par des agents de la police secrète soviétique – avec des complicités dans l'émigration – du général Koutiepoff en 1936, puis du général Miller en 1937. Désigné à la demande du métropolite Euloge comme aumônier officiel des prisons pour les détenus russes, Père Lev sera intimement mêlé à ces événements. C'est lui qui accompagnera Gorgoulof à l'échafaud et qui visitera à la prison de la Petite-Roquette Mme Plevitskaïa, une cantatrice célèbre soupçonnée d'être la complice de son mari, le général Skobline, qui livra Miller au Guépéou [3].

D'une façon générale, Père Lev nouera des relations avec les milieux les plus divers de l'émigration russe. Vivant lui-même dans la plus stricte pauvreté, il est reçu dans les cercles aristocratiques, fréquente le salon de la princesse Paley, épouse morganatique du grand-duc Paul de Russie, ainsi que celui de l'hospitalière Nimet Allah Metchersky, une princesse russe d'origine égyptienne et musulmane qui accueille au château de Clausonne, au-dessus de Nice, des enfants russes dont la santé fragile exige un séjour au grand air et au soleil. Père Lev y fera, à titre d'aumônier, plusieurs séjours. On le voit également dans la maison du philosophe N. Ber-

3. Voir plus loin « L'Aumônier des prisons », p. 205 s.

diaev à Clamart où se rencontrent des intellectuels chrétiens, orthodoxes et catholiques (dont Jacques Maritain) et où s'ébauchent les prémices encore informelles d'un dialogue œcuménique.

À l'autre bout de la chaîne des « fréquentations » de Père Lev, il y a les « paumés », les « laissés-pour-compte » de l'émigration. À Paris comme à Nice, Père Lev se penche sur le sort des plus malheureux : chômeurs nombreux en cette période de crise économique, jeunes en rupture avec leur famille, clochards, drogués, alcooliques, prostituées et femmes abandonnées. Les lettres adressées aux membres de sa famille sont pleines d'appels au secours pour tel ou telle : appels auxquels cette famille chrétienne répond avec bonne volonté et empressement. Une cousine de Père Lev se rappelle : « un jour Louis est tombé chez moi, demandant d'urgence un pantalon de mon mari. Il venait de donner le sien à un clochard russe qui en avait besoin ».

Parmi les forces spirituelles qui rassemblent et organisent la masse amorphe que risquent de constituer des émigrés traumatisés par l'effondrement du monde ancien, il faut nommer en premier lieu l'Église orthodoxe. En sa grandeur, son courage, mais aussi les faiblesses qui résultent de ses divisions, l'Église russe en exil constitue dorénavant le cadre institutionnel du ministère du P. Lev Gillet en France.

Soumise jusqu'à la veille de la révolution de 1917 à la tutelle protectrice mais pesante de la bureaucratie tsariste, cette Église manifeste une vigueur et une créativité étonnantes, s'adaptant à la situation pour elle entièrement nouvelle d'une Église déracinée et pauvre, jetée dans une terre étrangère. Pour survivre, elle ne peut compter, en l'absence de toute aide étatique, que sur la foi et le dévouement des fidèles, des laïcs comme du clergé. Ce soutien ne lui manque pas. La plupart des émigrés sont baptisés dans l'Église orthodoxe. En des temps meilleurs, leur appartenance à celle-ci a pu se réduire, en particulier dans les classes cultivées occidentalisées, à quelques pratiques superficielles, apparemment sans engagement profond. Mais sous le choc de l'épreuve, nombre d'entre eux se sont éveillés à une foi vivante, personnelle, en même temps ecclésiale. L'expérience évoquée par l'un de ces émigrés fut celle, sans doute, de beaucoup d'entre eux : *« Un changement profond dans le domaine spirituel se produisit pour moi à partir de la Révolution, en 1917... L'écroulement de la plupart des structures qui, jusqu'alors, nous avaient soutenus, nous orienta tout* naturellement *vers celles qui paraissaient survivre au "cataclysme" : nous nous tournions vers la vie de l'Église révélée par sa liturgie*[4]. »

Dès que quelques Russes se trouvent ensemble, dans une ville ou dans un village, ils se mettent en quête d'un lieu de culte, organisent un chœur d'église et cherchent un prêtre pour célébrer la liturgie. C'est le plus difficile. Catégorie sociale la moins représentée dans l'émigration, le clergé fait défaut. Mais de nouvelles vocations suppléent à cette carence. Les « nouveaux prêtres » se recrutent souvent dans les milieux de l'*intelligentsia*, jadis indifférente ou hostile à l'Église. Ce sont des hommes cultivés, en même temps profondément croyants et totalement donnés à leur ministère.

Du point de vue de son organisation, l'Église en exil bénéficie des réformes dans la voie desquelles s'est engagé le Concile ou Synode panrusse tenu dans les premiers mois de la Révolution. Il a restauré le patriarcat. Mais il a aussi tenté de promouvoir la participation des laïcs à la vie de l'Église et à ses responsabilités. Spirituellement, le milieu ecclésial a été ensemencé et vivifié par la « renaissance religieuse russe » du début du XXe siècle : un mouvement tumultueux, aux tendances parfois syncrétistes, mais où abondent les forces créatrices. La « renaissance russe » a amené à l'Église quelques grands intellectuels marxistes, tels Serge Boulgakov, Pierre Struve,

4. Maxime KOVALEVSKY, « Témoignage », dans : *Jean de Saint-Denis Eugraph Kovalevsky, 1905-1970*, Paris, 1971, p. 16.

Nicolas Berdiaev, S. L. Frank. Dans l'émigration, ces « convertis illustres » sont devenus les maîtres à penser de la jeunesse. À Paris où ont afflué de nombreux représentants de la « renaissance religieuse russe » du début du siècle, celle-ci jette, entre 1920 et 1940, ses derniers rayons.

Dès 1921, le patriarche Tikhon, élu par le concile de 1917, a chargé l'ancien archevêque de Jitomir et de Volhynie, Mgr Euloge, arrêté puis libéré par le gouvernement polonais, de l'organisation des paroisses qui se sont spontanément créées en Europe occidentale. En 1923, Euloge, qui a reçu le titre de métropolite, s'installe à Paris, faisant de l'église d'ambassade Saint-Alexandre-Nevski, rue Daru, non loin de la Place de l'Étoile, sa cathédrale. Homme d'Église énergique, animé d'un grand zèle pastoral, il parvient à organiser et développer son diocèse en dépit d'une extrême pénurie de moyens matériels. La Rue Daru devient le petit Vatican de l'émigration russe.

La métropole russe en Europe occidentale possède, outre de nombreuses paroisses en France – dans la région parisienne et en province, surtout dans les régions industrielles du Nord et de l'Est –, des communautés en Allemagne, en Belgique, dans les Pays-Bas, en Suisse, en Angleterre, dans les pays scandinaves. Installé dans les locaux d'une ancienne mission luthérienne, l'Institut de théologie orthodoxe Saint-Serge constitue le fleuron de l'œuvre pastorale de Mgr Euloge [5]. Destiné à donner la formation indispensable aux nouveaux prêtres, il se propose aussi de favoriser la recherche théologique, perpétuant ainsi la tradition des académies ecclésiastiques russes des XIXe et XXe siècles. Venus de toutes les parties de la Diaspora russe, professeurs et étudiants se consa-

5. Sur l'histoire de l'Institut Saint-Serge, voir Alexis KNIAZEV, *L'Institut de théologie orthodoxe Saint-Serge, de l'académie d'autrefois au rayonnement d'aujourd'hui*, Beauchesne, 1974.

crent à cette tâche dans des conditions de grande pauvreté, courageusement acceptées par tous.

L'Institut Saint-Serge a manifestement constitué un des pôles d'attraction de Père Lev pendant son ministère parisien. À son arrivée à Paris, il y habite pendant quelque temps. Dès l'automne qui suit son intégration dans l'Église eulogienne, il est appelé à y enseigner le français à des étudiants dont beaucoup ne parlent pas ou ne parlent qu'imparfaitement notre langue. Il assurera cet enseignement jusqu'à la fin de son ministère parisien. « Cela dévore une grande partie de mon temps », écrit-il à ce sujet à une amie. Pour l'adapter aux divers niveaux de connaissances linguistiques des étudiants, il le donne, en effet, en grande partie sous forme de leçons particulières. Un de ses étudiants de cette époque, l'archiprêtre Boris Stark, retourné en URSS après la Seconde Guerre mondiale, se souviendra toujours – me confie-t-il après la mort de Père Lev –, de ce moine français qui « aimait tellement l'Église russe et aspirait à la servir ».

À l'Institut Saint-Serge, Lev Gillet est reçu avec bienveillance par le P. Serge Boulgakov[6] qui trouve en lui un auditeur attentif et un interlocuteur éclairé.

La pensée puissante de cet Origène russe – ancien marxiste, revenu au Christ et à l'Église de son baptême, ordonné prêtre à la veille de la Révolution bolchevique – exerce, à l'époque de Saint-Serge, une influence prédominante. Elle est cependant contestée et combattue à la fois par les traditionalistes classiques et par un nouveau courant de « retour aux Pères ». En vue de la libération de la pensée orthodoxe de la « captivité babylonienne de la théologie occidentale » – slogan lancé par le promoteur de ce dernier courant, le P. Georges Florowsky – ses partisans appellent un ressourcement dans la pensée des Pères de l'Église, surtout des Pères grecs, et des théologiens byzantins – notamment Grégoire Palamas –

---

6. Nous adoptons la transcription la plus usuelle de ce nom russe. On trouve également Boulgakof et Boulgakoff.

dont la pensée prolonge celle des Pères de la grande époque créativement. En Serge Boulgakov, représentant du courant sophiologique issu de Vladimir Soloviev, ces nouveaux croisés d'une orthodoxie « pure et dure » dénoncent un dangereux moderniste marqué par l'influence de l'idéalisme philosophique allemand, voire un hérétique. Une certaine *furia theologica* explosera dans les années trente, à propos du « Débat sur la Sophia » – titre d'un pamphlet du jeune Vladimir Lossky. Dans le contexte du conflit canonique et ecclésiologique dont il sera question plus loin, ces discussions alourdiront le climat de l'Institut. Témoin de ce conflit idéologique dont l'enjeu lui paraît éloigné de la simplicité de l'Évangile, Lev Gillet s'en montrera affligé et exaspéré. Les « professeurs russes » vont devenir une cible de son ironie. Parmi eux, il compte cependant des hommes qui lui sont proches. À l'Institut Saint-Serge il est lié – malgré quelques réserves [7] – avec le P. Serge Boulgavov, avec l'historien de la sainteté russe Georges Fedotov, Constantin Motchoulsky, profond analyste de la grande littérature russe moderne, enfin avec le jeune hiéromoine, futur évêque Cassien (Bezobrazov), qui partage avec lui l'intérêt pour l'exégèse scientifique de l'Écriture : une discipline encore peu

7. Dans ses chroniques données quelques années plus tôt à la revue *Irénikon*, Lev Gillet a attiré l'attention des théologiens occidentaux sur la sophiologie russe dans laquelle il voit l'amorce d'un développement créatif de la mariologie. Plus tard à Paris, dans un climat spirituel différent, sans voir dans la sophiologie une hérésie trinitaire, comme le prétendent certains adversaires du P. Boulgakov, il y dénonce un risque de déviation de la vie spirituelle : « Ne peut-on pas craindre que, dans la conception radieuse du Monde que suggère la sophiologie, les notions de transcendance divine, de péché, il lutte contre le Prince de ce Monde et enfin l'humanité très douce et très douloureuse de Jésus-Christ, sa passion et sa croix ne s'évanouissent en quelque sorte ? » (L. GILLET, « À propos d'une controverse », *Œcumenica*, juillet 1936). Pour un résumé des thèses sophiologiques du P. BOULGAKOV, voir son ouvrage *The Wisdom of God*, Londres-New York, 1937, traduction française aux Éditions l'Âge d'Homme). – Voir également E. BEHR-SIGEL, « La Sophiologie du Père Serge Boulgakov », *Revue d'histoire et de philosophie religieuse*, 1939, n° 2 et *Messager orthodoxe* 1972, n° 1.

connue et peu pratiquée dans les écoles de théologie orthodoxes.

Vivante, fervente, riche en talents et charismes divers, l'Église des émigrés est malheureusement divisée : il y a le débat à propos de la sophiologie. Cependant, les discussions entre les différents évêques de l'Église russe en exil se situent surtout au niveau de l'organisation canonique de cette dernière et de ses relations avec l'Église mère : le patriarcat de Moscou. C'est de ce dernier que le métropolite Euloge tient sa légitimité canonique qu'il veut préserver. Or les relations avec l'administration ecclésiastique centrale à Moscou deviennent de plus en plus difficiles par suite des pressions exercées sur celles-ci par le gouvernement soviétique [8]. Arguant de cette situation, un groupement d'évêques se désignant comme « Administration suprême de l'Église russe à l'étranger » s'est constitué en Yougoslavie où ont afflué les débris de l'Armée blanche après l'évacuation par celle-ci de la Crimée. On appelle ce groupe le Synode de Karlovtsi, du nom de la résidence d'été du patriarche de Serbie où il s'est réuni pour la première fois. Le métropolite Euloge qui, au début, a fait partie du Synode, s'en est éloigné à mesure que s'affirmaient ses positions monarchistes, favorables à une intervention armée en URSS : des positions qui ne peuvent que nuire à l'Église demeurée en Russie, accusée par les soviets de soutenir les ennemis du nouvel État. Officielle depuis 1928, la rupture entre le métropolite Euloge et le Synode de Karlovtsi (normalement dissous par le patriarcat de Moscou) touche relativement peu les orthodoxes russes fixés en France, dans leur majorité rassemblés autour de leur évêque. Il n'en sera pas de même quand ce dernier, en 1931, croit devoir prendre une décision pour lui crucifiante : rompre

8. Ce dernier a arraché au métropolite Serge de Nijni Novgorod, qui dirige ce qui reste de l'Église patriarcale entre 1927-1933, une déclaration de loyauté qui scandalise la majorité des émigrés et déconsidère à ses yeux la hiérarchie de l'Église russe en URSS.

les liens canoniques de son diocèse avec le patriarcat de Moscou pour le placer sous la juridiction provisoire du patriarcat œcuménique de Constantinople. Les tragiques divisions qui résulteront de cette décision – comme on verra plus loin – blesseront Père Lev à la fois dans ses convictions et dans son ministère. Ils marqueront le début d'une désillusion : désillusion surmontée mais qui laisse des traces durables.

LA JEUNESSE RUSSE

Dans les lettres de Père Lev datant de cette époque, il est souvent question de la « jeunesse russe ». Le terme désigne pour lui, visiblement, à la fois une classe d'âge et un mouvement organisé dans lequel il met beaucoup d'espoir. Il se sent appelé vers ces jeunes qui ont vécu les événements dramatiques de la Révolution, de la guerre civile et de l'exil, alors qu'ils étaient à peine sortis de l'enfance ou de l'adolescence. Ils achèvent leur formation à l'étranger : assez souvent des études universitaires poursuivies dans des conditions matérielles difficiles et au prix de très grands sacrifices. À la différence de leurs parents, beaucoup d'entre eux sont prêts à s'intégrer professionnellement au milieu occidental où ils sont appelés à vivre, tout en aspirant à préserver leur identité propre, culturelle et religieuse. Ils sont groupés dans divers mouvements de jeunesse nés au sein de l'émigration. Celui dont le rayonnement est le plus grand à cette époque se nomme « Mouvement » *(Dvijénié)*, ou « Action chrétienne des étudiants russe ». En France, on le désigne par le sigle ACER.

La décennie qui a suivi la fin de la Première Guerre mondiale a été marquée par une explosion, dans toute l'aire occidentale, de mouvements de jeunesse. Après la folie sanglante à laquelle leurs aînés furent sacrifiés, les jeunes Européens aspirent à édifier un monde nouveau. L'ACER participe à cette aspiration générale à un renouveau, tout en gardant sa spécificité de mouvement d'Église orthodoxe et russe. Un mélange de modernité et d'attachement à la Tradition, l'ancrage dans la piété orthodoxe russe traditionnelle, allié à la volonté d'affronter les problèmes du monde contemporain, rendent le *Dvijénié* particulièrement attirant pour Père Lev.

En tant qu'organisation, l'ACER est issue de la fusion, en 1923, au congrès de Pchérov (Tchécoslovaquie) des cercles et petites « confréries » où des jeunes Russes se sont spontanément groupés dans l'exil, d'abord à Prague et à Belgrade, puis à Berlin et à Paris, à mesure que le centre de gravité de l'émigration russe se déplace vers les pays industrialisés de l'Europe occidentale. En 1928, le secrétariat général de l'ACER se trouve à Paris, installé dans les locaux mis à sa disposition par l'YMCA (Young Men Christian Association), puissante organisation internationale de jeunesse d'origine anglo-saxonne et protestante. Son siège est 10, boulevard Montparnasse. L'YMCA ainsi que la FUACE (Fédération universelle des associations chrétiennes d'étudiants) ont généreusement prêté leur concours à l'organisation du mouvement de la jeunesse russe. Celui-ci se situe dans leur mouvance mais sans adopter leur caractère interconfessionnel. Très consciemment, l'ACER se veut « mouvement *dans* l'Église orthodoxe ». Ses jeunes animateurs et ses dirigeants sont cependant ouverts à une rencontre avec l'Occident chrétien. Plusieurs d'entre eux, tels Léon Zander, Paul Evdokimov, Nicolas Zernov ont reçu leur initiation œcuménique – une initiation qui déterminera leur vocation – à l'occasion de rencontres organisées par la FUACE entre étudiants chrétiens russes et étudiants chrétiens occidentaux. Contrastant avec la fermeture confessionnelle des mouvements de jeunesse catholiques romains, l'ouverture œcuménique de l'ACER correspond aux aspirations de Père Lev : c'est dans et par le milieu de l'ACER qu'à l'aube de son ministère parisien il se sent vraiment reçu et adopté par les Russes.

En juillet 1928, Père Lev, entré quelques semaines plus tôt dans la communion de l'Église orthodoxe, est invité à participer à l'important congrès de l'ACER organisé dans un hôtel du Touring-Club de France à Clermont-en-Argonne. C'est sa première rencontre, en tant que prêtre, avec la jeunesse russe. Il célèbre la liturgie, prononce des homélies en français, reçoit des confessions. Un des participants à cette rencontre, la mère Marie Skobtsova, à l'époque encore secrétaire laïque du *Dvijénié* a évoqué pour moi cette première prise de contact : « Nous étions subjugués par sa parole, par sa façon d'annoncer l'Évangile... Quand il eut terminé l'homélie, il y eut un instant d'hésitation. Puis, moi la première, nous sommes allés vers lui pour baiser sa main et recevoir sa bénédiction. »

Lev Gillet lui-même, dans une lettre à sa mère, évoque ce qui fut pour lui-même un événement « pentecostal » : *Je suis revenu de Clermont-en-Argonne dans l'état d'un homme qui a vécu un rêve plus beau qu'on ne peut l'imaginer. Il y avait là environ 150 jeunes gens et jeunes filles. Vie commune à la fois très simple et toute fraternelle. Pour moi, j'ai été comme adopté et par tous et par chacun. Les trois premiers jours, l'atmosphère était bonne, mais sans rien d'extraordinaire, pas encore de choc émotionnel... Puis d'un coup s'est produit l'inattendu, ce que j'appellerai la Pentecôte. Que s'est-il passé au juste ? Certainement, il y a eu un souffle divin. Un soir et toute la nuit qui a suivi, une sorte de torrent de larmes et de brisement de cœur. Des gens qui s'embrassaient, se demandaient pardon les uns aux autres, appelaient soit les prêtres, soit quelques-uns de leurs camarades particulièrement aimés et leur disaient : « cette nuit nous ne voulons pas nous coucher, mais parlez-nous de Dieu !... Plusieurs se sont adressés à moi pour les confessions qui ont duré toute la nuit. Le dernier jour, de grand matin, le métropolite russe a baptisé dans la rivière, suivant l'usage primitif, un catéchumène russe de 17 ans, puis il a confirmé deux jeunes filles françaises. Deux Françaises se sont unies à l'Orthodoxie. La liturgie de communion générale s'est déroulée dans une atmosphère de prières et de larmes*[9]*...*

Dans une autre lettre de la même époque, Lev Gillet communique à sa mère le programme de cette conférence. Énumérant l'ensemble des thèmes traités, aussi bien d'ordre spirituel que relatifs aux rapports de la foi avec l'éthique, avec la vie sociale et politique et avec la culture, il en admire la richesse qu'il compare à la pauvreté des programmes de congrès analogues de la jeunesse catholique française à la même époque.

Le courage, la foi alliée à la rigueur intellectuelle et surtout l'esprit de sacrifice de cette jeunesse russe lui paraissent admirables : *Les Russes de Paris sont splendides... surtout les étudiants. [Certains] travaillent manuellement le jour et étudient une partie de la nuit. J'assiste de près à un mouvement intéressant de la pensée russe : sous l'influence de quelques philosophes russes de Paris, la jeunesse russe intellectuelle fait un effort immense pour « repenser » le néo-platonisme, les Pères de l'Église grecque et la mystique byzantine et faire revivre les notions de* Logos *et de* Sophia *(la « sainte sagesse » conçue comme une réalité* vivante*) qu'on a oubliées depuis les Pères. Je connais des jeunes gens qui toute la journée travaillent dans une gare et qui, le soir, sur une table de bistro, écrivent sur les « antinomies dans la Trinité » et je trouve ça magnifique*[10] *!*

Tu me demandes, écrit-il à son frère, *où je veux conduire la jeunesse russe. Mais je ne veux pas la conduire : je n'ai pas la prétention de la guider nulle part. Ce sont les jeunes Russes qui – dans leur effort actuel pour résoudre certains problèmes que jusqu'à présent l'Orthodoxie (de style purement ascétique, mystique, liturgique) ne se posait pas – s'imaginent*

9. Lettre du 24 juillet 1928.

10. L'allusion concerne probablement le jeune Paul Evdokimov qui, à l'époque, disciple du grand théologien russe Boulgakov, travaille pour assurer sa subsistance dans une gare parisienne où il est chargé du nettoyage des wagons.

que je puis être pour eux un inspirateur. En fait, ce sont plutôt eux qui me donnent spirituellement.

Ainsi, entre le prêtre français formé aux disciplines intellectuelles de l'Occident et ses jeunes amis russes, s'amorce un échange fécond. Lev Gillet qui, durant sa captivité en Allemagne, a sympathisé avec des révolutionnaires russes, retrouve le même enthousiasme, le même esprit de sacrifice chez ces jeunes chrétiens. *Le même enthousiasme et le même enivrement de sacrifice que la jeune « intelligence » russe dépensait dans le mouvement révolutionnaire, une partie notable de cette même « intelligence » se dépense aujourd'hui dans le mouvement chrétien... La grande séduction de ce mouvement religieux, c'est qu'il n'y entre aucun formalisme, aucune convention ; tout y est fraîcheur, sève montante, spontanéité. La jeunesse russe de Paris m'aide à comprendre l'Église naissante de Jérusalem, telle que la décrit le Livre des Actes.*

Certes, poursuit-il, *ces jeunes Russes n'ont pas le monopole de la révélation du Christ et c'est une grossière erreur que d'identifier la Russie et le catholicisme orthodoxe ; mais l'âme russe est naturellement très proche du Sermon sur la Montagne.*

Plus tard, il arrivera à Père Lev de s'exprimer sévèrement sur une émigration russe dont il a appris à connaître les faiblesses et dont les déchirements internes l'ont meurtri. D'un tempérament passionné, il sera tenté de brûler ce qu'il a adoré. Mais dans cette apparente sévérité il entrera toujours une part de secrète tendresse. Les liens noués à Paris entre lui et quelques jeunes Russes résisteront à l'usure du temps et à la distance. Ces amitiés l'accompagneront pendant le long temps qui lui reste encore à vivre et jusqu'à la mort.

Parmi ceux et celles que Lev Gillet a connus et aimés en ces débuts de son ministère parisien, qui se sépareront mais que lui-même réunira toujours dans la même affection et dans le souvenir d'une époque pentecostale, il faut nommer Paul Evdokimov – « Pavlik », comme il aime à l'appeler – Vladimir et Madeleine Lossky, Léonide Chrol et sa sœur Olga, Nadejda Gorodetzky, Nicolas et Militza Zernov, auxquels il faut ajouter Evgraf Kovalevsky : le jeune homme rencontré un jour à Paris, rue de Crimée, aux abords de l'Institut Saint-Serge, et que Père Lev a aussitôt aimé [11].

En s'unissant à l'Église orthodoxe, Lev Gillet a voulu s'unir à ses *frères russes dont,* écrit-il à sa famille, *plus rien maintenant ne le sépare*. Paradoxalement, c'est en accompagnant quelques jeunes Russes en leur quête du sens de leur exil, que, dépassant la fixation sur la seule « orthodoxie russe », il découvre une nouvelle dimension de son engagement auprès d'eux : contribuer à la prise de conscience par eux de la *catholicité* de l'Église orthodoxe ; incarner cette prise de conscience dans la création d'une petite paroisse orthodoxe de langue française.

11. Archimandrite Lev GILLET, « Evgraf 1928-1938 », dans *Jean de Saint-Denis, 1905-1970,* Éd. Présence orthodoxe (s.d.), p. 97.

CHAPITRE II

NAISSANCE D'UNE « ORTHODOXIE FRANÇAISE »

Un aspect important du ministère parisien du P. Lev Gillet est la fondation de la première paroisse orthodoxe de langue française : une fondation dont il n'a pas pris l'initiative mais à laquelle il participe et où son rôle apparaît essentiel et décisif. L'existence de cette paroisse sera éphémère. Peu nombreux, ses membres se disperseront. En tant que communauté organisée elle disparaîtra dans la tourmente de la Seconde Guerre mondiale. Mais une idée a été lancée. Une aspiration continue de hanter quelques esprits. Cette fondation aux conséquences lointaines annonce l'apparition de l'Église orthodoxe comme élément constitutif du paysage spirituel français et occidental.

L'événement est brièvement évoqué par le métropolite Euloge dans un ouvrage autobiographique publié après sa mort [1]. Ardent patriote, préoccupé avant tout du sort de l'Église russe, l'évêque n'attribue manifestement qu'une importance secondaire – quoique réelle – à l'ouverture de cette paroisse où la liturgie byzantine sera célébrée en langue française.

S'expliquant sur les motivations essentiellement pastorales de cette initiative, il rend hommage aux qualités spirituelles du prêtre français qui sera chargé de sa réalisation : un homme quelque peu déconcertant mais pour lequel visiblement il éprouve une grande estime.

1. Métropolite EULOGE, *Chemins de ma vie* (en russe, *Iz Perejitago*), Paris, YMCA-Press, 1947, p. 542-544.

« Le P. Lev Gillet, se rappelle Euloge, était un moine aux tendances ascétiques, en même temps d'une grande culture intellectuelle. À l'étroit dans le cadre rigide du catholicisme, il s'est senti attiré vers l'Orthodoxie. Je l'y ai reçu. » Dans ce « catholique fervent » entré dans la communion de l'Église orthodoxe, l'évêque russe, non sans perspicacité, voit avant tout un esprit épris de liberté spirituelle au point, ajoute-t-il, d'« incliner vers une forme d'individualisme mystique protestisant [2] ». Malgré ces réserves, le métropolite Euloge considère le P. Lev Gillet comme un « penseur religieux profond, un homme de prière, prédicateur inspiré et guide sûr des âmes, d'un dévouement et d'une abnégation totale dans l'exercice de son ministère ». Bref, aux yeux de l'évêque, un saint homme, mais « dépourvu de sens pratique et de tout talent d'administrateur ».

En ce qui concerne la genèse de la « paroisse française », voici l'explication d'Euloge : l'idée de l'urgence d'une telle initiative lui est venue quand il a constaté « avec chagrin » que, dans certaines familles d'émigrés, le français commençait à prendre le pas sur le russe comme langue parlée dans la vie quotidienne. Les enfants issus de ces familles, s'est-il rendu compte, « ne comprennent plus les prières et les offices liturgiques en slavon ». « Que faire ? » Et de répondre courageusement : « Il faut tourner les yeux vers l'avenir... Soit ! Ils ont perdu leur langue maternelle ! Mais chez ces Russes dénationalisés, efforçons-nous de sauver au moins la foi orthodoxe [3] ! » C'est dans cette perspective strictement pastorale qu'il aurait envisagé la création d'une paroisse où la liturgie selon le rite traditionnel serait célébrée en langue française. Loin de lui l'idée, souligne-t-il, d'une quelconque « propagande orthodoxe auprès des Français ». « Mon seul souci, explique-t-il, concernait les enfants russes dénationalisés. » De la fondation et de l'organisation de

2. Métropolite EULOGE, p. 543 ; de même pour la citation suivante.
3. *Ibid.*, p. 542 ; de même pour la citation suivante.

cette paroisse plus francophone que véritablement française, il a chargé d'abord le P. Avraami (Abraham) – un prêtre dont il ne sera plus jamais question et dont on ignore tout – puis le P. Deubner. Mais « c'est grâce au Père Gillet que le projet se réalisa ». Est aussi évoquée dans les Mémoires du métropolite, la création d'une commission chargée de la traduction des textes liturgiques à partir de celle réalisée au siècle dernier par le P. Vladimir Guettée [4].

De cette commission auraient fait partie, outre le P. Deubner déjà nommé, le vicomte d'Hotman de Villiers – un Français orthodoxe par sa mère qui était russe – ainsi que « les frères Kovalevsky ». C'est la seule allusion dans ce texte – une allusion d'ailleurs indirecte – à la confrérie Saint-Photius : un groupe dont on sait, par d'autres témoignages, qu'il joua un rôle décisif dans la gestation de cette paroisse dite « française ». Ce sont les jeunes membres de cette association, notamment Evgraf et Maxime Kovalevsky dont le père est un proche conseiller du métropolite, qui ont rendu ce dernier attentif aux besoins spirituels des familles russes devenues francophones. En réalité, leurs préoccupations dépassent l'aspect purement pastoral du problème. L'insistance sur lui du métropolite Euloge, comme unique motif de son initiation, se situe dans un contexte historique : de vives polémiques opposent a cette époque le métropolite russe aux autorités de l'Église catholique en France, notamment à Mgr Chaptal, évêque-vicaire de l'archevêque de Paris. Les orthodoxes dénoncent le prosélytisme de l'Église catholique. De leur côté, des porte-parole de cette dernière accusent le métropolite Euloge d'être responsable du prosélytisme orthodoxe en Galicie pendant la guerre [5].

---

4. Vladimir Guettée (1816-1892), prêtre catholique qui, après le concile de Vatican I, a cru devoir s'unir à l'Église orthodoxe russe. Voir Jean-Paul BESSE, *Un précurseur : Vladimir Guettée*, monastère orthodoxe Saint-Michel, 47 230 Lavardac, 1992.

5. Voir Étienne FOUILLOUX, *Les Catholiques et l'Unité chrétienne*, Éd. du Centurion, p. 123.

Euloge ne veut à aucun prix donner prise à de telles accusations. Exacte en ses grandes lignes, sa présentation de l'événement est incomplète. Elle laisse ouverte diverses questions. Une première tentative de création d'une paroisse orthodoxe française a-t-elle échoué ? Pour quelles raisons ? Qui était le P. Deubner ? Dans quelles conditions Lev Gillet a-t-il pris la relève ? Ce dernier qui, en entrant dans la communion de l'Église orthodoxe, désirait ardemment servir les Russes, comment en est-il venu à se charger de la fondation d'une paroisse orthodoxe pour les Français ?

En complétant le récit du métropolite Euloge par d'autres sources d'information – un article important de la revue romaine *Orientalia Christiana*, des confidences du P. Gillet, et mes propres souvenirs de cette époque – je crois pouvoir, en partie, répondre à ces questions.

Vers le milieu des années vingt, l'aspiration à une expression française de l'orthodoxie – Église universelle, *catholique* – dans une perspective de témoignage et de mission commence à hanter, au sein de l'émigration russe en France, quelques jeunes esprits conquérants.

Le 11 février 1925 – dimanche du « Triomphe de l'orthodoxie », selon le calendrier byzantin –, une poignée de jeunes Russes fonde la fraternité Saint-Photius [6]. Prolongement de rêves d'adolescents, elle se veut organisée sur le modèle des ordres de chevaliers du Moyen Âge occidental. En même temps, comme l'indique le patronage qu'elle s'est donné [7], elle aspire à devenir, au sein de l'émigration russe, le fer de lance d'une orthodoxie « pure

6. Voir Alexis VAN BUNNEN, *Une Église orthodoxe de rite occidental : l'Église catholique orthodoxe de France*, mémoire de licence soutenue en 1981 à l'université de Louvain-la-Neuve, non publié, f°s 82-84.

7. PHOTIUS, patriarche de Constantinople, auteur de *La Mystagogie de l'Esprit Saint* (890) apparaît comme le défenseur de la théologie trinitaire de l'Orient orthodoxe contre le filioquisme latin, dans le contexte des grands affrontements historiques de l'Orient et de l'Occident chrétiens à l'aube du Moyen Âge. Photius n'est cependant pas l'auteur d'un schisme comme on l'a faussement dit de lui. Voir F. DVORNIK, *Le Schisme de Photius. Histoire et légende*, Paris, Éd. du Cerf, 1950.

et dure » opposée à la fois au modernisme des « pères » – les philosophes religieux russes du début du siècle [8] – et au prosélytisme ouvert ou larvé dont on accuse l'Église catholique.

Ces jeunes chevaliers de l'orthodoxie ne nourrissent cependant aucun mépris de la culture occidentale. « Nous étions un groupe d'étudiants, tous farouchement orthodoxes, tous ouverts à la culture européenne et à la pensée moderne », témoigne Maxime Kovalevsky [9]. Lev Gillet, qui fut pendant quelques années proche de ce groupe et qui bénéficia de sa collaboration, l'évoque comme porté à « l'exploration et la vénération ferventes des traditions religieuses françaises les plus anciennes [10] ».

En réalité, à l'époque de la fondation de la confrérie, l'idéal qui l'inspire reste encore assez imprécis et susceptible de diverses interprétations, allant de l'idée d'une « mission orthodoxe » – forme d'uniatisme à rebours – à l'espérance d'une rencontre nouvelle, irénique et féconde, de l'Orient et de l'Occident chrétiens dont la Diaspora russe pourrait être l'instrument.

Croyants, c'est à la lumière de leur foi que ces jeunes gens tentent de déchiffrer le *sens* de leur destin dans le contexte des événements dramatiques qui ont marqué leur enfance et leur adolescence. Si Dieu a permis la Révolution russe avec l'effondrement de tout un monde, s'il les a éparpillés et semés en terre d'Occident, n'est-ce pas en vue de la réalisation d'un grand dessein providentiel ? Ne sont-ils pas appelés à être les témoins de l'Orthodoxie en Occident, à la lui apporter, non comme une religion étrangère, exotique, mais comme l'essentiel, de son propre patrimoine spirituel retrouvé dans les profondeurs ? Il s'agissait, écrira plus tard Maxime Kovalevsky de « faire ressurgir en Occident la tradition de

8. Voir à ce sujet Olivier CLÉMENT, *Orient-Occident*, Genève, 1985 (en particulier l'introduction).

9. Voir Maxime KOVALEVSKY, « Témoignage » dans *Jean de Saint-Denis, in Memoriam*, Paris, Présence orthodoxe (sans date), p. 25.

10. « Evgraf 1928-1938 », *ibid.*, p. 97.

l'Église indivise à partir de sources locales latentes toujours vivantes, enfouies depuis le Schisme sous des malentendus historiques [11] ».

Cependant – il faut le souligner – jusqu'en 1928, ces idées généreuses ne sont encore guère formulées de façon claire. Essentielle est l'aspiration à sortir du ghetto culturel où l'émigration russe, comme toute minorité, a tendance à s'enfermer. C'est la prise de conscience progressive de la vocation universelle de l'Église orthodoxe impliquant le dépassement de l'ethnocentrisme et du nationalisme qui sont la tentation historique des Églises orthodoxes locales. Concrètement, le but visé, comme première étape, est la création d'une paroisse orthodoxe où la liturgie byzantine serait célébrée en langue française. Vers 1927, la confrérie – grâce surtout aux frères Kovalevsky qui ont leurs entrées auprès du métropolite Euloge – a réussi à convaincre ce dernier de l'urgence d'une telle création. Il faut maintenant trouver le prêtre qui se chargera de la réaliser. Après quelques péripéties où le projet a failli sombrer, ce sera le P. Lev Gillet. Sans partager l'« intégrisme » de la confrérie, conscient de « différences de points de vue au départ [12] », le hiéromoine orthodoxe français croit pouvoir et devoir aider ces « garçons russes » qu'il aime. D'une gangue de triomphalisme naïf et d'utopies romantiques il s'agit de dégager le filon aurifère : la vision d'une orthodoxie universaliste et évangélique dont il croit discerner chez eux le pressentiment.

Dans l'acceptation de cette collaboration, la rencontre de Lev Gillet avec Evgraf Kovalevsky a joué un rôle essentiel et déterminant. Lui même, quarante-deux ans plus tard, a évoqué cette rencontre : « Un matin de mai 1928, dans la rue de Crimée, près du Serguievskoié Podvorié [13], un jeune homme de vingt-deux ans se présente

11. Maxime KOVALEVSKY, p. 20.

12. Archimandrite Lev GILLET, ibid., p. 98.

13. Littéralement « maison de ville » de Saint-Serge ; nom donné en russe à l'ensemble que constitue l'Institut Saint-Serge avec ses dépendances.

à moi. C'était Evgraf Kovalevsky. J'avais entendu parler de lui, de son intelligence, de sa ferveur religieuse. Certains en parlaient avec enthousiasme, certains avec une hostilité non déguisée, certains avec des réticences. Des liens amicaux nous lièrent étroitement [*ibid.,* p. 97]. »

Pour Père Lev, Evgraf restera toujours ce « jeune homme riche » qu'il a aimé du premier regard, devinant en lui quelque chose d'« ailé », une « légèreté divine ». Mise au service d'ambitions humaines et trop humaines, cette légèreté sera à l'origine, plus tard, de graves erreurs et de déboires déplorés par son vieil ami[14]. Mais en ce printemps 1928, Evgraf est encore le jeune leader dynamique de la confrérie Saint-Photius dont le projet bénéficie de la bienveillance du métropolite Euloge et du soutien, à l'Institut Saint-Serge, du P. Serge Boulgakov et du disciple de ce dernier, le Pr Léon Zander. Tous deux, très favorables au dialogue œcuménique, voient dans la future paroisse orthodoxe francophone un lieu de rencontre privilégié entre l'Orient et l'Occident chrétiens. Le projet de cette fondation se situe ainsi au confluent de préoccupations pastorales, de visées œcuméniques associées à la vision encore quelque peu nébuleuse d'une « orthodoxie occidentale ».

D'un article curieusement très bien informé de la revue romaine *Orientalia Christiana*[15], il ressort qu'en novembre 1927, une célébration en langue française de la liturgie selon saint Jean Chrysostome a eu lieu en l'église de l'Institut Saint-Serge, en présence de deux prêtres orthodoxes russes, le P. Boulgakov et le P. Kalachnikov, beau-père de Léon Zander. Le nom de l'officiant, qui ne pouvait être aucun de ces deux prêtres qui ne parlent pas suffisamment le français, n'est pas indiqué. L'article est malveillant. La « paroisse orthodoxe française » dont il révèle la fondation est assimilée « aux petites sectes

---

14. Voir plus loin, p. 486.
15. M. D'HERBIGNY et A. DEUBNER, « L'Orthodoxie française », *Orientalia Christiana*, XXI-1, 1931, p. 263-265.

qui encombrent Paris ». Le rôle important joué par la confrérie Saint-Photius est souligné. Les indications fournies, en dépit de la lacune concernant le nom du prêtre officiant, sont précises et paraissent exactes. La célébration de la liturgie aurait été suivie d'une première « assemblée paroissiale » dont les principaux membres sont nommés. Celle-ci aurait adopté le « statut provisoire » de la future paroisse. L'article, manifestement, n'a pu être écrit que par quelqu'un qui a été mêlé à ces événements, qui y a peut-être activement participé. De qui s'agit-il ? Le nom de l'un des signataires de l'article de *Orientalia Christiana* permet d'élucider le mystère. Alexandre Deubner, qui l'a signé avec Mgr Michel d'Herbigny, n'est autre que ce « P. Deubner » à qui, d'après ses Mémoires, le métropolite Euloge a d'abord confié l'organisation d'une paroisse française. Comment et à quel titre ce prêtre uniate s'est-il infiltré dans le milieu de l'Église des émigrés russes ? Pour le moment la question reste sans réponse. Par quelques confidences du P. Lev Gillet[16], je sais que Deubner gagna effectivement vers 1927-1928, avant que lui-même n'entrât dans l'Église orthodoxe, la confiance des jeunes membres de la confrérie Saint-Photius. Parlant le russe – il est d'origine russe par son père –, bénéficiant de circonstances favorables à toutes sortes de mystification, s'est-il fait passer pour un prêtre russe orthodoxe ? Evgraf Kovalevsky (qui le qualifiera plus tard de « traître ») le présenta à Mgr Euloge. L'évêque croit trouver en Deubner l'ecclésiastique qu'il cherche pour la paroisse orthodoxe française en gestation. Mais, au cours de l'été 1928, Deubner disparaît. On retrouve sa trace

16. Lev Gillet a connu Alexandre Deubner à Nice où il était comme lui, attaché à l'œuvre de Mgr Van Caloen. Il l'a hébergé pendant quelque temps, puis Deubner a disparu. – Fils du P. Jean Deubner, recteur, depuis 1917, d'une paroisse dite « catholique-orthodoxe » unie à Rome, à Saint-Petersbourg, Alexandre Deubner, personnage trouble et névrosé, est nommé en relation avec les trahisons qui furent à l'origine de la disgrâce de Mgr Michel d'Herbigny. Voir Paul LESOURD, *Le Jésuite clandestin, Mgr Michel d'Herbigny*, Paris, 1976 ; également Antoine WENGER, *Rome et Moscou*, Paris, 1987.

à Rome, où il est devenu le collaborateur – peut-être le secrétaire privé – du puissant président de la Commission pontificale Pro Russia, Michel d'Herbigny. Un peu plus tard, il trahira ce dernier à son tour.

Atterré par la « trahison » de Deubner, Evgraf supplie le P. Lev Gillet d'assumer, avec la bénédiction du métropolite Euloge, la réalisation d'un projet qui autrement risque d'être abandonné. Surmontant ses hésitations et ses craintes, le hiéromoine français accepte. Il n'ignore pas les points de vue divergents des différents artisans de ce projet. Mais dans une situation encore fluide, il croit possible de réaliser leur synthèse en retenant ce qui, à la lumière de l'Évangile, lui paraît juste et bon en chacun d'eux. L'article-manifeste signé par lui, qui paraît dans le premier numéro du bulletin paroissial *La Voie* (janvier 1929), est l'expression de cette synthèse créative. Je crois utile d'en citer le texte intégral qui, à l'exception de quelques allusions à la situation canonique de la paroisse en 1929, n'a pas vieilli. On peut y voir encore aujourd'hui la charte d'une Église orthodoxe locale française :

Voici qu'une Église orthodoxe de langue française existe à Paris. Pour fixer nos idées – à nous, membres de cette Église – et aussi pour couper court à des malentendus possibles et à des rapports tendancieux, il n'est pas inutile de préciser ce que nous sommes et où nous allons.

Tout d'abord, nous ne sommes pas une création religieuse nouvelle, nous ne sommes pas une « secte ». Nous sommes une branche de l'Église catholique et apostolique orthodoxe d'Orient, laquelle, par une ligne ininterrompue, remonte aux apôtres du Christ. Nous ne sommes pas un groupe qui se soit détaché d'une des confessions chrétiennes existant en France. Membres à titre individuel de l'Église orthodoxe, soit par naissance, soit par adhésion réfléchie, nous avons obtenu d'elle la permission de nous réunir pour former un groupe de caractère local. L'Église orthodoxe universelle tient à ce que chacune des « Églises-sœurs » qui la composent vive sa vie propre, avec sa langue et ses traditions. C'est pourquoi la Hiérarchie orthodoxe a encouragé et béni la formation de ce petit groupe ecclésiastique spécial : l'Orthodoxie française.

Notre communauté, à l'origine, se proposait surtout de pourvoir aux besoins spirituels d'un certain nombre de réfugiés russes qui sont devenus Français de nationalité et de langue. Il fallait, d'autre part, pourvoir aux besoins spirituels de quelques Français qui, soit par suite d'attaches familiales avec la Russie, soit par suite d'un libre choix, professent la foi orthodoxe. Ainsi s'est constituée notre paroisse. Elle ne rentre pas dans le cadre de l'Église russe. Il est vrai que nous sommes actuellement sous la juridiction du Métropolite des Églises orthodoxes russes de l'Europe occidentale ; que nous tenons de lui notre existence canonique. Toutefois, si nous relevons de Son Éminence le Métropolite Euloge, ce n'est pas en tant qu'il est chef des orthodoxes russes de l'Europe occidentale, mais (conformément aux canons) en tant qu'il est l'évêque le plus proche de notre communauté naissante. Il est possible, il est même normal que l'orthodoxie française, lorsqu'elle aura atteint un certain stade de développement, devienne autonome. Et comme l'Orthodoxie n'est pas byzantine ou slave, mais universelle, il appartient aux Orthodoxes occidentaux de créer un type d'Orthodoxie propre à l'Occident qui, par un retour aux sources traditionnelles locales, pourra sur certains points différer notablement du type oriental.

Nous sommes Orthodoxes. C'est-à-dire que nous professons la foi chrétienne telle qu'elle est exprimée dans les écrits des Apôtres et des Saints Pères, dans les symboles de foi et les canons des Conciles œcuméniques, dans toute la tradition ascétique et liturgique de l'ancienne Église indivise. À égale distance de l'autoritarisme et de l'individualisme, l'Église Orthodoxe est à la fois une Église de tradition et de liberté. Elle est surtout une Église d'amour. Ce n'est ni sur un pouvoir extérieur, ni sur des efforts isolés, mais seulement sur la grâce divine et la charité fraternelle, qu'elle compte pour maintenir unis et pour vivifier les membres du Corps mystique du Christ. Notre effort religieux n'est pas dirigé contre d'autres Églises chrétiennes. Nous ne faisons pas de prosélytisme. Nous respectons et nous aimons tous nos frères en Christ. Loin de songer à une lutte ou à une concurrence, nous appelons de nos vœux une collaboration, partout où elle sera possible. Nous déplorons que l'unité de la chrétienté ait été brisée et nous prions Dieu de hâter son rétablissement.

Français de nationalité ou de langue, nous nous sentons liés à l'ancienne tradition « orthodoxe » de la France, à la France « très chrétienne » des siècles où l'Orient et l'Occident n'étaient pas séparés. Saint Irénée (qui fut le trait d'union entre l'Orient et l'Occident), les martyrs de Lyon et de Vienne, saint Denys, saint Martin de Tours, sainte Geneviève : tels sont quelques-uns des grands noms auxquels nous voulons nous rattacher. Mais nous ne nous sentirons étrangers ni à saint Louis ni à Jeanne d'Arc, ni à Pascal. Et tout ce que le cœur français et l'intelligence française d'aujourd'hui créent de bon et de grand, nous voulons aussi le sentir nôtre, le consacrer au Christ, le faire orthodoxe.

Notre action religieuse ne se limite pas à un pays. L'Orthodoxie française peut offrir une langue commune aux divers groupes ethniques orthodoxes. Elle peut ainsi travailler dans le sens de cette œcuménicité et de cette catholicité que tant d'âmes désirent aujourd'hui.

Le grain de sénevé est la plus petite de toutes les semences, dit l'Évangile (Matthieu XIII, 32). Mais l'Évangile ajoute que le grain de sénevé peut devenir un arbre où viennent nicher les oiseaux du ciel. Dieu voudra-t-il donner la croissance à notre grain de sénevé ?

Nous l'ignorons. Ce que nous savons, c'est que nous devons travailler à nous tendre moins indignes d'une telle croissance. Sans nous opposer à d'autres, sans nous mettre en avant, nous devons chercher dans l'humilité et la charité le Royaume de Dieu. Nous devons tendre à ce que, aux yeux de ceux qui découvrent en nous l'Orthodoxie, ce mot devienne synonyme de deux grandes choses : croire en Jésus-Christ, vivre en Jésus-Christ [17].

Traversé d'un souffle prophétique, en même temps sobre et équilibré, ce texte frappe par la clarté, la profondeur et l'amplitude de la vision ecclésiale qui s'y exprime à propos d'un événement en apparence minime.

---

17. Ce texte publié à l'origine dans le bulletin paroissial *La Voie* en janvier 1929 a trouvé place dans l'anthologie *Orthodoxie et tradition française*, Paris, Éd. Enotikon, 1957.

La création d'une petite paroisse orthodoxe francophone est perçue, en 1929, par Lev Gillet comme affirmation solennellement soulignée de l'universalité de l'Église orthodoxe. Elle marque, selon son expression, l'avènement d'une « orthodoxie française », c'est-à-dire « occidentale » au sein d'une Église orthodoxe qui n'est « ni byzantine, ni slave », mais « universelle ».

À la fois une et plurielle, Église dont l'unité est fondée « ni sur un pouvoir extérieur » ni sur « des efforts individuels », mais sur la communion dans la foi et l'amour, dons de la grâce, « Église à la fois de tradition et de liberté », l'Église catholique orthodoxe ne saurait qu'encourager la création d'« un type d'orthodoxie propre à l'Occident ».

Impliquant « un retour aux sources traditionnelles locales », cet effort de création n'est cependant pas dirigé « contre d'autres Églises chrétiennes ». Il se situe à l'intérieur de ce grand mouvement vers la restauration de l'unité, de ce mouvement « œcuménique et catholique » qui remplit d'espérance tant d'âmes à l'heure où ce texte est écrit. Assumant l'héritage spirituel de « la France très chrétienne », l'orthodoxie française ne vise pas la constitution d'une Église nationale, mais l'édification patiente d'une Église locale multiethnique « offrant une langue commune aux divers groupes ethniques orthodoxes » : une vision audacieuse qui aujourd'hui encore paraît prophétique, si ce n'est utopique ! Au-delà, le véritable but est la rencontre en profondeur de l'Orient et de l'Occident chrétiens en *l'essentiel* qui est la foi et la vie en Jésus-Christ.

À la fin de novembre 1928, Lev Gillet a informé le Conseil paroissial de sa désignation, par le métropolite Euloge, comme recteur de la « paroisse française ». Celle-ci, de façon significative, s'est placée sous le patronage de Sainte-Geneviève de Paris en associant à ce vocable celui du mystère de la « Transfiguration » particulièrement cher aux orthodoxes russes. À partir de janvier 1929, la liturgie selon saint Jean Chrysostome est régulièrement célébrée en langue française, d'abord 10, boulevard Montparnasse, au siège de l'ACER, puis dans un local mis à la disposition de la paroisse orthodoxe française par l'église luthérienne de la Sainte-Trinité, boulevard de la Gare, aujourd'hui boulevard Vincent-Auriol, dans le 13e arrondissement de Paris [18].

Le nombre des membres réguliers de la paroisse française ne dépasse guère la trentaine. Il y a parmi eux Paul Evdokimov, jeune théologien encore totalement inconnu et son épouse Natacha, une Française d'origine protestante [19]. Plusieurs orthodoxes, français comme elle, sont venus du protestantisme, ce qui s'explique en partie par les relations amicales entre l'ACER et la « Fédé ». Les anciens catholiques viennent parfois de l'Action française, comme Georges Jouanny, futur recteur de la paroisse. Les membres les plus actifs de la paroisse viennent de la confrérie Saint-Photius. Ils fournissent à Père Lev l'aide dont il a besoin. Ils chantent dans le chœur, peignent des icônes et servent comme Evgraf Kovalevsky d'hypodiacres et de lecteurs. Il faut surtout traduire en français les textes liturgiques, puis adapter ces traductions aux mélodies slaves : un immense travail dont se charge avec une grande maîtrise et un immense dévouement Maxime Kovalevsky.

Progressivement, une vie communautaire chaleureuse s'organise. De nouveaux venus, comme Vladimir Lossky, se joignent aux membres fondateurs. Lev Gillet est heureux. Après des années de tourments stériles et solitaires, il se sent utile et aimé. Il l'écrit à sa mère dans une lettre où, sous les paroles rassurantes, perce pourtant une ombre de mélancolie : *Je suis en pleine activité : mes paroissiens, mes malades et mes prisonniers prennent tout*

---

18. Sollicitée, la paroisse de la cathédrale russe Saint-Alexandre-Nevski – qui disposait de locaux – n'a jamais accepté de mettre l'un d'eux à la disposition de la paroisse française.

19. Natacha Brunel, épouse de Paul Evdokimov, est l'une des deux françaises « chrismées » (voir p. 188) au congrès de Clermont-en-Argonne par le métropolite Euloge.

mon temps, et il n'y a rien de tel que d'avoir continûment à penser aux autres pour éviter soi-même toute tristesse. C'est pour moi une joie et une force de me sentir entouré de tant d'affection et de reconnaissance – et on me le prouve par des actes. Je viens d'être nommé de nouveau pour un an, chargé de cours à l'Académie russe de théologie.

Bientôt cependant des nuages assombriront ce printemps fragile.

CHAPITRE III

LE PASTEUR ET L'AUMÔNIER DES PRISONS

LA CRISE DE L'ÉGLISE RUSSE

En annonçant dans le bulletin paroissial *La Voie* la naissance de la paroisse orthodoxe française, Père Lev a pris soin de préciser le statut canonique de la nouvelle fondation. Celle-ci est placée sous la juridiction du métropolite Euloge. C'est de lui – souligne-t-il – qu'elle tient son « existence canonique ». Cependant « elle ne rentre pas dans le cadre de l'Église russe » : « Si nous relevons de Son Éminence le Métropolite Euloge, ce n'est pas en tant qu'il est chef des orthodoxes russes en Europe occidentale, mais (conformément aux canons) en tant qu'il est l'évêque le plus proche de notre communauté naissante. »

La distinction ainsi faite est destinée à préserver l'avenir, comme le montre la suite du texte. Dans la modeste communauté orthodoxe française, Père Lev voit la semence d'une nouvelle Église locale. La vocation de cette nouvelle Église – si Dieu lui donne de croître à la fois numériquement et spirituellement – pourrait être de « créer un type d'orthodoxie propre à l'Occident ». Telle est l'espérance que Père Lev semble alors partager avec ses jeunes amis de la confrérie Saint-Photius dont, se faisant leur porte-parole, il clarifie en même temps les aspirations encore confuses. La tentation d'une fixation exclusive sur l'élément russe dans l'orthodoxie est ainsi dépassée dans une vision ensemble universaliste et pluraliste, c'est-à-dire *catholique* de l'Église orthodoxe. Dans l'immédiat, la préoccupation de Père Lev est de tenir son « petit troupeau » éloigné autant que possible, des tensions croissantes – alimentées par les passions politiques – qui affectent les relations de l'entité ecclésiale rassemblée autour du métropolite Euloge avec l'Église mère en Russie. Hélas, l'orage prévu éclate avant que la distanciation salutaire ne soit devenue une réalité dans les esprits. L'échec de sa tentative (probablement prématurée) de dissocier le sort de la communauté orthodoxe française du conflit interne qui déchire l'Église russe, sera vécu très douloureusement par Père Lev.

Latent depuis plusieurs années, le conflit éclate au grand jour en 1930. À l'époque, l'Église russe est privée de chef légitime. Après la mort du patriarche Tikhon la convocation d'un concile local pour l'élection de son successeur n'a pas été autorisée par le gouvernement soviétique. Désigné comme « gardien du trône patriarcal », le métropolite Pierre de Kroutitsk se trouve en prison. C'est dans ces conditions difficiles que le métropolite Serge de Nijni Novgorod, en tant que *locum tenens* de ce dernier, assume la lourde charge de représenter la plus haute autorité institutionnelle au sein de l'Église russe, cela au moment où éclate la crise qui va détacher d'elle l'Église des émigrés.

Le détonateur est une initiative prise unilatéralement, sans consultation des principaux intéressés – l'Église orthodoxe russe en URSS et les Églises russes de la Diaspora – par le pape Pie XI. Dans une lettre au cardinal Pompili, rendue publique en janvier 1930, conjointement dans l'*Osservatore Romano* et dans les *Acta Apostolicae Sedis*, et qui connaît par conséquent une très large diffusion, Pie XI annonce le lancement par le Vatican d'une « croisade de prières » pour les victimes des persécutions religieuses en Russie soviétique. Des cérémonies d'expiation et d'intercession seront organisées. Le pape exprime l'espoir que l'ensemble du monde chrétien – y compris « cette partie qui ne se trouve pas soumise à son autorité » – s'associera à cette campagne. L'appel s'adresse aux protestants, aux anglicans, et, bien entendu, aussi aux orthodoxes [1].

L'initiative papale est généreuse. Mais tient-elle assez compte de la situation de l'Église orthodoxe en Russie, otage d'un gouvernement qui risque d'y trouver prétexte à une intensification des persécutions ? S'accompagnant d'allusions à des pressions politiques qui, de la part des grandes puissances, devraient s'exercer sur le gouvernement de l'URSS, l'appel du pape ne peut qu'irriter ce dernier qui ne manque pas d'accuser les chrétiens et, en particulier, l'Église orthodoxe, d'être de connivence avec les ennemis de la patrie soviétique. L'époque est celle de la collectivisation forcée des terres sous le régime de Staline, s'accompagnant de violentes campagnes antireligieuses. La situation de l'Église russe est donc extrêmement précaire. Sa survie même, du moins sur le plan institutionnel, est menacée. De nombreux prêtres et évêques se trouvent en prison ou déportés dans des camps. Le métropolite Serge lui-même a fait l'expérience d'un emprisonnement. Soumis probablement à un énorme chantage, par ailleurs personnellement très méfiant à l'égard de la politique de certains milieux du Vatican – politique qui paraît compter sur l'affaiblissement de l'Église orthodoxe russe pour faciliter la pénétration en Russie du catholicisme romain – il croit devoir prendre officiellement position contre la croisade de prières papale. Dans un texte remis aux représentants de la presse occidentale, le *locum tenens* nie – contre toute évidence – l'existence en URSS de mesures de discriminations visant les croyants. La croisade de prières est dénoncée par lui comme une manœuvre destinée « à allumer le bûcher qui prépare la guerre contre les peuples de l'URSS ». En aucun cas – selon lui – les orthodoxes ne doivent s'y associer.

---

1. Au sujet de cette « croisade de prières » et de ses retombées, voir Antoine WENGER, *Rome et Moscou*, Paris, 1987, p. 379.

Connue en Occident, la déclaration du métropolite Serge accroît les préventions contre lui au sein de l'émigration russe où son « ralliement » (ou ce qui est considéré comme tel) au régime soviétique est généralement très mal jugé. Résistant aux pressions des milieux monarchistes, le métropolite Euloge s'est longtemps efforcé de maintenir les liens canoniques avec l'Église mère. Mais peut-il obéir à l'injonction de ne pas s'associer à l'intercession œcuménique publique pour les croyants persécutés en Russie ? Cette prière, les émigrés la portent dans leur cœur et en leur majorité ils désirent s'unir aux autres chrétiens dans la prière pour leurs frères persécutés.

Au printemps 1930, le métropolite Euloge accepte l'invitation de l'archevêque de Cantorbéry à assister à un service de prières pour les chrétiens russes célébré à Londres, à Westminster Abbey, sous la présidence du primat de l'Église d'Angleterre: un service auquel assiste également l'exarque en Grande-Bretagne du patriarcat œcuménique. Considéré comme un acte d'indiscipline, ce geste est sévèrement jugé par l'administration patriarcale du métropolite Serge. Relevé par ce dernier de ses fonctions d'administrateur des paroisses orthodoxes russes en Europe occidentale, le métropolite Euloge, après avoir pris conseil des théologiens de l'Institut Saint-Serge de Paris, implore pour lui et pour son troupeau la protection du patriarche œcuménique de Constantinople, *primus inter pares*, investi, selon certains canonistes de l'école théologique de Paris, d'un droit d'arbitrage en cas de crise, au sein de l'Église orthodoxe. Répondant favorablement à cette demande, un décret de Constantinople, publié en février 1931, fait de l'entité ecclésiale eulogienne « à titre provisoire », un exarchat du Trône œcuménique. Convoquée en juin 1931, une assemblée diocésaine, composée des membres du clergé et de représentants laïcs des paroisses, ratifie à une très large majorité, la décision du métropolite Euloge. La rupture des liens canoniques qui unissaient les paroisses de l'émigration au patriarcat de Moscou se trouve ainsi consommée. Inhabituelle et, aux yeux de certains, irrégulière du point de vue canonique (car résultant d'une décision unilatérale), cette rupture est justifiée par les canonistes orthodoxes de Paris par le recours au canon 28 du concile de Chalcédoine selon lequel l'autorité du patriarche de Constantinople s'étend aux communautés orthodoxes implantées dans des « contrées barbares », c'est-à-dire en dehors de l'Empire romain. La démarche du métropolite Euloge s'explique en réalité par des considérations d'ordre pastoral, dans le contexte d'une situation historique que les canons anciens ne pouvaient prévoir : l'afflux, à la suite de la Révolution bolchevique, dans l'aire historique des chrétientés occidentales, de centaines de milliers d'orthodoxes russes qui y connaissent, en même temps qu'un extrême dénuement, les bienfaits d'une liberté dont l'Église orthodoxe n'a jamais joui aussi totalement dans l'Empire russe. En se plaçant sous la protection du patriarche œcuménique, le métropolite Euloge poursuit essentiellement trois objectifs. Premièrement, mettre l'orthodoxie russe en émigration à l'abri des pressions exercées par un gouvernement ouvertement athée sur une Église (et particulièrement sur sa hiérarchie) qu'en URSS il tient à sa merci. Préserver ainsi au sein de l'orthodoxie russe en Europe occidentale un climat de liberté où peut se poursuivre et s'épanouir une « renaissance » amorcée en Russie dans les années qui précédèrent la révolution de 1917-1918. Deuxièmement, maintenir l'unité, menacée par des tensions politiques, de son troupeau. Troisièmement, réussir une distanciation, par rapport au patriarcat de Moscou, distanciation rendue nécessaire, à son avis, par les circonstances politiques, tout en maintenant – à l'opposé du schisme karlovtsien – la communion, par l'intermédiaire du patriarcat œcuménique, avec l'Église orthodoxe universelle.

À l'assemblée diocésaine de juin 1931, seules quelques voix très minoritaires se sont élevées pour protester contre la décision prise par le métropolite Euloge et son conseil diocésain. Ce sont celles d'un groupe peu important numériquement mais décidé, affirmant une fidélité indéfectible au patriarcat de Moscou. Parmi ces minoritaires qui constitueront le fondement d'une troisième entité ecclésiale russe en Europe occidentale – le futur exarchat du patriarche russe – se trouvent plusieurs des jeunes amis de Père Lev, ses plus proches collaborateurs, membres de la confrérie Saint-Photius : par rigueur canonique, par attachement à l'Église mère russe – Église des martyrs –, mais aussi poussés par la conviction que l'Église doit témoigner là où elle se trouve sans avoir à revendiquer des conditions « normales », Evgraf et Maxime Kovalevsky, suivant l'avis du jeune théologien Vladimir Lossky, croient devoir récuser la séparation du patriarcat de Moscou. Père Lev respecte leur décision prise en conscience. Lui-même n'approuve guère certaines condamnations trop hâtives à son gré, de l'attitude des responsables de l'Église russe en URSS : des condamnations en partie inspirées consciemment ou inconsciemment par des mobiles politiques. Dans le bulletin paroissial *La Voie* (du 1er juillet 1934), il exhorte ses lecteurs, au lieu de porter sur elle des jugements, à « sentir avec l'Église russe en Russie : une grande Église traditionnelle qui, se dissociant d'avec les classes jadis "possédantes", se range du côté des classes jadis "opprimées" et qui, persécutée par un pouvoir athée, prie pour lui et collabore loyalement à tout ce qui est bon dans l'œuvre commune actuelle... réparant ainsi les péchés de toute l'Église et lui montrant la voie. »

Cependant, avec les professeurs de l'Institut Saint-Serge qui, dans cette crise furent les conseillers du métropolite Euloge, Père Lev estime que, dans les circonstances présentes, la décision de ce dernier est sage. Elle est conforme à l'idée qu'il se fait de la vocation et du service du patriarche œcuménique, susceptible de contrebalancer, au sein de l'Église universelle, le nationalisme et l'ethnocentrisme qui sont la tentation permanente des Églises orthodoxes locales. Aussi, avec la majorité de ses paroissiens, décide-t-il de suivre l'évêque par lequel il a été reçu dans la communion de l'Église orthodoxe. Cette décision s'accompagne cependant d'une grande souffrance. Elle le sépare de ses amis les plus chers, de ses collaborateurs les plus proches par lesquels il se sent abandonné : l'amitié subsiste mais toute collaboration institutionnelle se révèle désormais impossible. En même temps, cette nouvelle division ne signifie-t-elle pas l'échec de la *sobornost* – unité « sans contrainte, dans la foi et l'amour » – où il a vu, à l'opposé du centralisme romain autoritaire, le principe fondamental de l'ecclésiologie orthodoxe. Cette vision qui l'a attiré vers l'Église orthodoxe ne serait-elle, en fin de compte, qu'une illusion romantique ? Telle est la question qu'il se pose. Blessé à la fois dans ses sentiments d'affection et dans ses convictions, impliqué, malgré lui, dans un conflit interne de l'Église russe – conflit qui a brisé l'unité de l'*ecclesiola*, de la petite Église, que représente pour lui *sa* paroisse –, le moine français est tenté une nouvelle fois de tout abandonner. À la fin de juin, après l'assemblée diocésaine qui marque la rupture définitive, Père Lev exhale sa tristesse dans deux lettres adressées à une amie : *Je suis entouré de difficultés personnelles presque désespérées, mes plus proches collaborateurs (auxquels je ne retire rien de mon attachement) ayant cru devoir interrompre notre œuvre commune pour des raisons de conscience que je comprends et respecte. Actuellement je « liquide ». Les mois d'été me seront un temps de solitude et de silence... Je ne sais si je reviendrai à Paris* [2].

Puis quelques jours plus tard : *Les préoccupations de ces tout derniers temps me brisent. Il est possible que la paroisse française finisse, que je me retire au bord de la mer, que j'y vive une vie isolée. J'y aspire depuis longtemps.*

2. Lettre du 5 juin 1931 à E.B.S.

UN SECOND SOUFFLE

De fait, comme il l'a espéré, l'éloignement de Paris et un séjour de plusieurs semaines dans le Midi de la France aideront Père Lev à recouvrer la paix intérieure. Avec elle, il retrouvera aussi le courage de tout recommencer, de rebâtir sa paroisse dévastée par la tempête du conflit juridictionnel.

Il passe juillet et août dans la montagne au-dessus de Cannes, au château de Clausonne non loin de Biot. Une grande dame de l'aristocratie russe, la princesse Metchersky reçoit des enfants d'émigrés en difficulté. Lev a toujours aimé les enfants. Il apprécie le climat de liberté qui règne à Clausonne, une pédagogie qui laisse les enfants, filles et garçons mêlés, organiser en grande partie, eux-mêmes leur vie : un libéralisme encore inconnu à l'époque dans la plupart des institutions pédagogiques françaises. Aumônier de cette république enfantine, il a le temps de prier, de méditer, de réfléchir.

Au début de septembre, à l'invitation de Paul et de Natacha Evdokimov, Père Lev descend à Menton pour baptiser leur enfant, le petit Michel. Ses amis le retiennent pendant quelques jours. Hôte des Evdokimov à la même époque, j'ai partagé ce temps heureux pour tous : temps de la naissance d'une amitié qui demeurera. Quelques images remontent de ce lointain passé.

Imperturbablement vêtu de sa soutane sombre d'ecclésiastique, Père Lev est assis en plein soleil sur la plage déserte à cette époque. Les yeux fermés, il se laisse imprégner de chaleur et de lumière. À côté de lui, la petite Nina qu'il s'est offert à garder, joue avec les galets tandis que Pavlik – Paul Evdokimov – et moi, bons nageurs, nous élançons vers le large. La mer scintille de tous les feux de midi.

Père Lev, dans la moiteur des après-midi de septembre,

assis au piano dans le salon des Evdokimov où, par les stores tirés, filtrent à peine quelques raies de lumière. Sans notes, il laisse courir ses doigts sur les touches, improvisant des mélodies tantôt gaies et entraînantes, tantôt mélancoliques. Parfois il joue aussi des cantiques protestants.

Le soir, sur la terrasse fraîche, nous devisons à mi-voix. Père Lev s'enthousiasme pour l'une des œuvres maîtresses du théologien alsacien Albert Schweitzer, *Die Mystik des Apostels Paulus* (La Mystique de l'apôtre Paul). Un livre que j'ai apporté dans mes bagages. Il s'en est emparé, discernant immédiatement la nouveauté et l'originalité du point de vue de Schweitzer, l'accent mis sur la tension eschatologique dans la prédication de Paul. Un ange passe. Silencieux, nous communions dans la grande vision de l'Apôtre sous le ciel étoilé. « Beauté sophianique », dit Père Lev, rompant le silence.

Paul Evdokimov respecte et aime Père Lev. Il se confie au moine, qui l'aide à clarifier une pensée qui se cherche encore. Il encourage Pavlik dans sa vocation de théologien laïc, qui tente de vivre dans le monde un monachisme intériorisé : une vocation tragiquement esquissée au siècle dernier par le grand théologien russe méconnu Alexandre Boukharev, dont le nom est souvent prononcé. De son côté, Paul Evdokimov compatit à la souffrance de son ami dont il devine l'extrême sensibilité. Il a le don de l'apaiser et de le consoler.

À la fin de septembre, Père Lev est de retour à Paris, rasséréné, décidé à reprendre son ministère paroissial. Une poignée de fidèles l'attend. Parmi eux un autre « jeune homme riche », prêt à prendre la relève d'Evgraf Kovalevsky qui, lui, a abandonné l'œuvre commune. Léonide Chrol n'est pas un inconnu. Comme Evgraf et Pavlik, il a fait partie de la première promotion d'étudiants de l'Institut de théologie Saint-Serge. C'est là que, vers 1928-1929, Père Lev l'a rencontré.

Le prêtre français a sympathisé avec ce grand garçon solitaire, dépaysé dans le milieu russe parisien auquel il ne parvient pas à s'intégrer. Venant de Prague par un train de nuit, Chrol a débarqué un matin à Paris pour entreprendre des études de théologie à l'Institut Saint-Serge qui vient juste de s'ouvrir. Il a laissé à Prague sa mère et une jeune sœur. Tout ce qu'il possède tient dans une petite valise en carton qu'il tient à la main. À l'époque où il fait la connaissance du P. Lev Gillet, Chrol traverse une crise grave. À la suite d'une faute vénielle, il se sent mis au ban par les autorités de l'Institut, abandonné de tous sauf du hiéromoine français. « Il fut le seul parmi mes professeurs à garder des relations amicales avec moi », se souviendra plus tard le P. Léonide devenu un prêtre orthodoxe estimé dans le Sud-Ouest de la France.

Comme son condisciple Evgraf Kovalevsky, avec lequel il a en commun certains traits – comme ce dernier, il est très artiste, doué pour la peinture et la musique –, Léonide se sent appelé à être un chevalier de l'orthodoxie en Occident. Lui aussi fait partie de la confrérie Saint-Photius. Sa vie, estime-t-il, doit être entièrement consacrée à la mission dont il se sent investi : revivifier en Occident la Tradition de l'Église indivise, « répondre à la quête occidentale du Saint Graal, à sa nostalgie secrète d'une Orthodoxie ressourcée, porteuse de la Tradition vivante, créatrice de l'Église avant le Schisme [3] ».

Sans partager entièrement cette vision romantique, Lev Gillet admire chez Chrol le dévouement total à l'« idée » : un dévouement qui le frappe souvent chez les Russes.

Après le départ d'Evgraf qui a abandonné l'œuvre commune, Léonide, à la fois acolyte, lecteur, chef de chœur, devient son plus proche collaborateur au sein de la paroisse française ébranlée par la crise russe.

Entre 1930-1935, Père Lev et Chrol vont cohabiter sous le même toit. Le prêtre a obtenu la jouissance d'une petite pièce à côté de l'oratoire privé de la confrérie

3. Propos recueillis auprès du P. Chrol et enregistrés par le P. François Vesel, son fils spirituel.

Saint-Photius : une chapelle installée 6, place Silly à Saint-Cloud, dans la villa d'un aristocrate russe, le comte Ignatiev. Rejoint par sa sœur Olga après la mort de leur mère, Chrol occupe avec elle un petit appartement sous les combles. Les Chrol, Olga et Léonide, vont devenir la famille de Père Lev. Avec « ses enfants », ce dernier partage tout ce qu'il possède. Le soir, quand il revient de Paris, le prêtre français fatigué et esseulé aime monter chez les Chrol. Olga prépare un dîner frugal. Le trio bavarde autour d'une tasse de thé. On parle de tout : des événements de la journée, des problèmes paroissiaux, de l'avenir de l'orthodoxie française auquel Père Lev, selon Chrol, ne croit plus, ou plutôt qu'il n'envisage pas sous la forme naïve et triomphaliste prise par cette rêverie dans le milieu de la confrérie Saint-Photius. Au sein du trio ainsi rassemblé par le destin, s'instaure une convivialité dont Lev Gillet, à la fois solitaire et assoiffé d'amitié, a toujours éprouvé la nostalgie. Léonide et lui se tutoient : tutoiement qui, à cette époque et pour Père Lev, revêt une signification profonde. Ardente, silencieuse, entièrement dévouée à son frère, Olga Chrol est présente. De cette présence féminine, Père Lev ressent le bienfait, la grâce qui en émane pour lui. Cette cohabitation amicale durera trois ans. Elle se terminera quand, ordonné prêtre en 1934 par le métropolite Euloge, le P. Léonide Chrol sera envoyé dans le Sud-Ouest de la France pour desservir les communautés orthodoxes russes de la région de Toulouse-Montauban. Au moment de la séparation, se préparant à quitter, lui aussi, la villa Ignatiev, Père Lev remet à Olga, en dépôt, des souvenirs de famille que, désormais sans domicile fixe, il craint de perdre : photographies de sa mère et de sa grand-mère, de la maison de ses grands-parents à Valence, de lui-même enfant. Jusqu'à la fin de sa vie, Olga les gardera comme un précieux trésor. Quand au P. Léonide, il se souviendra toujours des liturgies célébrées avec le hiéromoine français : « Il avait une façon unique de célébrer... Je n'ai de lui que les meilleurs souvenirs [4]. »

UN NOUVEAU DÉPART MODESTE

Avec l'aide de Dieu et grâce à la collaboration de Père Lev et de Léonide Chrol, la paroisse orthodoxe française prend donc un nouveau départ : un départ très modeste car dans la France des années trente il n'y a guère de place pour une orthodoxie francophone considérée avec méfiance, si ce n'est avec une hostilité mal dissimulée par la hiérarchie catholique. Grâce à quelques philosophes, poètes et écrivains de grande valeur – Gilson, Maritain, Claudel, Bernanos –, l'Église catholique romaine connaît alors un regain de rayonnement culturel et spirituel. Le protestantisme lui aussi garde de solides assises. Un renouveau de la pensée théologique s'y manifestera bientôt sous l'influence de la pensée de Barth. Dans la république laïque, il n'y a place pour l'orthodoxie qu'en tant que religion – poliment tolérée – de quelques milliers d'étrangers, russes, grecs ou éventuellement roumains. Seule une petite avant-garde d'œcuménistes – des protestants pour la plupart, tels les pasteurs Marc Boegner et Wilfred Monod et cette grande dame du protestantisme que fut Suzanne de Dietrich – considèrent avec sympathie l'humble effort pour acculturer l'orthodoxie en Occident.

Père Lev est très lucidement conscient de cette situation. Il connaît aussi son propre handicap. Prêtre de l'Église catholique romaine entré dans la communion de l'Église orthodoxe – geste que « presque personne ne peut comprendre » – il se sait l'objet d'un véritable ostracisme de la part des institutions catholiques.

4. Propos recueillis par le P. François Vesel.

Les registres paroissiaux ayant été égarés au cours de la Seconde Guerre mondiale, on manque d'indications sur le chiffre total des membres réguliers de la paroisse française et sur les actes paroissiaux qui y ont été accomplis : baptêmes, mariages et enterrements. Le nombre des paroissiens n'a jamais dû dépasser la centaine, même en prenant en compte des isolés en province et les fidèles qui fréquentent une annexe de la communauté parisienne à Issy-les-Moulineaux.

Au sein de cette communauté modeste mais chaleureuse, bouillonnante d'idées et de projets, quelques femmes, encouragées par l'attitude à leur égard du recteur, jouent un rôle important. Fidèle entre les fidèles, Marguerite Zagorovsky, orthodoxe d'origine protestante comme son amie Nathalie Evdokimov, organise l'entraide : un aspect important de la vie communautaire à une époque où beaucoup connaissent le chômage et la pauvreté. Mme Abamelek se charge de taper à la machine et de ronéotyper le bulletin paroissial mensuel *La Voie*. Les premiers numéros publiés sont écrits à la main par Lev Gillet et reproduits à l'aide de méthodes artisanales ! La collaboration entre Père Lev et Nadejda Gorodetzky se situe sur un plan plus intellectuel. Jeune écrivain russe devenue écrivain d'expression française – elle a publié des romans qui ont connu un certain succès –, Nadejda est parfaitement bilingue. Avec ses amis Vsevolode de Voght et Marcel Péguy – fils de Charles Péguy – elle anime le Studio franco-russe, lieu de rencontre entre artistes et écrivains des deux cultures. Ayant découvert cette paroisse orthodoxe de langue française avec son recteur – un hiéromoine franco-russe ! – elle y entraîne ses amis. Vsevolode de Voght et Marcel Péguy en deviendront pendant quelque temps des fidèles. Pour Nadejda, cette découverte marque le commencement d'une vie nouvelle. Une amitié profonde la liera désormais à Père Lev [5]. Dans l'immédiat, Nadejda va surtout servir au

5. Jetée au sortir de l'adolescence dans le tourbillon de la Révolution russe

moine français d'interprète, traduisant en russe ses textes écrits en français mais qui paraîtront dans des revues religieuses russes parisiennes telles *Pout'* (La Voie) – la revue de Nicolas Berdiaev – et *Novyi Grad* (La Cité Nouvelle), d'une inspiration proche de celle de la revue française *Esprit*, fondée à la même époque par Emmanuel Mounier. C'est elle aussi qui est la traductrice de son étude *Jésus de Nazareth d'après les données de l'histoire* (un volume très dense qui paraîtra en russe, aux Éditions de l'YMCA-Press en 1934).

Vers la même époque, quelques étudiants de la faculté libre de théologie protestante du boulevard Arago, attirés par la rumeur, commencent à fréquenter les liturgies dominicales de la paroisse orthodoxe française. L'un d'eux est Valentin de Bachst, considéré comme « émigré russe », en réalité d'origine balte luthérienne. Sous diverses influences, en particulier celle du P. Lev Gillet, il rejoint l'Église orthodoxe. Il la servira pendant de longues années, en relation étroite avec la Cimade – association œcuménique protestante – comme prêtre des orthodoxes « disséminés ».

Un autre visiteur de la paroisse française en ces années trente, est le futur oratorien et théologien catholique aujourd'hui très connu Louis Bouyer – à l'époque encore étudiant en théologie protestante. Attiré par l'orthodoxie,

et de la guerre civile, Nadejda Gorodetsky a connu une jeunesse mouvementée : un mariage malheureux avec un officier de l'Armée blanche, l'exil, la lutte pour la survie, une liaison avec Vsevolode de Voght, puis, soudain, au sein de l'Action chrétienne des étudiants russes, grâce à la prédication du P. Lev Gillet, la rencontre avec le Christ vivant qui change tout : Lev Gillet l'encourage à reprendre des études universitaires. Vers 1934-1935, ayant obtenu une bourse à Oxford, Nadejda s'installe en Grande-Bretagne. C'est le début d'une carrière universitaire brillante menée de front avec une importante œuvre littéraire consacrée à la spiritualité chrétienne russe. Ses ouvrages les plus connus sont *The Humiliated Christ in Modern Russian Throught* (Le Christ humilié dans la pensée russe moderne), Londres, 1938 et *St. Tikhon Zadonsky, Inspirer of Dostoïevsky* (Saint Tikhon de Zadonsk, inspirateur de Dostoïevsky) Londres, 1951. Avec Lev Gillet et Nicolas Zernov, Nadejda Gorodetsky a joué un rôle important au sein de l'association anglicane-orthodoxe dénommée Fellowship of St. Alban and St. Sergius (voir plus loin p. 353 s.).

le jeune Bouyer finira par s'unir à l'Église catholique romaine. Il y jouera le rôle utile et important que l'on sait pour le dialogue œcuménique catholique-orthodoxe. Peut-être le P. Bouyer dira-t-il un jour ce qu'il doit à la fréquentation de Père Lev ? Car c'est incontestablement ce dernier qui, comme d'autres jeunes hommes et femmes en quête de nourriture spirituelle, l'a attiré vers cette petite paroisse dont, après la liturgie on entraîne le prêtre vers le café voisin pour lui poser les questions brûlantes.

Depuis 1932, Père Lev a pourtant cessé d'être l'unique prêtre de la communauté francophone. Le métropolite Euloge lui a adjoint, comme vicaire, le P. Georges Jouanny, un royaliste, ami de Maurice Pujo, que la condamnation par Pie XI de l'Action française a amené – dit-on – à chercher refuge dans l'Église orthodoxe. Jouanny est un brave homme, en théologie un autodidacte sans véritable formation. En accédant au désir de cet ancien « marchand en constructions démontables » de recevoir l'ordination sacerdotale, le métropolite Euloge a cru aider Père Lev dont il admire l'intelligence et le dévouement, mais qu'il juge peu doué dans le domaine pratique. Le vicaire, lui, a les pieds bien sur terre et il dispose de quelques ressources financières.

En fait, la collaboration des deux hommes aux caractères si différents et presque caricaturalement dissemblables se révèle difficile. Il n'y aura pas de véritable collaboration. Une judicieuse distribution des tâches – jointe chez Père Lev à une bonne dose d'humour détaché –, permettra d'éviter les conflits. Progressivement, le P. Lev Gillet abandonne au P. Georges l'administration de la paroisse dont ce dernier, en 1936 ou 1937, devient le recteur. Père Lev lui-même a demandé au métropolite Euloge d'être déchargé de cette fonction. Il restera le « père spirituel » de la communauté. Ce partage des responsabilités lui donne plus de liberté. Pèlerin et voyageur par vocation, il peut désormais s'absenter sans que la vie paroissiale s'en trouve désorganisée.

Les absences de Père Lev se multiplieront surtout vers la fin de son ministère parisien, en des circonstances dont il sera question plus loin. Entre 1929 et 1935, il célèbre régulièrement, dimanche après dimanche, ainsi qu'aux grandes fêtes, la sainte liturgie pour, ou plutôt, avec ses paroissiens. Car son désir est que tous participent à l'action de grâces et à l'offrande communes non au sens purement cultuel, mais afin que toute leur vie, toute leur existence concrète, devienne eucharistie. Dès février 1929, il a lancé cet appel dans le bulletin paroissial *La Voie :* « Prenons part à la Sainte Liturgie. Il ne suffit pas d'"assister" – en spectateurs "passifs" – à la Sainte Liturgie : il faut y "participer". Car tous, nous participons au sacerdoce du Christ, "qui offre et qui est offert". Unissez votre intention à celle du prêtre. Offrez avec lui le sacrifice eucharistique. Associez-vous à l'immolation mystique de l'Agneau et au mystère rédempteur du Golgotha. Recevez, si vous le pouvez, le Corps et le Sang de la Victime divine, et, par là aussi, communiez à tous les membres de l'Église, qui sont les membres du Christ. Joignez-vous en esprit à la Vierge Mère de Dieu, aux Anges et aux Saints, lesquels, invisiblement présents autour de l'autel, offrent aussi ce sacrifice. Que la liturgie, devenue pour vous une action vivante – votre action – ne soit pas seulement un épisode de la journée du dimanche, mais le moment central de la semaine, le point culminant d'où le Soleil de grâce illuminera et réchauffera toute notre activité quotidienne. »

Presque tout ce qu'écrira admirablement plus tard le moine de l'Église d'Orient sur l'offrande liturgique se trouve déjà en substance dans ces quelques lignes.

C'est dans l'exercice de cet humble ministère paroissial que s'élabore la façon unique de Père Lev d'annoncer la Parole de Dieu et de célébrer les saints mystères. Le prêtre pour lui, comme il l'écrira plus tard, est « au service de la Parole de Dieu[6] » et, tout d'abord (« mais

---

6. UN MOINE DE L'ÉGLISE D'ORIENT, *L'Offrande liturgique*, « Le Prêtre et la Parole de Dieu », p. 87-94, Paris, 1988 (rééd.).

non exclusivement ») de cette Parole déchiffrée dans l'Écriture sainte. Les talents de prédicateur et de conférencier de Lev Gillet ont déjà été reconnus au temps de son ministère dans l'Église catholique. Mais c'est dans le cadre de *sa* paroisse qu'il devient ce commentateur inlassable, ce “rabbi”, explorateur de sens toujours nouveaux de l'Écriture qu'il restera jusqu'à la fin de son pèlerinage terrestre. Il ne conçoit pas de célébration paroissiale de la liturgie sans homélie. Celle-ci est toujours simple et brève, ne donnant jamais l'impression d'une composition littéraire. Aucun de ses sermons n'est écrit d'avance. Il a seulement noté deux ou trois mots du texte sacré autour desquels s'organise sa méditation. Il ne semble souvent dire que des choses très simples. Mais il les dit de façon bouleversante, si bien qu'elles s'imposent à chacun. Chaque auditeur a l'impression que cette parole s'adresse à lui. Pour chacun et chacune, elle devient appel à une conversion qui est entrée dans la Vie nouvelle avec le Seigneur.

Les célébrations à la paroisse francophone suivent le rite byzantin dans lequel Père Lev, sans cesser d'aimer l'antique rite romain, est profondément entré. Il n'éprouve pas le besoin d'inventer ou de restaurer un rite spécifiquement occidental. Il n'a cependant jamais condamné les recherches liturgiques sérieuses et créatives conduites par d'autres dans cette direction. Sa propre façon de célébrer est simple, dépouillée. Il lui arrive d'élaguer, de supprimer certaines redites. Mais chaque parole est audible afin d'être comprise, pesée et assimilée. À partir de traductions déjà existantes, il élabore, avec un grand sens liturgique, sa propre version française de la liturgie selon saint Jean Chrysostome. On la trouve en appendice d'un livre de son ami Paul Evdokimov [7].

Lieu de manducation ensemble de la Parole de Dieu et du Pain eucharistique, la paroisse telle que la désire

7. Paul EVDOKIMOV, *La Prière de l'Église orthodoxe. Textes de la liturgie de saint Jean Chrysostome*, Paris-Tournai, 1966.

Père Lev doit être aussi un lieu de partage fraternel. Comme saint Jean Chrysostome – Père de l'Église qui lui est particulièrement cher –, il insiste sur les implications existentielles de l'eucharistie sur le plan social comme sur les plans personnel et interpersonnel. Devenus, en communiant au Corps et au Sang du Christ, membres du même Corps, les chrétiens sont appelés à partager leurs joies et leurs peines, mais aussi leurs ressources matérielles, selon une solidarité très concrète. De façon significative, on trouve à la même page du bulletin paroissial l'appel à « participer à la liturgie » et la proposition de publier gratuitement des offres et demandes d'emploi destinées aux chômeurs. Sous l'impulsion de Mme Zagorovsky, assistante sociale expérimentée, un service d'entraide et des *counseling* fonctionnent discrètement dans la paroisse : un service dans lequel Père Lev s'implique personnellement. Partisan d'un christianisme ensemble social, évangélique et mystique, il ne sépare pas l'amour du prochain et l'amour du lointain, la charité traditionnelle et l'aspiration à des transformations structurelles de la société en vue d'un monde plus juste, donc plus humain. Un de ses inspirateurs, plusieurs fois nommé, est Henri Roser, pacifiste notoire, fondateur du mouvement de la Réconciliation. Pasteur protestant, Roser a été écarté de son ministère au sein de l'Église luthérienne concordaire d'Alsace-Lorraine en tant qu'objecteur de conscience. Dans le numéro de Noël 1929 de *La Voie*, Père Lev publie ensemble une homélie de saint Augustin appelant les chrétiens à fêter la Nativité avec les pauvres, et un sermon du pasteur Roser dénonçant « l'immoralité et le paganisme d'un régime économique [le régime capitaliste] où l'égoïsme est la loi, [système qui] ruine toutes les prétentions de la charité tant qu'on ne fait pas porter contre lui tout l'effort de son âme ».

Appelant les fidèles à toujours mieux s'approprier le sens du symbolisme cultuel orthodoxe, le recteur de la paroisse française s'efforce en même temps d'écarter la tentation d'un liturgisme ritualiste ou purement esthétique : tentation d'une spiritualité éthérée cultivée comme un jardin clos, loin des souffrances, des espoirs et des aspirations de la multitude pour laquelle pourtant le Christ a donné sa vie. Père Lev exhorte ses fidèles à être attentifs aux « signes du temps ». Dans ses « Lettres à mes paroissiens [8] », il appelle les orthodoxes à dépasser leur provincialisme spirituel, à accompagner de leurs prières aussi bien les premières grandes assemblées œcuméniques que la naissance de la JOC (Jeunesse ouvrière chrétienne) au sein de l'Église catholique romaine, la canonisation de sainte Thérèse de Lisieux, chère à son cœur, et l'émergence des jeunes chrétientés d'Afrique et d'Asie qui sont, écrit-il, « le printemps de l'Église ». Alors qu'en Europe monte déjà la Bête immonde, il leur demande de méditer sur le « mystère d'Israël ».

UN « STARETS » MODERNE ?

Chargé d'un ministère sacerdotal au sein d'une paroisse orthodoxe, Père Lev est appelé à y dispenser les sacrements de pénitence et de réconciliation. C'est dans ce cadre institutionnel – tout en le dépassant – qu'il se révèle comme ce « guide sûr des âmes » que reconnaît en lui dans ses Mémoires le métropolite Euloge. Dans un petit traité sur la prêtrise écrit plusieurs années plus tard [9], Père Lev distingue deux aspects de ce ministère spécifique. Témoin de la confession du pénitent qui s'adresse non à lui mais à Dieu, le prêtre est appelé à proclamer « le pardon des péchés accordé par le Christ ».

8. Voir p. 303-312.

9. *Sois mon prêtre. Quelques mots sur l'appel du Christ à ses prêtres*, Beyrouth, 1962, Paris, 1988, p. 92-93.

Essentiellement « la confession doit être une rencontre entre le pécheur repentant et son Seigneur miséricordieux ». Mais le confesseur est aussi appelé à donner des avis, à répondre à des questions parfois angoissées. Il ne peut assumer cette responsabilité qu'avec « crainte et tremblement », dans un esprit de grande humilité, en implorant le secours divin.

Dans la tradition orthodoxe, ces conseils sont souvent demandés à un moine qui n'est pas nécessairement un prêtre, parfois aussi à une moniale. Père Lev s'est profondément intéressé aux *starets* et au *starchestvo* russes qu'il a contribué à faire connaître en Occident. Il était cependant à la fois trop humble et trop lucide pour se comparer à un *starets*. Un intellectuel occidental peut-il aspirer à devenir un *starets* tel qu'il est perçu par le peuple russe croyant ? La réponse de Père Lev est hésitante. Il lui arrive à ce propos d'évoquer le cas de Martin Buber. Révélateur du hassidisme au public occidental, ce dernier n'était pas un rabbi hassidique mais un intellectuel juif viennois. Plusieurs de ceux qui ont bénéficié du ministère de Père Lev ont pourtant discerné en lui une sorte de *starets* moderne.

Selon la coutume orthodoxe et particulièrement russe, il recevait les confessions avant la liturgie ou le soir après les vêpres. Souvent, quand il prévoyait un entretien plus long, il donnait rendez-vous à ceux qui sollicitaient son aide dans le petit bureau dont il disposait au siège de l'Action chrétienne des étudiants russes. L'entretien pouvait aussi se dérouler dans un café ou dans une chambre d'étudiant.

Tous ceux qui se sont ainsi confiés à Père Lev ont été frappés par la qualité de son écoute. Il écoutait passionnément. Chacun et chacune avaient l'impression qu'en cette minute lui seul existait pour le prêtre. Silencieux, celui-ci laissait parler. Quand, enfin, il prenait la parole, c'était pour braquer sur la situation qu'on lui exposait la lumière de la Parole de Dieu. Père Lev détestait le clair-obscur. Il nommait un chat, un chat ; un mensonge, un mensonge ; un adultère, un adultère : rigueur cristalline mais qui s'alliait à une immense compassion. Père Lev sentait la complexité des êtres et des choses, la parcelle de bien qui peut être incluse dans une situation objectivement peccamineuse et qu'il s'agit de discerner, de délivrer et de sauver. Il avait la conviction fondée sur la foi que, quelle que soit l'obscurité du tunnel, il existe toujours une issue lumineuse où Dieu attend le pécheur.

À ce charisme ensemble de clairvoyance et de compassion, s'ajoutait un élément moderne et, à l'époque, tout à fait exceptionnel dans le milieu ecclésiastique. Sa formation psychanalytique permettait à Père Lev d'aborder les problèmes liés à la sexualité avec tact mais aussi avec lucidité et sans fausse pudibonderie.

Il n'avait nullement la prétention de trouver une solution à tous les problèmes. Il indiquait une route, ou plutôt une direction : celle de l'absolu de la foi et de l'amour révélé en Christ. Il ne prétendait pas disposer d'un savoir surnaturel. Il pouvait sembler hésiter. Il exhortait chacun à chercher pour lui-même la lumière intérieure. On pouvait en le quittant ne pas encore voir clairement la route à suivre. Mais on savait qu'il portait le pénitent dans sa prière, le confiant à cette Lumière qui, en venant dans le monde, « éclaire tout homme ».

L'AUMÔNIER DES PRISONS

Le métropolite Euloge raconte dans ses Mémoires [10] comment il s'y prit pour arracher à un fonctionnaire français réticent la nomination, en la personne de Père Gillet, d'un aumônier pour les détenus de religion orthodoxe.

À l'époque, les détenus russes étaient relativement

10. *Chemins de ma vie* (en russe), Paris, YMCA-Press, 1947, p. 543.

nombreux : petits délinquants, apatrides dont, lors d'un contrôle de police, les papiers ne se trouvaient pas en règle, auteurs de délits politiques. Le cas le plus célèbre est celui de Gorgoulof, meurtrier du président de la République française Paul Doumer.

En visitant les prisonniers, en leur rendant de petits services, Père Lev se sent à sa place. C'est l'aspect de son ministère parisien qui lui a donné, sans doute, les plus grandes consolations, mais qui fut aussi pour lui une terrible épreuve. Les deux exécutions capitales auxquelles il dut assister, en particulier celle de Paul Gorgoulof, lui laissèrent une impression d'horreur jamais oubliée. Jeune médecin, originaire du sud de la Russie, Gorgoulov tua le 6 mars 1932, d'un coup de pistolet, le président Doumer. N'opposant aucune résistance, il est immédiatement arrêté. L'enquête ne révèle aucune complicité. Tout le comportement du meurtrier indique qu'il s'agit de l'acte isolé d'un déséquilibré.

Le meurtre du plus haut magistrat de l'État souleva cependant une vague de xénophobie. Les rapports de psychiatres sont contradictoires. Traduit devant les assises, Gorgoulof, au terme d'un réquisitoire qui réclame la peine de mort, n'obtient du jury populaire aucune circonstance atténuante. Son recours ayant été rejeté par Albert Lebrun, successeur de Paul Doumer, l'exécution a lieu à Auch, le 14 septembre 1932.

Pendant son emprisonnement et son procès, Paul Gorgoulof reçoit à plusieurs reprises la visite du prêtre orthodoxe à qui il confie ses délires. Père Lev se persuade de son irresponsabilité en même temps qu'il discerne en Gorgoulof, sous le meurtrier délirant, l'enfant de Dieu. À la veille de l'exécution capitale dont la date lui est communiquée mais qu'il n'a pas le droit de révéler, il se rend chez la jeune épouse de Gorgoulof qui est enceinte et sur le point d'accoucher. Il passe la journée avec elle sans trahir le terrible secret. Le lendemain, à l'aube, après lui avoir donné la communion, il accompagne le condamné à l'échafaud. Lev Gillet a tenu bon. Mais quelques heures plus tard, s'étant réfugié chez son frère et sa belle-sœur, il s'écroule, terrassé de douleur et d'horreur. Ces détails m'ont été donnés par le Père Lev Gillet lui-même. Profondément meurtri par cette expérience, il se montrera toujours un adversaire déterminé de la peine de mort. Quant au chauvinisme xénophobe qui poussa à la condamnation de l'irresponsable, elle le remplit de honte pour le peuple français. « Un peuple que la grâce a abandonné », lui arrivait-il de dire dans les heures de découragement.

Un autre cas célèbre et tragique rencontré par Père Lev au cours de son ministère d'aumônier de prison, fut celui de la Plevitskaïa. Cantatrice russe connue et adulée comme brillante interprète de chansons tsiganes, Mme Plevitskaïa était l'épouse de l'ex-général Skobline soupçonné d'avoir organisé l'enlèvement, en plein Paris, par des agents du Guépéou, d'une personnalité éminente de l'émigration russe, le général Miller. Skobline réussit à prendre la fuite. Soupçonnée d'avoir été sa complice, sa femme est arrêtée et emprisonnée. Elle mourra en prison pendant la Seconde Guerre mondiale. Sans porter de jugement sur le fond de cette affaire ténébreuse jamais complètement élucidée, Père Lev prend en pitié la femme abandonnée de tous et rejetée par son ancien milieu. Ses conditions d'emprisonnement sont particulièrement dures. Même en hiver, sa cellule à la Petite-Roquette n'est pas chauffée. Informée (peut-être par lui) de cette situation, la principale victime, Mme Miller, veuve du général enlevé et sans doute assassiné, charge Père Lev d'apporter de sa part à la prisonnière un petit poêle à pétrole. Ce geste de bonté – geste d'une « véritable chrétienne », écrit Père Lev à une amie –, l'émeut profondément, le réconciliant avec un milieu russe qu'il a trop idéalisé et qui maintenant, connu de près, parfois le déçoit. Bonté, attendrissement, *oumilénié* – terme intraduisible – tels resteront toujours, au regard de Père Lev, les charismes propres de l'âme russe chrétienne.

CHAPITRE IV

L'ŒUVRE LITTÉRAIRE : LE PASSEUR

Écrivain-né, mais étranger à toute recherche de notoriété littéraire, le Père Lev voyait en l'exercice de son « don » un aspect de son service monastique : un service accompli en obéissance à la « vision céleste » de l'unité chrétienne à laquelle il a consacré sa vie. Inspirateur de dom Lambert Beauduin aux origines de la fondation de la revue *Irénikon*, il donne à celle-ci régulièrement, jusqu'en 1928, des articles sur la spiritualité et la pensée religieuse russes qu'il contribue ainsi à révéler au monde chrétien occidental. Entré dans la communion de l'Église orthodoxe, il reste un passeur entre l'Orient et l'Occident. Mais ce ministère va prendre d'autres formes en réponse à de nouveaux appels et à d'autres besoins. En relation aussi avec l'évolution intérieure qui s'amorce en ces années. Différents textes jalonnent cet itinéraire.

En premier lieu, il s'agit pour Père Lev de répondre aux besoins de ceux qui fréquentent la nouvelle paroisse française : chercheurs de Dieu de tous bords, orthodoxes « de naissance » ou orthodoxes par « choix personnel », les uns comme les autres en quête d'intelligence de la foi ecclésiale et d'approfondissement spirituel. Dimanche après dimanche, Père Lev – comme il en a la charge – leur annonce la Parole de Dieu. Cette prédication orale trouve son prolongement dans une catéchèse écrite dont le bulletin paroissial *La Voie* offre la possibilité. À cette catéchèse « en miettes », le prêtre consacre, surtout pendant les premières années de son ministère, beaucoup de temps et d'énergie (les premiers numéros sont écrits par lui à la main et polycopiés à l'aide de procédés artisanaux). En 1930, à l'époque où la confrérie Saint-Photius, qui dispose de quelques moyens financiers modestes, apporte sa collaboration à la paroisse française, Père Lev parvient à publier – en supplément à *La Voie* – une brochure intitulée *Introduction à la foi orthodoxe* [1]. C'est une traduction, à partir du texte grec original, du symbole de Nicée-Constantinople suivie, pour chacune des grandes proclamations de la foi, d'un bref commentaire. À Paris, dans sa paroisse – comme il l'avait fait douze ans plus tôt à Genève –, Père Lev constate que pour beaucoup d'hommes et de femmes modernes, même quand ils s'affirment chrétiens, l'antique profession de foi de l'Église indivise est devenue quasi lettre morte : une parole dont intellectuellement ils ne saisissent plus le sens et surtout une parole dépourvue pour eux de toute signification existentielle. Tel est souvent le cas même des fidèles qui chantent le Credo ou l'entendent chanter à chaque liturgie. C'est pour ces chrétiens « quelconques » du XXe siècle, sans formation théologique spécifique, peu ou mal catéchisés, mais qui ont faim et soif de vie spirituelle, que Père Lev rédige son *Introduction à la foi orthodoxe*. À ceux pour qui le langage des Pères des IVe et Ve siècles est devenu un langage en partie étranger, ou qui en restent à une adhésion purement intellectuelle du symbole de la foi, sans rapport avec la vie spirituelle concrète, il offre cette catéchèse qualifiée par lui de « très élémentaire » : une catéchèse « évitant le plus possible le langage technique et la discussion théologique, destinée à introduire des *âmes simples* (qui ne sont pas nécessairement des êtres inintelligents ou dépourvus de toute culture) à la Vérité vivante proclamée doxologiquement par l'antique confession de foi de l'*Una Sancta Catholica* ». Il n'est pas question d'évacuer le mystère. La réalité

1. *Introduction à la foi orthodoxe*, traduction française et commentaire du Symbole de Nicée, par le hiéromoine LEW, A. Baticle, Chauny, 1930. Il s'agit d'un complément au bulletin paroissial *La Voie*, septembre 1930.

divine, insiste-t-il, est au-delà de toutes nos conceptualisations humaines. La visée de cette « introduction » à la foi orthodoxe n'est pas de rationaliser le mystère mais de *montrer* la lumière qui en émane, illuminant l'*aujourd'hui de Dieu* : lumière occultée pour beaucoup de nos contemporains par le langage – qu'ils ne comprennent plus – d'une culture disparue. Faire saisir l'intentionnalité existentielle, toujours actuelle, de ce langage, la traduire, sans la trahir, dans le langage d'hommes et de femmes du XXe siècle, tel semble être le but poursuivi par le commentateur. Évoquant les grandes proclamations christologiques du Credo de Nicée-Constantinople, il fait intervenir la distinction entre « le langage de la métaphysique grecque » à l'aide duquel « la conscience chrétienne des premiers siècles s'est efforcée de préciser les rapports du Père et de Jésus » et le mystère ineffable existentiellement confessé par l'Église orante qui, « tout en proclamant Jésus vrai homme l'a adoré comme vrai Dieu » (*ibid.*, p. 4). Au-delà, ou mieux, à travers les formules d'une ontologie qui porte la marque d'une culture historique, il s'agit pour les chrétiens modernes de s'unir à l'élan de foi dont cette ontologie est l'expression. Telle est la véritable Tradition : transmission de la vérité éternelle, vivante et dynamique que chacun, et chaque génération, est appelé à « recevoir » nouvellement : *non novae sed nove*. La même remarque, affirme le commentateur, doit s'appliquer au symbolisme physique dont use le langage de la Bible et, après lui, le langage du symbole de foi : Père Lev écarte ainsi l'interprétation littéraliste et fondamentaliste de l'Ascension « au ciel » et de la session à la droite du Père inacceptable et dépourvue de sens pour l'homme d'aujourd'hui. C'est le sens spirituel de ces symboles qu'il s'agit de s'approprier : « Ces deux symboles physiques... signifient, d'une part que le Christ a pris glorieusement possession de ce « royaume » qu'il a annoncé et où il nous a donné l'espoir d'entrer nous-mêmes [le royaume est la vie éternelle dans le Dieu-Amour] ; d'autre part, qu'il occupe dans le

Royaume la place unique qui, auprès du Père est réservée au Fils : "Tu es mon Fils bien-aimé ; en toi j'ai mis toute mon affection" (Lc 3, 22). »

Du point de vue prévalant à l'époque dans la catéchèse catholique romaine officielle (mais, sans doute, aussi dans la catéchèse orthodoxe usuelle), les positions exprimées par Père Lev peuvent paraître « modernistes ». Dans le contexte de la modernité, elles sont pour lui conformes à l'esprit des Pères : l'esprit d'un hellénisme spirituel aspirant à la lumière du Logos dont Lev Gillet s'est toujours senti proche.

À la fois homme de foi et partisan de la plus grande rigueur scientifique, il s'affirme opposé à toute restriction, au nom de la « religion », de la liberté de recherche. Qu'il s'agisse de « théories cosmologiques ou de l'application aux Écritures Sacrées des méthodes critiques de l'histoire et la philologie », la science, affirme-t-il, ne saurait contredire la foi authentique. Car celle-ci, dit-il comme Pascal, est d'un autre ordre. Le savant comme le croyant doivent se sentir libres chacun en son domaine. La foi au Dieu créateur de l'univers visible et invisible n'est pas en contradiction avec les théories scientifiques sur l'origine de la matière et de la vie : « Dieu a créé "le ciel et la terre", c'est-à-dire l'univers entier, tout ce qui existe. Créer doit être pris ici dans un sens tout spirituel et spécial. La matière, la vie, l'esprit sont des formes de l'être ; c'est de l'être communiqué, donné par Dieu, lequel est la source de tout être. La création par Dieu n'est pas une sorte de fabrication matérielle : elle est un acte intérieur de Dieu, elle se passe dans la conscience divine. Nous sommes en Dieu sans nous confondre avec Dieu : il est l'être qui se donne, et nous sommes l'être reçu. "En lui nous vivons, nous nous mouvons et nous sommes" (Ac 17, 28). Dieu a créé par amour. Il aime et crée par le même acte. Dieu a fait l'homme intelligent et libre pour que l'homme à son tour pût l'aimer. Tous les phénomènes de l'univers sont une manifestation de l'activité divine » (*ibid.*, p. 2).

De même la foi en l'inspiration divine des Saintes Écritures ne conduit pas à nier la légitimité de leur examen critique à l'aide des méthodes scientifiques. « L'Esprit-Saint a "parlé par les prophètes". Nous entendons par là que les saintes Écritures, les livres de l'Ancien et du Nouveau Testament, ont été rédigés par des hommes, mais sous l'inspiration divine. Cette inspiration porte sur le contenu religieux et moral de la Bible. Elle ne confère aux écrivains des livres sacrés aucune infaillibilité en chronologie, histoire, cosmographie, etc., matières où ils ont partagé les idées de leur temps. La Bible constitue une préparation pédagogique progressive à la venue du Christ et au règne de l'Esprit ; on peut dire qu'une préparation parallèle s'opérait dans les nations païennes par certains progrès de la pensée, de sorte que Dieu n'a laissé aucun peuple dénué de toute lumière. On a le droit d'appliquer les méthodes critiques de l'histoire et de la philologie, avec la pleine liberté qu'exige la science, à tout ce qui, dans la Bible, est susceptible d'une vérification de fait, d'une constatation positive. Mais le contenu spirituel des saintes Écritures ne relève d'aucune interprétation particulière. Son interprétation appartient à l'Église, parlant sous l'action de l'Esprit » (*ibid.*, p. 9).

Avec l'intérêt visible accordé à la question des relations entre foi et connaissance scientifique, contraste l'absence de toute allusion, dans ce commentaire du Symbole de Nicée-Constantinople, à l'épineux problème concernant la « procession » du Saint-Esprit – à l'ajout en Occident du *Filioque* – à propos duquel Grecs et Latins se sont divisés. Ce silence est significatif. Père Lev ne prétend pas que le débat sur le *Filioque* soit une querelle vide. Il lui trouve une certaine signification. Mais il ne s'agit pas pour lui d'un débat essentiel ou, du moins, d'un problème ayant une incidence capitale sur la vie spirituelle des croyants. À l'époque, cette opinion semble avoir et partagée par le P. Serge Boulgakov.

Lev Gillet rejette en revanche expressément l'interprétation anselmienne, courante dans la théologie scolastique latine, du sacrifice de la Croix comme « rachat » au sens juridique du terme ou comme une « expiation sanglante du péché humain exigée par le Père ». Une telle interprétation est pour lui incompatible avec la foi au Dieu qui est Amour. « Le sacrifice de la croix est l'expression suprême de l'amour », est-il dit dans le commentaire qui porte sur cet article de foi. « Comme telle, la croix doit être intériorisée par chaque chrétien : la croix de Jésus doit provoquer en nous la réponse de la conversion. Elle est le signe et la condition nécessaire de toute vie chrétienne » (*ibid.*, p. 5-6). D'une façon caractéristique, Père Lev passe d'une explication rationnelle ou rationalisante à l'appel à un retournement existentiel.

Objet de foi, la certitude et la joie de la résurrection du Christ « sont le cœur de la piété orthodoxe » affirme encore son commentaire : « Le fait de la Résurrection ne peut être ni démontré, ni nié sur le plan purement historique, et il ne peut même pas être pleinement "réalisé" par la pensée humaine. C'est un mystère. Mais la réalité de ce mystère est atteinte par la foi et par l'expérience spirituelle, tant individuelle que collective. La certitude et la joie de la Résurrection sont au cœur de la piété orthodoxe. Christ est ressuscité des morts ; par sa mort il a vaincu la mort, et à ceux qui sont dans la tombe il a donné la vie » (*ibid.*, p. 6).

Un développement particulièrement important est réservé à l'affirmation de la foi « en l'Église Une, Sainte, Universelle et Apostolique » : « Le mot "Église", écrit le commentateur, signifie "rassemblement" et "élection". Chaque communauté chrétienne primitive se nommait "assemblée d'élus" ou église. La totalité des croyants formait l'Église au sens général, et non plus local et particulier de ce mot » (*ibid.*, p. 9).

Dans le développement qui suit, Lev Gillet formule des thèses ecclésiologiques très proches de celles brillamment exprimées au XIXe siècle par le théologien russe Alexis Khomiakov et, plus près de lui, par le P. Serge

Boulgakov. Il les oppose expressément à l'ecclésiologie officielle catholique romaine, comme d'ailleurs aussi à l'individualisme qui prévaudrait selon lui dans une grande partie du protestantisme : « L'infaillibilité est immanente à l'unanimité des fidèles; la révélation de la vérité est une réponse à notre amour fraternel. C'est pourquoi la tradition "orthodoxe" – celle à laquelle nous nous rattachons, écrit Lev Gillet – n'admet ni les doctrines romaines sur l'autorité dans l'Église, et en particulier sur le pouvoir du pape, ni certaines conceptions protestantes d'après lesquelles la recherche et la découverte de la vérité religieuse seraient chose purement individuelle » (*ibid.*, p. 10).

On retrouve ici des idées chères aux slavophiles russes sans que, cependant, le dogme de l'infaillibilité papale soit explicitement dénoncé comme incompatible avec la « conciliarité » orthodoxe. Père Lev propose une vision ; il se refuse d'entrer dans une discussion ecclésiologique. Plus que le dogme de la primauté romaine dont il semble avoir pensé qu'une interprétation orthodoxe est possible, c'est l'idée d'une autorité extrinsèque à l'Église qui est rejetée. Parlant à la même époque à de jeunes théologiens, Père Lev se montre plus précis et plus explicite dans sa critique du système centralisé romain. C'est la juridiction directe, universelle de l'évêque de Rome sur l'ensemble des Églises locales qui lui paraît inacceptable du point de vue de l'ecclésiologie orthodoxe [2]. Sur ce point, il me semble qu'il n'a jamais varié.

Voyant dans le mystère de l'eucharistie « le mystère central, le mystère même de l'Église et de son unité », l'auteur de l'*Introduction à la foi orthodoxe* apparaît dans ce texte comme un précurseur de l'ecclésiologie eucharistique, telle que la formuleront beaucoup d'années plus tard des théologiens orthodoxes connus : le P. Nicolas Afanassief et, dans la même lignée, Jean Zizioulas, aujourd'hui métropolite de Pergame. Comme le P. Serge Boul-

2. Je me réfère sur ce point à des souvenirs personnels.

gakov dans son ouvrage *L'Orthodoxie* que Père Lev connaît et dont il a peut-être déjà à cette époque commencé la traduction, lui-même insiste dans cette introduction sur le sens qualitatif de l'épithète « catholique » appliquée à l'Église. Il s'en explique : « L'Église est universelle... elle ne pense et ne vit qu'unanimement ce qu'exprime le mot "catholique" qui n'est pas le monopole de la confession romaine. » Et d'ajouter cette profession de foi à la fois spiritualiste et paulinienne : « L'Église... déborde tout cadre visible. Aussi ne faut-il pas concevoir l'Église comme une organisation juridique, sous le seul aspect temporel. L'Église, dans sa plus profonde réalité, est, selon les paroles de Paul, l'Épouse du Christ, le Corps du Christ. » Cette réalité profonde de l'Église n'est pas étrangère à l'institution. Mais elle « dépasse celle-ci infiniment ». Tel est le fondement pour Père Lev de l'espérance œcuménique (*ibid.*, p. 11).

En 1932 est publiée à Paris, dans la collection « Les Religions » de l'éditeur Félix Alcan la traduction française d'un important ouvrage du P. Serge Boulgakov : *L'Orthodoxie*. La traduction est l'œuvre du P. Lev Gillet. Seuls quelques initiés le savent car, au regret du P. Serge, le traducteur a voulu garder l'anonymat [3].

La publication de ce livre marque une date : au grand public, elle révèle le nom du grand théologien russe, jusque-là connu seulement de quelques spécialistes. L'aspect le plus personnel mais aussi le plus discuté de la pensée boulgakovienne – la sophiologie – n'apparaît guère dans *L'Orthodoxie*. L'importance de cette traduction se trouve ailleurs. Elle réside dans le fait que, brisant un mur d'ignorance, elle offre pour la première fois aux lecteurs occidentaux cultivés, dans une langue européenne accessible à beaucoup, un panorama d'ensemble de la

3. Le P. Boulgakov exprime ce regret dans la dédicace de l'exemplaire de cet ouvrage qu'il offre au P. Gillet. (Témoignage de M. David Balfour à qui cet exemplaire a été offert par Lev Gillet.)

doctrine, de l'ecclésiologie et de la piété chrétiennes en leur expression orthodoxe. Comme tel, ce livre est resté longtemps unique. En France et hors de France, des milliers de lecteurs ont été par lui initiés à la connaissance de l'Église orthodoxe, la révélant comme le troisième partenaire indispensable dans le dialogue œcuménique : ce troisième dont la présence introduit un élément nouveau dans le tête-à-tête séculaire essentiellement conflictuel entre l'Église catholique romaine et les Églises issues de la Réforme du XVIe siècle.

Avec l'*Essai sur la théologie mystique de l'Église d'Orient* de Vladimir Lossky (mais qui ne sera publié qu'en 1944 et touchera surtout les milieux proprement théologiques), *L'Orthodoxie* de Boulgakov [4], dans la traduction de Lev Gillet, est certainement le livre qui a le plus et le mieux contribué au rayonnement de l'orthodoxie parmi les chrétiens occidentaux de langue française, dans les années qui ont précédé et suivi immédiatement la Seconde Guerre mondiale. Ce rayonnement qui, comme nous verrons plus loin, s'est étendu aussi à l'élite chrétienne orthodoxe du Moyen-Orient, doit beaucoup à la qualité de la traduction. Respectueux de la pensée de l'auteur, s'efforçant de la rendre le plus exactement possible, le traducteur allège cependant considérablement le style parfois assez lourd et compliqué de l'original russe qu'il réussit à traduire dans un français clair, élégant et moderne. Traversée d'un souffle prophétique, la version française de *L'Orthodoxie* de Boulgakov est le fruit d'une symbiose créatrice.

À l'époque où il entreprend ce travail de traduction, Père Lev rencontre régulièrement le P. Boulgakov à l'Institut Saint-Serge. Les deux hommes s'estiment. Sans être intimes, leurs relations sont amicales et confiantes. Ils collaborent au sein de l'important Fellowship anglican-orthodoxe de Saint-Alban et Saint-Serge fondé en 1928 [5]. Il arrive au P. Gillet de suivre certains cours du maître

4. Orthographe du nom de l'auteur dans cette traduction.
5. Voir p. 360 s.

dont, non sans ce brin d'ironie assez piquante dont il est coutumier, il décrira plus tard à ses amis l'atmosphère : les flots impétueux de la pensée boulgakovienne se déversant sur un auditoire d'étudiants quelque peu abasourdis et, à l'exception d'une minorité, incapables de l'assimiler. Lev Gillet ne s'est jamais considéré comme un « disciple » de Boulgakov. Mais il retient de lui des intuitions des formulations profondes et éclairantes. L'une de celles-ci désignant le Christ comme l'*objet* et le Saint-Esprit comme *sujet* de la vie spirituelle du chrétien, est évoquée comme reçue du P. Serge, jusque dans le dernier ouvrage de Père Lev publié de son vivant *La Colombe et l'Agneau* [6]. À l'égard de la sophiologie du P. Boulgakov, Père Lev éprouve, en ces années trente, des sentiments mêlés d'attrait et de crainte. Décrite par Vladimir Soloviev qui en avait eu des apparitions, la figure mystérieuse de la *Sophia* – « cette figure qui n'était qu'un regard d'azur » – le fascinait et l'interrogeait : « Si vraiment les sophiologues étaient dépositaires d'un grand mystère ?... Mais pour les suivre, j'ai trop peur de perdre l'Évangile », m'écrit-il en 1937. C'est l'époque où, alors que l'ombre du fascisme, dans le sillage d'une désastreuse crise économique, s'étend sur l'Europe, la « controverse au sujet de la *Sophia* » bat son plein dans les milieux intellectuello-théologiques de l'émigration russe. Tour à tour, l'Église russe hors frontières et le patriarcat de Moscou – conjonction de forces hostiles à la libre recherche théologique – condamnent la sophiologie du P. Serge Boulgakov : une condamnation hâtive à laquelle se mêlent, à l'évidence, des motivations extra-théologiques. Père Lev déplore cette chasse aux sorcières. Dans l'accusation d'hérésie trinitaire lancée contre la sophiologie boulgakovienne, il verra toujours le fruit d'un malentendu [7] dû à l'incompréhension, voire à

6. UN MOINE DE L'ÉGLISE D'ORIENT, *La Colombe et l'Agneau*, Chevetogne, 1979, p. 21.

7. « Bulgakov was by us means the heretic that his ennemies accused him of beeing », dans : A NOMK OF THE EASTERN CHUCH, *Orthodox Spirituality*, The New Appendix, p. I (rééd.).

la mauvaise foi des adversaires du P. Serge. D'une façon générale, il hait les discussions théologiques qui lui paraissent le plus souvent stériles et étrangères à l'amour fraternel.

Par ailleurs, dans la mesure même où il est lui-même attiré par la vision non panthéiste mais « panenthéiste » du monde suggéré par la sophiologie, il en discerne aussi les dangers. « Ne peut-on craindre que dans la conception radieuse du monde que suggère la sophiologie, la notion de transcendance divine, de péché, de lutte contre le Prince de ce monde et enfin l'humanité très douce et très douloureuse de Jésus, sa Passion et sa Croix ne s'évanouissent en quelque sorte ? » Telle est la question que se pose Père Lev et qu'il exprime dans un article déjà cité de la revue internationale *Œcumenice*. Il s'agit pour lui moins d'une hérésie d'ordre purement théorique que d'un risque induit par une forme de gnose non évangélique au niveau de la vie spirituelle concrète : risque d'occultation de la tragédie du mal présent dans le monde, anesthésie du sens du péché conduisant à l'abandon du combat spirituel contre la Puissance des Ténèbres en nous et dans le monde.

Concernant *L'Orthodoxie* du P. Boulgakov, cette crainte est sans fondement : comme le constate aussi le second traducteur de cet ouvrage, Constantin Andronikof, le P. Serge « s'est délibérément abstenu d'y introduire ses propres théories théologiques ». En traduisant le livre de son collègue, en s'impliquant personnellement dans cette traduction, Père Lev offre aux lecteurs francophones, dès le milieu des années trente, une présentation de l'orthodoxie que l'on peut considérer à juste titre « comme la plus intériorisée que nous ayons à ce jour ». Cette appréciation me paraît particulièrement exacte en ce qui concerne la présentation dans ce livre de l'ecclésiologie orthodoxe : une ecclésiologie de communion qui, héritée des slavophiles du XIXe siècle, est située par Boulgakov dans le contexte du Mouvement œcuménique tel qu'il se développe dans la seconde moitié du XXe siècle.

En effet, c'est avant tout dans l'aspiration à l'unité chrétienne que Serge Boulgakov et Lev Gillet se rencontrent et communient. Elle motive ce dernier quand il décide de traduire précisément cette œuvre de Boulgakov. De tous les ouvrages du grand théologien russe, *L'Orthodoxie* est celui où s'exprime le plus fortement son engagement personnel dans le dialogue œcuménique naissant. Dans l'Église de la *Sobornost*, Boulgakov voit celle qui, renouvelée par un nouveau baptême de l'Esprit Saint, pourrait détenir la clé d'une solution créative des problèmes à propos desquels s'opposent depuis des siècles théologiens catholiques romains et théologiens des Églises issues de la Réforme du XVIe siècle. Le catalogue de ces problèmes qui, au XXe siècle, concernent moins le salut par la foi seule – *sola fide* – ou par « la foi et les œuvres », que l'ecclésiologie – l'autorité respective de la Tradition ecclésiale ou de la seule Écriture, la nature et le rôle des ministères ecclésiaux – a commencé à être dressé à la première conférence Foi et constitution de Lausanne en 1927. Le P. Boulgakov a personnellement assisté à cette conférence, y soulevant, au scandale de certains, la question concernant la place de Marie dans la foi et la piété de l'Église. Le Père Serge est ainsi pour Lev Gillet l'exemple vivant d'une orthodoxie à la fois ouverte au dialogue avec l'autre et ferme dans ses convictions. En traduisant *L'Orthodoxie*, il désire faire entendre en Occident la voix prophétique qui y résonne. Aussi s'implique-t-il personnellement et très profondément dans cette transmission-traduction. Sa sympathie pour la pensée de Boulgakov éclate dans les chapitres ecclésiologiques dont les formulations ont inspiré son propre commentaire du Credo de Nicée-Constantinople. Abordant la traduction du néologisme *sobornost* créé par A. Khomiakov et repris dans son livre par Boulgakov, le traducteur passe soudain à la première personne pour expliquer les significations et les nuances de ce terme presque intraduisible : « pour traduire *sobornost*, j'ai risqué le mot français de "conciliarité" qu'il faut prendre à la fois au sens restreint (Église des conciles) et au sens large (Église catholique œcuménique). On pourrait encore traduire *sobornost* par "symphonicité-unanimité". L'Orthodoxie, disait Khomiakoff, s'oppose à la fois à l'autoritarisme et à l'individualisme. Elle est un unanimisme, une synthèse de l'autorité et de la liberté dans l'amour qui rassemble les croyants. Le mot *sobornost* exprime tout cela [8] ». C'est justement « tout cela », qui attire Père Lev vers l'Église orthodoxe. Une vision qu'il tente de suggérer, dont il reste amoureux alors même qu'il commence à douter de sa réalisation dans l'Église historique, empirique.

Introduisant, grâce à sa traduction, le terme et l'idée de « conciliarité », – en toute la richesse de ses significations –, dans le vocabulaire œcuménique du XXe siècle, Père Lev ne se fait pourtant pas d'illusion. À l'époque même où il fait cette œuvre de traducteur et d'interprète, il souffre des démentis infligés à l'idéal de la *sobornost* par les divisions au sein de l'Église russe en exil. Cependant même occulté par les faiblesses et les péchés humains, l'idéal garde sa beauté et sa vérité intrinsèques. Dans l'utopie inspiratrice de la *sobornost* conciliaire, Père Lev continue de voir l'un des apports les plus précieux à la recherche commune de l'unité dans la prophétique pensée religieuse russe : l'antidote à l'individualisme de certaines formes du protestantisme comme à l'impérialisme et à l'autoritarisme qui sont la tentation séculaire du catholicisme romain. Fidèle à l'original russe, sa traduction exprime clairement ces divergences et ces oppositions de principe sur le plan de l'ecclésiologie comme de l'expérience ecclésiale. En revanche, le traducteur s'est octroyé la liberté de supprimer dans la version française toute allusion polémique directe et blessante à l'Église catholique, tout jugement par trop sommaire porté sur elle.

À l'inverse tout le talent du traducteur est mis au

---

8. S. BOULGAKOV, p. 84.

service du théologien russe quand ce dernier évoque le défi adressé à l'Église orthodoxe dans le contexte du Mouvement œcuménique et qu'il en appelle, pour relever ce défi, aux énergies créatrices – dons de l'Esprit – qui sommeillent dans les profondeurs de l'Orthodoxie historique : « L'Église orthodoxe est maintenant en face de problèmes nouveaux, de nouvelles perspectives, elle contient non seulement le terme, mais la voie créatrice qui y mène... Oui, l'Orthodoxie n'est pas achevée... au-dessus de l'Orthodoxie il n'y a pas d'autre coupole que la coupole céleste : l'Église orthodoxe a entendu la promesse du Seigneur Jésus au sujet de l'Esprit Consolateur qui "vous annoncera les choses à venir"... L'Esprit du Dieu Créateur appelle à ce renouvellement dont le Seigneur a dit : "c'est sans mesure que le Seigneur donne l'Esprit." Cela ne peut se passer qu'à une condition : l'existence de la liberté à laquelle l'humanité ne peut plus renoncer. C'est l'Orthodoxie qui est le centre manifeste, et caché, et la vérité de toutes les confessions chrétiennes morcelées maintenant mais appelées à se réunir en un seul troupeau sous un seul Pasteur – Que cela soit [9]. »

La traduction de *L'Orthodoxie* marque l'apogée d'une période où le prêtre français, selon sa propre expression, « s'est identifié » à la pathétique émigration russe. Il s'est enrichi des trésors qu'elle porte en elle, intégrant créativement mais toujours sélectivement une pensée prophétique représentée pour lui par des hommes comme N. Berdiaev, S. Boulgakov, mais aussi Georges Fedotov, historien de la sainteté russe dont il se sent particulièrement proche. Cependant cet apogée marque aussi un adieu. En acceptant de devenir le recteur de la « paroisse française », Père Lev a déjà pris du champ. La crise des années 1930-1931 qui ont vu le déchirement de l'Église des émigrés a laissé des traces. Il garde et gardera toujours une immense tendresse pour l'âme russe. En traduisant

9. S. Boulgakov, p. 271.

l'important livre de S. Boulgakov, il a payé une dette. Mais c'est la dernière de ses œuvres consacrée à la transmission à l'Occident de la pensée religieuse et théologique orthodoxe en son expression spécifiquement russe.

Désormais, tout en gardant une immense tendresse pour l'âme russe, ne reniant jamais ce qu'il a reçu d'elle et continuant d'aimer et de respecter l'Église russe, l'« Église des martyrs » et des confesseurs du XXe siècle, il va s'éloigner – sans couper les liens – du milieu spécifique de l'émigration russe. Avant de partir vers un mystérieux ailleurs, il fera encore une fois dans ce milieu œuvre de passeur, mais cette fois-ci en sens inverse.

Rédigé et publié en russe, un opuscule dont il est l'auteur est destiné à aider les orthodoxes russes et, en particulier, la jeunesse russe à affronter l'un des grands défis portés à la foi par la science historique moderne telle qu'elle s'est développée en Occident.

En 1934 paraît à YMCA-Press, maison d'édition proche de l'Action des étudiants russes, un opuscule en langue russe signé par le hiéromoine Lev : *Isous' Nazarianine po dannym istorij : Jésus de Nazareth d'après les données historiques*. Il rassemble des conférences données par Père Lev dans le cadre d'un cercle d'études – une sorte de séminaire – de l'ACER. La traduction est l'œuvre de Nadejda Gorodetzky.

Les conférences données à l'ACER ont dû répondre à une demande. En 1933 a été publié l'ouvrage intitulé *Jésus* de Charles Guignebert, professeur à la Sorbonne. L'auteur y expose, en les vulgarisant, les thèses de certains spécialistes concernant la non-historicité du Jésus des évangiles. Ce dernier serait le héros d'un mythe de mort-résurrection d'un dieu : mythe comme il en circulait beaucoup dans le monde hellénistique. L'ouvrage de Guignebert a fait du bruit. Ses thèses ont troublé et scandalisé beaucoup de croyants. Ce trouble et ce scandale ont atteint aussi le milieu orthodoxe russe parisien. Les recherches historiques dites « scientifiques » sur la personne de Jésus, menées surtout en Allemagne où est née la *Leben Jesu Forschung*, sont peu développées, si ce n'est inexistantes dans la sphère de l'orthodoxie. Face à la science occidentale, certains jeunes orthodoxes ont pu se sentir désarmés. Il s'agit de répondre honnêtement à leurs questions. Tel est le but que se propose Père Lev, conscient du sérieux d'un problème qu'il a probablement dû lui-même affronter avant de le dépasser.

L'idée qui sous-tend les conférences rassemblées dans *Jésus de Nazareth d'après les données de l'histoire* est qu'il ne saurait y avoir de véritable conflit entre la science historique bien comprise et la foi. Selon la distinction pascalienne, reprise sous une forme différente par le philosophe Henri Bergson dont le jeune Louis Gillet fut l'auditeur assidu, science rationnelle et foi appartiennent à deux ordres de connaissance radicalement différents. Il est de bonne méthode, ensemble scientifique et philosophique, de ne pas les confondre et d'éviter les empiétements de l'une sur le domaine de l'autre. Bien observée, cette distinction assure la liberté et du savant et du croyant. La recherche scientifique exige la liberté. Mais la démarche de la foi, elle aussi, est essentiellement libre. Exprimée dans l'opuscule de 1934, cette position de principe sera toujours celle de Lev Gillet, à la fois esprit scientifique et, comme il aimait à dire, « libre croyant ». Elle implique, explique-t-il à la fin de sa vie, un dualisme méthodologique mais non la thèse d'un dualisme radical sur le plan de l'essence de la réalité.

En 1934, ce dualisme en l'ordre de la connaissance permet à Lev Gillet d'aborder sereinement les questions posées par l'exégèse scientifique de textes évangéliques relatifs à la personne de Jésus. Invitant le savant à la modestie et à la rigueur, l'acceptation de la distinction de deux ordres exige du croyant un décapage et une purification salutaires de sa foi qui ne vont pas sans douleur. Cette attitude est à l'opposé *et* d'un conservatisme ensemble peureux et oppressif qui prétend, au nom de la foi, imposer des limites à la recherche scientifique *et* d'un libéralisme évanescent qui voudrait enfermer la foi dans les limites de la rationalité scientifique. L'enseignement donné dans les écoles de théologie orthodoxe, affirme Père Lev, devra éviter ce double danger. Cette opinion est partagée par le professeur Georges Fedotov et le jeune hiéromoine – futur évêque – Cassien Bezobrazov qui ont encouragé Père Lev à publier ses conférences.

Son livre, écrit Lev Gillet modestement dans la préface, n'apporte qu'une information élémentaire. Il frappe, en réalité, par l'érudition dont témoigne l'auteur : une érudition toujours maîtrisée et rendue accessible même aux non-spécialistes grâce à un langage simple et clair, évitant toute technicité pédante.

Au risque de scandaliser certains de ses lecteurs, Père Lev s'affirme partisan – comme il le fait dans son *Introduction à la foi orthodoxe* –, d'une approche libre et rigoureusement scientifique des problèmes relatifs à l'existence historique de Jésus de Nazareth. Il désapprouve les contraintes exercées en ce domaine sur les exégètes catholiques romains obligés de se taire ou de s'exprimer en contradiction avec leur conscience de chercheurs scientifiques. À cette atmosphère d'oppression, il oppose le climat de liberté dont jouissent les chercheurs protestants et anglicans dans leurs facultés de théologie respectives. Survolant l'histoire de la *Leben Jesu Forschung*, il y discerne différentes écoles et tendances plus ou moins radicales ou conservatrices. Il sympathise avec la *via media* anglicane. Sa propre conclusion est celle-ci : d'un point de vue strictement scientifique, il paraît impossible d'écrire une « biographie » de Jésus : « les évangélistes ne sont pas des biographes » mais des témoins de la foi de l'Église primitive. Rien ne permet cependant, d'un point de vue scientifique, de jeter suspicion sur tout ce qu'ils affirment. Le style des évangiles est très différent de celui des récits mythiques. L'Écriture fournit sur Jésus de Nazareth un certain nombre de données précises. Rien ne permet de nier – en s'en tenant aux données de l'investigation scientifique – l'existence historique de

Jésus. Au-delà de cette constatation rationnelle, il y a la démarche de la foi qui est d'un ordre différent. Pénétrant dans cet *autre* domaine, nous sommes interpellés : « À nous, comme il le fit à ses contemporains, Jésus pose la question : "Et vous, qui dites-vous que je suis" ? Et de la réponse que nous donnerons dépend le sens de notre vie. »

De façon abrupte, l'exposé érudit s'achève sur cet appel à la décision de la foi. Pour Lev Gillet cette décision est devenue l'essentiel. Tout le reste est secondaire. « Oui ou non, suis-je prêt à reconnaître Jésus comme le Seigneur et Maître de ma vie ? » Au-delà de tous les problèmes d'ordre théologique et ecclésiologique, telle est la question à laquelle chacun de nous et lui, Lev Gillet le premier, est appelé à répondre *ici et maintenant*.

Presque en même temps que *Jésus de Nazareth d'après les données de l'histoire* est publiée la traduction par Père Lev d'un fragment de l'essai *He that cometh* (Lui qui vient) de Geoffrey Allen, prêtre anglican et *fellow* du Lincoln College à Oxford. L'opuscule porte en français le titre *L'Hôte*. Le traducteur n'est pas nommé. L'ouvrage est publié par les Groupes d'entraide spirituelle ou Groupes d'Oxford. Fondé par l'Américain Frank Buchman, le mouvement des « groupes » qui deviendra, après la Seconde Guerre mondiale, le Réarmement moral – nom sous lequel il subsiste encore aujourd'hui – se développe dans les années trente dans les pays anglo-saxons et, dans une moindre mesure, en France. Il trouve des adeptes et des sympathisants surtout parmi les membres des professions libérales, mais aussi parmi les industriels, les hauts fonctionnaires : des gens du monde apparemment détachés de toute pratique religieuse. Il évangélise un milieu souvent négligé par les Églises. À la manière d'autres mouvements de « réveil » protestants, il vise, au-delà d'une pratique religieuse superficielle ou ritualiste, une authentique « conversion », le changement du cœur, transformant l'existence tout entière. Mais à la différente d'autres « réveils », plus populaires, il le fait sous des formes et dans un langage adapté à un milieu cultivé.

L'« hôte » dont il est question dans l'opuscule traduit et préfacé anonymement par Lev Gillet est le Christ, Celui qui dit : «Voici que je me tiens à la porte et je frappe. Si quelqu'un entend ma voix et ouvre la porte, j'entrerai chez lui et prendrai le repas avec lui » (Ap 3, 20).

« L'âme est désolée et solitaire tant qu'elle n'accueille pas l'hôte. » Mais quand elle le laisse entrer et, au fur et à mesure qu'il pénètre jusqu'aux recoins les plus secrets de cette maison qu'est l'existence concrète de chacun, celle-ci s'en trouve totalement changée, purifiée et illuminée.

De l'allégorie se dégagent les idées fondamentales propagées par les « groupes », telles que Père Lev les fait siennes : en fait des conseils qui sont ceux de beaucoup de grands mystiques chrétiens. Dans la perspective d'une vie « guidée », il s'agit pour le croyant d'abdiquer toute volonté propre pour « ne penser, ne parler, n'agir que selon la Parole intérieure qui se laisse entendre dans le silence [10] ». Cette *guidance* ou « direction » s'exerce dans les moindres détails de la vie quotidienne. Elle exige et « une capitulation sans réserve », une reddition de soi-même *(self surrender)* qu'on appelle « conversion » dans le langage chrétien traditionnel, ainsi que la « fidélité dans le moment présent ». Le fruit de la « vie guidée » sont honnêteté, pureté, désintéressement et amour *absolus*. Le croyant qui s'engage dans cette voie éprouve le besoin de « partager avec d'autres sa désolation ancienne et sa joie nouvelle, ses chutes et ses relèvements... ». Il ouvre toutes grandes les portes qu'il tenait craintivement fermées, criant à ceux qui passent : « Venez et voyez ce que l'Hôte a fait en moi. »

Ce cri, Lev Gillet, si secret, souvent si énigmatique

10. *L'Hôte*, fragment traduit de l'anglais, Paris, Fischbacher, 1931 (Publication des Groupes d'entraide spirituelle) p. 7.

même pour ses proches, n'a que très rarement osé le lancer [11]. Dans ses lettres, il se borne à demander à ses amis de prier pour sa « conversion ». Dans les groupes, il a apprécié une chaleur fraternelle à laquelle ce solitaire n'a cessé d'aspirer. Il y a discerné une mystique de la vie quotidienne tendue à la transformation, dans le rayonnement de la Présence intérieure, de l'existence concrète. Cela à l'opposé du christianisme intellectuel des « professeurs » comme d'un idéalisme mystificateur dont lui-même – il le sait – connaît les tentations.

11. On le perçoit pourtant dans *Jésus. Simples regards sur le Sauveur*, lorsque comme s'adressant au Christ, il écrit : « J'ai cru qu'à moi aussi tu disais : parler de Toi : Va dans ta maison, auprès des tiens, et annonce-leur... Et le possédé que tu avais guéri, au pays des Géraséniens, s'en alla et se mit à publier ce que tu avais fait pour lui et comment tu avais eu pitié de lui » (p. 7).

CHAPITRE V

QUÊTE D'UN CATHOLICISME ÉVANGÉLIQUE

Hiéromoine dans l'Église orthodoxe, y exerçant un ministère officiel sous l'autorité d'un métropolite russe, le P. Lev Gillet garde, chevillée au cœur, la grande espérance œcuménique des années 1920 : espérance au nom de laquelle l'encyclique *Mortalium animos* lui a paru inacceptable.

Les initiateurs du Mouvement œcuménique sont des théologiens protestants et anglicans auxquels, aux conférences de Stockholm et surtout de Lausanne, en 1927, se sont joints quelques représentants des Églises orthodoxes, notamment du patriarcat œcuménique de Constantinople et de l'Église russe.

Héritière de l'humanisme universaliste des Pères grecs, porteuse d'une ecclésiologie de communion repensée créativement au XIXe siècle par les quelques théologiens russes, l'Église orthodoxe ne serait-elle pas appelée à devenir la matrice de l'unité *catholique ecclésiale* de l'avenir ? Unité réalisée non par absorption des Églises locales particulières dans une organisation mais dans le dynamisme dynamique d'un « mouvement intérieur tendant au rétablissement de la communion à la fois spirituelle et sacramentelle », ainsi que l'écrit le P. Serge Boulgakov [1].

C'est dans cette perspective qu'il convient de situer les relations de Père Lev, à l'époque de son ministère parisien, avec un certain milieu protestant où l'œcuménisme prend la forme de l'aspiration à un « catholicisme

---

1. S. BOULGAKOV, *L'Orthodoxie,* Paris, Alcan, 1932, p. 263.

évangélique ». Cela au moment même où quelques jeunes orthodoxes d'origine russe mais inculturés en France se sentent appelés à œuvrer pour l'avènement d'une « orthodoxie occidentale ».

Une synthèse féconde de ces orientations différentes est-elle envisageable ? nous demandions-nous, à l'époque où, apprentie théologienne, je m'entretenais de ces questions avec le P. Lev Gillet.

Nourrie à la fois de contacts au sein du mouvement de jeunesse, telle la Fédération universelle des associations chrétiennes d'étudiants et d'amitiés personnelles comme celle qui à l'époque unit Suzanne de Dietrich, importante personnalité protestante, au jeune théologien orthodoxe Paul Evdokimov, une authentique sympathie pour l'orthodoxie sous-tend chez quelques protestants la nostalgie d'un « catholicisme évangélique ». Prononcé par l'archevêque luthérien Nathan Soederblom à l'assemblée de Stockholm, ce terme est repris par des œcuménistes protestants, comme le Pr F. Heiler en Allemagne, et le pasteur Wilfred Monod en France. C'est avec ce dernier surtout que Lev Gillet, au temps de son ministère parisien, malgré une grande différence d'âges et de formations, entretient des relations fraternelles.

Issu d'une famille qui a joué un rôle important dans l'histoire du protestantisme français au XIXe siècle, Wilfred Monod exerce son ministère de pasteur au temple réformé de l'Oratoire. Titulaire d'une chaire de théologie pratique à la faculté libre de théologie protestante de Paris, il a la réputation d'être un théologien libéral. Comme le pasteur alsacien Henri Roser, fondateur du mouvement de la Réconciliation [2] avec lequel Lev Gillet sympathise, Wilfred Monod allie à une vie spirituelle profonde le combat pour la paix internationale et la justice sociale.

---

2. Fondé après la Première Guerre mondiale pour promouvoir, en premier lieu, la réconciliation entre Français et Allemands, le mouvement, devenu international, existe encore aujourd'hui. Il comporte une branche orthodoxe connue surtout dans les pays anglo-saxons sous l'appellation Orthodoxe Peace Fellowship.

Figure de proue du « Christianisme social », il est aussi le fondateur du Tiers Ordre protestant des Veilleurs dont les membres s'engagent à une discipline ensemble de vie et de prière inspirée de l'esprit des Béatitudes et de l'idéal franciscain. Participant à la première grande assemblée œcuménique à Stockholm (1926), Wilfred Monod a été frappé par l'appel lancé par l'évêque luthérien suédois Nathan Soederblom en faveur d'un « catholicisme évangélique ». Selon son biographe, cet appel fut pour lui une « véritable révélation ». L'expression est ambiguë. Elle peut viser la constitution d'une fédération d'Églises opposées au bloc romain catholique. Mais elle exprime aussi l'aspiration d'un nombre croissant de protestants à une forme de vie chrétienne qui saurait intégrer à l'héritage de liberté de la Réforme, les richesses de la Tradition catholique dont le protestantisme se trouve en partie coupé. Telle est la vision qui hante Wilfred Monod et autour et de lui, avec des nuances différentes, des hommes et des femmes comme le pasteur Marc Boegner et Suzanne de Dietrich avec lesquels Lev Gillet entretient des relations fraternelles.

Père Lev et le pasteur Wilfred Monod se rencontrent à l'occasion de manifestations à la fois œcuméniques ou pacifistes. Tous les deux fréquentent aussi ce rabbi étrange – Aimé Pallière – chrétien en quête, dans le judaïsme, d'une religion universelle. C'est dans ce milieu ouvert à diverses recherches spirituelles, que Lev Gillet fait la connaissance de l'évêque d'une « petite Église » dite « Église libre catholique », Mgr Louis Winnaert. Cette rencontre et les relations étroites entre les deux hommes qui s'ensuivent auront pour l'un et l'autre des conséquences considérables et imprévues.

Quand il fait fortuitement la connaissance de Lev Gillet – en novembre 1929, d'après son biographe [3] – Louis

3. Voir Vincent BOURNE, *La Queste de vérité d'Irénée Winnaert*, Genève, Labor et Fides, 1970 (Vincent BOURNE est le pseudonyme de Mme Yvonne Winnaert).

Winnaert a quarante-neuf ans. De treize ans l'aîné de Père Lev, cet ancien prêtre catholique a derrière lui une existence tourmentée, jalonnée de déceptions douloureuses. Issu d'une famille catholique très pieuse des Flandres, il a subi l'influence, alors qu'il était séminariste, puis jeune prêtre, de différents courants qui, à la fin du XIXe et au début du XXe siècle, ont tenté de renouveler l'Église catholique de l'intérieur : modernisme, christianisme social, mouvement liturgique. Il lit Loisy et Laberthonnière et adhère au Sillon de Marc Sangnier. La condamnation de ce dernier mouvement par le pape Pie X le blesse profondément. Il surmonte cette déception en édifiant avec ses propres derniers (il semble disposer d'une certaine fortune) une chapelle à Viroflay, dans le diocèse de Versailles. Il tente d'y mettre en pratique, dans un milieu séculier, les principes d'un mouvement liturgique prestigieux mais confiné essentiellement dans quelques grandes abbayes bénédictines. Son évêque le laisse faire. L'abbé Winnaert n'en continue pas moins à ressentir un profond malaise dû, semble-t-il, à un sentiment d'étouffement et d'équivoque. Subitement, en juin 1918, il quitte son presbytère. Il n'y reviendra plus. Les raisons exactes de cette crise ne sont pas expliquées par son biographe. Père Lev, qui a profondément sympathisé avec le destin de Winnaert, y discerne « la tragédie de toute une génération de prêtres imbus des idées libérales et réformistes qui s'étaient répandues sous le pontificat de Léon XIII et qui virent, sous Pie X, l'Église catholique se replier dans une attitude conservatrice et défensive, comme elle ne l'avait pas fait depuis le Concile de Trente ». Se considérant placé devant le dilemme : « Rome ou le Christ », Winnaert « préféra sortir [4] ».

Commence alors pour lui et le petit groupe de fidèles qui s'est rassemblé autour de lui, une longue errance.

---

4. Homélie prononcée par Lev Gillet en 1938, à l'occasion de l'anniversaire de la mort de Mgr Winnaert (cité par V. BOURNE en appendice à sa biographie, p. 334-335).

Dans l'homélie prononcée au service anniversaire de la mort de son ami, Père Lev la compare à l'errance d'Israël dans le désert ou à l'exode d'Abraham en quête de la Terre promise. Accueilli fraternellement par le pasteur Wilfred Monod, le prêtre catholique désemparé aurait pu trouver un bercail dans le protestantisme. Mais il ne s'y sent pas à l'aise. Il garde la nostalgie de l'« atmosphère liturgique poétique » des offices de l'Église catholique. Une tentative de réconciliation avec cette dernière semble s'être heurtée à l'intransigeance des autorités romaines [5]. Des pourparlers avec l'Église vieille-catholique échouent également. Chercheur obstiné et sincère mais médiocre théologien, Winnaert s'égare alors dans le maquis des « petites Églises » et des sectes théosophiques. Obnubilé par le désir d'accéder à l'épiscopat, il a la faiblesse de se laisser sacrer par l'« évêque », formellement en possession de la succession apostolique, d'un groupement théosophique, « l'Église catholique libérale » d'Angleterre. Prenant conscience de son erreur, il s'en sépare, mais désormais se trouve de nouveau totalement isolé du point de vue canonique. Lié à des hommes comme Nathan Soederblom, Wilfred Monod, Friedrich Heiler, il cherche alors – selon l'expression de Lev Gillet –, « à atteindre l'idéal catholique évangélique » en participant au Mouvement œcuménique où il « salue l'aurore » de l'Église universelle réunie. Il n'en continue pas moins à chercher un ancrage dans l'église historique. Tels sont sa situation et son état d'esprit à l'époque où il fait la connaissance du P. Lev Gillet.

Les deux hommes se seraient rencontrés le 11 novembre 1929, à une réunion à laquelle assiste également Wilfred Monod – au temple du Foyer de l'âme, à l'occasion d'une « semaine internationale pour la paix ». La participation de Père Lev à une telle réunion n'a rien d'invraisemblable. Il est un partisan convaincu de la non-violence évangélique. Entrés en conversation et ayant

5. V. BOURNE, p. 209-218.

sympathisé, Winnaert et lui seraient convenus d'une autre entrevue. Elle a lieu en la chapelle de l'Ascension, 72, rue de Sèvres, lieu de culte de l'Église libre-catholique. Winnaert aurait noté dans son journal le contenu de cet entretien mémorable. Le texte est cité par Vincent Bourne dans sa biographie. Père Lev qui en a pris connaissance n'a jamais démenti l'exactitude globale de ce compte rendu : « Le Père G., après m'avoir posé de nombreuses questions, m'a affirmé que l'Église orthodoxe actuelle n'est en rien différente de l'Église des Pères, de l'Église indivise... Puis il m'a demandé : "Monseigneur, pourquoi n'êtes-vous pas orthodoxe ?" Je lui ai répondu : "Comment le pourrais-je ? Je suis Français." "Et moi, m'a-t-il répliqué, ne suis-je point Français ?" "Mais j'aime et je suis le rite occidental !" ai-je répliqué. Il a continué : "L'Orthodoxie n'est pas un rite, elle contient tous les rites [6]." »

Si la datation par Vincent Bourne de cette conversation est exacte, on doit constater avec A. Van Bunnen [7] – historien de l'Église « catholique-orthodoxe » de France – qu'elle n'eut pas de suite immédiate et qu'elle ne produisit pas sur Winnaert l'effet d'une révélation. En 1930, Winnaert poursuit ses recherches en différentes directions en quête d'un havre ecclésial pour lui-même et pour la communauté rassemblée autour de lui. Il prend aussi la décision – lourde pour son avenir ecclésial – de se marier. Le mariage est béni par le pasteur Wilfred Monod. Père Lev ne peut ignorer qu'au regard des règles de l'Église orthodoxe, ce mariage complique singulièrement un éventuel accueil. C'est vers 1931 que les relations des deux hommes deviennent plus intimes et plus fréquentes. Pour l'évêque de l'Église libre-catholique, Père

6. V. BOURNE, p. 225.

7. M. Alexis Van Bunnen est l'auteur d'une importante monographie consacrée à cette « Église » issue de la communauté rassemblée autour de Mgr Winnaert : *Une Église orthodoxe de rite occidental : l'Église catholique orthodoxe de France.* Mémoire présenté devant la faculté de philosophie de l'université catholique de Louvain, cet ouvrage n'est disponible que sous forme polycopiée.

Lev devient alors « le messager » évoqué dans *La Quête de vérité...*, par Vincent Bourne.

L'intérêt accru de Winnaert pour l'Église orthodoxe correspond à des circonstances précises et à des préoccupations personnelles : échec des pourparlers en vue d'une union avec d'autres Églises (celle des Frères tchèques, l'Église vieille-catholique), échec que l'apparition des premiers symptômes d'une maladie grave, à terme mortelle, rend plus angoissant. Mais il est certain que, sans le message apporté par le Père Lev Gillet, cette angoisse ne se serait pas cristallisée sur le désir d'être reçu dans la communion de l'Église orthodoxe : une Église dont Winnaert jusque-là, de son propre aveu, ignorait tout.

« Au "messager", le T. R. Père Lev Gillet », telle est la dédicace portée sur l'exemplaire de la biographie de son mari offert par Mme Winnaert à Père Lev. L'hommage est mérité. Pendant plusieurs années, à une époque décisive pour l'évêque de l'Église libre-catholique, Lev Gillet assume effectivement auprès de lui le rôle d'un messager de l'orthodoxie qu'il lui fait connaître. Mais il est aussi messager, auprès des évêques et des théologiens orthodoxes, de cet étrange évêque d'une bizarre communauté occidentale qui frappe à la porte de l'antique Église orthodoxe d'Orient.

Dans son premier rôle, il fournit à Winnaert l'information indispensable, apportant à ce malade, de plus en plus cloué à son lit, toute la littérature sur l'orthodoxie disponible à cette époque en langue française : les brochures ecclésiologiques de Khomiakov, les *Sermons* du métropolite Philarète de Moscou, des articles sur la spiritualité orthodoxe de Myrrha Lot-Borodine, sa propre *Introduction à la foi orthodoxe,* enfin – *last not least* – *L'Orthodoxie* du P. Boulgakov. Cet enseignement par les livres, au témoignage de Mme Winnaert, est complété par de nombreux entretiens. Incontestablement, Winnaert est sensible à la force de conviction qui émane de Père Lev. Sous son influence et celle de ses lectures, sa propre pensée théologique, à l'époque assez inconsistante (ce qui pourrait expliquer le dérapage théosophique) se raffermit. Dans l'orthodoxie telle que la lui fait découvrir son mentor, il trouve la plénitude de la foi catholique exprimée dans un langage clair et actuel, qui correspond à ses aspirations.

Vers 1932, Winnaert décide de changer l'appellation de l'entité ecclésiale dont il est le pasteur. D'« Église libre-catholique », elle devient « Église catholique évangélique ». Dans un important article de sa revue *Unité spirituelle*, il explique le sens de ce changement. L'article constitue une sorte de profession de foi. Dans le style comme dans le contenu, l'influence du P. Gillet est sensible. L'*Introduction à la foi orthodoxe* de ce dernier est citée comme référence. L'ecclésiologie est celle même de l'*Introduction à la foi orthodoxe* dont elle reprend les expressions.

Vers la même époque, Winnaert adresse une missive exploratoire au patriarche œcuménique de Constantinople en vue d'une éventuelle réception de sa communauté. La lettre envoyée par lui directement ne reçoit pas de réponse. L'idée cependant n'est pas abandonnée. Père Lev, de son côté, s'efforce d'intéresser son propre évêque, Mgr Euloge, au cas de l'Église catholique évangélique. Reprenant une thèse déjà exprimée quelques années plus tôt dans le bulletin *La Voie*, il lui suggère de prendre celle-ci provisoirement sous sa protection, en agissant au titre d'« évêque orthodoxe géographiquement le plus proche ».

Ouvert aux suggestions du prêtre français, mais prudent et hésitant, le métropolite charge ce dernier de rédiger un rapport circonstancié sur l'ensemble de l'affaire. Il sera soumis pour appréciation au conseil des professeurs de l'Institut Saint-Serge dont l'avis motivé devrait permettre aux évêques russes de prendre une décision. Le P. Lev Gillet se trouve ainsi officiellement chargé de rechercher une solution au problème posé par le cas insolite d'une demande collective de rattachement à l'Église orthodoxe formulée par une communauté occidentale. Sans se cacher la difficulté de sa tâche, il se met courageusement à l'ouvrage. Dans le courant du printemps 1934, son rapport est déposé à l'Institut Saint-Serge. Il se veut objectif. Mais sur le fond, c'est un plaidoyer chaleureux, habile et intelligent en faveur de la réception de l'évêque Winnaert et de sa communauté. Il est sous-tendu par une grande vision œcuménique.

Dans la première partie, sont évoquées succinctement l'histoire et la situation présente de ce groupe qui jouit de l'estime des autorités religieuses protestantes et anglicanes. L'orthodoxie de sa confession de foi est soulignée : « L'Église catholique évangélique professe la foi de l'ancienne Église indivise, telle qu'elle se trouve formulée dans le symbole de Nicée-Constantinople et dans les canons des sept conciles œcuméniques... Elle rejette les innovations que l'Église de Rome a introduites. Elle n'admet pas les prétentions de la papauté à une juridiction universelle. Elle considère que le *Filioque* a été irrégulièrement ajouté au symbole de foi et que le Père seul est principe de procession dans la Trinité.

« Contre certaines conceptions protestantes, elle maintient le principe de l'interprétation des Saintes Écritures par l'Église et non par les individus. Elle affirme également la valeur de la tradition des saints Pères comme fondement des croyances de l'Église. Elle condamne tout ce qu'il y a d'incompatible avec le christianisme dans l'occultisme moderne, la théosophie, l'anthroposophie. Professant une telle foi et s'efforçant d'en adapter l'expression à la pensée et aux besoins de l'Occident, l'Église catholique évangélique a conscience que rien ne la sépare de l'Orthodoxie orientale [8]. »

Ce texte dont chaque mot a dû être pesé et médité, suggère quelques remarques. Il est révélateur des positions

8. A. VAN BUNNEN, Annexes f. 31. Le texte de ce rapport est cité intégralement dans l'ouvrage de Vincent BOURNE, p. 234-237.

personnelles de Père Lev, telles qu'elles s'expriment aussi dans son *Introduction à la foi orthodoxe.*

Le symbole de Nicée-Constantinople constitue pour lui l'expression normative et suffisante de la foi de l'Église orthodoxe. L'addition du *Filioque* dans la sphère de l'Église latine est considérée comme « irrégulière », c'est-à-dire comme non conforme au principe d'unanimité réglant les relations entre les différentes Églises. Elle n'est cependant pas dénoncée comme une hérésie. L'individualisme d'un *certain* protestantisme est rejeté comme non conforme à l'esprit de l'orthodoxie. « La tradition des saints Pères » est reconnue « comme le fondement des croyances de l'Église ». Cependant une adaptation créative de la formulation de ces croyances « à la pensée et aux besoins de l'Occident » (sous-entendu « moderne ») est jugée compatible avec l'orthodoxie.

Le fait que, du point de vue de son rite, l'Église catholique évangélique se rattache à une tradition occidentale est présenté comme ne constituant pas un problème majeur. Dans le domaine du rite, le rapport estime suffisant le renforcement déjà réalisé de l'épiclèse comme « appel explicite de l'Esprit Saint pour bénir et consacrer les dons ». Avec la communion sous les deux espèces, ce « renforcement » marque le caractère orthodoxe de la célébration eucharistique telle qu'elle a lieu dans l'Église catholique évangélique. « *L'unité dans l'essentiel de la foi,* estime le rapport, *est compatible avec la diversité des rites*. »

Dans la seconde partie du texte sont exposées et discutées les difficultés propres au cas de Mgr Winnaert. Sa consécration épiscopale est-elle valide ? Son mariage constitue-t-il un obstacle insurmontable à sa réception au rang épiscopal dans l'Église orthodoxe ? Telles sont les questions posées aux théologiens de l'Institut Saint-Serge. Se situant assez curieusement dans la perspective du droit canon romain, le rapport recommande la reconnaissance de la *validité* formelle de l'épiscopat de Mgr Winnaert.

Quant au mariage de ce dernier, ce point, reconnaît Père Lev, soulève une grave difficulté en l'état actuel de la pratique de l'Église orthodoxe : celle-ci, en effet, ordonne au sacerdoce des hommes mariés mais n'admet pas le mariage de prêtres ordonnés. Par ailleurs elle ne consacre à l'épiscopat que des hommes non mariés. Mais la question se pose : cette pratique ne peut-elle présenter des exceptions ? L'application au cas de Mgr Winnaert du principe orthodoxe de l'« économie [9] » pourrait s'appuyer sur le témoignage du Nouveau Testament qui, non seulement admet, mais recommande que l'évêque soit un homme marié (1 Tm 3, 2). Ne pourrait-on admettre, en ce qui concerne l'usage actuel – « comme l'a déclaré, en 1931, une commission dogmatique anglicane-orthodoxe » –, qu'il s'agit d'« un usage ecclésiastique de caractère régional que, selon le patriarche Photius, chaque Église est libre d'admettre ou non ? »

En conclusion de l'examen du problème, le rapporteur propose, à titre de solution, deux hypothèses : soit la reconnaissance par les évêques russes – Mgr Euloge et ses vicaires – de la validité de la consécration épiscopale de Mgr Winnaert, soit la réordination « conditionnelle » de ce dernier et celle des prêtres ordonnés par lui. Quelle que soit la solution choisie, il serait désirable, ajoute-t-il, que, sous l'autorité du métropolite Euloge, agissant « non comme évêque russe mais comme exarque du patriarche œcuménique et comme évêque orthodoxe géographiquement plus proche », se constitue un « diocèse français qui serait l'embryon d'une future Église orthodoxe française ». Ce diocèse comprendrait les paroisses actuellement soumises à Mgr Winnaert auxquelles ultérieurement pourraient « se fédérer les paroisses françaises actuelles ». Le rapport se termine par un appel à oser prendre une décision : « La plus déplorable solution serait de n'en pas prendre, soit en ajournant l'examen du cas, soit en se déclarant incompétent à le trancher. » S'adressant à ses

9. Principe selon lequel une non-observation rigoureuse d'une règle ecclésiastique est légitime en vue d'un plus grand bien pour les personnes et pour l'Église.

collègues de l'Institut Saint-Serge, Lev Gillet les adjure de prendre conscience des conséquences importantes de l'avis qu'ils formuleront « tant par rapport à l'Orthodoxie en général que par rapport au travail orthodoxe en Occident et en France ».

Ce texte frappe par son audace qui étonne aujourd'hui, et par la vigueur du raisonnement. Il est révélateur de l'état d'esprit de Père Lev, à une époque où l'arrivée sur la scène du groupe Winnaert a ranimé en lui des espoirs déçus par l'échec partiel – dû aux divisions ecclésiastiques de l'émigration russe – de la paroisse orthodoxe française. Dans ce rapport soumis aux professeurs de l'Institut Saint-Serge, Lev Gillet se montre avocat intelligent, habile et persuasif de la cause de l'évêque Winnaert, mais surtout, au-delà de celle d'un individu, de la cause de l'orthodoxie occidentale. Ce plaidoyer passionné est l'œuvre d'un homme d'Église aux vues larges et prophétiques. La grande vision ecclésiale qui le sous-tend et l'inspire n'apparaît que furtivement dans l'exhortation qui clôt ce document officiel. Elle est exposée dans une lettre personnelle : *Vous me demandez mon opinion sur l'union de l'Église catholique évangélique à l'Église orthodoxe. Laissons de côté la personnalité de l'évêque, dont le rôle est fini et qui va peut-être mourir. Cette union me semble un fait important. Du point de vue numérique, c'est peu de chose. Il n'y a pas là, d'autre part, de valeurs intellectuelles et spirituelles extraordinaires. Mais cette union affirme le caractère universaliste de l'Orthodoxie. Elle brise les vieux moules nationaux et rituels. Elle affirme qu'il y a place, dans l'Église orthodoxe, pour une pensée occidentale franchement moderne et de tendance œcuménique (pensez, en assimilant ces communautés, l'Église orthodoxe va couvrir de son pavillon non seulement des éléments liturgiques romains, mais des chorals de Luther et des psaumes de Marot !)* [10].

Les vues exprimées ici éclairent le sens et l'« inten-

10. Lettre du 27 février 1937 à E.B.S.

tionnalité » véritables du plaidoyer de Père Lev. Certes, il est aussi inspiré par la sympathie fraternelle pour ce combattant blessé à mort qu'est devenu Louis Winnaert à la fin de sa vie, pour l'homme, comme lui-même, contraint par sa conscience à un « douloureux exode hors de l'Église de son baptême et de son ordination » où il continue pourtant de discerner « des trésors de beauté, de sagesse et de sainteté ». Mais au-delà d'une attitude de sympathie et de compassion, il y a le désir et l'espoir de désenclaver l'Église orthodoxe historique pour que se révèle sa véritable catholicité. En recevant en son sein un petit groupe – en soi insignifiant – de chrétiens occidentaux, en respectant leurs traditions liturgiques propres, l'Église orthodoxe ne témoignerait-elle pas de son universalité catholique ? Plénitude de la foi ecclésiale dans la diversité des expressions culturelles historiques, unité dans la liberté selon l'Esprit Saint qui accorde des dons spirituels différents aux personnes et aux églises locales. Intégration au trésor de l'Église des valeurs positives de la Réforme comme aussi de la modernité. Prise de conscience par l'Église orthodoxe de ce qu'elle est déjà virtuellement et qu'elle est appelée à devenir : la matrice d'une authentique catholicité évangélique. Tels sont, pour Lev Gillet, les véritables enjeux.

Fait remarquable : Père Lev parvient à communiquer une étincelle de son enthousiasme et de son audace aux théologiens russes à qui son plaidoyer est adressé. Portant la signature des P. N. Afanassieff et S. Boulgakov, du hiéromoine Cassien Bezobrasov, des Pr Kartachev et Zenkovsky, l'avis exprimé par le corps professoral de l'Institut se montre prudemment favorable à une solution positive. Voici la conclusion de ce document : « Les grands événements grandissent d'une manière imperceptible. Certes il est impossible de prévoir l'avenir de la communauté de Mgr Winnaert après sa réunion avec l'Église orthodoxe, mais il est aussi impossible d'exclure la possibilité que cette réunion pourrait être le commencement d'un mouvement nouveau, celui de l'Église orthodoxe occidentale. Ses possibilités historiques sont diverses, mais elles sont pour la plupart uniques et il ne faut pas négliger ce que nous offre l'histoire. L'Église orthodoxe occidentale ne serait-elle pas le premier pas vers la réunion de l'Occident et de l'Orient chrétien [11] ? »

Père Lev a gagné cette première bataille. Cependant malgré l'avis mesuré mais finalement favorable des théologiens consultés, le métropolite Euloge hésite. Certains de ses conseillers, tel le comte Kokovtseff, membre de son conseil diocésain, lui font remarquer qu'une décision prise sans accord explicite du patriarcat œcuménique pourrait mécontenter ce dernier dont dépend sa propre légitimité canonique. Celle-ci est suspendue, à la protection de Constantinople. Or, malgré une seconde missive de Mgr Winnaert, transmise cette fois-ci par Mgr Euloge en tant qu'exarque du patriarche œcuménique, Constantinople reste muet.

Pendant ce temps la santé de Mgr Winnaert s'altère de plus en plus. Au printemps 1935, il souffre d'une crise aiguë de néphrite qui laisse craindre une issue fatale. Dans un moment d'angoisse, il fait appeler Père Lev, le suppliant de se rendre à Constantinople pour tenter d'arracher une décision. La mission est difficile. Lev Gillet le sait. Mais il accepte de l'assumer. Une semaine plus tard le « messager » se met en route pour gagner Istanbul, *via* Venise, Belgrade et Sofia.

11. Vincent BOURNE, p. 236. Également Alexis VAN BUNNEN, p. 147.

CHAPITRE VI

L'ÉVÉNEMENT INEFFABLE

DU PHANAR AU LAC DE TIBÉRIADE

Au début de mai 1935, Lev Gillet s'embarque pour Istanbul. Avant de se mettre en route, il a pris soin de demander pour sa mission la bénédiction du métropolite Euloge. Ce dernier lui remet une lettre pour le patriarche, accréditant le moine français comme son émissaire auprès du Trône œcuménique en vue d'un règlement positif de l'« affaire Winnaert ». C'est donc chargé d'une mission officielle de l'exarque russe que Lev se lance dans l'aventure. Le 12 mai, au terme d'un long voyage en train, coupé de brefs arrêts à Venise – dont la beauté l'enchante – puis à Belgrade et Sofia – où, sur le quai de la gare, il a donné rendez-vous à des amis – le voyageur débarque à Constantinople. Il se rend immédiatement au Phanar où, selon l'expression d'une lettre qu'il adresse à Mgr Winnaert, il est « aimablement reçu ».

Gravement malade, le patriarche Photius II ne peut recevoir l'envoyé du métropolite Euloge. Mais il a chargé un membre du Saint-Synode, le métropolite Gennadios d'Héliopolis, d'examiner le problème de cette communauté française qui frappe à la porte de l'Église orthodoxe, et de s'en entretenir avec le P. Gillet. Gennadios que Lev Gillet a déjà rencontré à Paris se montre aimable mais évasif. Dans ses lettres adressées de Constantinople au couple Winnaert, l'émissaire décrit le hiérarque grec comme « consciencieux, plutôt bien disposé ». Il lui semble qu'au Phanar, on se montre « plus humain qu'on ne l'est à Rome [1] ». Mais il déchante très vite. Les pourparlers piétinent. Le métropolite Gennadios se montre assurément aimable. En fait, il est imperméable à la « grande vision » de Père Lev que celui-ci a réussi à faire partager à l'évêque russe et à ses collègues de l'Institut de théologie Saint-Serge. À Constantinople, il a le sentiment de se heurter à une incompréhension totale. Le dialogue avec ce phanariote distingué qu'est Gennadios se révèle être un dialogue de sourds. Pour le représentant du patriarcat œcuménique, tout se réduit aux problèmes canoniques épineux soulevés par cet évêque marié qui voudrait être accueilli, avec son troupeau, dans l'Église orthodoxe. Va encore pour le troupeau, quoique sans aucun enthousiasme ! Mais en ce qui concerne l'évêque, les difficultés paraissent insurmontables. Alors pourquoi s'obstiner ? Du point de vue de Constantinople, la réunion à l'Église orthodoxe d'un groupe de chrétiens occidentaux aux idées « modernes » (sinon « modernistes » !) ne présente aucun intérêt majeur. Peut-être même paraît-elle inopportune ? Négociateur habile et pugnace, Père Lev réussit pourtant à arracher à Gennadios, du moins à titre d'« hypothèse », l'esquisse d'un compromis. Les conditions sont dures mais elles lui paraissent acceptables au vu du bien qui en résulterait pour la communauté rassemblée autour de Winnaert et, au-delà, pour l'Église universelle [2]. Il communique aussitôt l'« hypothèse » envisagée à Mgr Winnaert : ce dernier ainsi que le groupe de prêtres et de fidèles dont il est le chef spirituel seraient reçus dans la communion de l'Église orthodoxe. D'abord exigée comme condition *sine qua non*, la dissolution du mariage de l'évêque n'est plus envisagée. La validité de son ordination sacerdotale est reconnue. En revanche, « les questions relatives

1. Lettre du 24 mars 1935 à Mgr Winnaert citée par Vincent Bourne, *La Quête de vérité d'Irénée Winnaert*, Genève, Labor et Fides, 1970.

2. Il pense que « si l'union s'effectue », l'intention du patriarcat œcuménique est de soustraire [sa] paroisse à la juridiction russe et de la fédérer avec le groupe Winnaert sous l'autorité de l'exarque grec – Voir *ibid.*, p. 255.

à son ordre épiscopal sont réservées provisoirement[3] ». Un provisoire, laisse entendre Lev Gillet, qui pourrait se prolonger indéfiniment. Dans la pratique, Mgr Winnaert se trouverait en quelque sorte « interdit ». Il devrait s'abstenir provisoirement de l'exercice des fonctions propres à l'ordre sacerdotal comme à l'ordre épiscopal. Père Lev sait que les conditions mises par Constantinople à la réception du petit troupeau rassemblé autour de l'évêque de l'Église catholique évangélique seront ressenties douloureusement par ce dernier. Mais conscient de ne pouvoir obtenir davantage, il conseille à son ami de prendre le temps de réfléchir avant de prendre une décision. Lui-même, durant l'intervalle, se rendra à Damas auprès du patriarche d'Antioche qui, espère-t-il, pourrait se montrer plus compréhensif que le métropolite Gennadios.

À Damas, Père Lev sait qu'il trouvera un allié en la personne du secrétaire privé du patriarche. Ce secrétaire n'est autre que Vsevolode de Voght, l'ancien animateur du Studio franco-russe. Avec Nadejda Gorodetzky et Marcel Péguy, il faisait partie du trio de chercheurs de Dieu qui fréquentait assidûment, il y a quelques années, la paroisse française de Père Lev. Sous l'influence de ce dernier, Vsevolode a connu une véritable conversion se traduisant par un changement de vie radical. Parti en pèlerinage à Jérusalem, il y a embrassé la vie monastique. Devenu « moine Gabriel » et installé à Damas, il sert de secrétaire au patriarche orthodoxe d'Antioche. Resté très proche de Père Lev, il propose d'user de son influence pour intéresser le patriarche au sort de la communauté de Mgr Winnaert.

Effectivement, au cours d'un premier entretien, le patriarche se montre bien disposé. L'application du principe d'économie au règlement de cette affaire insolite lui paraît envisageable. Mais quelques jours plus tard, il se ravise, déclarant ne pouvoir empiéter sur un domaine

3. *Ibid.*, p. 253.

réservé au patriarcat œcuménique. Père Lev est accablé. *« Que tout cela est ennuyeux et étranger à l'Évangile »*, s'exclame-t-il dans une lettre à ses amis. Vaines, mesquines, lui paraissent soudain ces négociations avec des hiérarques moins animés de mauvaise volonté que prisonniers de structures sclérosées et d'un « provincialisme » ecclésiastique qui les ferme à sa propre vision universaliste.

Ramassant toutes ses énergies, il décide de se rendre à Jérusalem pour une ultime démarche. L'Église mère de toutes les églises chrétiennes saura-t-elle entendre son plaidoyer ? Un plaidoyer qui lui paraît ressembler à celui, à l'aube de l'Église, de l'apôtre Paul, dans la même ville, pour les chrétiens issus du paganisme. Mais comme les précédentes, cette dernière tentative, se révèle vaine. À Jérusalem, comme à Damas et Constantinople, on prodigue à Père Lev des paroles aimables. Cependant les réponses à ses questions restent évasives. Comme celui d'Antioche, le patriarche de Jérusalem hésite à se compromettre. Ainsi le rêve s'écroule. L'Église d'Orient vers laquelle Lev Gillet est allé en croyant discerner en elle la matrice, après des siècles de divisions stériles, de l'unité catholique restaurée, cette Église qu'il a passionnément désiré servir reste désespérément sourde aux appels des pèlerins qui, venus de l'Occident moderne, frappent humblement à sa porte. Incapable de déchiffrer les signes du temps, elle lui paraît incapable de saisir le *kairos*, la grâce offerte par Dieu dans l'instant favorable. « L'Église d'Orient ne serait-elle plus qu'une façade qui ne recouvre plus rien et derrière laquelle on ne trouve que des chantiers de décombres ? » Crûment posée par Gabriel-Vsevolode Voght cette question hante aussi Père Lev.

En proie à une crise intérieure profonde, au doute et au désespoir, fuyant Jérusalem, la cruelle, la ville « qui tue les prophètes », il se rend en Galilée. Dans la solitude et le silence, il espère trouver l'apaisement. Sans doute, se rappelle-t-il – comme il le répétera souvent plus tard – que la Galilée, terre de la première rencontre des disciples avec Jésus, est aussi le lieu où le Ressuscité les appelle à une nouvelle rencontre avec lui, après le drame de la Passion.

C'est ici en Galilée, au bord du lac de Tibériade, dans la blancheur éblouissante du soleil au zénith, que survient l'événement ineffable : le désorientant totalement, en même temps l'orientant de façon décisive, cette « catastrophe bénie » va le marquer pour le reste de sa vie.

Que se passe-t-il ? Seulement plusieurs mois plus tard, de retour à Paris, après une longue absence, Père Lev essaye de le dire dans une lettre à son amie. S'excusant de son silence dû à des voyages au Proche-Orient, puis en Grande-Bretagne, il écrit : *Il y a un point central : la Palestine. Dans la Judée rougeâtre et cruelle, et dans Jérusalem – ville de la Pentecôte, ville de l'Esprit-Saint plutôt que du Christ – je me suis senti étranger, je n'ai été vraiment ému qu'en visitant les fouilles sous l'Antonina, où, depuis deux ans, on a mis à jour ce qui semble bien être la* via dolorosa *primitive, avec les dalles romaines striées pour empêcher les chevaux de glisser, et ce bouleversant corps-de-garde sur le pavé duquel des soldats romains ont grossièrement tracé les carreaux du jeu du « roi des saturnales », lequel a été peut-être l'occasion du manteau et de la couronne donnés à Jésus... Mais la Galilée ! Je ne peux pas y penser sans être brisé d'émotion. C'est là que j'étais* attendu. *Je n'essaierai pas de vous dire quelle « expérience » (je déteste ce mot !) spirituelle j'ai eu à Tibériade, au bord du lac. C'est le point culminant de ma vie. Oh, ce lac ! Les larmes me viennent aux yeux dès que je tente intérieurement de le revoir. Il n'y a plus d'autre lieu sur terre qui, en tant que lieu, ait pour moi un intérêt quelconque. Je sais que je* dois *y retourner. Je dois être fidèle à ce rendez-vous qui m'a été* impérieusement *donné. C'est alors dans le silence que je recevrai des indications définitives sur ce que je dois faire. Quand irai-je ? Je ne sais pas. Peut-être devrai-je me fixer là-bas pour toujours. Ce qui est certain, c'est que depuis, je suis à Paris un étranger et un pèlerin désolé. J'attends quelque chose qui doit venir, une parole qui sera peut-être bientôt prononcée. J'accomplis mécaniquement ce que je dois faire, mais tout en moi est « aride et sans eau », brûlé par ce foyer ardent : le 30 mai 1935 – Tibériade – où j'ai jeté mon être... J'ai besoin d'un absolu que je touche, sans hélas ! l'étreindre* [4].

Trente-cinq ans plus tard, se sentant proche du terme de sa vie, Lev Gillet reviendra sur cet événement central. Interrogé par un chercheur en « sciences religieuses » sur les moments de sa vie où il a eu la « sensation » et la « conviction » d'être en contact avec une réalité transcendante, il évoque l'événement du lac de Tibériade : « Il m'est arrivé d'avoir dans ma vie personnelle intime un sentiment de présence, d'une présence suprapersonnelle qui m'était donnée. Ce sentiment a persisté d'une façon extrêmement intense pendant une heure entière. La présence était avec moi, me remplissait, me faisait pleurer sans aucune raison. J'étais totalement subjugué par elle. Cela s'est passé sur les rives de la mer de Galilée... Je n'ai vu personne. La présence n'avait aucune forme, aucune figure, aucune configuration. Dans mon esprit, elle était associée à la personne de Jésus. Peut-être parce que cela m'est arrivé sur les rives du lac de Galilée, à cause des souvenirs associés à ce lac dans les Évangiles. Mais c'était si puissant que soudain je voyais la vanité des intentions dans lesquelles je m'étais rendu à Jérusalem. Ce que j'avais vu, ce que j'avais senti, dépassait tout ce que j'avais pu faire à Jérusalem. Je devais immédiatement rentrer en Europe et rien de plus [5] ! »

Séparés par un long intervalle de temps, énoncés dans des contextes totalement différents, ces deux témoignages sont pour l'essentiel identiques.

Dans sa lettre de l'automne 1935, Lev Gillet fait part à une amie, chrétienne comme lui, d'une émotion dont

4. Lettre du 9 novembre 1935 à E.B.S.

5. Edward ROBINSON, *This Time-Bound Ladder* (The Religious Experience Resarch Unit) Manchester College, Oxford, 1977, p. 32-33.

les vagues continuent à le submerger. Il y est moins question de l'« événement » lui-même que de ses prolongements dans le présent : conscience d'une rupture totale, nostalgie d'un « ailleurs » dont la Galilée – lieu d'une communion à la fois sensible et totalement ineffable à une réalité transcendante – est le symbole. Le Christ n'est pas nommé. Mais tout le contexte indique que c'est la sensation bouleversante de sa présence qui, dans une sorte de douloureuse joie arrache des larmes. Ce sentiment de « présence » est analysé dans l'interview accordée par Lev Gillet au savant oxfordien. L'interviewé s'efforce visiblement de parler de son « expérience » – terme qu'il déteste pourtant – avec une précision et un souci d'objectivité scientifiques.

Dans les deux récits, l'accent est mis sur le bouleversement total qui résulte de cette irruption d'une réalité transcendante : un bouleversement qui s'exprime par des larmes incoercibles et incompréhensibles. Les deux témoignages évoquent aussi le caractère impérieux de l'appel reçu. Un ordre irrécusable quoique ineffable émane de la « présence ». Comme Saul sur le chemin de Damas, Lev Gillet s'est senti « subjugué » par une force lumineuse qui envahit tout son être, qui le remplit et qui, en même temps, le dépasse infiniment. Il se sent soudain devenu étranger au dessein qui l'a amené à Constantinople, puis, à Jérusalem, appelé ailleurs.

Quand l'événement de Tibériade a lieu, il se trouve dans la quarante-troisième année de sa vie, exactement au milieu de sa vie terrestre. Pour lui, comme pour Mesa du *Partage de midi* de Claudel, « l'heure est venue de la proposition centrale qui ne saurait plus être éludée ». Mais le sens de cette proposition reste encore obscur. Comme dans un tunnel, il avance dans les ténèbres vers la lumière entrevue au lac de Tibériade et vers cette voix d'une douceur si déchirante qui ne cesse de l'appeler.

Avec les paroles d'un poème de Newman qu'il aime

et qu'il connaît par cœur, il prie et confie cette prière à son amie [6] :

Lead, kindly light, amidst the encircling gloom,
Lead thou me on ;
The night is dark and I am far from home
Lead thou me on
Keep thou my feet ; I do not ask to see
the distant scene ; one step enough for me.

ÉPILOGUE DE L'AFFAIRE WINNAERT

Obéissant à l'injonction mystérieuse reçue en Galilée, Lev Gillet rentre en France sans tarder davantage. Revenu à Paris, il repart, presque aussitôt, pour l'Angleterre. Il s'en explique auprès de Mgr Winnaert : « Je suis parti d'une manière inattendue pour l'Angleterre. J'étais très déprimé au sujet de notre affaire et ce dégoût a été l'une des causes qui m'ont précipité en Angleterre où j'ai le sentiment de vacances morales [7]. »

Cette première escapade anglaise sera brève. Mais au cours de l'été, Lev Gillet fait une longue retraite auprès d'un « ermite anglican ». Le lieu est idéal : un « cottage entouré de rosiers », en pleine campagne anglaise « loin de toute ville et même de toute route dans un silence et une solitude complets ».

Ces aspirations anachorétiques n'empêchent cependant pas Père Lev de donner des prédications dans diverses villes anglaises, notamment à Oxford et à Guilford, à l'invitation d'ecclésiastiques anglicans. C'est l'époque où se manifeste au sein de l'anglicanisme un fort courant de sympathie pour l'Église orthodoxe et l'espoir d'avancer vers la communion complète des deux Églises.

---

6. Lettre non datée à E.B.S.
7. Lettre de juin 1935 à Mgr Winnaert (citée dans V. BOURNE, p. 257).

En septembre, Père Lev se rend à Genève pour parler à un meeting international des Groupes d'Oxford. Il y rencontre C. E. Andrews qui fut l'ami du mahatma Gandhi et de Sahdu Sundar Singh. L'homme produit sur lui une profonde impression. Ces va-et-vient ne l'empêchent pas de se préoccuper d'une solution positive de l'affaire Winnaert. Tout en ayant la conviction d'être appelé personnellement à s'en détacher, il considère de son devoir de participer à la recherche d'une issue favorable et pour les personnes et pour l'Église.

Mgr Winnaert ne paraît guère disposé à accepter les conditions mises par Constantinople à sa réception. « Les subtilités du Père Gillet » agacent ce Flamand tout d'une pièce et très attaché à sa fonction épiscopale. De sa retraite anglaise, Père Lev lui adresse une lettre caractéristique de sa propre attitude intérieure mais où s'exprime aussi la vision ecclésiale à laquelle il reste fidèle, tout en renonçant à toute ambition personnelle en rapport avec sa réalisation.

Il est clair qu'un sacrifice très douloureux est demandé à Mgr W. Je pense que Mgr W. n'a pas d'objection contre ce sacrifice du fait qu'il est un sacrifice ; je pense au contraire que ce sacrifice, parce que sacrifice, présente, sur le plan spirituel, un attrait auquel Mgr W. n'est certainement pas insensible – l'attrait que dégage toujours la ligne du sacrifice. L'objection de Mgr W. en ce qui concerne sa propre personne provient d'un très respectable scrupule de conscience que je crois pouvoir formuler ainsi : Mgr W., s'il acceptait les propositions faites, aurait l'impression de trahir le ministère auquel il s'est senti appelé. Cette objection appelle, me semble-t-il, quelques remarques. En premier lieu, y aurait-il là vraiment infidélité à l'appel divin ? Une telle infidélité me paraît exister lorsqu'il y a désertion unilatérale du ministère, et pour des motifs inférieurs. Par contre, suspendre l'exercice extérieur d'un ministère en plein accord avec ceux qui peuvent vous y déléguer et en vue d'un bien que l'on s'est persuadé être certain ne constitue pas, à mon avis, un péché contre une vocation.

La question doit ensuite être posée par rapport aux communautés dépendant de Mgr. W. Si ces communautés ne s'agrègent pas à une des grandes Églises historiques, elles ne survivront pas à Mgr W. ; elles seront destinées à finir ; l'œuvre spirituelle accomplie aura pu être profonde relativement aux âmes individuelles, mais en ce qui concerne la construction collective, l'effort de Mgr. W. aura abouti à un échec. L'agrégation à la plus ancienne des Églises chrétiennes couronnerait au contraire l'œuvre de Mgr W., au prix, il est vrai, d'un grand sacrifice ; mais le bien procuré ne compenserait-il pas, d'une certaine manière, la renonciation demandée ?

La question doit être posée enfin par rapport à l'Église universelle. Et peut-être même Mgr W. pensera-t-il, avec moi, que la question se pose surtout par rapport à la totalité de l'Église, plus encore que par rapport aux communautés catholiques-évangéliques. Or, du point de vue œcuménique, que signifierait l'union des communautés catholiques-évangéliques à l'Église Orthodoxe ? Elle signifierait que la tradition la plus ancienne accueille une pensée religieuse très moderne. Ce serait un pont jeté entre les vieilles Églises apostoliques et les nouveaux efforts religieux d'Europe. Ce serait un humble, mais grand commencement. L'occasion qui se présente en ce moment est unique. On ne peut la saisir que moyennant certains sacrifices. Mais, si on la saisit, une porte devient ouverte. De grandes possibilités œcuméniques dépendent de la décision que prendront les communautés catholiques-évangéliques. Que l'Esprit divin les inspire [8] ! »

Écrite à un moment où Lev Gillet lui-même attend dans l'obscurité le « signe » qui décidera de l'orientation future de sa vie, cette lettre frappe par sa clarté et la fermeté des conseils qui y sont donnés. Adressée à un aîné chargé d'une responsabilité épiscopale, la forme est respectueuse. Il s'agit pourtant d'une admonition fraternelle très ferme et d'un rude appel au sacrifice. Les faux-fuyants derrière lesquels le refus de ce dernier pourrait s'abriter sont écartés. Il va de soi pour l'auteur qu'un chrétien doit être persuadé de la fécondité mystique du don de soi radical. La lettre est aussi caractéristique

8. Cité dans V. BOURNE, p. 258-259.

et des dispositions intérieures de Lev Gillet lui-même et de la ligne ensemble rigoureuse, exigeante et pleine de compassion selon laquelle s'est exercé constamment son ministère de direction spirituelle. Le problème est envisagé du point de vue de la destinée personnelle de Mgr Winnaert, en même temps, il est situé dans une perspective ecclésiale œcuménique. Le contenu de la lettre montre que Lev Gillet reste toujours attaché à la vision, pour lui inscrite dans les signes du temps, d'une rencontre entre l'Orient chrétien, héritier de l'Église indivise et l'Occident moderne en quête de ressourcement spirituel : une rencontre dont l'accueil dans l'Église orthodoxe d'un groupe de chercheurs de Dieu occidentaux pourrait être le signe prophétique. Manifestement, le grand dessein qui, sous une forme très modeste, vise l'avènement d'une « orthodoxie occidentale » n'est pas désavoué. D'autres que lui sont appelés à le réaliser. Il se tient à leurs côtés. Il est prêt à les soutenir et à les aider. Mais à lui personnellement, un ordre transcendant et impérieux enjoint de s'en détacher : sans y devenir étranger, n'en plus rien espérer pour lui-même. L'Absolu dont il s'est senti « touché sans pouvoir l'étreindre » l'appelle à une autre rencontre encore mystérieuse. Détaché, il reste cependant attaché.

Dans l'immédiat, ces conseils prodigués à l'évêque Winnaert ne semblent guère porter de fruit. Du reste, l'attitude du patriarcat œcuménique n'est pas encourageante. D'atermoiement en atermoiement, les conditions posées par Constantinople à la réception du petit troupeau de Mgr Winnaert se font plus exigeantes. Tout se passe comme si les hiérarques grecs cherchaient à décourager des quémandeurs importuns. Le dernier coup est porté dans une lettre adressée en novembre 1936 à Mgr Winnaert par le métropolite Germanos de Thyatire, exarque du patriarche œcuménique en Europe occidentale. Annulant toutes les concessions arrachées par Père Lev lors de son voyage à Constantinople, elle stipule sèchement que Winnaert ne pourra être reçu dans l'Église orthodoxe que comme simple laïc ; son clergé devra être réordonné ; les laïcs, après signature par chacun d'une confession de foi, recevraient le sacrement de confirmation ; le seul rite autorisé serait celui de saint Jean Chrysostome. Ce dernier point est le plus douloureux pour la communauté car l'idée même d'une « orthodoxie occidentale » organiquement intégrée à l'Église orthodoxe universelle paraît ici écartée.

Renseigné grâce à des relations personnelles, Père Lev a prévu cette évolution négative. Dès le printemps 1936, il conseille à Mgr Winnaert dont l'état de santé ne cesse de se dégrader de s'adresser au patriarcat de Moscou, seul en mesure – malgré son affaiblissement actuel – de tenir une ligne différente de celle du patriarcat de Constantinople. « Peut-être l'Église des îles Solovki, l'Église des martyrs, comprendra-t-elle ? » suggère-t-il.

Malgré la séparation juridictionnelle, Père Lev a gardé des relations amicales avec plusieurs des jeunes Russes qui œuvrent au sein de la confrérie Saint-Photius. Il rencontre régulièrement Evgraf Kovalevsky et aime s'asseoir à la table familiale du jeune couple, Madeleine et Vladimir Lossky. En ce dernier, il salue, avec une clairvoyante sympathie, le futur théologien d'une nouvelle génération orthodoxe franco-russe. Mis au courant par Père Lev qui sert d'intermédiaire, Lossky, dès mars 1936, adresse un dossier sur l'affaire Winnaert aux instances responsables du patriarcat de Moscou. Il comprend toute la documentation présentée à Constantinople par le P. Lev Gillet, et il est accompagné d'un rapport d'Evgraf Kovalevsky qui s'inspire visiblement des arguments du rapport soumis en 1934 aux professeurs de l'Institut Saint-Serge.

Pour des raisons qu'il serait intéressant un jour d'élucider, le patriarcat de Moscou, à la différence de celui de Constantinople, se laisse convaincre. Dès juin 1936, le métropolite Serge de Moscou adresse au métropolite Éleuthère de Vilno et de Lituanie un mémoire exposant les conditions dans lesquelles Mgr Winnaert et sa communauté pourraient être unis à l'Église orthodoxe russe. Winnaert, dont les jours sont comptés, les accepte. Les événements alors se précipitent. Le 1er décembre 1936, déjà moribond, il est reçu dans l'Église orthodoxe russe par chrismation. Quelques jours plus tard – son épouse ayant généreusement accepté la séparation – il revêt l'habit monastique. Devenu « archimandrite Irénée », il rassemble ses dernières forces pour accueillir lui-même ses ouailles dans le bercail de l'Église. Il meurt en paix le 4 mars 1937. Dans son testament Winnaert exprime le souhait que son successeur désigné – l'aîné de ses collaborateurs, le P. Chambault – puisse dans l'avenir s'appuyer sur Evgraf Kovalevsky et, ajoute-t-il, « plus tard, sur le Père Lev Gillet ». Mais ce dernier qui a suivi de près les événements, qui les a inspirés et, en partie, guidés, n'aspire plus qu'à se retirer. Il se sait, il se croit appelé vers un mystérieux ailleurs.

Dans les coulisses, grâce à ses relations avec des représentants du patriarcat de Moscou, il pousse à l'ordination sacerdotale d'Evgraf Kovalevsky en qui il croit discerner la stature d'un homme d'Église et d'un leader spirituel : *L'avenir de l'orthodoxie occidentale,* écrit-il à son amie, *est entre les mains d'Evgraf. Elle sera ce qu'Evgraf en fera. Et peut-être, Dieu a-t-il réservé Evgraf pour cette heure* [9] ?

Par la suite, jusqu'à sa mort, Père Lev, tout en se tenant à distance, ne cessera de s'intéresser au sort de la communauté orthodoxe occidentale issue de l'héritage de Mgr Winnaert. Avec une intense sympathie, mais aussi, souvent, avec inquiétude et tristesse, il suivra l'itinéraire tourmenté de celui qui reste pour lui « le jeune homme » rencontré un jour dans une rue de Paris et immédiatement aimé : Evgraf, appelé tendrement du diminutif « Grafchik » : le futur évêque Jean de Saint-Denis.

9. Lettre à E.B.S. du 27 février 1937.

EN L'ATTENTE DU SIGNE

À partir d'octobre 1935, Père Lev a repris à Paris ses occupations habituelles. Il assume de nouveau son double ministère de prêtre de paroisse et d'aumônier des prisons, dirige un cercle d'études à l'ACER et assure un enseignement de français à l'Institut Saint-Serge. Là quelques changements interviennent. Il décide de remplacer ses cours magistraux collectifs par des entretiens personnels – des « partages » – avec chaque étudiant : une « extravagance » qui, reconnaît-il, dévore une grande partie de son temps.

Sous ces apparences calmes, couve pourtant la crise spirituelle déclenchée par l'événement du lac de Tibériade. Lev Gillet en fait l'aveu dans les lettres adressées à ses amis. *Je dois vous avouer que je suis dans un état de crise et de déséquilibre*. Et quelques semaines plus tard aux mêmes : *L'étrange état spirituel où j'étais et dont je vous ai parlé subsiste... Je voudrais quitter Paris. La Galilée et Jérusalem sont pour moi une obsession. Je veux y retourner le plus tôt possible ; le seul souvenir du lac et du chemin qui, à travers le Cédron monte vers Gethsémani me bouleverse* [10].

L'échec de sa mission auprès des patriarches orientaux n'est certainement pas étrangère à la nouvelle crise traversée par Lev Gillet. Une nouvelle fois, comme en 1931, il prend conscience du hiatus entre la vision idéale et la réalité empirique de l'Église orthodoxe. À l'égard de ceux dont l'incompréhension, sur le moment, l'a blessé il ne paraît garder aucune rancune, aucun sentiment d'amertume. On ne trouve dans sa correspondance aucune allusion critique à l'attitude des représentants du patriarcat œcuménique dans l'affaire Winnaert. En la « pré-

10. Lettre à E.B.S. du 24 février 1936.

sence » bouleversante ressentie au bord du lac, toute amertume personnelle s'est dissipée. Pendant une heure cette présence l'a comblé. Il lui en reste une immense nostalgie. En Terre sainte, selon son expression, il « a touché l'absolu sans réussir à l'étreindre ». C'est à cette étreinte, à cette communion totale qu'il aspire, tout en se sachant totalement indigne de cette grâce. Il est tout entier attente et nostalgie d'un absolu dont la Galilée et Jérusalem sont devenues pour lui les symboles.

Persuadé que le Seigneur peut l'appeler à tout moment, qu'il lui faut être prêt et disponible à ce nouvel appel, Lev Gillet s'applique discrètement, méthodiquement, cruellement (aux yeux de ceux qui ont le sentiment d'un abandon) à desserrer l'un après l'autre, puis à couper les liens qui, sous une forme institutionnelle, l'attachent au milieu parisien et qui pourraient l'y retenir.

Dans le courant de 1936, il prie le métropolite Euloge – avec lequel ses relations restent excellentes – de le décharger, vu ses nombreuses absences, de ses responsabilités de recteur de la paroisse orthodoxe française. L'évêque accède à sa requête. C'est dorénavant le P. Jouanny qui assume officiellement la charge de recteur. Père Lev s'explique au sujet de cet « abandon » où certains voient une infidélité : *Je n'ai pas abandonné la paroisse française. J'y assume les services du dimanche car le recteur est occupé par une sorte de mission franco-roumaine à Issy-les-Moulineaux.* Mais il ajoute l'aveu : *Je travaille à préparer mon évasion* [11].

Dans la pratique, la nouvelle situation entraîne quelques tensions qui ne peuvent qu'accroître chez Père Lev la conviction qu'il est temps pour lui de s'éloigner. Sous l'impulsion du P. Jouanny qui dispose d'une certaine fortune personnelle, la communauté française s'apprête à acquérir un garage destiné à être transformé en lieu de culte. Jusqu'ici, comme on l'a vu, elle s'est contentée d'un local de fortune prêté par la paroisse luthérienne

11. Lettre à E.B.S. du 27 février 1937.

de la Sainte-Trinité. Mais le nouveau recteur aspire à célébrer dans une vraie chapelle conforme au modèle byzantin et russe « avec icônes, iconostase et chandeliers ». Père Lev reconnaît la légitimité de ce désir partagé par les paroissiens. Mais, pèlerin de l'absolu, il est réticent à toute installation. Et de soupirer mi-comiquement, mi-mélancoliquement : *Tout cela sera aménagé dans un mauvais goût affreux. Je ne suis plus qu'une ombre impuissante* [12].

Vers la même époque apparaît dans le milieu paroissial un jeune prêtre orthodoxe, de culture à la fois russe et française, désireux de seconder le P. Jouanny : le P. Valentin de Bachst. L'arrivée de ce nouveau prêtre bien formé, talentueux et dévoué laisse augurer que l'avenir de la cellule ecclésiale orthodoxe française est assuré. Père Lev peut avoir le sentiment que son éloignement progressif ne risque pas de désorganiser l'œuvre modestement commencée par lui. Elle sera poursuivie, espère-t-il, par d'autres. Lui-même attend le « signe » qui révélera la volonté de Dieu à son égard.

---

12. Lettre du 24 février 1936. Dans la même lettre, Lev Gillet évoque la condamnation de la sophiologie boulgakovienne à la fois par le patriarcat de Moscou et par le Synode Karlovtsi ainsi que les « orages » soulevés par cette condamnation. Il en souffre visiblement et aspire à fuir l'atmosphère lourde et orageuse des milieux ecclésiastiques russes parisiens.

CHAPITRE VII

L'AMI DE MÈRE MARIE

À partir de l'automne 1935, Père Lev qui a repris ses activités parisiennes, indique sur ses lettres comme domicile de l'expéditeur « 77, rue de Lourmel Paris 15e ». C'est l'adresse de la « maison de Mère Marie » : un lieu échappant à toute définition, ensemble monastère, « soupe populaire » et centre d'activités sociales et culturelles. L'amitié qui le lie à cette moniale russe hors du commun [1] date de l'époque où il fut reçu dans la communion de l'Église orthodoxe.

Le P. Lev Gillet et celle qui se nomme alors encore Elisaveta Skobtsova se sont rencontrés au camp-conférence des étudiants chrétiens russes, à Clermont-en-Argonne, en juin 1929 : une conférence qui reste pour tous les participants un événement inoubliable. À la liturgie célébrée en la fête des apôtres Pierre et Paul, le moine français a prononcé l'homélie. Ses paroles produisent une impression profonde sur l'assistance. À la fin de l'office, il y a un moment d'hésitation. C'est alors qu'Elisaveta, la première, s'avance vers le prêtre nouveau pour baiser la croix et recevoir sa bénédiction, selon la coutume orthodoxe. Son geste a rompu la glace. Tous les jeunes présents suivent son exemple. Lev Gillet, jusque-là un peu anxieux, se sent accueilli et reconnu

1. Sur Mère Marie Skobtsova, voir S. HACKEL, *One of Great Price,* Londres, 1965 (rééd.) ; voir également É. BEHR-SIGEL, « Mère Marie Skobtsov », *Messager orthodoxe,* n° 111, 1989-2. Voir aussi *Contacts,* n° 51, 1965/3, consacré à Mère Marie.

dans son ministère par les jeunes Russes vers lesquels il va avec tant d'espoir et d'amour.

L'épisode marque le début d'une amitié. Par la suite, la jeune femme et le prêtre français, tout en suivant des voies différentes, ne se perdent pas de vue. Elisaveta sillonne la France comme secrétaire itinérante de l'ACER. Les activités de ce mouvement de jeunesse auxquelles Père Lev est associé, fournissent des occasions de rencontre. Ils ont aussi de nombreux amis communs, tels les écrivains Nicolas Berdiaev, Georges Fedotov, Constantin Motchoulsky, Ilya Foundaminsky-Bounakov. Père Lev est au courant de l'évolution intérieure et des projets d'Elisaveta qui, parfois, se confie à lui.

Pendant le grand carême pascal de l'année 1932, en la fête de sainte Marie l'Égyptienne, le métropolite Euloge reçoit, en l'église de l'Institut de théologie Saint-Serge, la profession monastique d'Elisaveta. La confiant à l'intercession de la grande pénitente, il impose à la nouvelle moniale le nom de sainte « Marie l'Égyptienne ». Cette profession monastique n'est pas sans soulever des questions et susciter des critiques : le métropolite n'a-t-il pas eu tort de recevoir dans le monachisme cette ancienne socialiste révolutionnaire ? Comment pouvait-il revêtir de l'« habit angélique » une femme divorcée et qui a eu deux maris ? Celle dont on dit qu'elle fut l'amie de Léon Trotski ne reste-t-elle pas une représentante typique de cette *intelligentsia* progressiste accusée d'avoir frayé la voie à la Révolution bolchevique ? Voilà ce qu'on murmure dans certains milieux.

De fait, l'itinéraire de Mère Marie fut tourmenté et sa profession monastique apparaît comme l'aboutissement d'une « conversion » qui connut plusieurs étapes : épreuve de la tourmente révolutionnaire et de l'exil qui ramène la jeune femme – comme beaucoup d'autres – à l'Église dont elle s'était intérieurement séparée dans son adolescence ; épreuve et choc de la mort d'un de ses enfants, la petite Anastasie. Cette catastrophe est vécue par la mère comme une mystérieuse « visitation ». Au fond de l'abîme de douleur, elle trouve le Dieu vivant. Seul l'amour compatissant peut guérir du sentiment de l'absurdité de la vie et donner à celle-ci un sens. « Consoler la douleur du monde », tel est l'appel entendu près du lit de son enfant mort. Suivent des années de lente maturation intérieure. Elisaveta se met au service des plus misérables parmi ses compatriotes, des naufragés de l'existence. C'est en ce temps d'attente qu'elle se sent écoutée, comprise et accompagnée par le moine français revu de loin en loin. Ils ont en commun le non-conformisme, le radicalisme évangélique, le refus de tout embourgeoisement spirituel, le désir d'aller vers les « pauvres et offensés » auprès desquels se trouve le Christ.

Cette proximité n'exclut pas les désaccords. Quand Elisaveta confie à Père Lev son intention de revêtir l'habit monastique, il cherche à l'en dissuader. Non sans raison, il craint que sa vocation spécifique ne puisse se réaliser dans le cadre traditionnel du monachisme féminin orthodoxe. Son avis est partagé, comme il le rappellera plus tard, par un autre ami d'Elisaveta, le philosophe Nicolas Berdiaev. Ses conseils ne sont pas suivis. Respectant une décision prise en conscience, Lev Gillet soutient l'expérience tentée par Mère Marie : celle d'une vie monastique créativement renouvelée en ses formes extérieures afin de répondre aux besoins de l'heure présente, d'un monachisme « ouvert au monde », au sens d'ouverture aux souffrances et aux recherches des hommes et des femmes qui vivent dans le monde.

En 1934, Mère Marie qui est pauvre mais qui, comme l'apôtre Pierre, se sent appelée à marcher sur les eaux, parvient, grâce à des dons d'amis anglicans, à acquérir un immeuble délabré dans le 15e arrondissement de Paris. Dans ce quartier les Russes émigrés sont particulièrement nombreux. Avec Mère Eudoxie, une autre moniale venue de Russie qui se joint à elle, elle y organise (mais le terme « organiser » convient-il ?) une vie communautaire originale. Au 77, rue de Lourmel, on accueille des chômeurs – ils sont nombreux parmi les émigrés en cette période de grave crise économique –, d'anciens délinquants « apatrides » qui, après avoir purgé leur peine, risquent d'être expulsés de France, des malades mentaux russes (ou considérés comme tels) peu dangereux mais qui, n'ayant pas de famille, végètent dans les hôpitaux psychiatriques. On y reçoit aussi des femmes et des jeunes filles qui tentent d'échapper à la prostitution à laquelle les expose l'absence de ressources.

Accueillante pour toutes ces épaves, la maison de la rue de Lourmel l'est également aux penseurs et aux artistes, à toutes sortes de chercheurs de Dieu. Elle abrite les réunions de la société de philosophie religieuse fondée par Berdiaev. On y croise souvent Georges Fedotov et Ilya Bounakov, l'un chrétien orthodoxe fervent, l'autre israélite et socialiste. Ensemble, ils animent la revue *Novyi Grad,* proche d'*Esprit,* fondé à la même époque par Emmanuel Mounier. C'est un laboratoire où quelques penseurs de l'émigration tentent d'élaborer un « socialisme à visage humain » imprégné de valeurs communes judéo-chrétiennes. Père Lev sympathise avec les *« Novygradsy »*.

Mère Marie offre des repas et un gîte gratuit aux uns, aux autres un lieu de rencontre et de libre réflexion, à certains, et parfois aux mêmes, un lieu de prière : ornée d'icônes peintes et brodées par elle, une chapelle modeste a été aménagée dans la cour de l'immeuble.

Tel est le « monastère » d'un genre très particulier où – à la demande conjointe du métropolite Euloge et de Mère Marie – Père Lev, abandonnant son logis de Saint-Cloud devenu inhospitalier après le départ de Léonide et Olga Chrol, vient s'installer au cours de l'automne 1935. Dans une lettre à des amis, il décrit, non sans une pointe d'humour son « monastère » : *C'est un étrange* pandemonium *: nous avons des jeunes filles, des fous, des expulsés, des chômeurs et, en ce moment, le chœur de l'*Opéra Russe *et le chœur grégorien de dom Malherbe, un centre missionnaire et maintenant des services à la chapelle chaque matin et soir* [2].

---

2. Lettre du 9 novembre 1935 à E.B.S.

Le dernier détail fait allusion au ministère liturgique qui constitue officiellement le motif principal de l'installation de Père Lev dans le « monastère » de Mère Marie. Il y fait fonction de chapelain. En fait, tout en vaquant à ses propres occupations, il est intimement associé, pendant les dernières années de son ministère parisien, à la vie, aux activités et aux projets de Mère Marie, à ses joies comme aussi à ses peines et ses épreuves. Sans être aveugle aux faiblesses humaines de son amie – un certain désordre extérieur, son manque de goût, étonnant chez une moniale orthodoxe, pour les offices liturgiques –, il reconnaît les immenses qualités de cette femme exceptionnelle. Père Lev aime et admire Mère Marie, discernant chez elle le charisme le plus grand, celui de l'*agapè* : don de soi sans limites dans la communion au Dieu infiniment compatissant.

Souvent le soir, tard dans la nuit ou au petit matin, il l'accompagne dans sa tournée des « bistros » autour des Halles, à la recherche de clochards russes qui y sommeillent au coin d'une table. Il s'agit de débrouiller leurs problèmes, de leur apporter le réconfort d'une parole et d'un regard fraternels dans lesquels passera, peut-être, un rayon de la lumière de l'Évangile.

L'atmosphère de bohème évangélique qui caractérise la maison de Mère Marie convient à Père Lev. À cette dernière, il pardonne volontiers son manque d'assiduité aux offices qu'il célèbre : léger défaut compensé à ses yeux par l'observation sans réserve du second commandement : « tu aimeras ton prochain comme toi-même ». Dans sa propre maison, Mère Marie est en butte à certaines critiques. Un savant et pieux archimandrite qu'elle y héberge juge son style de vie « peu monastique » : par exemple, elle continue de fumer des cigarettes, parfois même – ô scandale ! – en public. Face à ses détracteurs, Mère Marie sait pouvoir compter sur la sympathie et l'humour de Père Lev : pour détendre l'atmosphère parfois un peu pesante à table, ce dernier se met à raconter des anecdotes cocasses qui arrachent un sourire même à l'archimandrite.

Comme Mère Marie, toujours prête à céder son lit à quelque malheureuse épave, Père Lev, en s'installant rue de Lourmel, a renoncé à tout confort matériel. Enveloppé de quelques misérables couvertures, il dort hiver comme été à même le sol dans un garage désaffecté. Ainsi le constate, consternée, une de ses paroissiennes venue lui rendre visite.

Rue de Lourmel, le cœur affectueux de Père Lev trouve pourtant aussi la douceur d'un embryon de vie familiale. Il s'intéresse aux enfants de Mère Marie, en particulier à son fils cadet Iouri. Il suit les études quelque peu négligées par sa mère du lycéen, l'aide pour une version latine ou pour la rédaction d'une dissertation de philosophie. Mais c'est aussi Père Lev qui est chargé d'annoncer à Mère Marie l'affreuse nouvelle de la mort de sa fille aînée Gaïana en Russie, où la jeune femme s'est rendue sur le conseil de l'écrivain André Gide [3].

Quand, en 1938, Lev Gillet prend la décision de s'installer à Londres, il sait que la maison de Mère Marie reste *sa* maison, qu'il peut y revenir à tout moment, qu'il sera toujours accueilli comme un frère. C'est la Seconde Guerre mondiale qui le séparera de la religieuse russe comme aussi d'autres amis parisiens. Lui et Mère Marie resteront cependant intérieurement unis dans le combat spirituel contre la barbarie dont, tous les deux, ils ont pressenti l'avènement. Tous deux se tiennent aux côtés du peuple juif persécuté.

En 1942, Mère Marie cache des Juifs et écrit son poème « L'Étoile jaune [4] ». Lev, à la même époque, après avoir participé à l'accueil de jeunes réfugiés juifs à Londres, écrit *Communion in the Messiah,* ouvrage qui

3. Lev Gillet m'a plusieurs fois parlé de l'influence sur une partie de la jeunesse française de Gide. Il la considérait comme « satanique », Satan étant d'ailleurs pour lui un ange de lumière déchu.

4. *Deux triangles, une étoile, / le bouclier de l'ancêtre David : / c'est élection, non pas offense, / un grand don, non pas un malheur. // Israël, tu es persécuté /*

ouvre la voie d'une approche chrétienne du mystère d'Israël.

Pour avoir aidé des juifs, Mère Marie sera arrêtée par la police allemande, en février 1943. Déportée au sinistre camp de Ravensbrück, elle y mourra en 1945, peu avant l'arrivée des troupes libératrices.

À l'abri à Londres, Père Lev survivra douloureusement à la *Shoah*. La paix revenue, la nouvelle de la mort de Mère Marie et de Iouri, déporté en même temps que sa mère, l'atteint comme une blessure dont il ne guérira jamais. Évoquant quelques grands regrets de sa vie, il m'écrira en 1973 : *J'ai parlé de Mère Marie. Oui, j'aurais pu comme Klépinine* [5] *partager son destin mais j'étais à l'abri. Je n'en parle pas, mais la blessure en moi reste ouverte.* Mère Marie, « cette sainte orthodoxe moderne », comme il la désigne dans un entretien accordé peu avant sa mort à quelques jeunes orthodoxes, restera toujours pour Père Lev une vivante et une messagère de vie. Une nuit, confie-t-il à ses amis, il l'a vue en rêve : « Père Lev, vous me croyez morte. Mais ne savez-vous pas que je suis vivante ! » lui a-t-elle lancé, debout, souriante, au milieu d'un champ de blé [6].

à nouveau. Mais qu'importe la haine / des hommes, si dans l'orage sur Sion / Élohim à nouveau répond. // Que ceux-là qui portent le sceau, / le sceau de l'étoile hexagone, / sachent répondre d'une âme libre / au signe de la servitude. / Paris, 1942.

5. Nom du prêtre orthodoxe qui, proche collaborateur de Mère Marie, fut arrêté et déporté en même temps qu'elle et qui, comme elle, est mort en déportation.

6. Cité d'après l'enregistrement de cet entretien.

CHAPITRE VIII

« ÉROS » ET « AGAPÈ ». LE DIEU SOUFFRANT

En février 1937, dans une longue lettre qu'il m'adresse, Lev Gillet évoque la méditation théologique à laquelle lui-même s'est livré au cours des derniers mois. Il écrit : *Le centre de ma vie intellectuelle, cette année, a été un* kroujok [1] *que j'ai conduit chaque semaine sur le thème « Quelques chapitres de la théologie de l'amour chrétien ».*

La formulation du thème du cercle d'études comme la suite de la lettre suggèrent un rapprochement avec *Éros et Agapè*, l'importante étude du théologien luthérien suédois Anders Nygren, dont viennent de paraître, à cette époque, des traductions en anglais et en allemand. C'est par l'une ou l'autre de ces traductions ou par des articles publiés dans des revues théologiques anglaises que Père Lev a dû prendre connaissance des thèses de Nygren qu'il résume dans sa lettre, sans que le livre soit explicitement nommé. Leur influence est pourtant manifeste. Le titre de l'œuvre dans l'édition suédoise originale est : *L'Idée chrétienne de l'amour*. Devenu sous-titre dans les versions étrangères, on le retrouve, légèrement modifié, comme thème du cercle animé par Lev Gillet.

En France, le moine orthodoxe est sans doute l'un des premiers à mesurer la portée, ensemble théologique et spirituelle, de l'œuvre de Nygren. Aucune traduction n'ayant encore été publiée, celle-ci reste à peu près ignorée des milieux théologiques français aussi bien pro-

1. *Kroujok* veut dire en russe littéralement « petit cercle ». Il s'agit ici d'un cercle d'études organisé probablement dans le cadre de la maison de Mère Marie.

testants que catholiques, où l'on commence seulement, avec beaucoup de retard, à s'intéresser à la théologie dialectique de Karl Barth. *Éros et Agapè* se situe dans la même mouvance d'une théologie « tragique et pathétique » héritière de Sören Kierkegaard, en réaction contre l'humanisme optimiste et moraliste qui prédomine dans la théologie protestante du XIXe et encore du début du XXe siècle. Comme les théologiens réformés Brunner et Barth, Nygren insiste sur l'abîme qui sépare le Dieu des philosophies religieuses – qu'elles soient rationalistes ou romantiques – du Dieu *Tout Autre* de la révélation biblique dont la Parole interpelle l'homme dans l'Écriture. À l'œuvre commune de cette réaction, restauratrice des intuitions fondamentales de la Réforme du XVIe siècle, Nygren apporte sa sensibilité luthérienne spécifique. Elle trouve chez Lev Gillet une profonde résonance. Dans un langage nouveau, usant des outils de la science historique et exégétique moderne, le théologien suédois réaffirme le *sola gratia* de Martin Luther : l'homme pécheur ne *se* sauve pas en *s'élevant* vers Dieu. Il *n'est sauvé* que par la grâce de Dieu infiniment miséricordieux qui descend vers lui. Dans la vie chrétienne tout est grâce. Tout vient de Dieu qui est *Agapè*, amour qui « descend » vers les hommes.

Dans la suite de sa lettre, Père Lev résume pour son amie en quelques formules lapidaires, presque mathématiques – illustrées de flèches montantes et descendantes, – les thèses du théologien danois telles qu'elles se sont dégagées de la réflexion conduite par lui. Voici ces thèses : *La* caritas *chrétienne en tant que composé bâtard (saint Augustin, saint Thomas) entre deux notions inconciliables :* éros *et* agapè. *Éros : non l'éros charnel qui n'est qu'un cas particulier, mais l'éros au sens le plus général du mot, amour-désir, amour-effort, amour-ascension, amour cherchant plus ou moins à enrichir ou perfectionner l'être, amour exprimé dans le platonisme, l'idéalisme, le spiritualisme et – quoique parfaitement étranger à l'Évangile – introduit en fraude dans le christianisme par les néo-pla-*

toniciens, les alexandrins et de nombreux mystiques. Agapè : amour qui descend, qui se donne, toujours don gratuit, entièrement désintéressé – larmes, pardon, sacrifice, etc.

Aimer Dieu = prendre conscience de la descente de son agapè en nous et non monter *vers lui. Aimer les hommes = laisser passer vers eux, à travers nous, l'agapè qui descend de Dieu, en s'identifiant à elle. Agapè = grâce = Évangile = christianisme. Mais* éros *a supplanté* agapè *dans l'histoire chrétienne parce que la vie des institutions (Églises ou États) est inconciliable avec l'agapè et postule en quelque sorte l'éros. Revenir à l'*agapè *pure.*

La dernière phrase est soulignée. « Revenir à l'agapè pure », tel est l'appel à un retournement du cœur – *metanoïa* – perçu par Lev Gillet dans l'ouvrage érudit du théologien suédois. L'injonction s'adresse à l'Église en tant qu'institution historique, mais aussi et peut-être surtout à lui. La lettre poursuit : *L'agapè exige la souffrance du Père, sa co-crucifixion avec le Fils, sa participation à tous les maux des hommes. Le Père constamment vaincu et blessé par le Principe de ce monde. La croix dressée dans le cœur du Père : la croix du Golgotha n'en était que l'expression. Cependant le Père n'en est pas diminué. Il est vainqueur* durch Leiden, *mais la souffrance est la matière même qu'il doit surmonter et transmuter pour en faire son triomphe et sa joie* [2].

Associant rigueur intellectuelle et lyrisme, réflexion théologique et expérience spirituelle personnelle, cette lettre est révélatrice et de la personnalité de Lev Gillet – orthodoxe pascalien – et d'un tournant décisif de la crise où il se débat depuis plusieurs mois. Avec le surgissement de la vision du Dieu souffrant, Dieu victorieux *à travers la souffrance*, et l'appel qui émane de cette vision à une conversion à l'*agapè*, le dénouement est proche. Le rôle du livre de Nygren est instrumental. Par leur radicalisme, ses thèses ont séduit Lev Gillet.

---

2. *Durch Leiden :* « À travers la souffrance » ; Lev Gillet a pu lire l'ouvrage de Nygren dans une traduction allemande. – Lettre du 27 février 1937.

Plus tard leur contenu intellectuel va s'estomper. Demeure leur impact existentiel. Tranchée et tranchante, la distinction entre *Éros* et *Agapè*, entre passion égocentrique et amour oblatif, est le catalyseur d'un retournement déjà amorcé dans l'obscure clarté de l'événement du lac de Tibériade. Elle en dévoile le sens qui est l'orientation vers une nouvelle décision vitale. Suivre l'appel du Dieu qui est pure *Agapè*, c'est renoncer à toute ambition, fût-ce celle, apparemment noble, de réaliser un grand dessein ou d'atteindre une certaine perfection spirituelle. Répondre à l'appel de l'*Agapè*, c'est seulement s'ouvrir à la Compassion divine, se laisser envahir par cet Amour qui descend vers les hommes – surtout vers les plus humbles et les plus pécheurs. C'est s'identifier à lui, demander la grâce de cette identification impossible à la seule volonté humaine, mais aussi impossible à Dieu qui la désire, sans l'humble consentement de l'homme.

Ainsi au bout du tunnel, une lumière apparaît. Elle en indique la sortie. Lev Gillet, homme de désir, se connaît comme un « être profondément érotique ». Il s'en confesse à ses amis. Mais Dieu, écrit-il dans une autre lettre de la même époque, *peut changer la mauvaise violence que l'homme pécheur porte en lui, en la violence de Jésus qui, selon la parole évangélique, « s'empare du royaume des cieux* [3] ».

De l'épisode de la lecture du livre de Nygren, ce qui demeurera pour Père Lev, c'est essentiellement l'approche du mystère du Dieu souffrant, du Dieu à la fois souffrant et victorieux. Il constitue désormais l'horizon de son pèlerinage terrestre. Sans cesse repris dans sa réflexion et approfondi, ce mystère, comme l'écrit Olivier Clément, se trouve « au cœur de la synthèse théologique et spirituelle » du moine de l'Église d'Orient. Être fragile et vulnérable, ce dernier y puisera cette force, cette paix profonde – au-delà de tempêtes parfois violentes –,

---

3. Lettre du dimanche 22 août 1937. Au sujet de ces lettres de dimanche, voir plus loin p. 303 s.

force et paix qui ont frappé tous ceux qui ont approché Père Lev au cours des dernières années de sa vie.

En germe, dans la lettre de 1937, la méditation sur le Dieu souffrant affleure à diverses reprises dans l'œuvre écrite postérieure de Père Lev. Le thème est abordé dans *Jésus, simples regards sur le Sauveur* – JSR – (1959) et dans le poème théologique *Amour sans limites* – ASL – (1971). Sous une forme plus intellectuelle et plus systématique, il est traité dans l'article « Le Dieu souffrant » publié dans la revue *Contacts* en 1965. Père Lev y revient encore une fois dans l'interview accordée vers 1972 au psychologue oxfordien Edward Robinson : interview qui constitue en divers domaines une sorte de testament spirituel et intellectuel.

Le message sur le Dieu souffrant, tel qu'il se dégage de l'ensemble de ces textes, en toute son amplitude et sa profondeur spirituelle, a été magistralement résumé dans l'article déjà cité d'Olivier Clément. Avec l'autorisation de ce dernier, nous en donnons ici quelques extraits significatifs :

À l'homme d'aujourd'hui, pour lequel, puisque Dieu est tout-puissant et le monde mauvais, il est clair que Dieu n'existe pas, le Père Lev répond qu'il faut « rejeter toute image d'un Dieu siégeant sur un trône céleste, et qui assisterait, impassible, aux combats livrés sur la terre » (ASL, p. 68 ; Interview, p. 43). La toute-puissance de Dieu est celle de l'amour. Et l'amour ne s'impose pas. Avant même la chute de l'homme intervient celle des anges. Seule ce mystère luciférien explique que le refus et la fermeture de l'homme aient livré, et livrent la création tout entière, si fondamentalement belle et bonne, au mal, à l'horreur, à une sorte de magie nocturne. Dieu ne veut rien de tout cela. Ce sont œuvres de l'« adversaire ». Mais Dieu prépare « une issue de lumière » (ASL, p. 70) par son amour sacrificiel. La création d'êtres libres, capables de refuser Dieu, a impliqué comme un libre sacrifice du Créateur. C'est pourquoi on peut dire que l'Agneau est immolé dès la création du monde, et que la croix était dans le cœur de Dieu bien avant de s'élever vers le Golgotha (ASL, p. 71). Sans que la nature divine soit atteinte, Dieu, comme existence personnelle... s'engage réellement dans l'histoire, combat quotidiennement avec nous contre « la Puissance des Ténèbres ». Car il ne peut agir, par « persuasion » et « grâce » (ASL, p. 68) qu'à travers les âmes qui acceptent de s'ouvrir à lui. Notre Dieu apparaît ainsi comme un Dieu souffrant. Car, en luttant avec nous, il reçoit blessures et morts. Il ne les subit pas, il va au-devant d'elles et les assume activement, volontairement, par folie d'amour.

Employant tantôt le vocabulaire oriental de la participation (nous n'existons que par notre participation à l'être divin), tantôt le vocabulaire occidental de la causalité (Dieu est la cause de notre existence, il *est* l'être que nous *avons* seulement) (par ex. JSR, p. 170) ; « Le Dieu souffrant », p. 250), le Père Lev suggère que Dieu « connaît du dedans », par une véritable « coïncidence », une véritable « identification », et mieux que nous ne pouvons le faire non seulement pour le prochain mais pour nous-mêmes, nos combats, nos douleurs, nos désespoirs, nos agonies. La personne divine du Fils, dans « sa jonction avec la nature humaine » (ASL, p. 68) connaît vitalement ce que chacun de nous éprouve. Durant son existence terrestre, Jésus est le Serviteur souffrant. Devant Lazare mort, ses larmes sont versées « sur le destin universel des hommes, sur la mort qui afflige cette nature humaine que le Père avait faite si belle [...], sur toute la souffrance du monde (JSR, p. 75). Or, dans l'éternité divine, le Vendredi Saint et Pâques ne font qu'un. De sorte qu'à travers cette souffrance qu'il assume, volontairement, « divinement » (ASL, p. 71), le Dieu souffrant triomphe de la souffrance. « Ta douleur, ô Christ, n'est pas opposée à ta gloire et à ta béatitude. Elle est la matière même dont tu tires ton éternel triomphe. Ta souffrance, simultanée à ta victoire, est par elle surmontée, illuminée, transfigurée » (JSR, p. 172)... La perfection divine par sa « brisure » même, « accède à une sphère ontologique plus haute et *donne* place à une perfection encore plus grande » (« Le Dieu souffrant », p. 251).

Ainsi « Dieu n'est jamais absent », et le Père Lev termine son article sur le Dieu souffrant par ce « message » : « Dieu souffre avec l'homme et pour l'homme, et, dans ce partage, toute souffrance est déjà surmontée. La croix que tu portes maintenant comme Simon de Cyrène est, en vérité, la croix de ton Sauveur. Jésus la porte maintenant avec toi et ce portement exprime le triomphe de Dieu, quoiqu'en cet instant tu ne sentes que le poids du fardeau » (*ibid.*, p. 253-254).

Oui, « Dieu n'est jamais absent », il cherche l'homme avec une inlassable patience, une inlassable tendresse, jusque dans l'« amour le plus déformé » (ASL, p. 42), jusque dans le péché (*ibid.,* p. 84-87). Car il peut y avoir dans le péché une exigence de vraie vie, une étincelle de véritable amour. Il n'y a pas un instant où Dieu ne sollicite l'homme, où son amour ne l'entoure, prêt à l'envahir pour peu qu'une porte s'entrouvre, « comme une pression atmosphérique qui pèse également sur chacun » (Interview, p. 39). Dès que cette pression peut pénétrer, elle se met à transformer, à purifier les réalités apparemment les plus impures, de sorte qu'il n'y a pas seulement le pur et l'impur, mais ce qui peut être purifié, et qui connaît dès maintenant la purification. « Certains éléments positifs dégagés de l'égoïsme, ouvrant sur un don, une tendresse authentique, peuvent pénétrer dans le péché, sans se confondre avec lui. Une étincelle du Buisson Ardent peut pénétrer dans ce péché » (ASL, p. 86). La divine pression a pu « s'infiltrer dans une situation “séparée” de l'Amour total. [Elle] a déposé dans une âme, peut-être dans deux âmes, des germes puissants qui pourront un jour s'y développer en fruits de salut » *(ibid.)*. Et chacun, par sa prière fraternelle, par sa sympathie non pour le péché mais pour le pécheur, doit s'associer à cet effort de discernement et de purification (*ibid.,* p. 87 [4].)

Dans ce dernier texte, cité par Olivier Clément, l'antinomie *Éros-Agapè* qui fut au point de départ de sa méditation sur le Dieu souffrant est dépassée. Dépassée mais non ignorée ou niée. Son poème *Amour sans limites* est une hymne à l'*Agapè*, à « l'Amour qui se donne sans jamais s'épuiser » mais qui est aussi « la Source » dont découle tout amour (ASL, p. 20, 25). « Le Seigneur-Amour » ne veut pas la destruction des « hommes qu'il a créés ». Il ne veut pas l'éradication, synonyme de mort, du désir humain. Suprême amant, il désire passionnément « faire disparaître dans un homme (ou dans une femme) ce qui contredit l'essence de l'Amour ». Mais en même

4. Olivier CLÉMENT, « Un grand théologien », *Contacts*, nº 116, 1981-4.

temps il discerne et appelle à discerner, comme il le fait lui-même, dans le désir le plus dévoyé, apparemment le plus séparé de lui, la graine de vrai amour qui y est peut-être incluse, germe et espérance de la libération de l'*Éros* captif de l'égoïsme, de sa transfiguration.

Du dépassement de l'antinomie, au terme de sa vie, Lev Gillet est encore loin quand, à l'aube d'un printemps incertain, en 1937, il se confie à l'amie. Cependant dans le clair-obscur de la lumière naissante, il avance, à tâtons, vers un nouveau matin.

CHAPITRE IX

DÉCOUVERTE DU JUDAÏSME

C'est au cours de ces années de ministère parisien que Lev Gillet découvre ce que dans la préface à son ouvrage capital *Communion in the Messiah*, il nomme les « valeurs spirituelles juives ». Cette découverte, reconnaît-il dans le même texte, il la doit en grande partie à deux hommes : Paul Levertoff rencontré plus tard en Angleterre et Aimé Pallière avec lequel il se lie précisément pendant cette période parisienne. Elle se situe dans un contexte historique précis et dramatique : celui du raz de marée d'antisémitisme hystérique qui, de l'Allemagne où le nazisme de Hitler vient de triompher, risque de déferler sur toute l'Europe.

Rien n'indique qu'avant les années trente, Père Lev se soit intéressé au judaïsme et qu'il ait éprouvé pour lui une sympathie particulière. Son milieu familial – la bourgeoisie française catholique – ne l'y prédispose guère. Adolescent, à l'époque où l'affaire Dreyfus divise la France, il a pris parti – il s'en souviendra plus tard – pour le malheureux capitaine injustement condamné. Mais c'était avant tout prendre parti pour la victime innocente. Peu importait, peut-être, que cette victime fût juive. Du reste, le capitaine Dreyfus apparaissait comme le type même du juif assimilé et déjudaïsé dans une république française laïque.

Plus tard, pendant son séjour en Galicie occidentale, le jeune moine aurait eu l'occasion de faire connaissance avec un judaïsme vivant, populaire, par exemple avec le hassidisme lequel il éprouvera plus tard une profonde sympathie plus tard. L'idée ne lui en est pas venue. Dans les lettres adressées de Lvov aux membres de sa famille, il est incidemment question de la population juive de cette ville mais cela sans aucune sympathie.

C'est à Paris, dans le milieu de l'*intelligentsia* russe émigrée, que Père Lev semble avoir rencontré pour la première fois des chrétiens d'origine juive qui lui inspirent admiration et respect. Il fait la connaissance, par ses livres et ses articles, du philosophe S. L. Frank. Il fréquente le beau-frère de ce dernier, le peintre Zack et sa famille. Il aime s'entretenir avec Madeleine Lossky, épouse d'origine juive du jeune théologien orthodoxe Vladimir Lossky dont elle partage les combats et les aspirations. Une sympathie réciproque le lie à l'écrivain juif Ilya Foundaminsky-Bounakov devenu l'un des collaborateurs les plus proches de Mère Marie. Comme cette dernière, Foundaminsky est un ancien socialiste révolutionnaire. Il se sent attiré par le Christ. Mais par respect pour les convictions de sa femme, demeurée juive, et dans un souci de solidarité avec ses frères juifs dont Hitler inaugure la persécution en Allemagne, il hésite à se faire baptiser. Quand sa femme meurt, il demande à Père Lev avec qui elle a eu des relations profondes d'accompagner son enterrement. Le prêtre orthodoxe prononce à cette occasion une homélie qui restera gravée dans la mémoire des jeunes chrétiens qui étaient présents [1].

Chez tous ces chrétiens d'origine juive qu'il fréquente, Père Lev croit discerner une qualité spirituelle particulière qui l'émeut et qu'il attribue à leur judéité. Le « mystère d'Israël » devient une de ses préoccupations majeures dans le climat apocalyptique des années qui précèdent l'explosion de la Seconde Guerre mondiale. La menace que la montée du nazisme fait peser sur le peuple juif suscite à cette époque dans une partie de l'*intelligentsia* chrétienne un courant de sympathie pour Israël. Des

1. Témoignage recueilli auprès du Pr Nikita Struve.

penseurs aussi différents que le poète Paul Claudel, le philosophe néo-thomiste Jacques Maritain, Emmanuel Mounier, porte-parole d'un personnalisme chrétien, en sont les représentants. Père Lev sympathise avec cet élan. Mais il va plus loin. Il aspire à saisir l'essence spirituelle d'Israël. C'est à Aimé Pallière qu'il doit son initiation à celle-ci.

Les premiers contacts entre Père Lev et Aimé Pallière semblent se situer au début des années trente. Ils ont lieu dans le même milieu spiritualiste quelque peu marginal par rapport au christianisme institutionnel aussi bien protestant que catholique où le recteur de la paroisse orthodoxe française a aussi fait la connaissance de l'évêque Louis Winnaert [2].

De dix-huit ans l'aîné de Lev Gillet, Pallière est alors déjà un homme connu. Son ouvrage autobiographique *Le Sanctuaire inconnu* a eu un succès certain aussi bien dans les milieux juifs que dans certains cercles proches du catholicisme moderniste. Il y retrace l'itinéraire spirituel qui, du catholicisme romain, l'a conduit au judaïsme interprété comme religion universelle. L'auteur est invité à donner des conférences en divers pays d'Europe et en Amérique. Animateur de l'Union libérale israélite, il remplit des fonctions de ministre et de prédicateur à la synagogue libérale de la rue Copernic dans le 16e arrondissement de Paris. Ce libéral – comme le fait remarquer Edmond Fleg dans la préface à la seconde édition du *Sanctuaire inconnu* – a réussi à se faire reconnaître également par les milieux juifs orthodoxes. Des « sionistes », tout comme des « assimilateurs » font appel à son concours. Ses articles sont accueillis dans les synagogues israélites de toutes les tendances. Il réalise encore cet autre miracle, comme le souligne Fleg, « d'avoir su adopter une religion nouvelle sans rompre avec celle qu'il

2. Avec le pasteur Wilfred Monod, Aimé Pallière a été un des protecteurs de Mgr Winnaert. Voir, dans la revue *L'unité spirituelle* (1937/2), l'allocution prononcée par lui à la mémoire de l'évêque défunt.

a quittée ». Pallière, en effet, conserve à l'égard de Rome « l'attitude d'un fidèle reconnaissant » pour ce qu'il a reçu de cette Église. Aussi y jouit-il de sympathies qui, un jour, faciliteront son retour au bercail.

Image d'une réussite à la fois sociale et spirituelle, Aimé Pallière se révèle pourtant, au regard perspicace, comme un être blessé. « Avec les années, une sourde dépression s'installe chez lui », note le psychanalyste Gérard Haddad. Malgré « la chaleur épidermique » de l'accueil que lui réserve un judaïsme français, flatté de recevoir ce prosélyte de marque, Pallière se serait senti de plus en plus incompris dans la France des années trente : incompris à la fois de la majorité des juifs français qui rêvent encore d'assimilation, des orthodoxes qui cultivent leur jardin clos, et même des sionistes, alors minoritaires, dont il est l'allié mais qui sont de plus en plus gagnés au sionisme politique et nationaliste : une tendance qui est à l'opposé de sa propre vision d'un sionisme spiritualiste et universaliste. Son disciple le plus fidèle en ce domaine sera peut-être le chrétien orthodoxe Lev Gillet mais dont Pallière n'a sans doute pas connu l'œuvre publiée après sa propre mort. Auditeur des sermons et des méditations de Pallière à la synagogue de la rue Copernic, Père Lev a-t-il deviné la blessure secrète de celui qu'il considère comme un maître ? À partir de 1935 surtout, un sentiment partagé d'échec et d'impuissance, la tristesse de n'avoir pas réussi à tirer de leur torpeur spirituelle et de leur aveuglement la plupart de ceux vers lesquels ils sont allés avec tant d'espoir et d'amour, a pu, consciemment ou inconsciemment, rapprocher les deux hommes. Ils ont en commun aussi la zone d'ombre qui, malgré la lumière spirituelle qui émane d'eux, entoure leur propre itinéraire intérieur et leur être le plus profond. Tous deux sont convaincus d'être guidés par une puissance transcendante sur une voie exceptionnelle, énigmatique, incompréhensible même pour ceux qui leur sont les plus proches : voie du rabbin juif demeuré chrétien en son cœur, voie du prêtre catholique en communion avec l'Église orthodoxe. En l'apparente ambiguïté de leur situation, tous deux sont parfaitement intègres et sincères et, peut-être, prophétiques.

De diverses déclarations de Lev Gillet il résulte qu'il a connu Pallière non seulement par ses écrits et ses prédications mais aussi grâce à des relations personnelles. Il pourrait être intéressant d'en rechercher des traces dans des écrits inédits de Pallière.

Dans une lettre datée de mai 1933, adressée à son amie, Père Lev évoque l'impression que produisent sur lui les « méditations » d'Aimé Pallière, notamment ses méditations sur le « Serviteur souffrant » du second Isaïe. Elles le frappent par leur profondeur. En même temps, il y entrevoit « une âme partagée ». *Je dois beaucoup,* ajoute-t-il, *à cet homme étrange. Il m'a introduit dans une atmosphère nouvelle, il m'a appris à me sentir chez moi dans l'Alliance ancienne, à me sentir fils d'Israël et enfant de la Promesse, à reconcevoir Jésus en rétablissant les ponts coupés depuis Paul – essayer de prier comme Jésus lui-même – à apprendre l'éternelle valeur du « Chema Israël », à retrouver à travers Jésus, Adonaï, « notre Père, notre Roi ».*

En quelques phrases est déjà esquissée ici une synthèse dont *Communion in the Messiah* sera l'expression développée. On peut remarquer que les termes employés par Lev Gillet sont en grande partie ceux mêmes d'Aimé Pallière dans une plaquette qui résume son enseignement oral. Il y tente d'exprimer ce qui, pour lui, constitue l'« essence » de l'attitude juive dans le face-à-face avec le Dieu personnel et transcendant : un Dieu approché non avec terreur, mais « avec crainte et amour ». « Avec crainte et amour approchez », dit aussi le prêtre orthodoxe en exhortant, dans la liturgie byzantine, les fidèles à approcher du calice eucharistique. L'analogie n'a pas pu échapper à Père Lev. En ce qui est présenté par Pallière comme « l'essence spirituelle du judaïsme », il découvre ce qui est au cœur de la relation de Jésus avec son Père et qui est aussi, dans la communion avec Jésus, au cœur de la relation chrétienne avec Dieu reconnu comme

« notre Père » : le Dieu ensemble transcendant et proche. Ainsi le lien est conscientisé à nouveau entre l'Ancienne et la Nouvelle Alliance. Celle-ci ne détruit pas mais accomplit la première. Pour Père Lev, cette conscientisation ne cessera de s'approfondir au long des années, imprégnant progressivement sa vie intérieure.

Dans une note consacrée à Aimé Pallière, L. Gillet résume l'enseignement de ce dernier et ce qu'il pense avoir reçu de ce maître : « Aimé Pallière, écrit-il, était un ami et un disciple du célèbre rabbi Élie Benamozegh de Livourne, un apôtre de l'universalité du judaïsme, partisan de l'admission des Gentils non dans l'Alliance mosaïque mais dans l'alliance noachite (les commandements donnés par Dieu à Noé) et il voyait dans le Noachisme le fondement d'une future religion universelle. Comme son maître, Pallière reconnaissait le caractère divin de la révélation chrétienne placée côte à côte de la révélation judaïque. Ayant eu le privilège de connaître Aimé Pallière non seulement à travers ses livres mais grâce à une relation et une amitié personnelle, je m'aventure à dire que, dans le judaïsme, il avait probablement le sentiment d'approcher de plus près Jésus et je puis témoigner de l'impression profondément "chrétienne" produite par ses prédications à la synagogue de la rue Copernic sur ses auditeurs chrétiens [3]. »

Quand en 1941-1942, en pleine guerre, Lev Gillet, accueilli au collège quaker de Selly Oak à Birmingham, rédige *Communion in the Messiah*, il ignore certainement que quelques mois plus tôt, peu avant sa mort, Aimé Pallière s'est réconcilié avec l'Église de son baptême. Il est d'autant plus remarquable que, dès cette époque, Père Lev a percé le secret de l'âme chrétienne de son ami. Pour Lev Gillet personnellement, Pallière a été le médiateur d'une nouvelle rencontre avec le Christ des évangiles : avec Jésus, fils de Marie la Vierge, et fils du juif Joseph, selon la Loi, en qui, par qui nous sommes

3. *Communion in the Messiah,* Londres-Redhill, Lutterworth Press, 1942.

nous aussi, comme l'écrit Lev Gillet, « enfants de la Promesse ».

De Pallière, Lev Gillet a reçu l'impulsion à une *autre* lecture des Écritures. Cette lecture juive et sémitique ne se substitue pas pour lui à la lecture grecque prédominante dans l'orthodoxie historique. Elle la complète et l'enrichit. Il en résulte chez lui un nouveau style de prédication : subtil, rabbinique, attaché à la lettre (et souvent à la lettre hébraïque) en même temps universaliste, porté par un grand souffle spirituel. À l'horizon, point l'appel à reprendre le « dialogue avec Tryphon [4] » si longtemps et si malencontreusement interrompu depuis des siècles.

4. « Dialogue avec Tryphon » : tel est le titre du premier chapitre de l'ouvrage de Lev Gillet *Communion in the Messiah*. Dans l'œuvre du philosophe Justin le Martyr, martyrisé à Rome vers 165, Lev Gillet voit le type du dialogue irénique entre chrétiens et juifs à l'opposé des « traités contre les juifs » rédigés par divers Pères de l'Églises tels saint Jean Chrysostome et saint Augustin (p. 1).

CHAPITRE X

« SEIGNEUR, JE VIENS »

À la différence d'autres années, Père Lev passe l'été 1937 à Paris. Déchargé de la plupart de ses obligations habituelles, il dispose de temps libre. Pas de cours à l'Institut Saint-Serge, pas de liturgies dominicales : comme la plupart des églises russes, la paroisse française, dès le début des grandes vacances, met la clé sous le paillasson. Dans Paris déserté par les Parisiens, Lev Gillet mène une existence d'anachorète propice à la méditation et au face-à-face avec Dieu. À la demande de ses paroissiens dispersés, il rédige pour eux, chaque semaine, une « lettre du dimanche ». Il rédigera ainsi, entre le 25 juillet et le 26 septembre, dix lettres qui, polycopiées, circuleront parmi ses proches. Leur contenu laisse entrevoir les préoccupations et l'état d'esprit de l'auteur. Elles jalonnent son itinéraire pendant cet été méditatif où mûrissent les ultimes décisions.

Dans les premières de ces « lettres du dimanche », il est beaucoup question d'événements du monde et d'événements ecclésiastiques. Ils sont toujours envisagés d'un point de vue non confessionnel, dans la perspective de l'Église universelle et de leur signification profonde pour l'*Una sancta catholica*. Sont ainsi évoqués dans la même lettre l'importante conférence œcuménique d'Oxford sur le thème brûlant – à l'heure du nazisme triomphant en Allemagne – des relations entre l'Église et l'État, le rassemblement à Paris de la Jeunesse ouvrière chrétienne (JOC) qui, écrit Lev Gillet, citant l'hebdomadaire catholique *Sept*, « pourrait ouvrir à une ère nouvelle de relations entre l'Église catholique et le monde ouvrier », enfin les célébrations qui ont entouré à Lisieux la canonisation de la « petite Thérèse » : une sainte particulièrement chère à Lev Gillet qui voit en elle un « signe adressé à toutes les Églises institutionnelles ».

Il est question avec affliction de la guerre d'Espagne, mais aussi avec espérance, de ce « printemps de l'Église » que sont les chrétientés nouvelles en Afrique et en Asie. S'adressant à ses paroissiens orthodoxes tentés de se replier sur eux-mêmes dans le bercement de la liturgie. Lev Gillet les exhorte à « élargir leur horizon », à porter dans leur pensée et dans leur prière les joies et les peines de l'Église universelle qui doivent devenir les leurs.

Une lettre plus théologique est consacrée au thème du « Dieu souffrant et du problème du Mal », une autre à « la question sexuelle », l'un des « points les plus faibles et les plus douloureux de la conscience moderne [1] ».

Ces lettres ont une visée pastorale. Lev Gillet s'efforce d'éclairer la conscience des fidèles auxquels il s'adresse. Cependant, progressivement, leur ton devient plus intime. Avec ceux qu'il nomme ses « amis » le prêtre voudrait partager l'expérience intérieure vécue par lui pendant cet été solitaire, le dialogue avec le Seigneur, dans lequel, jour après jour, il se trouve engagé à travers sa lecture des Écritures. Il lui semble que, comme aux pèlerins d'Emmaüs, Jésus lui-même lui explique leur sens, le

---

1. Tout en s'en tenant aux vues chrétiennes traditionnelles sur le mariage, il insiste sur le sens positif de la sexualité à partir des premiers chapitres de la Genèse. *Le chapitre 1 de la Genèse dit : « Dieu créa l'homme à son image ; il le créa masculin et féminin. » Cette traduction de l'hébreu est la seule exacte. La traduction : « Il créa un homme et une femme » est fausse. Le chapitre 2 dit : « Il n'est pas bon que l'homme soit seul ; je lui ferai une aide comme son vis-à-vis. » Tel est l'ordre de la création, voulu par Dieu. Même avant la chute, le « moi » a besoin d'un « toi » à son niveau. L'existence de l'*autre, *dans l'ordre humain, est le rappel et le symbole de l'*Autre *dans l'ordre divin. Cet autre doit être différent : l'homme et la femme seront l'un pour l'autre un vis-à-vis, un être auquel on est lié par la dissemblance même ; ils se complètent, car c'est ensemble et non isolément qu'ils représentent l'image de Dieu. »* (Lettre du 19 septembre 1937.)

message personnel, existentiel, qui lui est adressé par elles, *ici et maintenant*.

Il faut ouvrir ici une parenthèse : interrogé quelques années avant sa mort par un « chercheur en psychologie religieuses [2] de l'université d'Oxford sur son « expérience religieuse personnelle », Lev Gillet déclare qu'à divers moments de sa vie, il a eu la « certitude » de se trouver en contact avec une « réalité transcendante » et qu'il lui a été donné d'« *entendre* – bien que ce terme puisse paraître inapproprié – des paroles intérieures prononcées sans aucun son audible, mais d'une manière qui, pour lui, ne laissait aucun doute sur leur origine supra-humaine ». De telles paroles l'auraient « guidé dans toutes les heures décisives de son existence ». Ce « phénomène », il ne cherche pas à l'« expliquer ». Il se borne à le « décrire » et à le « constater » [3].

Manifestement, c'est de ce « phénomène » que relève une partie importante du contenu de ces « Lettres du dimanche » de l'été 1937. Dans une prose poétique, un langage qu'on pourrait qualifier de surréaliste, en même temps simple, presque naïf, d'une authenticité bouleversante, l'écrivain s'efforce de transcrire ces paroles ineffables qui sont prononcées en lui.

Les lettres du 12 et du 25 septembre sont particulièrement révélatrices de l'état d'âme de Lev Gillet, de la « guidance » – il affectionne ce vieux mot français – qu'il croit alors avoir reçue.

Dans la première, une suite de citations de l'Écriture, sans lien apparent, mais reliées par une logique interne, constitue l'appel à une nouvelle conversion, ou mieux, à une nouvelle rencontre avec le Crucifié-Ressuscité, dans le silence, le dépassement de toute inquiétude et de toute

2. Il déclare d'ailleurs détester l'expression « expérience religieuse » mise en vogue par William James.

3. Edward ROBINSON, *This Time-Bound Ladder*, Oxford, 1977, p. 33. Sur les circonstances de cet entretien, voir p. 37.

amertume, dans l'abandon total à la volonté divine d'amour.

« Venez dans un lieu désert et reposez-vous un peu » (Marc 6, 31).

Mon enfant, c'est seulement dans un grand silence que ma voix peut être entendue. Retire-toi donc chaque jour quelques instants dans la solitude ; fais en toi le silence, et ma voix te parlera. Cherche-moi au désert ; là je te dirai les secrets de mon cœur, et aussi ceux de ton cœur.

« Mets ici tes doigts et vois mes mains... » (Jean 20, 27).

Je te dis, comme à Thomas : mets la main sur la marque de mes clous. Si quelqu'un vient t'annoncer un évangile moins dur que le mien, plus aimable en apparence, plus confortable, ne cède pas à une telle tentation, mais demande à voir l'empreinte des clous. À cela tu reconnaîtras mon évangile. Si l'on te dit qu'ici ou là se trouve un homme de Dieu, demande à voir sur lui l'empreinte des clous : car c'est mon signe. Et que ce soit aussi mon empreinte sur ton âme.

« Et beaucoup d'entre eux disaient : il a un démon et il est hors de sens » (Jean 10, 20).

Mon enfant, tu es calomnié et raillé. J'ai été calomnié, moi aussi. Pourquoi donc te troubles-tu ? Ce qu'on a dit du Maître, ne doit-on pas le dire des disciples ? Les injures reçues sont ta richesse spirituelle : offre-les-moi. Les pierres qu'on te jette, offre-les-moi, et elles deviendront des pierres précieuses. Quand on dit du mal de toi, apprends à devenir humble. Ne fais pas un seul mouvement, ni à droite, ni à gauche. Aucun geste, aucune parole de défense. Ma puissance te couvre et tu es en sûreté.

« Jésus donc, étant fatigué... » (Jean 4, 6).

Souviens-toi, ô âme fatiguée, que tous les services qui me sont rendus, quels qu'ils soient, sont égaux aux yeux du Père, pourvu qu'ils procèdent du même motif. Il est indifférent que mon serviteur soit prêtre, écrivain, ouvrier ; il est indifférent que la chose offerte soit grande ou petite. Il faut seulement que l'offrande soit faite de tout cœur et transfigurée par moi. Aux heures d'accablement, de lassitude, de dégoût, ne désespère pas du peu que tu offres ; ne regrette pas de ne pouvoir aller aussi loin que d'autres. Assieds-toi et remets entre mes mains ce que tu as fait, et ta fatigue. Je te donnerai ma paix.

Mon enfant, si tu étais plus humble, ta langue serait plus silencieuse. C'est l'amour de toi-même qui meut ta langue. C'est pourquoi je n'ai pas besoin de tes anxiétés, de tes inquiétudes, de tes vaines paroles.

« Voici mon serviteur... Sur lui j'ai répandu mon esprit » (Isaïe 42, 1).

Mon enfant, cesse de regarder avec envie certaines réussites extérieures, même de l'ordre spirituel. Ramène tes yeux sur ta propre âme, dont seule la croissance invisible importe. Il ne t'est pas donné de faire ce que tel saint a pu faire. Tu n'as pas atteint les buts que tu désirais. Tu n'as pas pu aller là où tu voulais aller. Tu n'as pas réussi à attirer l'attention des hommes, même pour me rendre témoignage. Ta vie semble manquée. L'obstacle ne venait-il pas de toi ? Mais je ne parlerai pas de ce qui aurait pu être ; je veux te parler de ce qui peut, maintenant être encore. Pense que même le pauvre, le malade, l'aveugle, l'affligé – que tous ignorent – ont réalisé la tâche de leur vie s'ils m'ont laissé imprimer mon image sur leur âme. Le monde passera, mais mon image ne passera pas ; elle demeurera à jamais. Or je ne veux rien autre que de graver mon image sur toute âme qui regarde vers moi.

« Jetant tout votre souci sur lui, parce qu'il a soin de vous... » (1 Pierre 5, 7).

Je ne te demande pas des résolutions pour l'avenir, des décisions pour le futur. Je veux de toi la fidélité dans le moment présent. Si tu es fidèle en cette minute, ta voie te deviendra claire chaque jour. Mets sur mes épaules le fardeau de l'avenir. Que tu travailles ou que tu donnes, sois doucement confiant en moi.

« Aujourd'hui, si vous entendez sa voix, n'endurcissez pas vos cœurs » (Hébreux 3, 7).

Aujourd'hui... *Ne te laisse pas égarer dans les horizons trop lointains. Vois la tâche précise que je propose à ton effort. Le jour présent est le don que je propose à ton effort. Le jour présent est le don que je te fais. Ne pense pas à demain. Pense à rendre aujourd'hui meilleur qu'hier. Car ce que je te donne maintenant, ce n'est ni hier, ni demain : c'est seulement aujourd'hui.*

« Et tous ceux qui étaient assis dans le conseil fixant leurs yeux sur Étienne, virent que sa figure était comme celle d'un ange » (Actes 6, 15).

Ô chose rare : c'est en pleine controverse, dans le feu d'une dispute, que le visage d'Étienne se transfigure et devient angélique, même aux yeux de ses opposants. Hélas ! combien de fois la discussion produit un effet contraire, même sur celui qui croit défendre une cause bonne ! Qu'il s'agisse d'un concile, d'une assemblée de théologiens, ou d'une simple discussion privée, n'arrive-t-il pas que celui qui « a raison » et qui croit peut-être servir Dieu, perd tout amour ? Dès lors, il ne combat plus que pour lui-même. Ses paroles recouvrent un mensonge subtil dont il n'a pas conscience. Mon enfant, quand tu opposeras ton opinion à celle d'un autre homme, pense à la face de mon serviteur Étienne, lumineuse comme celle d'un ange, au milieu du sanhédrin. Parce que l'amour était dans son cœur, Étienne rendait de moi un témoignage vrai.

Marie était auprès de la crèche de Jésus et elle était auprès de la croix de Jésus. Marie se tient auprès de tout berceau et de toute croix en ce monde.

Le message dans les paroles de l'Écriture éclaire ainsi la parole divine reçue dans la méditation sur *Éros* et *Agapè*. Il la transcrit dans le registre existentiel. La lettre du 12 septembre contient l'esquisse de la voie spirituelle où une voix insistante et tendre appelle Lev Gillet à s'engager quand, dans le silence, « le Cœur parle au cœur » : suivre le Christ dans le portement de sa croix, s'identifier à Jésus las, « calomnié et raillé » et dans cette identification au Seigneur, dépasser toute déception, toute amertume personnelle. Renoncer aux ambitions, fussent-elles d'ordre spirituel, aux grands desseins lointains. Vivre, obéir au jour le jour dans l'*aujourd'hui* de Dieu, humblement, silencieusement, comme Marie, dans l'abandon total à la volonté du Seigneur. Comme elle, être proche de toute vie naissante comme de toute mort. Plus que par des paroles, « tendre à témoigner » du Christ « par l'image de Lui imprimée dans l'*être* ».

C'est dans ces dispositions intérieures que Lev Gillet, au cours de ces semaines d'août et de septembre 1937, demeure dans l'attente de l'« information définitive » dont il a reçu la promesse, deux ans plus tôt, au lac de Tibériade.

L'a-t-il reçue cette « information » tant attendue, quand le 25 septembre il rédige la dernière de ces « lettres du dimanche » de l'été 1937 ? Tout le laisse à penser. Mais cet appel n'est pas celui longtemps espéré vers les terres de soleil, vers le lac bleu où il a laissé son âme.

Traduction très libre du poème *The Hounds of Heaven* de Francis Thompson, la lettre du 25 septembre est un chant mêlé de larmes. Plutôt que la référence à des faits et des événements précis, il faut y chercher l'indication symbolique d'un itinéraire intérieur. Poète, Lev Gillet – dans un poème en prose – cherche à exprimer l'ultime vérité de son être. Comme tel, ce texte mérite d'être cité. Il se compose de six strophes. La première s'intitule « Attente ». En attendant Godot, comme le clochard de Beckett, le poète, très las, se demande s'il n'a pas été le jouet d'une illusion quand il a cru recevoir la promesse d'une nouvelle rencontre avec l'Ineffable. Mais une voix intérieure lui rend espoir. Peu à peu l'énigme s'éclaire. C'est lui qui fuyait l'Amant suprême qui ne cessait de le talonner. L'ultime décision est proche. Au bout du tunnel point la lumière.

Attente

S'il te donne un rendez-vous, va au-devant de lui. Peu importe l'endroit, nord ou sud, paysages ensoleillés ou brume pluvieuse. S'il te semble qu'il tarde, ne te crois pas victime d'une injustice et ne t'impatiente point. Attends seulement. Peut-être te regarde-t-il venir ? peut-être t'es-tu trompé d'heure ? et si le temps passe, et s'il ne vient pas encore, ne te dis pas : le soir tombe déjà, et j'ai été le jouet d'une illusion, et je n'ai qu'à partir. Oh non : ne désespère point, car bientôt tu apprendras que pendant tout ce temps, il n'a pas cessé d'être auprès de toi.

Fuite

Je te fuyais nuit et jour. Je te fuyais d'année en année. Je te fuyais à travers les labyrinthes de ma propre pensée. Je me cachais de Lui, tantôt à travers un brouillard de larmes, tantôt à travers les éclats de rire. Je courais loin de Lui. Et cependant, j'entendais un bruit de pas derrière mes pas. Des pieds invisibles me poursuivaient, plus rapidement que les miens. Ils ne semblaient point se hâter, et pourtant ils me gagnaient en vitesse. Et j'entendis – si calme mais plus troublante encore que le bruit des pas – une voix qui disait : « Tu ne trouveras aucun abri, toi qui ne veux point me donner abri. Rien ne te satisfera, toi qui ne veux point me satisfaire. Toutes choses te trahiront, toi qui me trahis. »

Délai

Seigneur, je voudrais te suivre, mais je voudrais mettre tant de choses en ordre avant de partir ; il me faut recouvrer mes créances, payer mes dettes, achever ce travail... Seigneur, oui, je voudrais te suivre, mais il y a encore cette sensation que je n'ai pas goûtée, cette coupe que je n'ai pas entièrement bue, cette route si belle, dont je voudrais tellement voir où elle va... Seigneur, tu le sais bien, je voudrais te suivre, mais il y a ici des devoirs que je ne puis négliger. Il y a cette âme que je ne puis laisser seule : je lui manquerais, et que deviendrait-elle Seigneur, oh oui ! Je voudrais te suivre. Mais tu me permettras de finir encore cette journée. Je ne puis m'arracher tout de suite à la joie de ce péché. Laisse-moi savourer la dernière goutte. D'ailleurs, je n'aurai pas la force maintenant. Demain, je sais que ta grâce me soutiendra...

« Insensée ! Cette nuit même, ton âme te sera redemandée » (Luc 12, 20).

Captivité

Fais-moi ton prisonnier, Seigneur, et c'est alors que je serai libre. Force-moi à te rendre mes armes, et c'est alors que je serai victorieux. Je tombe, quand j'essaie de me tenir tout droit seul ; emprisonne-moi dans tes bras, et c'est alors que ma main sera forte. Mon cœur est faible et pauvre, tant qu'il ne trouve pas son maître. Ma puissance est nulle, tant que je ne te sers pas. Ma volonté n'est pas vraiment mienne, jusqu'à ce que Tu la fasses tienne. Celui-là seul est demeuré debout, à l'heure de l'affliction – qui, la veille, avait courbé la tête pour la reposer sur ta poitrine.

Choisir

Seigneur, laisse-moi aller te rejoindre dans cette terre qui m'appelle, dans ces champs que j'aime. – Non, c'est dans cette ville que tu dois me rencontrer. – Seigneur, j'ai la nostalgie du soleil et des fleurs sauvages de là-bas. – Je n'ai à t'offrir que ce ciel noir et ces épines. – Mais, Seigneur, il n'y a ici que du bruit et de la fumée. – Il y a ici autre chose encore ; il y a le péché. – Seigneur, je voudrais tant revoir cette eau bleue que Tu connais ! – Ici, les cœurs sont malades, les âmes meurent dans les ténèbres. – Seigneur, je pourrais, peut-être, rester, si Tu entrais dans mon cœur, si Tu prenais ma main. Mais, dès que je regarde ces rues... tout mon être se révolte, et, en pensée, s'échappe là-bas. Faudra-t-il donc que je reste encore ici, avec ma tristesse et ma solitude ? – « Mon enfant, est-il si difficile de te décider ? Et de marcher là où je marche ? »

Enfin la décision :

Réponse

Seigneur, Tu n'as cessé de m'appeler. Mais la vie me retenait, et je voulais lire encore bien des livres. Et il y avait des amis à rencontrer. Il y avait aussi cet étrange orgueil que je nommais : la « recherche de la vérité ». Et il y avait surtout le désir d'intensités toujours nouvelles, les mouvements de la chair, les élans de l'esprit, les évasions frénétiques. Et maintenant, le jour baisse. J'ai lu, mais la tête me fait mal et mes yeux sont fatigués. Je n'ai plus d'amis à rencontrer, dans les rues où il pleut et où j'ai meurtri mes pieds. Mes cheveux blanchissent. Ah ! si j'étais venu à Toi lorsque Tu m'appelais ! J'aurais pu te servir pendant de longues années. C'est trop tard maintenant. Je ne suis plus capable de commencer quelque chose pour Toi. Et pourtant Tu m'appelles encore... Comme on appelle l'enfant à la maison, lorsque la nuit tombe... Tu étais avec moi, même au temps de ma folie. Maintenant Tu te tiens sur le seuil de ma porte, Tu m'attends, Tu me fais signe d'avancer. Tu regardes avec compassion mon regard brouillé, ma pauvre figure que les larmes plissent, mon corps déjà âgé et alourdi, Tu m'appelles encore...

Mon Dieu, je viens.

Au moment où il écrit ces lignes, Lev Gillet vient d'avoir quarante-quatre ans. Son corps et son esprit sont vigoureux. On ne saurait donc prendre à la lettre son identification à un vieillard alourdi par l'âge. C'est du vieil homme intérieur qu'il aspire à se dépouiller. L'essentiel est la décision : « Je viens. »

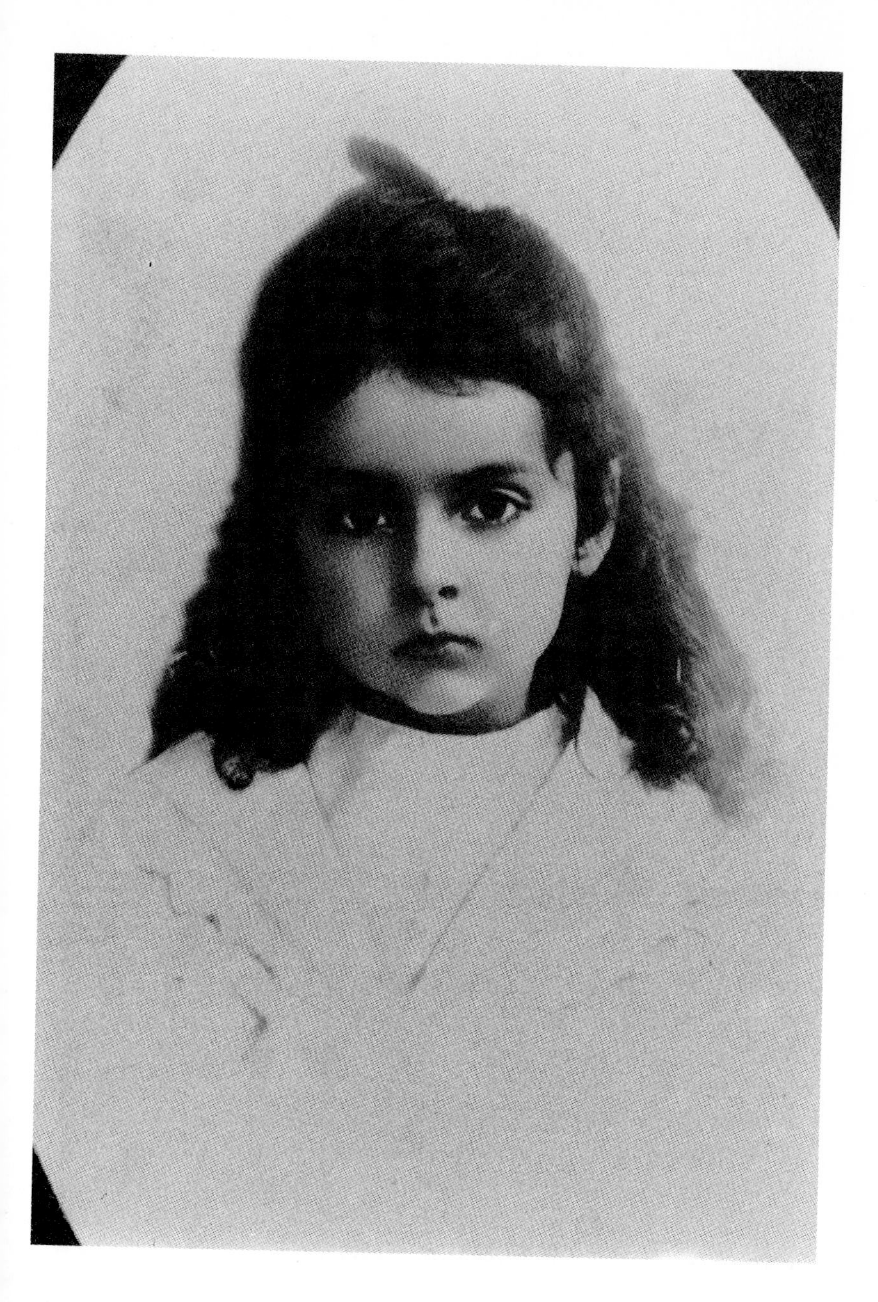

Louis Gillet, enfant.

Louis Gillet étudiant, vers l'âge de 20 ans.

PRINCIPAUX PARTICIPANTS DE LA SEMAINE DE BRUXELLES

1re RANGÉE *(assis ; de gauche à droite) :* Abbé Portal, Mgr Schyrgens, Mgr Szepticki, Cardinal Mercier, Mgr van Caloen, dom Lambert Beauduin.

2e RANGÉE *(debouts) :* Dom Ildephonse Dirks, R. P. Tyzkiewicz, P. L. Gillet, R. P. Willaert, S. J., provincial de Belgique ; dom Augustin de Galen, R. P. de la Taille, Mgr Sipiaguine, chanoine Dessain, R. P. Maniglier, P. Y. Nikoloff.

Le père Lev, fin des années 20, début des années 30.

À Clermont-en-Argonne (1929).

Château de Clausonne près de Nice, vers 1930-1931.

Le père Lev au piano chez ses amis Paul et Natacha Evdokimov (1931).

Fresques de la Chapelle de St Basil's House (Londres).
Ci-dessus : Les saints grecs : de g. à dr. : (?), (?), St Grégoire, St Jean Chrisostome, St Grégoire, St Nicolas, St Athanase, Ste Macrina.

Ci-dessous : Les saints d'Occident : St Benoît, Ste Geneviève de Paris, St Léon, St Martin, St Augustin, Ste Monique, St Irénée.

En 1972.

À Montgeron (vers 1975).

À Montgeron (vers 1975).

À Paris, en juin 1976.

Fresque de la Chapelle de St Basil's House.
Le Christ de l'Apocalypse.

CHAPITRE XI

LONDRES : UN MINISTÈRE HORS CADRE À LA VEILLE DE LA GUERRE

Dans le courant de l'automne 1937, Lev Gillet se rend en Angleterre. Tout indique qu'il s'agit cette fois-ci non de « vacances », mais d'un voyage exploratoire destiné à préparer son installation en Grande-Bretagne pour une durée indéterminée. À Londres, il rencontre le Dr Paul Levertoff, hébraïsant connu, avec lequel il est probablement déjà en relations épistolaires. L'impact de cette rencontre sur l'orientation de sa vie dans les prochaines années sera décisif. Après Aimé Pallière, Paul Levertoff deviendra pour Lev Gillet le grand initiateur à la pensée et à la spiritualité juives. Il facilitera aussi son installation matérielle à Londres.

Né en Russie en 1879 de parents juifs, Paul Levertoff, à l'âge de dix-huit ans, s'est converti au Christ, ou plutôt « accepte le Christ », selon l'expression de Père Lev dans une notice biographique consacrée à son ami[1]. Cette conversion ne le détache cependant pas de ses racines juives. Quand éclate la Première Guerre mondiale, il se trouve en Allemagne, à Leipzig, chargé d'un enseignement d'hébreu à l'institut Delitsch d'études juives *(Institutum judaïcum Delischianum)* : une fondation destinée à promouvoir une meilleure connaissance du judaïsme, grâce à des contacts intellectuels et spirituels entre juifs et chrétiens. Après la guerre, Levertoff s'établit en Grande-Bretagne. S'étant joint à l'Église d'Angleterre, il y est

1. Lev GILLET, *Communion in the Messiah*, Londres-Redhill, Lutterworth Press, 1942, p. 203-204.

ordonné au sacerdoce. À la fois érudit et homme d'action, il se sent appelé à œuvrer pour une expression sémitique du message chrétien – un message, à son avis, trop unilatéralement coulé dans le moule de la pensée grecque. En même temps, il travaille pour la renaissance d'une communauté judéo-chrétienne à l'image de la première communauté chrétienne de Jérusalem. Il mène ainsi de front et des investigations sur des aspects ignorés ou mal connus du judaïsme, tels la mystique et l'ésotérisme juifs, et l'élaboration d'une liturgie judéo-chrétienne pour la communauté dont il rêve. La montée, dans les années trente, de l'antisémitisme en Allemagne et en Autriche, l'amène à prendre conscience d'une nouvelle tâche : sensibiliser les chrétiens britanniques à la menace qui pèse sur les juifs d'Europe centrale. En 1937, à l'époque où Lev Gillet prend contact avec lui, il s'apprête, avec l'aide de diverses organisations chrétiennes (où l'on trouve aussi bien des quakers que des anglicans) à ouvrir, dans l'East End de Londres, un foyer – *youth hostel* – destiné à accueillir de jeunes chrétiens d'origine juive fuyant l'Autriche annexée par Hitler : une catégorie de demandeurs d'asile particulièrement défavorisée car non prise en charge par les grandes organisations d'entraide juives et souvent ignorée des chrétiens. Au moine orthodoxe, Levertoff a proposé de collaborer avec lui. Lev Gillet, sous réserve d'obtenir l'autorisation de son évêque, accepte la proposition. Elle correspond à ses aspirations et à ses convictions les plus profondes. Il y discerne un appel de Dieu et un devoir moral.

« Alors que le judaïsme européen est menacé d'extermination, écrira-il, un double devoir s'impose à nous : aider les juifs en péril et reprendre sur de nouvelles bases, le dialogue avec Tryphon [2]. »

De retour à Paris vers Noël, il se confie au métropolite Euloge. Esprit aux vues larges et fin connaisseur d'hommes, l'évêque accorde sa bénédiction à l'entreprise

2. *Communion in the Messiah*, p. x.

peu commune d'un prêtre hors du commun. Du reste, dans la perspective du dialogue orthodoxe-anglican auquel l'évêque est particulièrement attaché, la présence en Grande-Bretagne d'un de ses prêtres maîtrisant parfaitement la langue anglaise et rompu au dialogue œcuménique, lui paraît présenter des avantages. Coprésident, avec l'évêque anglican Walter Frere, du Fellowship of St. Alban and St. Sergius – une association qui promeut le dialogue anglican-orthodoxe – Mgr Euloge voit en Lev Gillet, qui y prend une part active depuis les origines, son représentant personnel auprès de ce mouvement.

Assuré de l'accord épiscopal, Lev Gillet laisse maintenant entendre à ses amis et aux membres de sa famille qu'un changement dans sa vie impliquant l'installation en Angleterre est proche. Lui présentant ses vœux pour la nouvelle année, il écrit à son frère : *Dans un proche avenir, Londres plus que Paris pourrait devenir le centre de gravité de mes activités, Paris demeurant toutefois le point d'attache nominal.*

Dans une lettre adressée à ses amis nancéiens en janvier 1938, il se montre plus explicite : *Il semble presque sûr qu'après ce voyage à Nancy j'irai m'établir à Londres, pour cinq ou six mois, à titre d'expérience, pour plus longtemps si l'expérience réussit. Nominalement prêtre orthodoxe rattaché à Paris, je serai en fait hors cadre, faisant un libre travail d'évangélisation dans le East End, en liaison étroite avec le mouvement judéo-chrétien, mais sans m'y limiter. Matériellement ce sera bien plus précaire qu'à Paris : en fait, c'est un saut dans l'inconnu. N'en parlez pas... Il faut bien une fois dans la vie se résoudre à se jeter dans la mer et essayer de vivre littéralement selon l'Évangile. Priez pour moi.*

Chaque terme de cette annonce est pesé. L'installation à Londres est présentée comme un essai, une « expérience ». Si l'expérience réussit, elle pourra se prolonger. Dans l'esprit de Père Lev, il ne s'agit cependant pas d'une « expérience » au sens gidien de ce terme qu'il déteste : papillonnage excluant tout engagement sérieux.

Le ton de sa lettre est grave. Le Seigneur auquel il a répondu : « je viens » l'appelle à « tenter de vivre littéralement selon l'Évangile ». Non sans appréhension, il s'apprête à faire ce « saut dans l'inconnu ». Il se sent appelé à renoncer, non à son ministère sacerdotal, mais à l'exercice de ce ministère dans le cadre normal et sécurisant de l'institution ecclésiale : un cadre respectable et qu'il respecte mais où, depuis plusieurs années, il se sent à l'étroit. Il reste (et restera toujours) un prêtre de l'Église orthodoxe mais « hors cadre », libre de se consacrer à l'évangélisation de ceux et celles – une multitude – que les Églises officielles n'atteignent pas ou n'atteignent plus ou qu'elles ont rejetés tels les juifs anathématisés comme déicides. Les circonstances imposent le souci du dialogue à renouer avec le peuple juif, de la solidarité active à lui manifester, comme un impératif éthique de première urgence. Cependant, dès 1937, Lev Gillet prévoit que son nouveau ministère (ou plutôt la nouvelle forme de son ministère) ne se limitera pas à une collaboration avec le mouvement judéo-chrétien. Il aspire à abolir toutes les limites, à devenir, en suivant Jésus, le « frère universel », selon l'expression du P. Charles de Foucauld qu'il vénère. « Hors cadre », il ne vivra plus de l'autel. Le corollaire de sa décision est le renoncement à toute rétribution de ses services par l'institution ecclésiale. Dorénavant jusqu'à sa mort, il vivra pour l'essentiel et très modestement de son travail au service d'organismes séculiers, sans lien avec les Églises institutionnelles. Cette perspective et la précarité d'avance acceptée de sa situation matérielle sont clairement envisagées dans la lettre adressée à ses amis.

Reste à expliquer le sens de l'affirmation de son rattachement *nominal* à « Paris », c'est-à-dire à l'exarchat russe du patriarcat œcuménique dont le chef spirituel est le métropolite Euloge. « Nominal » veut-il dire purement formel au sens où le lien extérieur de pure forme n'impliquerait aucune réalité, aucune relation d'ordre spirituel ? Toute l'attitude de Lev Gillet qui vient de demander la bénédiction de son évêque pour s'engager dans une voie nouvelle et insolite dément une telle interprétation. S'il prend du champ par rapport à l'institution, il reste prêtre dans l'Église concrète, historique où il discerne l'*Una Sancta Catholica et apostolica Ecclesia*. Il saura toujours gré à l'évêque dont la largeur de vues et le discernement spirituel lui ont permis de concilier la liberté selon l'Esprit Saint avec la loyauté envers l'institution ecclésiale qui porte le trésor qui lui est confié dans des vases de terre : des vases pourtant indispensables jusqu'à la fin des temps.

Vers la mi-février 1938, Lev Gillet s'installe donc à Londres. Ayant distribué ou confié à des amis tous ses biens personnels, tous les objets souvenirs, y compris de précieuses photographies familiales, il arrive comme un voyageur sans bagages. Le seul livre qu'il emporte avec lui est une Bible dans la traduction française de Louis Segond. Elle l'accompagnera partout.

À peine installé, il est rappelé en France par la mort subite, qui le frappe douloureusement, de sa mère. Il ne revient pas immédiatement, prenant le temps de revoir les lieux de son enfance qui lui sont chers, de passer quelques jours dans la famille de son frère, de régler les problèmes de succession : problèmes auxquels, paradoxalement, ce pèlerin de l'Absolu (mais qui est l'héritier d'une lignée de bourgeois et de juristes) se montre attentif.

Il est de retour en Angleterre pour la Pâque orthodoxe qu'il célèbre avec la paroisse russe de Londres : une communauté avec laquelle, sans faire partie de son clergé, il gardera jusqu'à sa mort, malgré toutes les vicissitudes juridictionnelles, des liens privilégiés. Désormais pour un certain temps, son domicile se trouve à Holy Trinity's Vicarage, Old Nichol Street, Bethnal Green, dans le East End de Londres. Ce presbytère anglican désaffecté abrite le *Youth Hostel* créé par le P. Paul Levertoff pour accueillir des jeunes israélites ou chrétiens d'origine juive, fuyant la persécution nazie qui sévit en Allemagne et en Autriche. Lev Gillet y est chargé, avec le titre de *warden*, d'une direction morale qui occupe une partie de son temps. De cet épisode important de son existence, il sera question plus loin.

En transférant le centre de ses activités à Londres, Lev Gillet rêve d'un « libre travail d'évangélisation » auquel, « prêtre hors cadre », il pourrait s'adonner. Ce projet connaît un début de réalisation sous la forme de prédications que, s'adressant à la foule anonyme, il s'enhardit à donner à Hyde Park, le grand parc londonien. L'expérience est évoquée dans l'une des lettres mensuelles que, pendant les premiers temps de son séjour à Londres, il adresse à ses enfants spirituels et anciens paroissiens en France : lettres qui constituent une sorte de journal de bord jusqu'à ce que survienne la grande coupure de la guerre. Le 11 mai 1938, Lev Gillet écrit : *J'en viens maintenant à la grâce que Dieu m'a faite de pouvoir lui rendre publiquement témoignage, ici à Londres, à Hyde Park. Vous savez que c'est un lieu où, chaque jour, la foule se groupe autour d'un orateur représentant des partis politiques ou des confessions religieuses. J'avais une sorte de peur d'y prendre la parole. Or maintenant, j'y parle chaque soir de vingt heures à vingt-trois heures et demie. Il faut oser prendre la parole en plein air, au milieu de la foule : peu à peu un groupe se forme. Les questions et les objections pleuvent sur l'orateur. Mais la foule est toujours respectueuse : aucune moquerie, aucune injure. Et dans cette foule (brebis sans berger), on sent une soif si pitoyable de vie spirituelle. On ne peut parler que de choses très élémentaires : existence de Dieu, valeur des Évangiles, etc. (élémentaire et si difficile !), et toujours et surtout le problème du mal et de la souffrance. J'essaie de montrer que Dieu n'est pas responsable du mal et d'exposer, du mieux que je peux, la conception du Dieu souffrant, limité dans sa puissance par la liberté donnée à l'homme, et blessé par tous les coups que le Prince de ce monde nous porte, à nous-mêmes : maladie, mort, péché, etc. (comme dit l'Évangile « l'ennemi a fait cela »). Je crois que cette conception paraît nouvelle à certains et leur apporte une aide. Quelques auditeurs ont des visages si pathétiques !*

La nuit tombe. D'un côté, le parc obscur, en face, tout près, les lumières multicolores de la place. Et souvent, dans la nuit, la foule commence à chanter en chœur des hymnes. En 1933, à la veille d'un court voyage en Angleterre, comme je priais, je m'étais en quelque sorte vu moi-même, parlant à Londres, le soir à la lueur des lumières électriques rouges. Et voilà que cela s'est réalisé. Vous ne vous imaginez pas quelle place Hyde Park commence à tenir dans ma vie. Toutes mes journées sont tendues vers le soir, vers le moment où peut-être il me sera donné d'ouvrir au Christ un cœur inconnu. Comme j'aime ces hommes et ces femmes ! Il me semble, qu'en eux, notre Seigneur me confie une nouvelle paroisse (qui ne vous remplace pas), et Londres me devient très cher parce que je peux y faire ce qui, à Paris, serait impossible. Je rencontre à Hyde Park le Sauveur plus que dans les cathédrales ; j'ai l'impression que j'atteins un point très important de mon ministère : je sens tout ce qui pourrait être fait et j'éprouve comme Paul (1 Co 16, 9) qu'une « porte est ouverte toute grande ». Où conduira-t-elle ?

Cependant, au moment où, émergeant du tunnel d'une profonde dépression psychique et spirituelle, Lev Gillet voit s'ouvrir devant lui la voie lumineuse d'un nouveau ministère évangélique, des nuages sombres s'accumulent à l'horizon. Le spectre d'une nouvelle guerre menace l'Europe qui n'a pas su construire à temps une véritable paix et qui maintenant cède lâchement aux menaces d'un dictateur hystérique. Ayant personnellement opté pour la non-violence évangélique, mais étranger à tout pacifisme bêlant, Lev Gillet suit lucidement les événements.

Au cours de l'été 1938, il retourne encore une fois en France. À la demande du métropolite Euloge, il assure l'intérim du chapelain, absent au foyer-monastère de Mère Marie, rue de Lourmel. La crise de Munich le fait rentrer précipitamment à Londres. À l'amie qu'il n'a pas pu rencontrer, il écrit : *Je vous ai attendue chaque semaine d'août à Paris. Hélas, je vous ai manquée... Priez pour Hitler, c'est-à-dire pour que Dieu l'inspire et écarte de lui la tentation.*

Lev Gillet ne se fait pourtant guère d'illusions. La catastrophe, à vues humaines, paraît inévitable.

Au printemps 1939, en se rendant à une rencontre internationale de théologiens à Bâle (peut-être autour de Karl Barth), il traverse la France à l'aller et au retour. En passant, entre deux trains, il s'arrête chez ses amis nancéiens que, prévoyant le pire, il tient à revoir avant l'apocalypse menaçante. À Paris paraît en ce printemps le premier numéro de la revue *L'Action Orthodoxe* (en russe, *Pravoslavnoïé Diélo*) publié par le groupe d'intellectuels russes rassemblés autour de Mère Marie Skobtsova. Il s'ouvre sur une méditation du hiéromoine Lev Gillet sur le « Dieu souffrant ». La traduction est due à Nadejda Gorodetzky. Les articles qui suivent sont signés Nicolas Berdiaev, Constantin Motchoulsky, Georges Fedotov, Mère Marie. La revue s'efforce d'unir réflexion théologique, spiritualité et témoignage dans le monde. Mais son premier numéro sera aussi le dernier. Il n'y aura pas de suite.

À la déclaration de guerre, Père Lev se trouve à Londres. Fidèle à ses convictions, quand arrive l'ordre de mobilisation, il renvoie son livret militaire, se déclarant objecteur de conscience. La législation du Royaume-Uni reconnaît l'objection de conscience. Ce n'est pas le cas, à cette époque, de la législation française. Désormais, s'il retourne en France, Lev Gillet risque d'être arrêté et jugé comme « insoumis » et « déserteur ». En Grande-Bretagne aussi, sa situation est devenue précaire. Le 1er janvier 1940, il écrit à son amie : *Vous comprendrez mon silence quand je pourrai tout vous expliquer et vous raconter. Pour rester fidèle à ce que je considère comme un impératif catégorique de conscience, je me trouve dans une situation difficile et précaire. Je suis encore ici – pour combien de temps ? – ne sachant ce que demain me réserve. Je ne puis guère en dire plus. Mais je voudrais vous dire, surtout au seuil de cette nouvelle année, que je n'ai jamais cessé de penser à vous et que je vous garde toujours la même affection bien vive... Je me sens vraiment étranger et pèlerin parmi les sentiments et les paroles qui ont cours aujourd'hui. C'est le temps de la puissance des ténèbres et le moment de demeurer seul avec Jésus à Gethsémani.*

Quelques mois plus tard, les armées hitlériennes envahissent la France. Londres est écrasé sous les bombes, particulièrement l'East End où habite Lev Gillet. Pour lui, comme pour des millions d'autres, une page est définitivement tournée. Du cataclysme de la Seconde Guerre mondiale, il sortira vivant mais intérieurement blessé et brisé.

TROISIÈME PARTIE

PÈLERIN ENTRE PLUSIEURS MONDES

1938-1970

CHAPITRE PREMIER

LES PREMIÈRES ANNÉES DE GUERRE : LE DIALOGUE AVEC TRYPHON

La guerre de 1939-1945, comme celle de 1914-1918, a marqué dans la vie de Lev Gillet un tournant décisif et une coupure. Elle l'a fixé, ou plutôt, selon sa propre expression, elle l'a « épinglé » en Angleterre : une fixation qui, au début, pouvait paraître provisoire, préludant éventuellement à un nouveau départ, mais qui, finalement, se révélera définitive. Il y aura bien des projets d'installation ailleurs : en Palestine, au Liban. Même un retour en France sera, à une époque donnée, envisagé. Mais, vaguement ébauché, ou ayant trouvé un début de réalisation, aucun de ces projets n'aboutira. Après la guerre, Lev Gillet deviendra un grand voyageur, version moderne du prophète itinérant de l'Église primitive. Londres restera cependant son port d'attache. C'est sur cette île, la Grande-Bretagne – à la fois terre d'asile et terre d'exil – qu'il s'endormira de son dernier sommeil.

Lev Gillet a aimé l'Angleterre sans jamais se sentir vraiment anglais. Il a toujours tenu à garder la citoyenneté française. Possédant parfaitement l'anglais littéraire et en saisissant toutes les nuances, il aura toujours du mal avec les expressions argotiques et idiomatiques de la langue populaire. Son anglais parlé était marqué d'un fort et comique accent français. Ses amis et auditeurs anglais s'y étaient habitués et lui trouvaient même une sorte de charme.

Il appréciait le *british way of life :* un mélange, disait-il, de choses « délicieusement désuètes » et de « modernité », une culture très typiquement nationale mais traversée du souffle vivifiant du « grand large ». Il lui arrivait de critiquer l'hexagonalisme français. Mais l'Angleterre était surtout pour lui la patrie de l'*habeas corpus*, du respect des libertés individuelles et de la liberté de conscience : un pays de tolérance où une forme spécifique d'humour alliée à la fameuse *comprehensiveness* anglicane permet à des gens de convictions différentes de coexister tout en s'affrontant, mais en évitant les ruptures déchirantes. Fuyant les passions continentales et en particulier les « querelles russes », Lev Gillet, déjà à l'époque de son ministère parisien, aimait prendre des « vacances morales » en Grande-Bretagne.

C'est surtout l'expérience partagée de la guerre, des bombardements aériens, du *Blitz* qui va le rapprocher du simple peuple britannique : un peuple qui se montre stoïque et solidaire dans l'épreuve et, dans ses profondeurs imprégné de vertus évangéliques. Il se souviendra toujours des nuits passées dans les abris souterrains du métro londonien, des femmes qui, s'adressaient au prêtre étranger, en l'appelant familièrement *my love*, des cantiques entonnés par quelques-uns et repris en chœur : les mêmes cantiques qu'il avait entendu chanter par les soldats britanniques dans les tranchées de la Première Guerre mondiale et qui l'avaient alors profondément ému.

Parmi les motifs justifiant l'installation de Lev Gillet en Angleterre, figurait certainement pour le métropolite Euloge, au premier chef, la poursuite du dialogue anglican-orthodoxe : un dialogue amorcé avec succès, depuis une dizaine d'années, au sein de l'association Fellowship of St. Alban and St. Sergius, dont Euloge était le président orthodoxe. Le moine français y avait participé depuis les origines [1]. Sa présence était appréciée. À ce ministère œcuménique dont l'a chargé son évêque, Lev Gillet restera fidèle jusqu'au dernier jour de sa vie terrestre. Ce jour, il célébra une ultime fois – comme tant de fois auparavant – la liturgie dans la chapelle aux deux autels,

1. Voir p. 362-363.

l'un orthodoxe, l'autre anglican, de St. Basil's House [2]. Avec son ami Nicolas Zernov, le P. Lev Gillet a été le principal artisan orthodoxe du climat de convivialité spirituelle qui, aujourd'hui encore, caractérise le Fellowship.

Cependant, toujours hanté par la grande vision paulinienne de l'unité catholique, du dessein bienveillant de Dieu de réunir l'univers entier « sous un seul chef, le Christ » (Ep 1, 16) », il se sentira de plus en plus appelé à étendre ce service de l'unité, au-delà du dialogue anglican-orthodoxe, aux relations avec des chrétiens appartenant à d'autres Églises et, au-delà encore, au dialogue avec les croyants d'autres religions et même avec les incroyants [3].

En premier lieu ce qui s'impose à lui – comme un devoir urgent en ces années tragiques où la barbarie hitlérienne déferle sur l'Europe, où le judaïsme européen est menacé d'extermination – c'est, en même temps que l'aide concrète qu'il s'agit d'apporter aux juifs, l'amorce d'un dialogue irénique – un dialogue qui fait défaut depuis des siècles, entre l'Église et la Synagogue. À cette tâche acceptée comme une vocation personnelle, Lev Gillet, se consacrera passionnément pendant plusieurs années.

Sur le plan pratique, la rencontre avec le Dr Levertoff a été décisive. Dans le courant du printemps 1938, le moine orthodoxe s'est installé à Holy Trinity's Vicarage : un ancien presbytère anglican, dans l'East End de Londres, à Bethnal Green, transformé en foyer d'accueil pour jeunes juifs ou jeunes chrétiens d'origine juive qui fuient l'Allemagne hitlérienne et, après l'*Anschluss*, également l'Autriche.

Dès son arrivée à Londres, au printemps 1938, Lev Gillet participe aux efforts en vue de mobiliser l'opinion chrétienne de Grande-Bretagne en faveur des demandeurs

2. Voir p. 612.
3. Voir chap. XI, p. 511 s.

d'asile juifs et judéo-chrétiens venus d'Allemagne et d'Autriche. Une photographie publiée dans le *Daily Herald* du 22 avril 1938, le montre défilant dans une rue londonienne aux côtés de Paul Levertoff, portant une pancarte qui invite à la solidarité avec les Israélites persécutés. Il s'agit, écrit le chroniqueur du *Daily Herald*, de la première manifestation de ce genre. L'Union judéo-chrétienne qui en est l'organisatrice – Union dont Paul Levertoff est le président – appelle à la formation « d'un front commun de toutes les Églises chrétiennes en vue de lutter contre le racisme nazi ». De façon significative, la manifestation évoquée par le journal est partie du quartier général de la Société des Amis située à Euston Road. Les quakers ont aussi contribué financièrement à la création du foyer d'accueil de Holy Trinity's Vicarage. Les relations étroites de Lev Gillet avec cette famille spirituelle particulière datent de cette époque.

Le confort matériel à Holy Trinity's Vicarage est des plus sommaires. Quelques années plus tôt le Vicarage était un centre d'activités de loisir offertes aux adolescents de ce quartier défavorisé. Un vaste hall, qui jadis a servi de gymnase, a été aménagé en dortoir sous forme de boxes séparés par des cloisons légères qui ne montent pas jusqu'au plafond. Ne voulant bénéficier d'aucun privilège, le *warden* dort dans un de ces *cubiculi*. Dans la journée, la plupart des pensionnaires sont absents. Les uns poursuivent des études dans un collège secondaire ou à l'université de Londres, d'autres apprennent un métier.

Lev Gillet est libre de vaquer à ses propres occupations. Il en profite pour se lancer passionnément dans l'étude de l'histoire du judaïsme, de la théologie et de la mystique juives, dont il acquiert une connaissance approfondie. Les soirées sont consacrées à ceux qu'il appelle « mes enfants ». Il leur propose des entretiens sur des sujets d'actualité ou sur des thèmes religieux. Il s'efforce surtout d'avoir avec eux des contacts personnels. Certains, bien des années plus tard, se souviendront de ce *goy* étrange et de l'impulsion qu'ils ont reçue de lui : une impulsion qui les a marqués pour toute la vie.

Le samedi, jour de sabbat, le moine orthodoxe se rend avec ceux des jeunes qui le désirent – une minorité – au service religieux judéo-chrétien présidé par le P. Paul Levertoff et célébré alternativement dans différentes églises ou chapelles anglicanes : St. George à Bloomsbury, St. Michael à Golders Green, Holy Trinity's à Bethnal Green. Lev Gillet ne concélèbre pas. Mais il chante les répons en hébreu avec les fidèles. L'important pour lui est d'entrer, autant que possible, dans la prière de l'« autre ».

Dans *Communion in the Messiah* [4], ouvrage dont il sera question plus loin, Lev Gillet porte sur ces eucharisties judéo-chrétiennes un jugement dans l'ensemble positif quant à leur qualité spirituelle. Élaborées à partir de « sources juives et chrétiennes anciennes », chantées sur des « mélodies hébraïques envoûtantes », elles lui paraissent « belles, priantes ». Elles contiennent « l'essentiel de l'eucharistie chrétienne ». On peut sans doute leur reprocher d'être le résultat d'une « reconstruction archéologique... une œuvre individuelle et non le fruit d'une longue expérience collective ». Mais « n'en fut-il pas de même à l'origine des liturgies historiques [5] » ?

L'expérience du *Youth Hostel* se termine brutalement au printemps 1940. Le gouvernement britannique, pour qui ces jeunes demandeurs d'asile demeurent légalement des citoyens d'un pays avec lequel il est en guerre, décide de les interner d'abord dans un camp dans les îles anglo-normandes. Puis, quand le danger d'une invasion allemande se précise, ils seront transférés en Australie. De cette décision, qui l'a séparé de « ses enfants », Lev Gillet

4. Lev GILLET, *Communion in the Messiah*, Londres-Redhill, Lutterworth Press, 1942, p. 238-240.
5. *Ibid.*, p. 240.

parlera, encore beaucoup d'années plus tard, avec tristesse et indignation.

Holy Trinity's Vicarage où après le départ de ses protégés Lev Gillet a continué d'habiter, est totalement détruit au cours des bombardements aériens qui, durant l'été et l'automne 1940, dévastent l'East End. Il se trouve ainsi littéralement dans la rue et sans ressources. Généreusement, les quakers offrent au moine orthodoxe d'abord un abri, puis une bourse d'études dans l'un de leurs collèges, à Selly Oak, près de Birmingham. C'est là, au collège de Woodbrooke, durant ce qui fut pour lui une année sabbatique, que Lev Gillet rédigera l'ouvrage qui est la synthèse de ses recherches dans le domaine du judaïsme. Conformément à ses aspirations, il l'intitulera *Communion in the Messiah*.

Au collège missionnaire de Woodbrooke – où il passe l'année universitaire 1940-1941, et probablement encore une partie de 1942 –, Lev Gillet va connaître une période d'intense travail intellectuel dans un climat d'amitié auquel il est sensible. Il y retrouve comme collègue son amie Nadejda Gorodetzky, chargée d'un cours d'œcuménisme dans une perspective orthodoxe. Il se lie également d'amitié avec un jeune étudiant en médecine, John Vaccaro[6]. Il ne sort de cette retraite studieuse que pour célébrer, de temps à autre, une liturgie pour un groupe d'orthodoxes isolés[7]. À Woodbrooke, il assiste aux réunions de prière silencieuse qu'il apprécie, de ses amis quakers.

Rédigé dans cette atmosphère, *Communion in the Messiah* est une œuvre à la fois érudite et engagée : un livre

6. À la nouvelle de la mort du P. Lev Gillet, le Dr John Vaccaro (qui n'était plus en contact avec lui depuis des années) nous a communiqué les lettres que ce dernier lui adressa pendant plusieurs années et qu'il a pieusement conservées. Ces lettres se trouvent actuellement dans les « Archives Lev Gillet » du Fellowship de S. Alban et S. Serge.

7. Voir plus loin p. 356-357.

qui témoigne d'une information encyclopédique sur le judaïsme, en même temps inspiré par une profonde sympathie et traversé d'un souffle prophétique et messianique.

D'emblée, dans la préface, l'auteur se situe par rapport au thème annoncé : il n'est ni juif, ni hébraïsant, ni spécialiste d'études sur le judaïsme chrétien : « prêtre de l'Église orthodoxe russe », il se reconnaît solidaire d'une communauté qui porte une lourde responsabilité dans la persécution des juifs. En écrivant ce livre, il voudrait « autant que cela est possible à un individu réparer ce péché collectif ». Cette exigence de réparation, il la déchiffre dans les signes du temps. « À l'heure où le judaïsme européen est menacé d'extermination, le devoir strict des chrétiens est de secourir les juifs. » En même temps, cette tragédie leur offre l'occasion « de repenser leurs relations à Israël ». Tout au long de l'histoire de l'Église, quelques chrétiens éclairés ont manifesté leur sympathie pour les juifs et le judaïsme. Mais ils ne représentaient qu'une minorité. Il s'agit aujourd'hui *ici et maintenant* de faire en sorte que l'attitude de cette minorité devienne la norme de l'attitude chrétienne envers le peuple juif.

Pendant des siècles, dans les sociétés chrétiennes, on a persécuté les juifs ou on a cherché à les convertir. Souvent les deux allaient de pair. Il faut renoncer, une fois pour toutes, à cette « pauvre alternative », écrit Lev Gillet : à la persécution tout comme « à l'idée unilatérale de *mission* ». Deux autres visées essentielles doivent leur être substituées. « La première est celle d'un "dialogue" à promouvoir avec les Juifs. En parlant de dialogue, écrit Lev Gillet, j'entends dire que, si le christianisme a un message à apporter au judaïsme, le judaïsme a lui aussi un message pour les chrétiens. La seconde idée est celle de la "communion" à promouvoir entre Juifs et Chrétiens, soit dans la foi au même Messie personnel (mais une telle communion n'est qu'un but lointain plutôt qu'une possibilité immédiate) soit dans des valeurs messianiques communes (cette communion partielle peut se réaliser dès aujourd'hui et elle peut progressivement s'étendre) » (p. 10).

Sont tracées ainsi les grandes lignes d'un vaste programme à la réalisation duquel Lev Gillet voudrait contribuer. Il faut le souligner, le texte que nous venons de citer a été écrit en 1941. Ainsi situé, il apparaît *prophétique* au double sens profond du mot : à la fois en avance sur l'époque et expression de la parole de Dieu pour aujourd'hui déchiffrée dans les *signes du temps*. Au-delà du judaïsme, l'appel au dialogue vise la relation de l'Église avec toutes les religions et en particulier avec celles qui se réclament de la foi d'Abraham : l'islam est déjà nommé.

Quant au but précis de l'auteur, il est « moins de transmettre un savoir, moins d'exposer des conceptions ou d'évoquer une histoire, que d'aider à entrer par sympathie dans la sensibilité juive, à percevoir « la mélodie émotionnelle qui la sous-tend et à rendre le lecteur ainsi capable de réaliser – fût-ce très imparfaitement – ce que cela signifie de se sentir juif » (p. 11).

Communion in the Messiah ne se présente donc pas comme un « livre savant », un ouvrage de pure érudition. Il véhicule cependant une solide information puisée aux meilleures sources. Dans un vaste panorama sont évoqués l'histoire des relations entre juifs et chrétiens, les fondements de la tradition juive, la théologie et la spiritualité juives en leurs expressions variées, parfois apparemment contradictoires, tels le Talmud, le hassidisme, jusqu'aux penseurs juifs contemporains tels Martin Buber et Franz Rosenzweig, enfin les problèmes de l'existence temporelle d'Israël à l'époque actuelle, le destin de la Diaspora, le sionisme...

L'accent est donc mis sur la nécessité d'instaurer entre juifs et chrétiens un véritable dialogue. Héritée de Platon, appliquée par Justin, le philosophe martyr, à l'échange de paroles paisibles se substituant aux injures habituelles échangées entre juifs et chrétiens, l'idée de dialogue a été approfondie dans le cadre des philosophies personnalistes modernes. Lev Gillet nomme Martin Buber, qu'il compte, avec Kierkegaard, K. Barth et N. Berdiaev, parmi les promoteurs féconds, dans la théologie contemporaine, d'une approche existentielle du Dieu Tout-Autre.

Dans l'œuvre du philosophe judéo-germanique Martin Buber, il a trouvé la confirmation de sa propre intuition d'une relation unique et personnelle qui s'établit dans l'authentique dialogue, lorsque le *je* s'adresse au *tu*, c'est-à-dire à une personne mystérieuse en vue d'entrer en communication avec elle : une relation radicalement différente de celle avec l'objet impersonnel désigné par le pronom neutre allemand *es*. C'est un tel réseau de relations personnelles, sur le plan aussi bien de la sensibilité que de l'intelligence de la foi, qu'il s'agit d'établir entre juifs et chrétiens : un dialogue – *zwiegespräch* – au sens profond et authentique de ce mot.

S'élevant contre l'idée répandue chez le chrétien d'un judaïsme qui se réduirait à l'Ancien Testament, Lev Gillet invite à pénétrer dans le monde de la Tradition vivante, millénaire du judaïsme telle qu'elle s'est édifiée – tout comme la Tradition ecclésiale – sur le fondement de l'Écriture. Tradition aux visages multiples : rabbinique, talmudique, mystique. Loin d'être antagonistes, elles constituent une unité riche en sa diversité.

La collection des livres qu'on nomme le Talmud est décriée dans les milieux chrétiens. Au Moyen Âge on y a vu une œuvre « blasphématoire ». Pour beaucoup de nos contemporains, il s'agit d'un recueil ennuyeux de prescriptions tatillonnes, souvent contradictoires, expression d'un légalisme dépassé par le judaïsme libéral moderne. Précurseur en ce domaine d'un courant qui s'est affirmé depuis grâce à des penseurs comme Emmanuel Levinas, en France, Lev Gillet souligne l'importance du Talmud et encourage ses lecteurs à y pénétrer en discernant sa « valeur permanente » : « Quelle est la valeur permanente du Talmud ? Le Talmud aspire à la pénétration de la totalité de la vie humaine par la présence de Dieu. Il ne confine pas l'adoration dans le culte. Il ne le réduit pas aux heures consacrées à la prière. Il sanctifie la maison et le cycle des obligations journalières. Son domaine est assez vaste pour englober les techniques, les arts et les sciences : l'agriculture, la cuisine, la médecine, le droit, l'architecture, dans la mesure où ces activités sont inspirées par son esprit, c'est-à-dire qu'elles visent la sanctification de la vie tout entière.

« Intensément poétique, tout en manquant d'une forme artistique, le Talmud, tout comme les poèmes homériques et la tragédie grecque, est l'expression unique d'un peuple et d'une culture avant tout théocentrique » (p. 62).

On trouve sans doute dans le Talmud des énoncés et des préceptes contradictoires. Mais n'est-ce pas un signe de la légèreté ailée et ironique qui caractérise l'esprit juif ? Légèreté dont lui-même se sent proche et qu'il oppose tantôt à la lourdeur métaphysique germanique, tantôt au *pathos* slave. Personnage plein de contradictions, Lev Gillet ne s'identifie-t-il pas au rabbin du récit talmudique cité par lui avec un sourire malicieux ? « Écoute, rabbi, tu as dit ceci et cela, lui dit quelqu'un. – Oh, l'ai-je vraiment dit ? Bon, puisque tu l'affirmes. – Mais maintenant tu dis l'opposé ! – Bon, je l'avais oublié. En fait, il y a de cela si longtemps. Tu sais, il y a tant de choses qu'on dit... Il ne faut pas prendre tout cela trop sérieusement... »

Le prophétisme, affirme Lev Gillet, doit corriger et assouplir le légalisme du Talmud. Ce dernier, par ailleurs, n'est nullement en contradiction avec l'esprit de la mystique juive dont l'expression classique est le *Zohar*. La véritable tradition juive consiste en l'unité dynamique de ses trois composantes, rabbinique, talmudique, mystique : unité dans la diversité dont l'idée pourrait s'appliquer aussi à la Tradition ecclésiale. La reconnaissance de cette diversité n'implique aucun relativisme doctrinal quant à l'essentiel ni par rapport à la foi juive ni par rapport à la foi chrétienne.

Deux chapitres du livre sont consacrés à la théologie

juive et chrétienne comparées. Lev Gillet rejette la prétention naïve de trouver dans la tradition juive les dogmes fondamentaux de la foi chrétienne concernant le Dieu Un en trois Personnes, l'Incarnation, la Rédemption. Mais à la suite de Levertoff [8], il met en lumière des notions hébraïques telles la *Memra* ou parole de Dieu, la *Chekinah* ou Gloire de Dieu, la *Roua-Ha-Kodech* ou Esprit Saint (au féminin) où il est possible de discerner des « embryons » ou « semences » d'une théologie chrétienne qui tendrait à « traduire en termes et significations hébraïques des croyances chrétiennes jusqu'ici habillées seulement de concepts grecs » (p. 97-98).

Cependant, c'est sur le plan du messianisme que se situe, pour Lev Gillet, la convergence essentielle entre foi juive et foi chrétienne. Le messianisme, constate-t-il, fait partie d'une même tradition judéo-chrétienne. Mais il a connu des développements très différents au sein du judaïsme et du christianisme. Le premier n'a pas reconnu en Jésus le Messie promis. Après avoir été travaillé par des courants messianiques et apocalyptiques divers, il a vu l'extinction progressive, à l'époque contemporaine, de l'attente de la venue d'un messie personnel. Le peuple juif reste cependant un peuple messianique, tendu vers l'avenir : « Immense espoir, attente impatiente d'une ère nouvelle qui illuminerait le monde, aspiration passionnée à sa venue, tel est le messianisme juif moderne » (p. 103) : un messianisme sans Messie qui peut s'investir dans « une obsession de justice et d'accomplissement terrestres » mais qui s'accompagne pourtant de l'aspiration – fût-elle inconsciente – à la venue du royaume de Dieu où « les

8. Éditeur en 1939 d'un ouvrage collectif, *Judaïsm and Christianity*, offert pour son soixantième anniversaire au révérend Paul Levertoff, Lev Gillet y a contribué par une étude sur la notion de *Chekinah* désignant l'immanence mystérieuse du Créateur au monde qu'il a créé. Il y discerne une « semence » dont le développement pourrait permettre d'exprimer en termes sémitiques l'idée chrétienne d'Incarnation qui, exprimée dans le langage de la philosophie grecque, est inassimilable pour des esprits juifs.

promesses faites au peuple bien-aimé seront accomplies et où toutes les larmes seront effacées. »

Inverse a été l'évolution des chrétiens. En Jésus, ils ont reconnu le Messie qui devait venir. Le terme grec *Christos* est la traduction exacte du mot « Messie » qui veut dire « l'Oint ». Mais peu à peu, perdant son sens messianique, il est devenu en quelque sorte un nom propre, le nom de celui en qui on vénère le *Kyrios*, le Seigneur.

S'établissant dans le siècle, les chrétiens ont en grande partie perdu le sens de la messianité de Jésus et, avec elle, l'attente messianique du royaume de Dieu : royaume à la fois déjà fondé en Jésus et encore à venir.

« La majorité des Juifs ne croient pas en un Messie personnel, mais ils ont gardé une attitude fermement messianique. La majorité des chrétiens croient en un Messie personnel mais ils ont perdu toute attente messianique » (p. 106). Telle est la situation actuelle. La question se pose : « Le messianisme juif et le messianisme chrétien pourraient-ils se rencontrer ? Les chrétiens auraient-ils quelque chose à recevoir du messianisme juif ? »

La réponse n'est pas simple. La question au sujet de Jésus reste la pierre d'achoppement. Chrétiens et juifs peuvent cependant communier dans l'attente-espérante du Royaume, une attente qu'il s'agit de restaurer créativement au sein du christianisme. À ce renouveau de la conscience messianique, la rencontre avec les juifs pourrait puissamment contribuer. De leur côté, ces derniers seraient appelés à discerner, chez les chrétiens, cette attente passionnée du royaume qu'ils partagent avec eux.

La communion dans la foi messianique pourrait se manifester sur le plan d'une collaboration pratique dans le style de *life and work* [9] tout en dépassant, spirituel-

9. « *Life and Work* » (Vie et action) thème central de la première conférence œcuménique tenue à Stockholm en 1927. Il désigne une tendance, au sein du Mouvement œcuménique, qui vise surtout à rassembler les chrétiens dans un combat commun pour plus de justice dans les relations sociales et politiques.

lement, un humanisme immanentiste. Tout acte sincèrement accompli en vue du royaume messianique n'est-il pas accompli pour et dans le Messie ? Et Lev Gillet de citer ici une phrase du théologien luthérien alsacien Albert Schweitzer : « Comme jadis, dans les anciens temps, au bord du lac, Il [le Messie] vient à nous. Il est l'inconnu, sans nom. À ceux, savants ou simples, qui suivent son appel, Il se révèle dans les labeurs, les luttes, les souffrances qu'ils endurent avec lui. À travers leur propre expérience, ils apprennent à le connaître en l'ineffable mystère qu'Il est [10]. »

Le théologien protestant qui a abandonné sa chaire et renoncé à une carrière universitaire brillante pour aller soigner les lépreux à Lambaréné, est pour le moine orthodoxe le témoin authentique d'un messianisme incarné dans l'existence et dans les actes.

Exégète des épîtres pauliniennes [11], Schweitzer – écrit Lev Gillet – a réagi contre l'image de Jésus proposée par la théologie protestante libérale : un « Jésus maître de morale et religion ». À sa place il a fait ressurgir « le Seigneur et Juge eschatologique sous le second avènement duquel se concentraient l'attente et l'espérance des premiers chrétiens. Cependant, mentalement prisonnier d'une conception "intratemporelle" de la Parousie, ne croyant pouvoir partager la foi simple et ardente de l'Église primitive dans la forme historique qu'elle a reçue dans ce milieu, Schweitzer n'a pas su élaborer une théologie résolument eschatologique et messianique correspondant aux besoins actuels » (p. 110). Cette élaboration créative a été l'œuvre, au cours des dernières décennies, d'un courant de pensée philosophique et théologique, dit

---

10. Voir A. SCHWEITZER, *The Quest of the Historical Jesus*, Londres, 1910, p. 401.

11. A. SCHWEITZER, *Die Mystik des Apostels Paulus*, Tübingen, 1930. La lecture de ce livre a profondément impressionné Lev Gillet. Voir plus haut p. 213.

« existentiel[12] ». Parmi ses représentants, l'auteur de *Communion in the Messiah* nomme les théologiens protestants Fernand Brunner, Rudolf Bultmann, et surtout le plus connu d'entre eux Karl Barth. Il n'oublie pas le philosophe religieux russe Nicolas Berdiaev. L'attente eschatologique, note-t-il, a toujours été vivante au sein du christianisme russe. Dans la sphère du judaïsme contemporain, c'est Martin Buber qui doit être considéré comme le représentant d'une pensée existentielle aux accents messianiques.

L'un des buts essentiels de Lev Gillet en écrivant *Communion in the Messiah* est de poser des jalons en vue d'un dialogue fécond entre ces deux messianismes renouvelés, l'un issu de la tradition juive, l'autre de la tradition chrétienne : ne pourrait-il se présenter, se risque-t-il de proposer, comme un dialogue entre Buber et Barth ? (p. 117).

En attendant la réalisation de ce rêve, lui-même survole le terrain, notant les différences, mais aussi quelques grandes convergences : quatre thèmes à « résonance juive » lui paraissaient émerger de la théologie de Barth et de tout le courant de « théologie radicale » en réaction contre le « rationalisme, l'humanisme, le psychologisme » de la théologie libérale.

Il y a d'abord, à l'opposé de l'idée d'un Dieu statique, l'attente du Seigneur et du royaume de Dieu qui vient. La Parousie n'est pas un événement du passé. Elle advient à travers un long processus historique tout en n'étant pas un moment de l'histoire. Elle est l'accomplissement de l'histoire qui lui donne un sens. Elle ne cesse de faire secrètement irruption en elle, perceptible seulement à la foi. Lev Gillet de citer ici les vers d'un poète, Tagore, qui n'est ni juif ni chrétien : « Avez-vous entendu ses pas

12. Pour Lev Gillet, la « pensée existentielle », à la différence de la pensée rationnelle qui vise la connaissance objective de la réalité, engage l'homme tout entier. Il s'agit de lui-même, de ses enseignements, du sens ou du non-sens de son existence. Voir *Communion in the Messiah*, p. 118.

silencieux ? Il vient, il vient toujours, il vient... À tout instant, à travers tous les temps, chaque jour, chaque nuit, Il vient. »

Au thème du « Seigneur qui vient » est lié celui de l'« obéissance radicale » : remise totale du croyant à Dieu, réalisée par la « crise » et la « décision ». La personne humaine accepte ou refuse « la volonté divine ». C'est par la « décision de la foi » que s'accomplit la venue du Messie et qu'advient le Royaume des cieux *ici et maintenant*. La foi n'est ni un sentiment, ni une adhésion purement intellectuelle à un dogme. Elle est décision : un « acte qui engage l'être tout entier » (p. 112).

Intervient ici le troisième thème, celui de l'« instant », comme « protestation contre une certaine mystique intemporelle ». Le messianisme implique « unicité d'un *événement* décisif », « moins au sens d'un point dans l'espace ou d'un moment chronologique », que « l'affirmation du caractère absolu, décisif, du constant mouvement par lequel le Messie vient à nous » (p. 113). Le Dieu du messianisme n'est pas un Dieu immobile. Avec lui, « les cieux s'émeuvent » *(ibid.)*. Éternellement il vient, faisant irruption, lui, l'Éternel, dans l'histoire de ce monde qui passe : « L'instant, c'est le point d'intersection où l'éternité et le temps se touchent. » Dieu me prend là où je suis « à l'instant » (p. 114).

Dans cette prise de possession de moi par le Messie, je me sens vivre déjà *ici et maintenant* dans la cité à venir. Cependant cette relation messianique ne sera parfaite que dans l'*au-delà*, dans le royaume de Dieu où le péché et la mort seront définitivement abolis. L'« au-delà », cette « autre rive » où il s'agit « dès maintenant de jeter nos cœurs » – sans négliger l'histoire, les situations historiques, mais en les relativisant. Tel est le thème eschatologique et messianique ramené par Lev Gillet de son exploration profonde et passionnée du mouvement théologique contemporain : un mouvement représenté principalement par des théologiens protestants luthériens et réformés. La méditation du sens de ce mouvement a permis à Lev Gillet d'articuler sa propre pensée. Désormais, ce souffle messianique traverse et imprègne sa prédication de l'Évangile, ses relations avec le monde et le prochain. Dans les années à venir, Lev Gillet va s'éloigner de la théologie barthienne « trop compliquée », « trop unilatérale », trop marquée à son goût d'un pesant *pathos* germanique. Cet éloignement s'amorce déjà dans *Communion in the Messiah* [13]. Cependant, Lev Gillet gardera, dégagé de ses gangues, le trésor de l'« espérance messianique » : titre du chapitre qui constitue le cœur de son ouvrage.

En 1942, ce qui importe avant tout, c'est de mettre en lumière la convergence existant à ses yeux entre le ressurgissement des thèmes eschatologiques et messianiques dans la théologie chrétienne du XXe siècle et un renouveau analogue représenté par Martin Buber dans la sphère de la pensée juive moderne.

Lev Gillet sympathise et sympathisera toujours profondément avec la pensée de Buber telle qu'elle s'est exprimée dans son livre *Ich und Du* (*I and Thou* dans la traduction anglaise publiée en 1937). Parlant de cette œuvre, Lev Gillet affirme qu'elle « constitue l'aboutissement de l'investigation de Buber dans le domaine de la mystique juive ». « Une analyse même sommaire de son contenu montre des coïncidences entre la pensée moderne juive la plus profonde et les orientations messianiques et eschatologiques de la réflexion chrétienne contemporaine » (p. 117).

Dans la relation *je-tu* qui est au centre de la méditation du penseur juif, Lev Gillet discerne la « relation messianique » par excellence, relation à la lumière de laquelle le « monde entier pour nous est changé ».

13. Dès cette époque, Lev Gillet laisse entendre son désaccord avec la théologie barthienne sur certains points : l'« accentuation unilatérale » et de la transcendance de Dieu et de la « dépravation totale » de l'homme, le mépris de l'histoire et l'« ignorance de la révélation de Dieu dans la nature », (*Comunion in the Messiah,* p. 116).

Du règne de la *causalité* nous pénétrons dans le monde de la *grâce*, qui implique à la fois distance et proximité, altérité et intimité. « Dans chaque relation je-tu, nous percevons un souffle de l'éternel *tu* »... « L'amour est la responsabilité d'un je « pour un *tu* ». Et Buber de faire allusion à ce *Tu* plus grand qui, cloué sur la croix du monde, s'élève jusqu'au sommet terrifiant qui est d'oser aimer tous les hommes ». Buber aurait-il pu dire cela, demande l'auteur de *Communion in the Messiah* « s'il n'avait pas cette connaissance profonde du christianisme qu'on décèle en lui ? » (p. 117).

Après cette méditation théologique, Lev Gillet en vient aux problèmes concernant l'existence terrestre du peuple juif : problèmes de la Diaspora, de l'antisémitisme, du sionisme.

D'emblée il affirme que ces questions brûlantes doivent être abordées par les chrétiens d'un point de vue théologique qui n'est pas celui de l'humanisme séculier libéral. Pour résoudre la « question juive », les « mots d'ordre magiques » de cet humanisme sont « émancipation, égalité des droits, assimilation ». Tout en reconnaissant que cet idéal implique « un fond de justice humaine », Lev Gillet le juge, du point de vue chrétien, inadéquat et insuffisant. Si elle aboutit à une déperdition des valeurs et de la conscience juives, l'assimilation est un désastre. Une conception « atomistique » du peuple juif comme ensemble d'individus de confession juive ou mosaïque revient à nier l'idée du « peuple élu », du « peuple de la Promesse » : une idée qui traverse toute la Bible et que le chrétien, plus que tout autre, devrait recevoir et accepter comme une donnée révélée. Son devoir est d'aider la communauté d'Israël comme telle à accomplir sa vocation. Comme l'écrit Berdiaev, « l'ultime solution du problème juif se situe sur le plan eschatologique. Elle représente la phase ultime du combat du Christ contre l'Antéchrist. Le problème de l'histoire universelle ne peut trouver sa solution en dehors de l'autodétermination religieuse du peuple juif » (p. 151).

Cette vision eschatologique directement inspirée de la vision paulinienne du mystère d'Israël ne saurait cependant détourner le chrétien des urgences historiques. Elle ne le dispense pas de ses devoirs immédiats envers les juifs persécutés. Le devoir de leur porter secours est soulignée par Lev Gillet, en même temps que le souci de donner à cette obligation éthique un fondement spirituel, théologique. Il écrit : « En tant que chrétien, nous avons à défendre les Juifs contre l'injustice et l'oppression partout et par tous les moyens. En même temps cependant, il nous appartient de pénétrer plus profondément dans cette tragédie pour la comprendre » (p. 160).

Très explicitement, Lev Gillet se rattache ici à un courant de sympathie pour le judaïsme qui, minoritaire mais non sans influence, a existé dans les milieux intellectuels catholiques français, de Léon Bloy à Jacques Maritain et Paul Claudel, de Charles Péguy à Emmanuel Mounier. En évoquant ce courant dans une « note spéciale » de son livre (p. 231-233), Lev Gillet observe qu'il a également touché les milieux protestants où il est représenté par des jeunes barthiens comme Denis de Rougemont. Lui-même avec N. Berdiaev, ami de J. Maritain, avec Mère Marie Skobtsova et ses compagnons de la revue *Novyi Grad*, s'est efforcé de faire pénétrer ces préoccupations dans les milieux intellectuels de l'émigration russe.

Avec N. Berdiaev, c'est J. Maritain que Lev Gillet cite le plus volontiers et dont il semble partager la vision concernant la « tragédie » des juifs. À l'antisémitisme, hélas, trop souvent propagé par les Églises, on peut trouver des explications diverses d'ordre psychologique, sociologique, économique. Mais ne faut-il pas discerner, au-delà, sa relation propre à la vocation divine d'Israël ? Se référant à des idées exprimées par Jacques Maritain, Lev Gillet écrit : « L'élection d'Israël était une incursion de Dieu dans l'histoire humaine visant à se servir d'un peuple comme "moyen de grâce", comme "sacrement pour toute l'humanité". Il y a entre Israël et le monde la même relation supra-humaine qu'entre le monde et l'Église. C'est seulement cette analogie avec l'Église qui permet de se faire une idée du mystère d'Israël. À sa manière propre, Israël est un *corpus mysticum*... Comme l'Église, Israël est dans le monde sans être du monde : la tragédie, c'est qu'Israël, comme parfois l'Église historique aime le monde et devient prisonnier du monde sans qu'Israël soit et puisse jamais être du monde » (p. 156).

Il en résulte qu'Israël sera toujours ressenti par le monde comme un corps étranger. Comme un levain injecté dans la pâte, Israël a pour vocation l'activation terrestre de la masse du monde. « Il ne lui laisse pas de paix, il apporte l'agitation, il enseigne au monde d'être mécontent et inquiet tant que le monde n'a pas trouvé Dieu ; il stimule ainsi le mouvement de l'histoire. » Le monde haïra toujours les juifs parce qu'ils seront toujours des *outsiders* (p. 156). Ils le seront cependant de différentes manières : les uns comme d'authentiques Israélites fidèles à leur vocation – qu'ils soient juifs orthodoxes ou libéraux ou simplement chercheurs de Dieu – les autres « captifs du monde sans être du monde », exaspérant le monde par leur impatience, leur agitation incessante, leur recherche d'intensités toujours nouvelles. Une recherche qui, s'égarant loin de Dieu, ne peut trouver de véritable satisfaction.

Ce qui, à tort, pourrait apparaître plus tard comme un retournement de Lev Gillet en sa relation à Israël, se trouve, en fait, déjà exprimé dans cette vision à la fois exaltante et exigeante de la vocation messianique du peuple élu. « L'amour et la haine sont proches », disait-il parfois. Lev Gillet ne haïra jamais le peuple bien-aimé. Mais après avoir écrit *Communion in the Messiah*, témoignage de son amour, il s'indignera quelques années plus tard – avec la véhémence propre à son tempérament – des injustices commises par Israël dans la construction d'une entité étatique : une construction considérée par lui comme un alignement sur le *monde* et donc comme un abandon ou, du moins, une occultation des valeurs messianiques dont, selon sa vocation profonde, le peuple juif est appelé à être le porteur.

Mais on n'en est pas encore là à l'époque où Lev Gillet plaide pour une approche chrétienne, compréhensive du mystère d'Israël. Celle-ci implique pour lui aussi une profonde sympathie à l'égard du mouvement sioniste.

Le chapitre de *Communion in the Messiah* consacré au sionisme s'ouvre par cette affirmation : « il y a des lieux qui nous révèlent le sens secret de l'existence, son sens religieux. Telle est la terre d'Israël » (p. 160).

Plus que tout autre, Lev Gillet est capable de comprendre l'attachement passionné, ensemble charnel et spirituel, d'un juif pour Eretz Israël. Après l'événement du lac de Tibériade, n'a-t-il pas vécu pendant des mois, des années, dans la nostalgie et l'espoir d'un retour, vers cette terre de la Présence ineffable ! La possibilité de ce retour lui a été offerte, dans le courant de l'automne 1938 [14]. Pendant ce séjour, il a visité des *kibboutsim*. Il y a rencontré des « filles et des garçons forts beaux et intelligents » (p. 166). Pendant quelques jours, il a partagé la vie rude de pionniers : une vie ensemble « libre et communautaire ». Elle lui est apparue comme la réalisation sous une forme nouvelle, de l'idéal unanimiste, la *sobornost* des slavophiles qui voyaient en celle-ci l'essence de l'ecclésialité orthodoxe. « La base de cette vie communautaire, écrit-il, n'est pas la démocratie mais l'unanimité » (p. 166). En même temps, il a apprécié son efficacité sur le plan concret, existentiel : « Ce type de vie consiste dans un effort incessant pour progresser, pour atteindre, en tous les domaines, le niveau le plus élevé accessible à un groupe de gens intelligents, qui lisent, expérimentent et discutent » (p. 166).

---

14. Peut-être, selon certaines informations, ce séjour, en ce qui est alors encore la Palestine, était-il en relation avec un projet d'installation de Lev Gillet à Jérusalem comme « professeur de religion » pour enfants et adolescents chrétiens orthodoxes arabes accueillis dans les écoles anglaises gouvernementales.

À l'université hébraïque de Jérusalem qui vient d'être fondée, il rencontre, avec respect, de grands savants et intellectuels juifs. En priant au bord du lac de Galilée, il retrouve la paix intérieure.

Cette expérience l'a profondément marqué. On peut penser que *Communion in the Messiah* en est en partie le fruit. Eretz Israël lui est apparu non seulement comme le cadre de la vie historique de Jésus, mais comme la terre de la *Chekinah :* lieu ensemble de la Présence ineffable et d'une nouvelle rencontre historique de Yahvé avec son peuple. Rencontre d'une signification profonde pour les juifs, mais aussi pour les chrétiens et pour l'ensemble de l'humanité.

C'est cette vision que Lev Gillet tente de préciser en parlant de « sionisme spirituel » : un sionisme non abstrait, bien lié à une terre, à un lieu défini à Jérusalem qui deviendrait le centre spirituel d'un judaïsme renouvelé, sans devenir nécessairement la capitale d'un État. Reprenant les termes de l'écrivain juif Achad-Ham (mort en 1927), il esquisse l'avenir de Eretz Israël comme lieu d'élaboration d'une culture, d'une langue et d'une littérature nationales juives, tout en restant cosmopolite, prédestiné au dialogue des religions : « Une terre où travail physique et purification spirituelle iraient de pair et vers laquelle tous les Juifs du monde se tourneraient avec amour » (p. 163).

De telles vues paraissent aujourd'hui utopiques. Mais, à l'époque, elles sont partagées par des esprits éminents, juifs et chrétiens, qui croient qu'une solution pacifique du conflit entre Juifs et Arabes reste possible.

Dans *Communion in the Messiah* Lev Gillet se réfère explicitement au *Livre blanc* publié en mars 1939 par le gouvernement britannique, à la suite d'une conférence organisée par ce dernier à laquelle des Juifs et des Arabes ont participé. Ce texte prévoit l'établissement d'un État palestinien indépendant dans lequel Juifs et Arabes se partageraient le pouvoir. À la même époque, Martin Buber, établi en Israël depuis 1938 (et que Lev Gillet semble avoir rencontré à cette époque), devient l'un des animateurs du mouvement IHUD (Union) qui préconise la création, en Palestine, d'un État binational. C'est le génocide hitlérien, la pression des juifs échappés des camps d'extermination et le soutien donné par la communauté juive américaine aux sionistes extrémistes qui rendront vains, après la guerre de 1939-1945, les efforts de ces artisans de paix.

L'auteur de *Communion in the Messiah* n'ignore pas les aspects politiques complexes du problème palestinien. Cependant, avec Buber, il croit à la force de l'Esprit agissant à travers de petits groupes d'hommes, « ce reste » d'Israël dont parle l'Écriture. C'est avec cette foi qu'il se jette dans la mêlée pour la victoire d'un « sionisme spirituel ». L'expérience sioniste, pour lui, transcende la politique et la sociologie. Citant M. Buber il écrit : « Les colonies sionistes ont retrouvé et expérimenté le sens cosmique et la valeur du travail... L'homme et la terre, *Adam* et *Adama* se sont de nouveau rencontrés... Le kibboutz est un avant-poste de l'humanité, une nouvelle communauté d'hommes. Ce qui se passe aujourd'hui en Palestine c'est la rencontre de l'Esprit avec la Réalité » (p. 169).

De ce signe messianique qu'est le sionisme, les chrétiens ne sauraient se désintéresser. Lev Gillet appelle de ses vœux le surgissement d'un « sionisme chrétien ». Celui-ci peut et doit se manifester par des actes, par l'aide apportée à la construction d'un foyer national pour les juifs en Palestine. Mais il consiste essentiellement dans une attitude intérieure d'espérance messianique partagée avec les Juifs, en dépit de ce qui sépare : « Avec les Juifs, nous croyons que de Sion est sorti la Loi et que la Parole du Seigneur est venue de Jérusalem. Sans les Juifs (à notre chagrin) nous croyons que de Sion et de Jérusalem est venu Celui qui est lui-même la Parole. Avec les Juifs, de nouveau, nous croyons que la Parole de Dieu sortira encore de Sion et de Jérusalem (ces termes pouvant être compris dans un sens qui transcende la topographie sans l'exclure et qui pourrait être coextensif à Israël (tout entier). Dans ces trois articles de foi d'un sionisme chrétien, nous percevons l'unité mystérieuse, donnée par Dieu, qui nous lie aux Juifs. Il est vrai qu'ils ne souscrivent pas au second article. Mais la Parole faite chair est identique à Celle qui vient et qui viendra de Sion. Les Juifs ignorent cette identité ; cependant, cette identité demeure » (p. 171).

Ayant ainsi préparé le terrain, Lev Gillet revient, dans l'avant-dernier chapitre de son ouvrage, sur la nécessité déjà affirmée dans la préface, de substituer à l'idée d'une mission chrétienne unilatéralement exercée en direction des juifs, celle d'un dialogue à promouvoir dans un esprit d'intelligente sympathie.

Il importe cependant, affirme Lev Gillet, de prévenir un malentendu : renoncer à une mission unilatérale visant à « convertir » les juifs, ne revient pas à renoncer à l'universalisme chrétien, ce qui serait trahir « l'esprit passionnément prophétique et apostolique de l'Évangile » (p. 183). La volonté de Dieu, c'est que tous les hommes reconnaissent le Christ comme le Seigneur de leur vie. La mission de l'Église est d'annoncer, sous la poussée de l'Esprit, Jésus comme l'unique Sauveur de l'humanité et du monde. Mais cette « mission » prend un caractère spécifique en ce qui concerne le peuple juif : « peuple élu », investi d'une « fonction privilégiée dans l'économie divine ». Le Messie ne vient pas à lui du dehors. Il est né de lui selon la chair. Il est spirituellement présent en lui depuis le commencement. Le but lointain visé – mais dont quelques arrhes sont déjà perceptibles – est la reconnaissance de Jésus par Israël, comme le « Messie juif », accomplissement de la Loi et des Prophètes dont, compris selon son intentionnalité profonde, aucun iota ne doit être aboli. Œuvrer en vue de la prise de conscience par les juifs de l'immanence du christianisme dans le judaïsme, comme par les chrétiens de l'immanence du judaïsme authentique dans la foi chrétienne, telle est l'immense tâche proposée au missionnaire. Elle est essentiellement d'ordre théologique – au sens d'une théologie ensemble « existentielle » et « mystique ». Elle possède cependant son complément indispensable qui aujourd'hui doit précéder le *kerygma* : une « diaconie » pratique – le témoignage rendu au Christ par les œuvres d'amour fraternel désintéressé.

À propos du kérygme, de l'annonce du message de la foi, Lev Gillet revient ici sur la transposition indispensable des concepts grecs de la théologie chrétienne pour lesquels il faut chercher des équivalents dans le langage hébraïque biblique mais aussi dans la pensée postérieure, par exemple la pensée juive alexandrine. Il ne s'agit cependant pas d'un travail de traduction de caractère purement archéologique. L'auteur de *Communion in the Messiah* appelle ensemble penseurs juifs et chrétiens à accomplir une œuvre créative. Une théologie juive renouvelée s'extirpant de son ghetto, comme on en trouve l'amorce chez un Martin Buber ou un Franz Rosenzweig, ne devrait-elle pas entrer en relation dialogale avec ce qui, dans la pensée d'un Karl Barth, d'un Jacques Maritain, d'un Nicolas Berdiaev est à la fois neuf et traditionnel, c'est-à-dire ressourcé en l'authentique Tradition ecclésiale ?

« Il existe aujourd'hui une renaissance de la théologie dogmatique », constate Lev Gillet en évoquant le renouveau thomiste dans la sphère de l'Église catholique et la percée barthienne dans celle des Églises de la Réforme [15]. Le judaïsme, demande-t-il, n'aurait-il pas à apporter sa contribution propre à cette réflexion théologique contemporaine ? La création d'« une théologie spécifiquement judéo-chrétienne ne représenterait-elle pas une œuvre importante ? » « Il s'instaure aujourd'hui un grand débat théologique concernant aussi des problèmes d'éthique, des problèmes de société et de culture. À côté d'hommes

15. Lev Gillet ne nomme pas le renouveau patristique dans la sphère des Églises orthodoxes. Ce renouveau ne se manifestera avec éclat qu'après la guerre. Lev Gillet lui-même y participera par son second ouvrage important, *Orthodox Spirituality*, Londres, 1945.

comme Berdiaev, Niebuhr et Maritain, n'y a-t-il pas place là pour le messianisme juif, pour les représentants de l'idéologie sioniste, pour le message de Buber ? » (p. 187-188).

C'est dans cette perspective dialogale qu'il faut situer la naissance de la communauté judéo-chrétienne à laquelle est attaché le nom de Paul Levertoff. Tout en reconnaissant l'intérêt de l'œuvre théologique et liturgique accomplie par ce dernier, Lev Gillet évite de voir, dans la communauté que Levertoff s'efforce d'édifier, une réalisation définitive. Il y discerne des « virtualités ». Cependant sa propre vision situe ce « signe » dans une perspective œcuménique plus large. Il écrit : « Nous croyons que le développement d'une communauté chrétienne juive est inséparable du développement d'une nouvelle conscience œcuménique parmi les chrétiens. »

« Il lui paraît donc inutile, voire dangereux, de concevoir l'avenir d'une chrétienté juive en catégories trop précises. Une chrétienté juive, si elle advient, se développera et évoluera avec l'Église réunifiée vers laquelle tend l'actuel mouvement œcuménique. Sans la semence juive, l'organisme œcuménique ne pourra croître et, isolée de la communauté chrétienne œcuménique, la communauté judéo-chrétienne demeurera une secte. Ces deux processus d'affirmation sont complémentaires » (p. 209-210).

Citant Berdiaev, Lev Gillet pose un acte de foi et d'espérance œcuméniques : « L'Église universelle ne s'est pas encore entièrement actualisée dans l'histoire de l'Église visible. [...] Au-delà des diversités confessionnelles, l'Église Une universelle se trouve dans un processus d'affirmation. Nous pouvons prendre conscience de ce fait tout en demeurant fidèles à notre groupe confessionnel » (p. 210).

L'ouvrage s'achève par une méditation du « mystère d'Israël », tel qu'il est évoqué par l'apôtre Paul dans l'épître aux Romains (Rm 11, 25). Ce mystère ne sera révélé pleinement qu'à la fin des temps : « Alors se révélera la véritable identité de ce peuple étrange à la fois provocateur et affligé, peuple à la nuque raide et en même temps brisé, à la fois si vieux et si jeune, victime de la jalousie des "nations", mais aussi de sa propre frénésie, ensemble irritant et infiniment aimé, toujours pécheur et toujours pardonné. Alors tous reconnaîtront en lui ce que, depuis son élection et à travers toutes les vicissitudes, il n'a pas cessé d'être : l'enfant premier-né, le Fils : Israël le bien-aimé » (p. 217).

Communion in the Messiah est publié en 1942, en pleine guerre. Élogieusement préfacé par un théologien anglican connu, l'évêque de Chichester – George Bell –, le livre connaît un succès certain mais limité. Il attire l'attention des milieux intéressés, les uns par le dialogue judéo-chrétien, les autres par un dialogue interreligions, plus large, un dialogue qui s'amorce vers ces années en Grande-Bretagne. *Communion in the Messiah* a-t-il trouvé beaucoup de lecteurs juifs ? Il a été en tout cas très longtemps presque ignoré dans les milieux orthodoxes. Lev Gillet lui-même n'a jamais renié cette œuvre [16]. Mais trop de démentis infligés aux espoirs de solution pacifique du conflit israélo-palestinien exprimés dans son livre l'ont amené à se montrer discret à ce sujet. L'espérance théologale, cependant, survit aux déceptions.

Ayant achevé le travail pour lequel il a bénéficié d'une bourse, Lev Gillet a dû quitter Selly Oak dans le courant de 1942. Il doit de nouveau se préoccuper de trouver un gagne-pain et un toit. Ce dernier lui est offert – peut-être en relation avec son séjour dans un collège spécialisé dans les problèmes de « mission » – au Club des missions étrangères (Foreign Mission Club), un club

16. L'ouvrage est signé Lev Gillet. Dans la préface qu'il lui donne, l'évêque de Chichester George Bell souligne que l'auteur est un prêtre de l'Église orthodoxe russe.

résidentiel, situé 151, Highbury New Park, au nord de la capitale [17].

Au début de 1943 s'ouvre à Londres, sur la North End Road, l'Institut chrétien d'études juives (Christian Institute of Jewish Studies). Le nouvel institut est l'héritier du Institutum Delitzschianum de Leipzig, transféré en Grande-Bretagne lors de la montée, en Allemagne, de la dictature hitlérienne. Pendant plusieurs années, Lev Gillet en partagera la direction avec le Dr Hans Kosmala, un intellectuel juif allemand, converti à la foi chrétienne. Le but de l'Institut est de promouvoir une meilleure connaissance réciproque et des rapports fraternels entre juifs et chrétiens. Lev Gillet est l'éditeur du bulletin publié par l'institut. Il lui donne divers articles, notamment en 1947 une étude consacrée à la pensée de Martin Buber puis, sous la forme d'un numéro spécial non daté de cette revue, une « Esquisse de l'histoire de la pensée juive moderne » (An outline of the History of Modern Jewish Thought).

Modestement rémunérées, ses fonctions de directeur-assistant de l'Institut chrétien d'études juives, assurent à Lev Gillet, comme il l'écrira après la guerre à son frère, le « strict nécessaire pour survivre ». Elles n'occupent qu'une partie de son temps et lui permettent de consacrer le reste à un ministère pastoral et sacerdotal à l'exercice duquel il n'a jamais renoncé. Il l'exerce de diverses manières, en particulier dans le cadre de la paroisse orthodoxe russe de Londres dépendant du métropolite Euloge, ainsi que dans celui du Fellowship de Saint-Alban et Saint-Serge avec lequel il est toujours resté en relation. De ce ministère et de l'évolution spirituelle et théologique qui l'accompagne, il sera question dans les chapitres suivants.

---

17. Comme son nom l'indique, ce club « est destiné à accueillir, lors de leurs passages ou séjours à Londres » les missionnaires œuvrant au service de missions protestantes et anglicanes en Asie et en Afrique. Lev Gillet a sympathisé avec ce milieu qui fut l'un des berceaux du Mouvement œcuménique après la Première Guerre mondiale.

CHAPITRE II

LES ANNÉES DE GUERRE : LE FELLOWSHIP DE SAINT-ALBAN ET SAINT-SERGE

Sur l'existence de Lev Gillet pendant les trois dernières années de la guerre et, d'une façon générale, sur son ministère proprement ecclésial pendant cette période – indépendamment du dialogue judéo-chrétien – on ne possède que des informations fragmentaires : bribes de souvenirs et témoignages de ceux et celles qui l'ont connu à cette époque ; quelques rares lettres [1] car la correspondance avec sa famille et ses amis en France occupée est interrompue à partir de l'été 1940. Elle ne reprendra qu'après la fin des hostilités. Il y a enfin *Orthodox Spirituality*, l'œuvre littéraire majeure de cette époque, qui éclaire l'évolution intérieure de son auteur.

Mises bout à bout, ces différentes données permettent pourtant de se faire une idée de cette étape importante du pèlerinage terrestre de celui qui désormais signe la plupart de ses productions littéraires du pseudonyme quelque peu mystérieux « Un moine de l'Église d'Orient ». La mosaïque ainsi reconstituée contient cependant d'importants trous.

On ignore la date exacte du retour à Londres de Lev Gillet au terme de son séjour studieux à Selly Oak. Voyageur sans bagages (ou presque), comme les « pèlerins russes » qu'il aime, il s'installe sommairement dans une

1. Le 5 décembre 1945, Lev Gillet, dans une longue lettre adressée à son frère Pierre, esquisse un panorama de sa vie et de ses activités pendant la guerre. On y trouve des indications précieuses et quelques détails inattendus. Une importante correspondance avec Nadejda Gorodetzky qui fut, en ces années, la confidente de Lev Gillet, semble malheureusement avoir disparu.

chambre au Foreign Missions Club à Hampstead : un quartier proche de celui de Golders Green où se trouve l'Institut d'études juives [2]. Il la gardera jusqu'à son départ pour le Liban, en janvier 1948. C'est une pièce nue, banale, impersonnelle. On n'y voit aucune icône. Tous ceux qui ont connu Lev Gillet en Angleterre ont été frappés par la rigueur avec laquelle il observe le vœu de pauvreté monastique. Tout ce qu'il possède tient dans une pauvre petite valise : sa robe monastique noire et quelques habits civils usés. C'est sans doute en ces années de guerre qu'il renonce à porter en ville l'habit ecclésiastique. Il est remplacé par des vêtements civils mal taillés, mal entretenus qui lui donnent l'« air d'un clochard », selon l'expression navrée d'une de ses amies russes. Seule marque de son état ecclésiastique : le *collar* blanc amidonné du *clergyman* anglais.

Au moment de cette réinstallation à Londres, le problème de son statut d'objecteur de conscience – un problème qui a angoissé Lev Gillet dans les premiers mois de la guerre – semble réglé. La législation britannique reconnaissant l'objection de conscience (ce qui n'est pas le cas, à l'époque, de la législation française), il a été mobilisé « à titre civil ». Il s'en explique dans la lettre à son frère à laquelle nous faisions allusion. *Le gouvernement britannique m'a mobilisé à titre civil. Au fond, une liberté presque entière m'a été laissée. Je devais seulement faire approuver ce que je faisais et me maintenir à la disposition des autorités qui avaient le droit de m'envoyer n'importe où et de m'appliquer à n'importe quel travail. En fait, j'ai eu à m'occuper un peu de la protection des maisons contre les bombardements. J'ai aussi rendu certains services au Ministère britannique des Affaires étrangères et au Ministère britannique de l'Information...*

Je suis aussi allé plusieurs fois en Écosse, comme prêtre,

2. L'adresse de l'Institut d'études juives est : Annandale, North End Road, Golders Green, Londres NW 11.

pour visiter des soldats de l'armée polonaise mais d'origine ukrainienne.

Aux autorités britanniques, Lev Gillet sait gré de respecter les impératifs de sa conscience. Ses relations avec le représentant en Grande-Bretagne de la France libre sont plus complexes. Il ne s'est jamais identifié à ceux qu'il nomme un peu dédaigneusement « les Français de Londres ». Pour des « raisons de principe » il a voulu « rester étranger au mouvement », écrit-il en 1945 à son frère. Cependant, il ne se désintéresse pas de la politique. Il approuve pour l'essentiel celle du général de Gaulle. Il a « des contacts » avec certains de ses conseillers. Il lui arrive de dîner avec Maurice Schumann et Emmanuel d'Astier de la Vigerie qui semblent trouver intérêt aux informations cueillies auprès de cet ecclésiastique perspicace qui connaît tant de monde. Des relations personnelles plus intimes s'établissent avec l'un ou l'autre de ces Français déracinés. Ainsi Lev Gillet accepte de bénir, selon le rite orthodoxe, le second mariage du journaliste André Pierre qui, à la Libération, deviendra le premier secrétaire général du journal *Le Monde*. Les deux hommes restent en correspondance pendant des années. Cet aspect ignoré de la vie de Lev Gillet pendant la guerre – ses rapports avec le monde politique, un monde dont il ne méconnaît pas l'importance et les responsabilités en son domaine propre – mérite d'être signalé. Il ne constitue cependant qu'un aspect secondaire de sa vie en ces années. L'essentiel pour lui reste sa vocation de prêtre et de moine à laquelle il entend rester fidèle. Que cette fidélité n'eût pas toujours été facile dans les dures conditions d'une existence solitaire au milieu du monde, qu'elle fût peut-être le fruit d'un combat spirituel, transparaît dans la confession sobre par laquelle s'ouvre la lettre à Pierre Gillet du 5 décembre 1945 : *Si j'avais à résumer en une seule phrase ce qui m'est arrivé depuis cinq ans, je dirais simplement : je demeure un moine et un prêtre. Je sais bien que, intérieurement, je suis trop loin de l'idéal du moine et du prêtre, mais du moins cet idéal demeure le mien, et j'en fais extérieurement profession ; et si les circonstances me plongent au milieu du monde, de plus en plus, je me sens étranger à celui-ci et « mis à part ».*

Les derniers mots trahissent une souffrance intérieure. Cependant, malgré cette souffrance et à travers elle, ces années ont constitué pour Lev Gillet une période féconde.

Comme il le souligne dans la lettre à son frère, il reste formellement rattaché à la paroisse russe eulogienne de Londres. Il y concélèbre parfois avec le recteur, le P. Nicolas Behr. Mais sa véritable paroisse, celle de son cœur, c'est une poignée de disséminés : Ukrainiens de l'armée polonaise, « Russes de Paris » installés comme lui en Grande-Bretagne dans les années qui ont précédé la guerre. C'est avec ces derniers surtout, représentants d'une *intelligentsia* russe alors peu nombreuse en Angleterre, qu'il entretient des relations intimes et profondes. Il est pour eux un ami, parfois un inspirateur, toujours un collaborateur discret et désintéressé. Il est surtout le prêtre à qui ils se confient. Parmi les membres de cette communauté dispersée, il faut nommer Nicolas et Militza Zernov, Maria Mikhaïlovna Kullmann, sœur de Nicolas, épouse du représentant de l'YMCA en Grande-Bretagne, elle-même animatrice du Pushkin-Club à Londres. L'amie la plus intime est Nadejda Gorodetzky, *lecturer* à l'université d'Oxford, auteur d'une importante thèse de doctorat sur saint Tikhon de Zadonsk, un saint « occidentaliste » dont Lev Gillet se sent particulièrement proche. Nadejda constitue en quelque sorte « la famille du Père Lev en Angleterre », selon l'expression de Militza Zernov. Au même milieu intellectuel russe appartiennent les enfants du philosophe religieux russe S. L. Frank, Vassily Frank et Natacha Scorer. Au-delà il y a le cercle des amis de ses amis, tous plus ou moins en relations avec le Fellowship of St. Alban and St. Sergius.

Répondant à l'appel de ces disséminés, Père Lev vient célébrer pour eux la liturgie eucharistique, simplement « à la maison » en quelque appartement privé, parfois dans une chapelle prêtée par la communauté anglicane voisine. « Jamais je n'hésite à venir quand il s'agit de célébrer une liturgie », écrit-il à Maria Kullmann. Certaines de ces célébrations resteront pour toujours gravées dans la mémoire de ceux et de celles qui y ont participé. Telle fut celle, dans une grange à Hertford, en avril 1941, dont se rappelle Militza Zernov : une veillée de Pâques d'une joie profonde et paisible au milieu des fracas et des éclairs des bombes déversées par l'aviation allemande sur la ville proche.

Les témoignages émanant de ce milieu évoquent tous la bonté du Père Lev, sa tendresse, sa compassion, sa douceur en dépit d'accès d'irritabilité épidermique dont il se repent ensuite humblement. Pendant des journées entières, il ne quitte pas la jeune femme qui vient d'apprendre la disparition, en mer, sur un sous-marin torpillé, de son époux, père de l'enfant qu'elle porte en son sein. Au prêtre russe échappé aux camps staliniens, puis hitlériens, qui, dans la tourmente, a perdu la trace des siens, de sa femme, de ses enfants, il sait dire les paroles qui réconfortent.

Parmi ceux qui, en ces années de guerre et d'après-guerre immédiat, ont eu des relations personnelles profondes avec Lev Gillet – des relations qui les ont orientés définitivement et marqués pour toujours, se trouvent aussi des non-orthodoxes. Hostile à toute forme de prosélytisme il ne cherche jamais à les « convertir » à l'orthodoxie.

Entre 1943 et 1947, Lev Gillet paraît très lié avec un groupe de chrétiens « confessants » allemands, réfugiés en Grande-Bretagne. Plusieurs d'entre eux sont d'origine juive. Avec l'aide d'amis anglais, ils ont fondé une association dénommée International Christian Service qui se propose d'œuvrer pour la « reconstruction morale et spirituelle de l'Allemagne après la guerre ». Pendant les dernières années de celle-ci, le groupe vit une expérience de vie communautaire au château de Wistow (Leicestershire) mis à sa disposition par ses propriétaires, des aristocrates anglais. La communauté de Wistow, qui comprend des célibataires et des couples mariés, est animée par un pasteur luthérien allemand, le Dr Karl Günther Schweitzer, un proche du pasteur Niemoeller de l'Église confessante. Avant la guerre, Schweitzer a été l'un des fondateurs du *Berneuchner Kreis*, dont l'influence a marqué la théologie protestante allemande. Il est secondé par une jeune étudiante en théologie anglicane, Nancy Hoare. Lev Gillet a fait la connaissance de Nancy à Oxford où, après avoir été son élève, elle est devenue l'amie de Nadejda Gorodetzky.

La vie spirituelle des habitants de Wistow est marquée par la tradition luthérienne germanique. Mais ils se veulent ouverts à d'autres traditions chrétiennes. Des théologiens anglicans et catholiques sont invités à donner des cours et des conférences. Parmi ces invités se trouve aussi Lev Gillet, qui devient l'un des hôtes habituels de la maison et presque un membre de la communauté dont il approuve la vision et les buts. Plus que tout l'attire la personnalité de Nancy Hoare, jeune fille remarquablement intelligente, pleine d'énergie et d'une vie spirituelle profonde. Elle y a puisé la force de surmonter l'épreuve douloureuse d'une blessure – la perte d'un œil – qui l'a défigurée. Pendant plusieurs années, Lev Gillet accompagne la recherche spirituelle de celle qui deviendra, après une période de vie totalement retirée, « Sister Anna », de la communauté anglicane des Sœurs de l'Amour divin.

Sister Anna est aujourd'hui l'animatrice d'une œuvre importante de réconciliation entre catholiques et protestants en Irlande du Nord. « J'ai reçu de Père Lev l'impulsion décisive de ma vie, témoigne-t-elle, une impulsion qui me laissait pourtant totalement libre. » « Il voulait que je découvre ma propre voie, celle où le Seigneur lui-même m'appellerait à avancer. » Sister Anna se souvient aussi de la fragilité humaine de Lev Gillet, sujet à cette époque à des états dépressifs et, pour cette raison, « imprévisible, tantôt obstinément silencieux, tantôt capable de dire des paroles inspirées ». « On ne pouvait compter sur lui », se rappelle-t-elle. Mais elle ajoute : « On lui pardonnait tout. De cet être faible émanait une force mystérieuse [3]. »

Un autre témoignage émane d'un médecin anglais. Jeune étudiant en médecine de King's College à Londres, hébergé pendant le *Blitz* au collège de Woodbrooke où il rencontre Lev Gillet, le Dr Vaccaro se souvient de l'amitié qui les lia alors : « À l'époque, j'avais horreur des gens d'Église. Je les jugeais bornés et intolérants. Lui était différent. J'ai découvert dans ce prêtre un homme humble, honnête, profondément et sincèrement croyant, en même temps ouvert à tous, capable de tout comprendre : on pouvait se confier à lui. »

Sous l'influence du moine orthodoxe, l'étudiant se sent attiré par la personne du Christ. Baptisé dans l'Église d'Angleterre, il envisage d'entrer dans l'Église catholique où il trouverait la direction morale et spirituelle qui lui a jusqu'ici manqué. Lev Gillet lui conseille de rester fidèle à l'Église de son baptême : *Ne changez pas d'Église. Vos problèmes, vous les portez en vous et avec vous. Vous les retrouverez partout. Le Christ est présent dans toutes les Églises. Cherchez et vous le trouverez. C'est l'essentiel.*

Revenus tous deux à Londres, John Vaccaro et Lev Gillet se retrouvent « par hasard », puis se rencontrent régulièrement pendant plusieurs années. L'étudiant aime la musique. Lev Gillet l'initie aux cantates et aux *Passions* de Jean-Sébastien Bach. Il lui parle du Dr Albert Schweitzer, ce pasteur théologien alsacien, virtuose de l'orgue, qui a abandonné une carrière universitaire brillante pour aller soigner les lépreux africains. John se souviendra toujours de ces entretiens. Après l'installation en province et le mariage du jeune médecin, ses relations avec Lev Gillet s'espacent. « Je ne l'ai revu que deux ou trois fois, se rappelle-t-il. Je n'ai jamais cherché à savoir ce qu'il faisait exactement. Vouloir le retenir, c'eût été comme vouloir enfermer l'oiseau dans une cage. Il m'a

3. Propos recueillis au cours d'une conversation avec Sister Anna en 1988.

comblé par ce qu'il était : un être unique. Quand j'ai appris sa mort, j'ai pleuré. Dans les difficiles années de ma jeunesse, il a été pour moi un père [4]. »

Parallèlement à ce ministère discret d'ami, d'accompagnateur, ensemble de « père » et de « frère aîné » spirituel, Lev Gillet, à la même époque, assure aussi un ministère public de prédication et de conférencier, au service, ou plus exactement, en relation étroite avec le Fellowship [5] de Saint-Alban et Saint-Serge. Déjà, avant la guerre, il a joué en tant que membre orthodoxe de cette association, un rôle reconnu comme bénéfique. Mais c'est dans les circonstances difficiles et fécondes de la guerre que ses relations avec elle se resserrent, acquérant la solidité – non exempte de tensions – d'authentiques relations familiales.

L'idée de fonder une association destinée à promouvoir une meilleure connaissance mutuelle entre fidèles de l'Église anglicane et membres de l'Église orthodoxe, est née de rencontres informelles, avant la Seconde Guerre mondiale, dans le cadre de la Fédération universelle des associations chrétiennes d'étudiants. La FUACE est, dans les années vingt, l'un des berceaux du Mouvement œcuménique naissant. C'est en 1923, à Swanwick, en Angleterre, à l'occasion d'une de ses conférences, que Nicolas Zernov, l'un des leaders du Mouvement des étudiants chrétiens russes, reçoit le choc qui est à l'origine de sa vocation œcuménique. Jeune émigré russe soucieux de préserver son identité culturelle et religieuse, il s'est jusqu'ici méfié des contacts avec les chrétiens occidentaux. « Mais de façon tout à fait inattendue pour moi, écrit-il dans ses souvenirs, nous fîmes l'expérience de notre communion dans la même foi chrétienne [6]. » Ceux avec lesquels il

4. Notes prises à l'occasion d'un entretien avec le Dr John Vaccaro.

5. Pour désigner cette association je conserve le terme *fellowship* (de *fellow* qui veut dire à la fois « compagnon » et « associé ») terme à mon avis intraduisible en français.

6. Nicolas et Militza ZERNOV, *Fellowship of St. Alban and St. Sergius. An historical manor*, Oxford, 1979, p. 4.

partage cette expérience sont essentiellement de jeunes anglicans. Dorénavant l'idée d'organiser des rencontres régulières entre orthodoxes et anglicans ne cessera de le hanter. Elle ne pourra prendre vraiment corps que quelques années plus tard, quand la fondation de l'Institut de théologie orthodoxe Saint-Serge à Paris offrira la possibilité de rencontres entre laïcs anglicans et orthodoxes encadrés par des théologiens des deux confessions. La première conférence dite « anglo-russe » a lieu en janvier 1927, dans la cité historique de St. Albans, au sud de Londres. Les participants orthodoxes sont essentiellement des professeurs et des étudiants de l'Institut Saint-Serge. Les anglicans se recrutent en grande partie parmi les héritiers du Mouvement d'Oxford du XIXe siècle : des anglicans qui aspirent à la réinsertion de l'Église d'Angleterre dans l'*Una Sancta Catholica* dont, estiment-ils, seul un accident historique l'a séparée. Depuis l'échec des « Conversions de Malines », plusieurs d'entre eux se tournent vers l'Église orthodoxe.

À Saint-Albans, « miraculeusement, malgré la barrière linguistique, le courant passe, grâce à la prière liturgique partagée », se rappelle Nicolas Zernov, organisateur de cette première conférence. Les Russes sont sensibles à la beauté sobre des offices anglicans traditionnels. Merveilleusement chantées par les étudiants de l'Institut Saint-Serge, les mélodies slaves de la liturgie de saint Jean Chrysostome enchantent – au sens le plus fort du mot – les oreilles anglicanes. Au-delà de l'attrait esthétique, il y a l'amorce d'une découverte réciproque réelle : découverte par les Russes de ce qui pourrait être une orthodoxie occidentale, par les anglicans d'une Église porteuse de la Tradition *catholique*, en même temps moins rigide, moins juridique et moins autoritaire que ne leur apparaît le catholicisme romain.

Jugée positive, l'expérience d'une telle rencontre est renouvelée en 1928. À l'occasion de cette seconde conférence anglo-russe, la décision est prise de fonder une association destinée à promouvoir les contacts entre théologiens mais aussi entre simples fidèles des deux Églises en vue de leur réconciliation totale souhaitable. Les méthodes et moyens envisagés sont ensemble le dialogue théologique, et le partage – à l'exclusion de la communion sacramentelle jugée pour l'instant impossible – de la prière liturgique, notamment de la prière eucharistique. Ce dernier point est important et caractéristique de l'œcuménisme du Fellowship. L'invitation est à entrer *spirituellement* dans la prière communautaire de l'*autre* Église – d'une Église sœur – pour tenter de comprendre cette prière et s'y unir.

Orthodoxes et anglicans peuvent donc prier ensemble l'eucharistie. Sur la suggestion du P. Serge Boulgakov, dont la personnalité domine les premières conférences, il est décidé que la liturgie orthodoxe et l'eucharistie anglicane seront célébrées chaque matin, à tour de rôle, au même autel. De façon significative, l'association est placée sous le patronage de saint Alban, premier martyr chrétien d'Angleterre, et de saint Serge de Radonège, le plus illustre des saints moines de l'ancienne Russie.

Deux évêques, l'anglican Walter Frere et le métropolite russe Euloge, acceptent d'assumer conjointement la présidence du nouveau Fellowship.

À quelques mois près, la fondation de ce dernier coïncide avec l'entrée de Lev Gillet dans la communion de l'Église orthodoxe. Entre les deux événements il n'y a, à l'évidence, aucun lien direct. Mais ils procèdent de la même dynamique profonde, de la même aspiration au rétablissement de la communion entre Églises d'Occident et Églises d'Orient. Dans les deux cas, la présence en Occident de l'émigration russe, a joué un rôle essentiel.

Dès l'époque de son ministère parisien, Lev Gillet est invité par le P. Serge Boulgakov dont il est proche, à participer aux conférences du Fellowship qui, dorénavant, ont lieu chaque année au mois d'août. À l'occasion de ces rencontres, l'excellente connaissance de la langue anglaise du moine orthodoxe français, sa compétence théologique comme son don d'exprimer clairement des idées profondes et subtiles, sont appréciés par tous.

Dès 1930, l'organe du Fellowship publie un article de Lev Gillet sur la notion de « rédemption dans la théologie orthodoxe ». En 1937, le même périodique, devenu *Sobornost* publie une conférence donnée par lui à Oxford sur le thème du « don des larmes ». Il intervient dans la même revue à propos d'un débat houleux sur la possibilité de l'« intercommunion ». Œcuméniste audacieux, le P. Serge Boulgakov a proposé qu'aux conférences du Fellowship, orthodoxes et anglicans, « qui célèbrent la même liturgie, soient autorisés à communier au même Calice [7] ».

Soutenue par certains membres de l'association dont Nicolas Zernov, cette proposition se heurte à l'opposition d'une partie des orthodoxes. L'historien Georges Florowsky, professeur à Saint-Serge comme le P. Boulgakov, y est particulièrement hostile. Il en résulte un malaise grave au sein du comité directeur *(senior group)* du Fellowship. L'unité de l'association et même son existence se trouvent menacées. Conscient du danger, Lev Gillet publie dans le journal du Fellowship (septembre 1935), un article apaisant : tout en rendant hommage à l'intuition profonde qui est à l'origine de la proposition du théologien russe (proposition qualifiée de « non orthodoxe » par les adversaires de Boulgakov), l'auteur pense que sa réalisation, dans la situation actuelle, serait « prématurée ». L'accent est mis sur la nécessité d'un approfondissement théologique du problème ainsi que sur l'idée à la fois subtile et profonde d'une « communion eucharistique spirituelle » déjà réelle et vécue au sein du Fellowship.

---

7. Nicolas et Militza ZERNOV, p. 8 : « Il estimait que des Anglicans et des Orthodoxes parvenus à un accord doctrinal portant sur l'essentiel pouvaient demander à leurs évêques respectifs l'autorisation de communier à l'autel des uns et des autres. La bénédiction épiscopale donnée à ce geste signifierait le repentir du péché de division et une demande d'assistance divine en vue de rétablir la communion entre l'Orient et l'Occident. » Voir également *A Bulgakov Anthology*, Londres, 1976, p. 100-113.

Dans sa réponse à l'article, le P. Boulgakov, réconforté par la sympathie de son jeune collègue, se déclare « en accord total [8] » avec lui.

Quand, à la veille de la Seconde Guerre mondiale, Lev Gillet s'installe à Londres, il est donc déjà très connu dans les milieux du Fellowship. Il y compte de nombreux amis, tant parmi les orthodoxes que parmi les anglicans. Le métropolite Euloge voit en lui son représentant personnel auprès de l'association. L'évêque compte sur le hiéromoine français dont il apprécie les qualités intellectuelles et spirituelles, pour faire avancer ce dialogue bilatéral qui lui tient à cœur.

En fait, pendant les deux premières années de la guerre, qui correspondent aussi à l'apogée de l'enthousiasme de Lev Gillet pour le dialogue judéo-chrétien, le Fellowship connaît une « période d'hibernation [9] ». Privée de son vivier parisien et désorganisé par le *Blitz*, l'association renonce à organiser les conférences d'été qui constituaient sa principale activité. Mais un nouveau départ se produit à partir de 1942. Cela sous l'impulsion, du côté orthodoxe, de la poignée de « Russes parisiens » dont Lev Gillet est l'ami et le « père spirituel ». À l'époque, Nicolas Zernov est devenu le secrétaire du Fellowship pour lequel il se dépense avec un total dévouement. Père Lev et son amie Nadejda Gorodetzky s'associent à ses efforts et les soutiennent.

Une innovation importante marque ce nouvel essor : les conférences d'été de caractère strictement théologique et réservées, par conséquent, aux spécialistes (en majorité, cela va de soi, de sexe masculin [10]) sont remplacées par

---

8. *Sobornost*, décembre 1935. L'article de Lev Gillet comme celui de Boulgakov, sont révélateurs des relations d'amitié qui existent alors entre les deux hommes. Le premier est l'interprète et parfois le conseiller du second.

9. Militza et Nicolas ZERNOV, p. 11.

10. Cependant dès les origines, du côté anglican une femme, l'écrivain Evelyn Underhill, a joué un rôle important au sein de l'association. Un rôle analogue revient du côté orthodoxe à Nadejda Gorodetzky. Voir Elizabeth HILL, « Nadezhda Gorodetskaïa : the Study and the Practia of kenosis », *Sobornost* 8 : 2, 1986, p. 51-61.

des camps de travail. À la prière liturgique et aux conférences qui ont lieu le soir, leur programme associe maintenant la participation aux travaux des champs – moisson, cueillette des fruits – pour lesquels en ce temps de guerre on manque de bras. Du coup, l'atmosphère de ces camps-conférences devient plus conviviale, plus simple et plus évangélique. Lev Gillet – dont les sarcasmes n'épargnent pas toujours les « professeurs russes » – s'en réjouit. Les participants sont maintenant en plus grand nombre des femmes et surtout des jeunes, filles et garçons. Au nombre des prêtres qui se relaient pour célébrer la liturgie, il y a Père Lev qui commence à cette époque à donner ces études ou méditations bibliques qui deviendront sa spécialité au Fellowship.

L'association connaît ainsi, pendant la guerre et l'immédiat après-guerre, un développement remarquable. En quelques années, le nombre de ses adhérents va tripler. On trouve parmi eux des hommes d'Église influents comme le fameux chanoine Douglas, un diplomate ecclésiastique, chef du département des Affaires étrangères de l'Église d'Angleterre, des théologiens confirmés comme Father Hebert de la communauté anglicane Saint-Jean-Baptiste de Kelham et de jeunes espoirs de la théologie anglicane, tel Eric Mascall, « aussi thomiste que peut être un anglican » – écrit à son sujet Lev Gillet – et Patrick Thompson, de Magdalena College à Oxford, des moines de tendance anglo-catholique de la communauté monastique anglicane de la Résurrection à Mirfield, mais aussi de prêtres de paroisse comme le fougueux Gallois Derwas Chitty, enfin, de plus en plus nombreux des laïcs cultivés et parmi eux des femmes. Lev Gillet (Father Lev) est aimé et respecté dans ce milieu aussi bien par les savants que par ceux et celles qu'il nomme les « âmes simples », *simple souls*.

Deux facteurs favorisent ce développement du Fellowship ; la diffusion, dans de larges milieux chrétiens d'Angleterre de l'aspiration à l'unité chrétienne : une unité déjà vécue, ici et là, spirituellement, dans l'épreuve partagée de la guerre et qu'on espère voir se réaliser au niveau des institutions ecclésiales. Le Fellowship apparaît comme l'un des lieux où se manifeste cette volonté d'unité, dont le dialogue orthodoxe-anglican est une des expressions. Progressivement, celui-ci s'élargit. Des relations s'établissent avec les promoteurs, en Angleterre, de la concertation entre orthodoxes, anglicans, catholiques romains mais aussi protestants. Aux conférences du Fellowship apparaît dom Bede Winslow de la communauté bénédictine de Ramsgate, lui-même éditeur de la revue *Eastern Churches Quarterly* : le pendant anglais d'*Irénikon* des moines d'Amay-sur-Meuse. Dans l'établissement de ces relations, Lev Gillet joue un rôle discret et efficace.

L'autre facteur à la fois favorable et ambigu est l'intérêt croissant, dans un large public – après l'entrée en guerre de l'URSS aux côtés des Alliés –, pour l'Église russe : une Église qu'on disait morte ou moribonde et qui se révèle comme une force spirituelle à laquelle Staline, dictateur communiste, croit devoir faire appel pour susciter l'élan patriotique qui permettra au peuple russe de résister à l'invasion allemande.

Souvent, non sans une part d'illusion concernant la situation réelle de l'Église russe sous le régime de Staline, les deux intérêts se conjuguent. Groupes divers – collèges, paroisses, universités – s'adressent au Fellowship en quête d'un conférencier ou d'un prédicateur – orthodoxe autant que possible – qui soit en même temps un témoin de l'ouverture œcuménique et un informateur sur l'Église russe. Soucieux de satisfaire ces nombreuses demandes, Nicolas Zernov fait souvent appel à son ami Lev Gillet.

La situation de ce dernier est délicate. Bien informé et lucide, il n'ignore pas que Staline se sert de l'Église russe comme d'un instrument de sa politique. Plutôt que de la situation actuelle de l'orthodoxie russe – sujet qu'il sait piégé [11] – et quelque peu désenchanté par

---

11. Invité à traiter ce thème devant des étudiants de l'université de Birmingham, il a fait l'expérience de sa difficulté. Parce que lucide et honnête,

rapport aux développements spéculatifs récents de la pensée religieuse russe dans l'émigration, il préfère parler de l'orthodoxie comme voie d'union mystique au Christ et en lui au Père, dans la communion de l'Esprit Saint : voie spirituelle catholique *(kat'holon)* éclairée par la lumière de l'Évangile et l'enseignement des Pères communs de l'Orient et de l'Occident. Ainsi ses conférences et prédications données en des lieux divers deviennent le banc d'essai où s'élabore la pensée qui sous-tend *Orthodox Spirituality*, l'œuvre littéraire majeure de cette époque.

C'est en la situant dans le cadre général qu'il faut essayer de déchiffrer la description quelque peu énigmatique de son ministère œcuménique faite par Lev Gillet dans la lettre-panorama adressée à son frère en décembre 1945. On y lit : *Je suis assez « demandé » pour donner des sermons, des conférences, des retraites, dans des églises ou groupes de diverses confessions et – cela est pour moi une joie profonde – si je me trouve en communion avec Jérusalem, Constantinople et Moscou (non politiquement avec Moscou, certes non !), je suis dans les relations les plus intimes avec l'Église catholique romaine. En fait, c'est dans une revue catholique romaine anglaise, sous la signature d'un religieux, que mon dernier livre* [12] *a reçu le meilleur accueil, je pourrais dire l'accueil le plus chaleureux. Je suis en collaboration pratique régulière et intense avec les Bénédictins de Ramsgate, en Angleterre, de Chevetogne, en Belgique* [13]*, et avec un professeur de la Faculté de théologie catholique de Prague, pour une œuvre de rapprochement et d'union, sous l'égide du successeur de saint Pierre. Je me fais une loi de ne jamais dire un mot qui puisse diviser,*

---

il a évoqué l'absence de toute démocratie en URSS et la persécution ouverte ou larvée dont les chrétiens y sont l'objet, il s'est vu traiter de « menteur » et de « réactionnaire » imbu de préjugés. (Voir la lettre de décembre 1941, à Maria Mikhaïlovna Kullmann.)

12. Il s'agit d'*Orthodox Spirituality*.

13. Probablement allusion à sa rencontre avec dom Clément Lialine en septembre 1945, voir p. 397 s.

mais de m'efforcer de donner Notre Seigneur aux âmes et de rapprocher les âmes entre elles. La sympathie et l'affection que je trouve dans les monastères catholiques me sont infiniment précieuses. J'attache aussi un prix à la confiance que m'accordent des évêques orthodoxes et à la bienveillance que je rencontre chez les évêques anglicans et même chez les rabbins qui m'invitent à parler du Christ à leurs congrégations [14].

Affirmant dans un même souffle sa communion avec l'Église orthodoxe universelle – Jérusalem, Constantinople, Moscou – et ses « relations intimes avec l'Église catholique », sa joie de bénéficier de la confiance des évêques orthodoxes, de la bienveillance d'évêques anglicans et son désir d'œuvrer pour l'union de tous « sous l'égide du successeur de Saint Pierre », Lev Gillet est conscient de l'étonnement et des questions que cette confession de foi suscitera chez un catholique traditionnel comme son frère. Aussi ajoute-t-il : *Je n'ignore pas que ce que je viens d'écrire demande, sur beaucoup de points, des éclaircissements, des précisions, des compléments...*

Resituée dans le contexte que nous venons d'esquisser et examinée de près, que nous apprend cette lettre sur une éventuelle évolution, en ces années, de l'attitude de Lev Gillet envers l'Église catholique ?

Rien n'indique qu'il ait le désir de retourner dans le bercail de l'institution romaine. La description qu'il fait de ses activités et, en particulier, de son apostolat œcuménique correspond à ce que nous savons de son ministère en relation directe ou indirecte avec le Fellowship anglican-orthodoxe de Saint-Alban et Saint-Serge. Perce pourtant une note nouvelle : l'allusion quelque peu énigmatique à des « relations intimes avec l'Église catholique ». De quoi s'agit-il ? En fait, d'une réalité à la fois modeste

14. C'est la seule allusion dans ce vaste panorama au dialogue judéo-chrétien dans lequel, à l'époque, Lev Gillet est profondément impliqué. On peut penser qu'il préfère ne pas aborder ce sujet dans les relations avec sa famille où subsiste ce qu'il appelle l'« antisémitisme ordinaire » de la bourgeoisie catholique française.

et significative : l'établissement ou le rétablissement des relations de Lev Gillet avec une avant-garde d'œcuménistes catholiques, avec les bénédictins de Ramsgate, pendant la guerre, avec les moines d'Amay-Chevetogne à partir de l'automne 1945. Tout porte à penser que le professeur de la faculté de théologie catholique de Prague, avec lequel Lev Gillet espère pouvoir collaborer, n'est autre que l'érudit byzantinologue Mgr François Dvornik, l'historien qui réhabilitera le patriarche Photius accusé par ses confrères catholiques d'être à l'origine de la première grave séparation entre Rome et Constantinople. Dvornik vient justement de publier dans *Eastern Churches Quarterly*, la revue des bénédictins de Ramsgate, un article audacieux : au terme d'une investigation érudite, il laisse entendre que la conception centraliste romaine de l'autorité papale pourrait n'être qu'un produit de l'histoire, comme tel dissociable de l'essence divine de l'Église [15] : une thèse qui est loin de représenter en 1945 l'enseignement officiel catholique romain.

Envisagées selon leurs proportions justes, ces « relations intimes » avec une minorité de pionniers catholiques de l'œcuménisme n'en représentent pas moins un élément nouveau et un événement important dans la vie de Lev Gillet. On peut penser qu'elles ont réveillé en lui, sous une forme nouvelle, la grande espérance unioniste des années vingt.

Lui-même a toujours affirmé qu'il n'était pas un « apostat ». Il n'a cessé de dire qu'il n'avait rien abjuré. Il n'est pas passé d'une foi, d'une Église à une *autre* foi, à une *autre* Église. Il demeure dans l'Église une. C'est cette unité que l'encyclique *Mortalium animos* lui a paru nier et c'est pour protester contre cette négation, pour manifester – fût-il seul – cette unité niée, qu'il a cru devoir poser, à la fois douloureusement et joyeusement, l'acte

15. « National Churches and Church Universal », *Eastern Churches Quarterly* V, 1943, p. 172-210 (traduction française par Marguerite DELAMOTTE, *Istina*, 1991, nº 3.

de 1928. À l'époque, il n'espérait pas pouvoir être compris. Plutôt que de tenter d'expliquer, il a préféré se taire. Il a cru devoir rompre les relations épistolaires avec ses amis catholiques, même avec ceux, comme Olivier Rousseau, qui lui sont alors les plus proches.

Pendant le temps de son ministère parisien, Lev Gillet a évité les contacts – en dehors de quelques relations personnelles et familiales – avec un milieu catholique où il se sait frappé d'ostracisme. Il s'est senti proche de certains protestants, d'hommes comme le pasteur Wilfred Monod, en France, le Pr Friedrich Heiler, en Allemagne, qui, eux, espèrent une « conversion » de Rome. Il a rêvé d'une orthodoxie occidentale dont l'émergence pourrait briser le carcan byzantin. Il a connu des déceptions et des crises. Il n'a pu survivre qu'en se cramponnant à l'Essentiel. Pourtant, peu à peu, quelques liens se sont rétablis : avec Amay – comme on le verra plus loin –, grâce à Clément Lialine, avec Ramsgate, grâce à dom Bede Winslow. On connaît mal les circonstances précises de ces rencontres, mais manifestement la catastrophe de la Seconde Guerre mondiale a été vécue par Lev Gillet comme le tremblement de terre salutaire qui pourrait faire tomber les murs de Jéricho. Dans les signes du temps, il croit à nouveau déchiffrer *kairos*, l'heure favorable, selon la grâce divine, à un nouveau départ du mouvement vers l'unité auquel il a toujours associé, selon sa vocation authentique, le successeur de Pierre. Plus que jamais, il s'agit pour Lev Gillet, non de nier cette vocation du successeur de saint Pierre, mais d'en discerner et annoncer le sens, la signification évangélique.

À nouveau, « la petite fille Espérance » dont parle Péguy, le traîne par la main « sur le chemin montant, sablonneux, malaisé [16] ».

---

16. Charles PÉGUY, *Le Porche du mystère de la deuxième vertu, Œuvres poétiques complètes*, Gallimard, « Bibl. de la Pléiade ».

CHAPITRE III

« ORTHODOX SPIRITUALITY »

La guerre, qui le coupe de la France, et l'appel intérieur à exercer dans cette situation nouvelle un nouveau ministère par l'écriture ont fait de Lev Gillet un écrivain de langue anglaise. Après *Communion in the Messiah* en 1942, est publié trois ans plus tard, *Orthodox Spirituality*, « une esquisse de la tradition ascétique et mystique orthodoxe [1] ». Réédité en 1978, l'ouvrage est devenu un classique. Il se trouve à l'origine de la notoriété de l'auteur anonyme qui le signe « Un moine de l'Église d'Orient » *(A Monk of the Eastern Church)*. C'est la première œuvre de Lev Gillet qui est publiée sous ce pseudonyme qu'il conservera par la suite pour une grande partie de ses productions littéraires.

Pourquoi ce choix de l'anonymat ? Dans le cas d'*Orthodox Spirituality*, il ne saurait s'agir d'une ambiguïté voulue concernant l'appartenance ecclésiale de l'auteur. Celle-ci ressort nettement de l'Introduction. On verra plus loin qu'en d'autres occasions, vers la même époque, Lev Gillet exprimera le désir d'assumer personnellement et en tant que prêtre orthodoxe la responsabilité d'un texte. Le moine voulait-il éviter toute tentation de vanité littéraire ? Autre hypothèse : Lev Gillet aurait pensé que

1. A MONK OF THE EASTERN CHURCH, *Orthodox Spirituality. An Outline of the Orthodox Ascetical and Mystical Tradition* publié par le Fellowship de Saint-Alban et Saint-Serge, SPCK, Londres, 1945. La réédition de 1978 contient un appendice *(New Appendix)* rédigé par l'auteur. – Sous le titre *Introduction à la spiritualité orthodoxe*, une traduction française par Marie-Odile Fortier-Masek, préfacée par Olivier Clément a été publiée par DDB, Paris, 1983.

l'anonymat convenait pour une œuvre qu'il présente – avec insistance – comme l'expression « non de théories personnelles, mais de l'enseignement traditionnel de l'Église » (p. 13 [2]). L'auteur affirme à ce sujet avoir soumis le manuscrit du livre, avant son impression, à l'archevêque Germanos de Thyatire, représentant en Grande-Bretagne du patriarcat œcuménique de Constantinople. En fait, le moine de l'Église d'Orient ne s'est jamais clairement exprimé à propos du choix de ce pseudonyme, un choix qui a pu relever à différents moments de motifs différents [3]. Peut-on, avec l'évêque Kallistos Ware, parler à ce sujet de l'« apophatisme » du moine de l'Église d'Orient ?

La publication d'*Orthodox Spirituality* a marqué une date. Pour la première fois, un exposé synthétique de la spiritualité orthodoxe d'une haute qualité à la fois intellectuelle et spirituelle, rédigé dans un style simple et clair, est offert à un large public anglophone qui s'intéresse aux questions religieuses et aux problèmes œcuméniques. Lev Gillet a écrit ce livre à la demande des responsables du Fellowship de Saint-Alban et Saint-Serge et en vue de servir les buts de l'association : promouvoir une meilleure connaissance et une compréhension mutuelles entre anglicans et orthodoxes et, au-delà, entre chrétiens d'Orient et d'Occident.

D'emblée, dans l'introduction, le moine de l'Église d'Orient exprime la conviction qui sous-tend l'ensemble de l'ouvrage : malgré des séparations de fait, en leur fondement essentiel, comme au niveau de leurs grands saints, les Églises d'Orient et d'Occident dont les chemins ont divergé, restent l'Église une.

Il faut le répéter, écrit-il : « il n'y a pas de "béance"

2. La pagination indiquée est celle de la traduction française, dont nous avons cru devoir parfois légèrement modifier les termes.

3. En ce qui concerne la publication, après la guerre, dans la revue *Irénikon* des moines de Chevetogne, des textes d'un auteur en qui certains catholiques peuvent voir un « apostat », le choix du pseudonyme relève de la prudence élémentaire.

entre le christianisme d'Orient et celui d'Occident. Les principes fondamentaux de la spiritualité chrétienne restent les mêmes en Orient et en Occident. Les méthodes aussi. Les différences ne portent pas sur les points essentiels. En gros, disons qu'il y a *une* spiritualité chrétienne avec ici ou là des accentuations différentes. »

« On retrouve en Orient tout l'enseignement des Pères Latins, comme on retrouve en Occident tout l'enseignement des Pères Grecs. Rome a donné saint Jérôme à la Palestine. L'Orient a donné Cassien à l'Occident et a une vénération toute particulière pour ce Romain par excellence que fut le pape Saint Grégoire le Grand [notre Grégoire Dialogos]. Saint Basile aurait reconnu un frère et un héritier en saint Benoît de Nursie. Saint Macrine aurait trouvé une sœur en sainte Scolastique. Saint Alexis, “homme de Dieu”, le “pauvre sous l'escalier” a eu pour successeur ce mendiant errant que fut saint Benoît Labre. Saint Nicolas se serait senti très proche de la charité ardente d'un saint François d'Assise ou d'un saint Vincent de Paul. Saint Sérafim de Sarov aurait vu le désert fleurir sous les pieds du Père Charles de Foucauld, et n'aurait-il pas appelé sainte Thérèse de Lisieux “Ma Joie” ? »

De cette communion spirituelle discernable entre saints orthodoxes et saints catholiques, les spirituels issus d'Églises de la Réforme ne sont pas exclus : « L'Église d'Orient prend aussi en considération les accomplissements de chrétiens “évangéliques”. Elle reconnaît et honore tout le côté profondément chrétien – et par là même orthodoxe – d'hommes comme Georges Fox, Nicholas Zinzendorf, John Wesley, William Booth, le Sadhu Sundar Singh, pour n'en citer que quelques-uns » (p. 14-15).

Il est vrai que ni Luther ni Calvin ne sont nommés. Paradoxalement, la sympathie spontanée de ce traditionaliste qu'est, sous certains rapports, Lev Gillet va souvent aux « dissidents » et aux « non-conformistes ». Cependant, peut-être conscient d'une lacune, il déplore dans l'appendice de 1978 que trop peu d'orthodoxes s'efforcent d'entrer profondément dans « l'émotion luthérienne du salut par la grâce et dans l'intuition calviniste de la gloire de Dieu ». Il se plaît à évoquer saint Tikhon de Zadonsk, évêque russe du XVIIIe siècle, qui puisa une grande partie de son inspiration dans les œuvres du piétiste luthérien allemand Johann Arndt et de l'évêque anglican Joseph Hall[4].

Le moine de l'Église d'Orient en conclut que la « communion des saints » transcende les barrières confessionnelles et institutionnelles et qu'« une vie spirituelle authentique et profonde est la voie la plus sûre vers la ré-union » (p. 15).

Cela ne signifie pas qu'il faille dédaigner les approches intellectuelles d'ordre historique ou théologique. À celles-ci sont consacrés deux chapitres importants du livre. L'un traite du « développement historique de la spiritualité orthodoxe », l'autre est destiné à mettre en lumière les principes « essentiels » dans l'ordre de la théologie et de l'anthropologie théologique sur lesquels repose la tradition ascétique et mystique de l'Église orthodoxe.

La spiritualité orthodoxe, affirme l'auteur, ne doit pas être conçue comme un bloc monolithique, ou comme un système fermé. Elle s'est constituée au cours d'une histoire millénaire par divers apports. L'auteur d'*Orthodox Spirituality* la compare à un grand fleuve où confluent, au cours des siècles, « des courants dynamiques qui jaillissent l'un après l'autre, divergent, se croisent, se rencontrent et coulent vers le présent ». Son « homogénéité » – son unité dans la diversité – est assurée par la même foi chrétienne (p. 17).

Survolant ce vaste fleuve, le moine de l'Église d'Orient distingue l'« élément scripturaire » – la parole de Dieu qui reste le fondement – les éléments « primitif chrétien »

---

4. C'est sous l'influence de Lev Gillet que son amie Nadejda Gorodetzky, consacre, en ces années, une importante étude à ce saint russe « occidentaliste ». Voir Nadejda GORODETZKY, *Saint Tikhon Zadonsky, Inspirer of Dostoievsky*, Londres, 1951.

et « intellectuel grec », l'apport du « monachisme primitif », l'« élément liturgique », enfin le grand « courant contemplatif » ou « hésychaste » auquel se rattache la pratique d'une forme spécifique d'oraison nommée « prière de Jésus » ou « prière du cœur ». À ce courant contemplatif et à cette prière, Lev Gillet consacrera, dans les années qui viennent, des articles rassemblés dans un livre qui est une de ses œuvres les plus connues [5]. Dans *Orthodox Spirituality*, tout en les évoquant comme l'« un des aspects les plus vivants et les plus intéressants de la mystique orthodoxe », il ne s'attarde pas sur eux, car, écrit-il, « chaque élément doit être remis dans sa juste perspective ». D'avance est rejetée une « systématisation » qui tendrait à faire de l'hésychasme le « cœur de l'Orthodoxie » et de son théoricien Grégoire Palamas, le théologien orthodoxe par excellence.

Cette partie historique de l'ouvrage ne prétend pas à l'érudition. En fait, elle apparaît comme la synthèse d'une vaste information au service d'une intelligence aiguë qui saisit toujours l'essentiel. Chaque élément de cette mosaïque dynamique est présenté en ce qu'il a de spécifique, en soulignant l'enrichissement permanent qu'il a apporté et continue d'apporter à la vie spirituelle de l'Église. L'élément intellectuel grec est évoqué avec une sympathie particulière : « L'intellectualisme des Pères grecs, écrit le moine de l'Église d'Orient, crée dans l'Orthodoxie un climat de pensée d'une élégance harmonieuse. » Et Lev Gillet de rappeler cette parole de Synésius, évêque du IVe siècle : « Être Grec, c'est savoir communier avec les hommes. » Corrigeant quelque peu l'enthousiasme pour la « théologie existentielle » manifestée dans *Communion in the Messiah*, il ajoute : « Au lieu du clair-obscur de ces philosophes ou théologiens du sentiment, au lieu de la nuit sombre sillonnée d'éclairs, scandée de roulements de tonnerre d'un Kierkegaard ou

5. Voir p. 449, chap. VII, « La prière de Jésus ».

d'un Barth, l'Orthodoxie présente un paysage classique illuminé par la lumière du Logos » (p. 28). Retour à la théologie orthodoxe traditionnelle, ressourcement dans les Pères, constituent la marque spécifique d'*Orthodox Spirituality*.

À l'époque où il rédige ce livre, le moine de l'Église d'Orient n'a pas pu prendre connaissance de l'*Essai sur la théologie mystique de l'Église d'Orient* de Vladimir Lossky, publié à Paris en 1944. Passé presque inaperçu dans les conditions de la guerre où il a paru, l'essai du jeune théologien orthodoxe – alors encore totalement inconnu – marque l'émergence du courant néo-patristique dans la théologie orthodoxe contemporaine. Discrètement, de façon différente, une forme de « retour aux Pères » est sensible aussi, en ces mêmes années chez Lev Gillet. Après l'enchantement par l'audacieuse pensée religieuse russe, après la double plongée et dans les « théologies existentielles » protestantes et dans le rabbinisme et la mystique juive, survient chez lui un besoin de ressourcement dans la pensée des Pères : de ceux qui ont formulé, avec des nuances différentes en Orient et en Occident, « les principes fondamentaux de la spiritualité chrétienne ». Sont ainsi soulignées dans le chapitre intitulé « The Essentials » les « accentuations différentes » qui déterminent le climat spirituel spécifique de l'orthodoxie d'Orient. Cette présentation des différences n'a cependant rien de polémique. Le but visé est de préciser le dénominateur commun aux différents éléments qui constituent la spiritualité orthodoxe, « afin d'atteindre ses racines profondes » (p. 37). C'est dans cette optique que sont examinés des termes clés qui font problème, tels les mots « déification » *(theosis)* – pour désigner la fin de la vie humaine – et « synergie » pour désigner la confluence mystérieuse de la Grâce divine et de la liberté humaine dans l'œuvre du salut.

En ce qui concerne le dernier point, le moine de l'Église d'Orient insiste sur le sens de « don gratuit » et « libre » que conserve le terme « grâce » dans le vocabulaire de l'orthodoxie orientale. L'Église orthodoxe est restée étrangère « aux controverses qui ont fait rage en Occident autour des notions de grâce et de prédestination, d'Augustin et Pélage au thomisme, au calvinisme et au jansénisme ». L'idée de grâce « y garde la fraîcheur printanière que le mot *charis* évoque pour les Grecs : beauté lumineuse, don gratuit, harmonie » (p. 39). L'absolue priorité donnée à l'action de Dieu dans l'œuvre du salut de l'homme n'implique pas la négation de la liberté humaine.

Étrangers à tout psychologisme – souligne le moine de l'Église d'Orient – les Pères de l'Orthodoxie affirment que « l'objet de la spiritualité chrétienne est la vie surnaturelle, c'est-à-dire la vie d'origine divine de l'âme ». Celle-ci ne consiste pas dans les effets « *naturels*, normaux ou supra-normaux obtenus par des disciplines humaines, fussent-elles appelées *religieuses*. Il s'agit de l'action de Dieu et non d'actions de l'homme. L'essence de la vie spirituelle n'est pas psychologique. Elle est ontologique... L'action rédemptrice de Notre Seigneur est l'Alpha et l'Oméga, le cœur de la spiritualité chrétienne » (p. 38).

Se servant d'une terminologie en partie moderne, en partie empruntée à la théologie catholique classique, le moine de l'Église d'Orient expose en fait ici, de façon concise, l'essentiel de la doctrine palamite de la grâce et de la sanctification, en rendant accessible au lecteur occidental ce que Grégoire Palamas veut signifier quand il parle des « énergies divines », de la « grâce incréée » qui illuminent l'homme et l'unissent au Dieu transcendant : un Dieu qui, par amour, se rend infiniment participable. En même temps est intégrée en ce qu'elle a d'évangélique la *sola gratia* des théologiens de la Réforme – de Luther à Calvin et K. Barth. Un apport ici purifié de tout nominalisme et interprété selon le réalisme mystique de l'apôtre Paul qui est au cœur de l'Orthodoxie.

Évoquant le sacramentalisme de l'Église orthodoxe, Lev Gillet écrit : « On pourrait qualifier l'Église Orthodoxe de "mystérique", selon les différents sens donnés à ce mot[6]. » Elle l'est au sens que les sacrements y ont une importance qui « doit être bien comprise et mesurée avec exactitude » (p. 45). Dans les sacrements, elle ne voit pas de « simples symboles »... « Elle croit que la réalité spirituelle offerte par Dieu est attachée aux signes perceptibles aux sens... que les saints mystères dispensent toujours les mêmes grâces que celles qui furent imparties jadis dans la Chambre Haute, ou dans les eaux où les disciples de Jésus baptisaient, ou dans le pardon que les pécheurs recevaient de Notre Seigneur, ou encore dans la descente de la colombe » (p. 45). Mais elle est mystérique, aussi et surtout, par son sens du mystère de Dieu, par l'« apophatisme » qui imprègne toute son attitude à l'égard de ce mystère divin. Le terme « apophatisme » n'apparaît pas dans *Orthodox Spirituality*, écrit avant que l'essai de Vladimir Lossky ne le fasse entrer dans le langage théologique contemporain commun. Mais c'est bien de l'apophatisme de l'Église orthodoxe qu'il est question quand Lev Gillet évoque « sa réticence à partager ses trésors intimes », du « voile dont elle couvre ce que l'Église latine expose et découvre », de son refus de « déclarations trop détaillées sur la nature de tel ou tel mystère » (telle l'idée de transsubstantiation » concernant la présence réelle eucharistique).

L'Église orthodoxe « évite de donner officiellement des définitions trop précises. La raison de cette absence de définitions est simple : l'Église Orthodoxe veut qu'un mystère reste un mystère, qu'il ne devienne pas un théorème, ou encore une institution juridique. Car l'Église Orthodoxe n'est pas seulement "mystérique", elle est aussi "pneumatique". Le *mysterion* est conditionné par le *Pneuma :* l'Esprit[7] » (p. 46) : une affirmation capitale qui sous-tend le spiritualisme du moine de l'Église d'Orient.

---

6. La traduction française « dans l'ambiguïté du terme » me paraît inexacte (p. 45).

7. Je rétablis ici la majuscule du texte anglais original remplacée par une minuscule dans la traduction française, ce qui me paraît en fausser le sens.

Elle souligne la relation entre l'apophatisme qui marque la théologie orthodoxe et une pneumatologie soucieuse de mettre l'accent sur l'action spécifique et libre de l'Esprit Saint non opposée mais conjointe à celle du Fils de Dieu incarné. L'action *invisible* de l'Esprit, dans la logique de la pneumatologie orthodoxe, affirme le moine de l'Église d'Orient, transcende toutes les limites visibles, notamment celles de l'institution ecclésiale dispensatrice de sacrements visibles.

Tel est l'aspect « pneumatique » de l'Église orthodoxe auquel Lev Gillet est profondément attaché. « Quel orthodoxe oserait affirmer que les membres de la Société des Amis [c'est-à-dire les Quakers] soient privés des grâces que représentent les sacrements ? » demande-t-il. Cette intuition de la liberté et de la transcendance de l'Esprit n'est cependant pas absente de la pensée chrétienne occidentale. Et Lev Gillet de citer un axiome scolastique qui lui est cher : *« Deus non alligatur sacramentis »*, Dieu agit par les sacrements. Mais l'action de Dieu n'est pas prisonnière des sacrements. Elle n'est pas liée aux signes visibles. Telle est l'affirmation qui sous-tend une conception de la vie chrétienne comme voie d'union à Dieu, « déification » selon la Grâce : une progression cependant signifiée par l'administration successive au cours des rites de l'initiation chrétienne des trois sacrements essentiels, baptême, chrismation (ou confirmation) et eucharistie.

Consacrés à la description de cette voie mystique, les trois derniers chapitres d'*Orthodox Spirituality*, nourris de l'expérience à la fois personnelle et pastorale de l'auteur, constituent la partie la plus originale de l'ouvrage. Coulant sa pensée dans le moule de la théologie sacramentaire orthodoxe classique, il le fait en même temps éclater. Tout ritualisme est écarté grâce, selon l'expression d'Olivier Clément, à un « immense ressourcement évangélique ». En présentant la traduction française, ce dernier souligne avec justesse que toute l'œuvre postérieure du moine de l'Église d'Orient « procède de cette synthèse initiale ».

Existe-t-il des degrés de maturité spirituelle et des critères qui permettraient de les discerner pour leur adapter une pédagogie ? Cette question – constate le moine de l'Église d'Orient – s'est posée dès les origines d'un mouvement chrétien qui se définit comme une « voie » vers Dieu. Elle est formulée, en particulier, depuis la plus haute Antiquité, dans les milieux monastiques.

Aux réponses données au cours des siècles – théorisation d'une expérience monastique commune à l'Orient et à l'Occident – l'auteur d'*Orthodox Spirituality*, sans leur dénier toute valeur, reproche d'être anthropocentriques et subjectives. Les différentes classifications proposées se réfèrent aux « états de l'âme plutôt qu'aux données objectives de l'action de Dieu ». Elles expriment les vues d'éminents auteurs spirituels mais non l'enseignement officiel de l'Église. En quête de l'itinéraire spirituel proposé par l'Église en fonction non de « la psychologie de l'âme *in via*, mais des étapes de l'œuvre divine salvatrice et sanctifiante », le moine de l'Église d'Orient en trouve l'indication dans l'œuvre du grand spirituel byzantin Nicolas Cabasilas. Dans son célèbre traité *La Vie en Jésus Christ*, Cabasilas développe l'idée que l'itinéraire spirituel du disciple du Christ est préfiguré par l'ordre selon lequel, conformément à l'*Euchologion* de l'Église orthodoxe, sont administrés, au cours des rites de l'initiation chrétienne, les trois grands sacrements : baptême, chrismation, communion eucharistique [8]. » Ils représentent, selon l'enseignement de l'Église orthodoxe, « trois moments essentiels de la vie spirituelle du chrétien » et, en leur succession, « l'ordre ascendant de sanctification de l'âme selon l'esprit et l'intention de l'Église » (p. 51).

Cela signifierait-il que, dans la perspective orthodoxe,

8. C'est l'ordre selon lequel ces trois sacrements sont normalement conférés au cours du rite orthodoxe de l'initiation chrétienne. Selon la tradition de l'Église orthodoxe, le baptême du catéchumène – qu'il s'agisse d'un enfant ou d'un adulte – est immédiatement suivi de la chrismation (ou confirmation) et de la communion eucharistique.

la vie spirituelle se réduit à des rites ? La réponse du moine de l'Église d'Orient, bien entendu, est négative : « Méfions-nous du littéralisme, de la lettre qui tue. » Au-delà de la célébration visible des trois sacrements, il s'agit de percevoir les grâces invisibles dont ils sont le signe : une réalité *(res)* dont ils sont le support et qui est conférée par eux, mais qui, en soi, dépasse tout signe. Cette réalité, ces « grâces », le Seigneur peut les accorder aux âmes qui n'ont jamais reçu le signe sacramentel. Il peut les faire revivre en celles qui ont reçu la grâce avec le sacrement, puis l'ont perdue et cette revivification n'est pas nécessairement accompagnée de l'accomplissement de rites sacramentels. La grâce baptismale, la grâce pentecostale, la grâce pascale existent là où existe l'amour surnaturel [9]. « Elles forment la trame même de la vie spirituelle » (p. 52-53).

Étrangère à tout ritualisme, cette conception de la vie chrétienne l'est également à l'idée d'une progression rectiligne, rigide, en quelque sorte mécanique, contenant des degrés totalement séparés les uns des autres. Le moine de l'Église d'Orient s'explique à ce sujet : « Les trois grâces – baptismale, pentecostale, pascale – constituent trois aspects de la même et unique grâce divine. On ne peut les séparer. En un certain sens, elles coexistent. Quand nous disons que, dans l'esprit de l'Église, elles représentent un ordre ascendant, nous voulons dire que, dans le développement normal et non troublé d'une âme, chacun de ces aspects, à son tour et en son heure, devrait prédominer » (p. 53).

9. Lev Gillet se sert ici du vocabulaire de la théologie latine qui distingue entre ce qui appartient à la *nature* de l'homme et la grâce *surnaturelle*, en tant que don divin. Cependant, sa conception des rapports entre *grâce* et *nature* – telle qu'il l'explore plus loin – est celle de l'anthropologie théologique patristique et orthodoxe. C'est dans la participation à la vie divine – la vie *surnaturelle* – que se réalise la vraie nature de l'homme, sa véritable destinée. « Par cet état de nature, nous n'entendons pas l'état de l'être humain tel qu'il vient en ce monde à sa naissance. La véritable nature, *physis*, est l'état paradisiaque. La nature normale de l'être humain est d'être, selon la nature d'Adam » ou mieux encore « selon la nature de Jésus » (p. 63).

En leur unité symphonique, ces « grâces théologales » peuvent être rapprochées des « *charites* de l'antique Hellade : trois jeunes filles chastes, généreuses et belles, étroitement unies, *manibus amplexis*, comme les décrit Sénèque ». Se souvenant d'un poème de Paul Claudel qu'il aime particulièrement, Lev Gillet les compare aussi aux femmes de la « Cantate à trois voix » : « chaque voix domine à son tour, mais les deux autres voix ne cessent d'accompagner celle qui domine. » Au-delà de ces images et d'autres symboles possibles, ces trois grâces, comprises plus profondément, « sont l'expression de trois moments dans la vie de Notre Seigneur : Son propre contact avec les eaux baptismales ; la réception et l'envoi par Lui du "Paraclet" ; et finalement Son Passage, Sa Pâque ». Nos propres expériences, écrit le moine de l'Église d'Orient, « sont seulement de faibles reflets de Sa vie. Le Christ qui baptise (qui est aussi le Christ qui pardonne et qui guérit), le Christ qui envoie l'Esprit, le Christ, Agneau pascal ou plutôt notre véritable Pâque. Visages aspects du Seigneur dont la révélation et l'expérience intime constituent l'essence de la vie spirituelle du chrétien » (p. 54).

Telle est, ramassée en quelques formules brèves, illustrée par des images poétiques, l'intuition que développent les trois derniers chapitres du livre. Un ensemble dense, expression actualisante de ce que Vladimir Lossky, dans son essai de 1944, nomme la « théologie mystique de l'Église d'Orient » ; une théologie orientée à la connaissance expérientielle du Dieu Vivant inconnaissable, théologie « d'autant plus pratique qu'elle est mystique [10] ».

De toutes les œuvres de Lev Gillet, *Orthodox Spirituality* est la plus patristique et, en ce sens, la plus classiquement orthodoxe, comme si, après les grands dépaysements féconds des années précédentes, il sentait le besoin de revenir à la source, à l'Écriture et aux Pères dont les

10. Vladimir LOSSKY, *Essai sur la théologie mystique de l'Église d'Orient*, Paris, 1944, p. 7.

citations émaillent son ouvrage. De ce point de vue, il paraît légitime de rapprocher sa démarche de celle d'un Vladimir Lossky, rédigeant à la même époque, dans Paris occupé par les Allemands, son *Essai sur la théologie mystique de l'Église d'Orient*. Chez les deux auteurs, on discerne le souci d'un dialogue avec l'Occident. Lossky écrit une partie de son livre dans les maisons religieuses catholiques où, avec sa femme, il a trouvé refuge à l'époque des rafles de juifs à Paris. Lev Gillet a rédigé le sien chez les quakers à Selly Oak et au cours de séjours dans les communautés monastiques anglicanes de Mirfield et de Kelham. Les deux livres sont le fruit d'une repensée synthétique et créative de l'enseignement traditionnel de l'Église orthodoxe. Les perspectives des deux penseurs sont cependant différentes. À la brillante synthèse néo-thomiste qui triomphe dans les milieux universitaires catholiques français qu'il fréquente, Lossky oppose l'image stylisée d'une orthodoxie dionysienne et palamite. Lev Gillet, lui, met en avant ce qui unit. Chez les Pères de l'Église indivise, chez Jean Chrysostome – visionnaire de l'Église-humanité comme Corps mystique du Christ –, chez les Alexandrins et les Cappadociens, il discerne une vision qui associe spiritualisme et réalisme mystique : une vision qui pourrait orienter le rapprochement de chrétiens aujourd'hui tragiquement séparés.

Creusant jusqu'aux « racines profondes de la spiritualité orthodoxe » (p. 37), y signalant des approches et des accents différents de ceux qui prévalent dans l'Occident latin ou protestant, le moine de l'Église d'Orient est soucieux, en même temps, grâce à une présentation nuancée, de jeter des ponts, d'éviter les fausses simplifications, de dissiper les malentendus : dans l'Église d'Orient comme dans l'Église d'Occident, la joie de la Résurrection est inséparable de la méditation douloureuse de la Croix. À une piété occidentale *christocentrique*, il n'y a pas lieu d'opposer une spiritualité orthodoxe *pneumocentrique*. C'est l'occasion, pour lui, d'exprimer des vues profondes sur la place de l'Esprit – l'Esprit qui est une Personne inséparable de celle du Christ, dynamiquement orientée vers lui – dans l'économie du salut (p. 76-77).

La querelle à propos du *Filioque* est évoquée seulement en passant. Pour le moine de l'Église d'Orient, elle est due – il ne cesse de le redire – « en grande partie, à un malentendu » *(ibid.)*.

On pourrait penser que la replongée dans le christianisme hellénisé des Pères qui caractérise *Orthodox Spirituality* marque la fin de l'intérêt et de l'enthousiasme de Lev Gillet pour la pensée juive. Il n'en est rien. Ce livre ne s'adresse pas au même public que *Communion in the Messiah*. Il a une autre visée. Mais il ne représente pas une rupture avec la période précédente. Lev Gillet n'a pas renoncé à l'espérance d'une réconciliation de l'Église et de la Synagogue. En lui, dans son cœur pensant et aimant, se poursuit le dialogue avec Tryphon dont témoigne sa première œuvre publiée en anglais. Le dépassement de l'opposition radicale entre théologie et mystique juives et théologie et mystique chrétiennes constitue toujours son horizon.

Les dernières pages d'*Orthodox Spirituality* sont consacrées au thème de la « vision de Dieu » comme fin suprême de la vie chrétienne et de la vie humaine (p. 110-114). L'auteur évoque à ce sujet la notion de la *Chekinah* « autour de laquelle gravite tout le mysticisme de l'Ancien Testament ». Elle est « Présence de Dieu parmi les hommes », manifestée sous la forme de la « gloire » divine : une « lumière à la fois physique et spirituelle ». La *Chekinah* est rapprochée par Lev Gillet de la « lumière du Thabor » à la vision de laquelle aspirent les hésychastes du monde chrétien oriental. Cette « mystique de la lumière, écrit-il, l'Hellade chrétienne qui y était préparée l'a héritée des Juifs » (p. 112). Chaque soir, l'Église orthodoxe chante aux vêpres l'antique hymne : *Phos hilaron hagias doxès* – (Joyeuse Lumière de la sainte Gloire)... « Pour le christianisme de tradition hellénique, le Christ est avant tout *Kyrios tès doxès*, le Seigneur de Gloire » (p. 113).

À sa publication, *Orthodox Spirituality* a été bien reçu dans les milieux anglo-catholiques et orthodoxes proches du Fellowship of St. Alban and St. Sergius. Mais l'accueil est aussi particulièrement chaleureux, comme Lev Gillet le souligne dans les écrits à son frère, dans certains milieux monastiques catholiques en Angleterre. *Eastern Churches Quarterly* des bénédictins de Ramsgate en publie un compte rendu élogieux.

Pour Lev Gillet, cette sympathie est un baume qui guérit d'anciennes blessures. La bienveillance que lui manifeste une avant-garde catholique réveille une nostalgie latente, et avec elle, de nouveaux espoirs : des espoirs renouvelés.

CHAPITRE IV

L'ÉMERGENCE DIFFICILE DE LA GUERRE

1945 : la guerre s'achève en Europe.

Dès que cela devient possible, Lev Gillet reprend contact avec sa famille en France. Aux siens, dit un premier message griffonné sur une carte postale, il n'a cessé de penser, au cours de ces années, « avec anxiété et tendresse ».

L'enracinement profond de cet apparent déraciné – citoyen du monde – dans un terroir provincial, le Dauphiné, et dans un milieu familial très typiquement français, bourgeois et catholique, constitue l'un des paradoxes de sa personnalité. Soigneusement entretenues, à la fois intimes et distantes, les relations avec cette famille seront jusqu'à la fin de sa vie le jardin secret de Père Lev. Elles sont le lien qui le rattache à une enfance enfouie au fond de la mémoire, mais jamais oubliée. Une affection profonde l'unit à son frère aîné, Pierre Gillet. Il y englobe sa belle-sœur – bien que les relations avec cette catholique intransigeante soient parfois difficiles – ses neveux et une nièce qui lui est particulièrement chère. Après la guerre, la correspondance de Lev Gillet avec son frère prendra le relais de celle jadis entretenue avec sa mère dont l'aîné semble avoir hérité le tempérament heureux et la largeur de vues.

Avec sa hâte de reprendre contact avec sa famille, contrastent les hésitations, ou, selon sa propre expression, les « inhibitions » de Lev Gillet quand il s'agit de renouer avec ses amis orthodoxes et ses enfants spirituels en France.

Le 27 mai 1947, il s'en explique dans une lettre adressée à ses amis nancéiens : *Croyez bien que ce n'est pas par indifférence que je me suis tu. Simplement, j'éprouvais, j'éprouve encore une sorte d'inhibition. Les années 1939-1945 ont été dans ma vie une coupure analogue à celle que produisirent les années 1914-1918. Je n'ai repris aucun contact, même écrit, avec Paris, avec la France (sauf quelques lettres d'ordre pratique immédiat). Je n'aurais pas voulu survivre à cette catastrophe. J'ai l'impression d'être un résidu inutile et parfois d'être radicalement mauvais. Je mène une vie retirée et silencieuse et aspire à une retraite encore plus profonde.*

Dans la même lettre, Lev Gillet, qui n'a que cinquante-quatre ans, se qualifie de « vieillard blanchi et courbé ». Entre la tonalité sombre de cette lettre et le tableau optimiste de sa vie brossé par Lev Gilet dans la lettre adressée en décembre 1945 à son frère, le contraste est saisissant. Entre les deux messages, deux années ont passé. L'émergence de la guerre s'est révélée difficile.

Les deux messages n'ont pas les mêmes destinataires, ce qui peut, en partie, expliquer la différence de ton : dans le premier, il s'adresse à une famille prête à s'apitoyer sur le sort du « pauvre Louis » égaré dans le maquis oriental. Lev Gillet tient à la rassurer. Il ne veut pas apparaître comme un vaincu. La lettre de mai 1947 s'adresse à l'amie dont il attend compréhension et sympathie. Mais les temps et le climat spirituel aussi ont changé. Entre 1945 et 1947, Lev Gillet traverse un état dépressif peut-être consécutif à la tension volontariste des années précédentes. Sa mélancolie se nourrit du sentiment d'une coupure radicale entre l'avant et l'après-guerre et de la prise de conscience de l'amplitude du désastre mondial. Le message envoyé à l'amie est un cri, l'expression d'une souffrance intérieure où se mêlent un sentiment d'indignité et d'impossibilité de communiquer au niveau le plus profond. À diverses reprises, Lev Gillet a dénoncé la tentation du désespoir comme la tentation satanique par excellence. En ces années, elle constitue, pour lui, l'envers d'une existence en apparence normale et bien remplie où il vaque à ses occupations ordinaires, remplit ses « devoirs d'état », pense, écrit, prend des décisions. Mais cela au prix d'un combat intérieur héroïque mené seul, sans secours sensible, dans la nuit : nuit de la foi où brille pourtant, au loin, le Visage de Lumière. C'est précisément en cette période difficile de sa vie qu'il rédige la première partie de son étude consacrée à la prière de Jésus [1].

Entre 1945 et 1947, Lev Gillet continue d'assumer les fonctions de codirecteur de l'Institut chrétien d'études juives. Il est en particulier responsable du bulletin de cet institut où il publie – comme on l'a vu – des études importantes. Il se sent pourtant de plus en plus mal à l'aise dans un milieu où le sionisme politique lui paraît prendre le pas sur le sionisme mystique et humaniste dont Martin Buber est pour lui le représentant.

La crainte d'une telle dérive est déjà sensible dans certaines pages de *Communion in the Messiah*. Mais, à l'époque où il rédige ce livre, Lev Gillet, comme on l'a vu, garde encore l'espoir d'une solution pacifique du conflit qui, en Palestine, oppose Juifs et Arabes. Mais à partir de 1945, l'aile radicale du mouvement, soutenue par une grande partie de l'opinion juive américaine, n'hésite plus, pour réaliser ses fins, à recourir aux armes, voire au terrorisme. Dans l'attentat commis par l'Irgoun, le 22 juillet 1946, contre l'hôtel du Roi-David, siège, à Jérusalem de l'état-major britannique, Lev Gillet discerne l'événement fatidique qui sonne le glas du sionisme tel qu'il l'a rêvé. Les violences – tel le massacre de Dériakine – qui accompagnent la naissance de l'État d'Israël, discréditent cet État à ses yeux. Elles le remplissent d'horreur et d'indignation : des sentiments auxquels se mêlent une grande tristesse, une immense déception. Désormais, l'ambivalence amour-haine, sentiments toujours proches comme il me l'avoua un jour, marque sa

1. Voir p. 382, 449.

relation à Israël. Plus tard surviendra l'apaisement. Dans l'immédiat, ce mélange explosif génère des graves tensions entre lui et son entourage à l'Institut chrétien d'études juives.

Son travail salarié dans le cadre de cet institut a toujours occupé seulement une partie du temps de Lev Gillet, lui laissant la possibilité d'exercer d'autres formes de ministère. Dans les années d'après-guerre, ses relations avec la paroisse russe de Londres deviennent plus étroites. Il s'est lié d'amitié avec le nouveau recteur, le P. Théokritof. Quand ce dernier tombe malade, en 1946, il assure l'intérim pendant plusieurs mois. Il reste chargé de la pastorale des orthodoxes russes et ukrainiens disséminés à travers le Royaume-Uni, va célébrer une liturgie, un baptême, un mariage ou un enterrement, tantôt en Irlande, tantôt en Écosse, jusque dans l'extrême nord des îles Britanniques. Ses relations avec le Centre international de service chrétien de Wistow restent étroites et amicales. Une partie importante de son temps est consacrée à la collaboration avec le Dr Gustav Kullmann, représentant en Grande-Bretagne de la puissante YMCA américaine [2]. Marié avec une Russe – Maria Mikhaïlovna Zernov – par elle très proche du milieu de première émigration russe, ce protestant de nationalité suisse est chargé d'organiser et de coordonner l'aide apportée par l'YMCA aux « nouveaux émigrés » qui, après la guerre, affluent des pays d'Europe de l'Est vers l'Occident. Ceux qu'on appelle pudiquement des DP, « personnes déplacées », proviennent avant tout des régions nouvellement annexées par l'URSS, ou tombées, après Yalta, dans sa « zone d'influence » : Ukraine occidentale, Pologne, pays baltes, Roumanie. Beaucoup d'entre eux sont des fidèles de l'Église orthodoxe. Celle-ci est représentée par Lev Gillet au sein d'une organisation d'inspiration protestante dont il apprécie l'efficacité et la générosité désintéressée.

2. Voir Donald E. DAVIES, « The American YMCA and the Russian Emigration », *Sobornost*, 9 janvier 1987.

Cette collaboration est l'occasion, pour lui, de mesurer l'immensité du désastre de cette Seconde Guerre mondiale, de compatir à la douleur du monde – *Weltschmerz*, disait-il –, d'en ressentir le poids écrasant. Certaines nouvelles provenant d'Europe de l'Est le touchent très personnellement : la mort de son « père spirituel », le métropolite André Szeptykij, la dispersion des moines du monastère d'Ouniov où il a accompli ses vœux monastiques solennels et auquel il reste spirituellement attaché. Plus grave, l'incorporation forcée de l'Église grecque-catholique d'Ukraine au patriarcat de Moscou qui, non seulement n'émet aucune protestation, mais semble s'en réjouir [3].

D'autres nouvelles attristantes proviennent de Paris, de ce Paris de l'émigration russe que Père Lev a aimé et parfois détesté – peut-être par dépit amoureux – et dont la guerre l'a séparé. Ce Paris lui semble avoir en grande partie disparu. La « paroisse française » – *sa* paroisse – n'existe plus. Dans la « débâcle » consécutive à l'invasion allemande de 1940, elle s'est comme évanouie. En juin 1940 son recteur, le P. Georges Jouanny, s'est replié vers le Midi de la France. Il n'est pas revenu et n'a pas donné de nouvelles. Le métropolite Euloge ne s'est pas soucié de lui nommer un successeur. Plus sensible encore au cœur de Lev Gillet est la disparition dans les camps d'extermination nazis de Mère Marie, de son fils Iouri et de leur ami commun, l'écrivain juif Ilya Foundaminsky-Bounakov qui, en grande partie sous son influence et celle de Mère Marie, s'est converti au Christ [4]. Lev Gillet se sent coupable de ne pas avoir partagé le sort de ses amis.

Liée à ce désastre, la disparition de la revue *Novyi Grad* touche également Lev Gillet. Ses principaux ani-

---

3. La souffrance ressentie à ce sujet transparaît dans quelques allusions à ces événements dans les lettres de Lev Gillet à dom Clément Lialine.

4. C'est le P. Lev Gillet qui prononça l'homélie à l'enterrement de sa femme, demeurée juive. Foundaminsky se fait baptiser au camp de Drancy, au moment de son départ en déportation. Il ne reviendra pas.

mateurs, Georges Fedotov et Constantin Motchoulsky, dont il se sentait proche, sont partis ou s'apprêtent à partir pour les États-Unis. Figure de proue de l'Institut Saint-Serge, le P. Serge Boulgakov est mort d'un cancer en 1944. Le sentiment d'une coupure radicale entre l'avant et l'après-guerre sera encore avivé par le décès, en août 1946, du métropolite Euloge. La mort de l'évêque qui, avec bonté et largeur de vues, l'a reçu dans la communion de l'Église orthodoxe, affecte Lev Gillet plus qu'il ne le laisse paraître. C'est avec émotion qu'il évoque la personnalité du défunt en prononçant son éloge funèbre lors du service religieux célébré en sa mémoire à Londres. À la tristesse personnelle, s'ajoute le sentiment de la fin d'un monde spirituel avec lequel il a vécu en symbiose pendant une dizaine d'années : celui de la pathétique et misérable et géniale émigration russe de l'entre-deux-guerres. Une nouvelle génération y succède aux pères. Mais avec elle, saura-t-il renouer des liens ? Enfin, pour accroître ses anxiétés et augmenter son trouble, survient une nouvelle crise ecclésiastico-canonique déclenchée, au sein de l'émigration, à la suite de la « renaissance » inattendue en URSS, vers la fin de la guerre, du patriarcat de Moscou. Une nouvelle fois, le prêtre français se trouve confronté à la nécessité, dans le sillage des conflits internes de l'Église russe, d'un choix difficile concernant sa situation canonique.

En leurs grandes lignes, les événements relatifs à cette « crise » sont connus [5].

Impressionné par la sortie des catacombes de l'Église russe, après des décennies de cruelle persécution, le métropolite Euloge, dans les mois qui précédèrent son décès, a visiblement souhaité réconcilier l'entité ecclésiale dont il a la charge, avec l'Église mère, le patriarcat de Moscou qu'il n'a quitté qu'à regret en 1931, sous la pression des circonstances. Or, les circonstances, en 1945, ne semblent plus être les mêmes. Pour galvaniser l'élan

5. Voir *Russie et chrétienté*, nº 1, 1948, p. 111-113.

patriotique du peuple russe face à l'invasion hitlérienne, Staline a cru devoir faire appel à l'Église orthodoxe. En 1943, le gouvernement soviétique a autorisé la réunion d'un groupe d'évêques qui, en la personne du métropolite Serge de Nijni Novgorod, a élu un successeur au patriarche Tikhon dont le trône, depuis sa mort en 1925, est resté vacant. À Serge succède, en 1945, le patriarche Alexis (Simiansky), élu par un véritable concile local.

Un des premiers gestes du nouveau chef spirituel de l'Église russe est l'envoi en Europe occidentale du métropolite Nicolas de Kroutitsk, second personnage de la hiérarchie de l'Église russe. La mission assignée à cet évêque intelligent, à la fois croyant sincère et patriote russe, est de tenter de ramener dans le bercail du patriarcat de Moscou les diocèses organisés à l'étranger par les émigrés : le Synode de l'« Église russe hors frontières » et l'exarchat russe du patriarcat œcuménique dirigé par le métropolite Euloge.

L'euphorie de l'après-guerre, les espoirs qu'ont fait naître, au sein de l'émigration russe, les changements survenus en URSS – en particulier la renaissance du patriarcat de Moscou – créent un climat favorable à l'accomplissement de cette mission. Des pourparlers s'engagent, notamment à Paris et à Londres, entre l'émissaire du patriarcat de Moscou et les représentants des paroisses orthodoxes russes en Europe occidentale. Le métropolite Euloge et Mgr Sérafim (Loukianov), évêque en France de l'Église russe hors frontières, semblent gagnés tous deux à l'idée et d'une réconciliation réciproque et du retour à l'Église mère.

Le 2 septembre 1945, les prélats des trois juridictions concélèbrent solennellement dans la cathédrale Saint-Alexandre-Nevski à Paris : concélébration qui semble marquer la fin des ruptures et le rétablissement de l'unité. Reste cependant le problème délicat des relations du diocèse eulogien avec le patriarcat œcuménique sous la protection duquel il s'est placé en 1931. Doit-il renoncer à celle-ci ? La question divise profondément les esprits et jette le trouble dans les paroisses [6]. Là-dessus survient la mort du métropolite Euloge. Son successeur l'archevêque Vladimir (Tikhonitski), en accord avec la majorité du clergé et des fidèles, déclare vouloir rester sous l'omophore protectrice du patriarche de Constantinople. De son côté, ce dernier s'empresse de confirmer cette décision. Cependant quelques paroisses – dont celle de Londres que le métropolite de Kroutitsk est allé personnellement visiter – négocient de façon indépendante leur passage sous la juridiction de Moscou. Canoniquement rattaché à la paroisse londonienne, Lev Gillet a-t-il seulement suivi le mouvement ? Cela paraît improbable. Dans une lettre adressée à la même époque à son ami, le bénédictin Clément Lialine, Lev Gillet évoque les motifs « purement religieux, spirituels [7] » qui, « à des profondeurs plus grandes que les motifs sentimentaux, patriotiques et même canoniques apparents », font agir les groupes divergents. Ce sont ces motifs qui, au terme d'un débat de conscience difficile, semblent avoir emporté aussi sa propre décision. Sans illusions quant aux arrière-pensées du gouvernement soviétique, il rejoint l'Église russe parce qu'elle reste pour lui, malgré les compromissions d'une partie de sa hiérarchie – comme il l'écrivait jadis à Mgr Winnaert – l'« Église des martyrs et des confesseurs ».

En choisissant après des hésitations douloureuses (et non sans avoir reçu l'*exeat* canonique de Constantinople) de se placer sous la juridiction du patriarcat de Moscou – une Église qui n'a pas osé protester contre l'intégration forcée à elle des uniates ukrainiens – Lev Gillet a suivi

6. Par patriotisme, une partie des émigrés russes désire le retour dans le giron de l'Église mère. Mais beaucoup d'autres, viscéralement opposés au régime communiste, désapprouvent le « ralliement » des instances officielles du patriarcat de Moscou (notamment du métropolite Serge, devenu patriarche) au gouvernement des soviets. Quant aux professeurs de l'Institut Saint-Serge qui ont justifié par des arguments canoniques le recours à Constantinople, ils restent également, en leur majorité, favorables au *statu quo*.

7. Lettre (sans date) à dom Clément Lialine (Archives de Chevetogne).

l'inclination de son cœur qui le porte vers cette Église souffrante, asservie à un État totalitaire sous les apparences d'une résurrection factice. Mais il se sent intérieurement déchiré, tenté, en certaines heures de désespoir, de renoncer à ce ministère insolite de passeur entre l'Église d'Orient et l'Église d'Occident où il discernait sa vocation [8]. Un événement inattendu vient pourtant le réconforter. À la fin de 1946, le patriarcat de Moscou lui confère « pour services rendus à l'Église » la dignité d'archimandrite.

Pour Lev Gillet, doutant de lui-même, l'attribution, dans son cas purement honorifique, du titre d'« archimandrite [9] » représente un baume sur le cœur. Il l'accueille avec une joie enfantine qui peut étonner. Ce titre est pour lui le symbole d'une réalité spirituelle profonde. Annonçant à son frère la « nouvelle prélature » qui lui est conférée, il commence par énumérer, avec drôlerie, les signes extérieurs auxquels celle-ci donne droit – crosse, mitre, etc. – qu'il ne possède pas ! Puis il poursuit : *Je vous raconte tout cela pour que vous puissiez prier pour le pauvre Abbé... afin que ce ne soit pas un vain honneur et une formalité, mais que la « grâce pastorale » attachée à cet état (par un rite que l'Occident reconnaît valide en Orient et réciproquement) me soit accordée et crée en moi une disposition de Bon Pasteur donnant sa vie – sinon pour ses moines – du moins pour les brebis que Dieu pourra mettre sur ma route. J'ai été touché que les premières félicitations que j'ai reçues me soient venues d'un prêtre, professeur de théologie catholique* [10] *et je m'efforcerai*

8. Il résulte de quelques confidences qu'il envisage à cette époque l'éventualité d'un « retour » au monastère bénédictin de rite oriental d'Amay-Chevetogne.

9. Le titre d'« archimandrite » correspond dans l'Église orthodoxe à celui d'« abbé » (d'un monastère) dans l'Église latine. À l'époque moderne, il est souvent conféré, à titre honorifique, aux moines qui exercent des fonctions d'enseignement ou de direction pastorale.

10. Il s'agit probablement de l'abbé François Dvornik qui, à l'époque, se trouve en Angleterre.

de tout cœur de travailler pour l'Union que je ne conçois pas sans le successeur de Pierre [11].

Plusieurs fois remise, la cérémonie d'imposition officielle du titre a lieu à Londres dans la cathédrale grecque Sainte-Sophie, le 24 mars 1947. Elle est présidée conjointement, selon le désir exprès de Père Lev, par l'archevêque Germanos de Thyatire, exarque du patriarcat œcuménique de Constantinople et l'évêque Sérafim exarque à Paris du patriarcat de Moscou. La veille, Lev Gillet a tenu à se rendre à Farnborough, le monastère de son noviciat et de ses premiers vœux monastiques. *Ceci,* écrit-il à Pierre Gillet, *afin de mettre tout aux pieds de Saint Benoît, patriarche des moines d'Occident.*

Étrange, paradoxal pèlerinage, mais combien conforme aux aspirations profondes de Lev Gillet ! Réunir toutes choses et tous en Christ, telle ne cesse d'être sa vision. Vingt ans plus tôt, il a quitté, en partant de Farnborough, la famille bénédictine, afin de répondre à un appel de Dieu que celle-ci ne semblait pouvoir comprendre. Son retour *incognito*, alors que l'Église russe s'apprête à honorer son service sacerdotal et monastique signifie, pour lui, se réconcilier avec ce passé bénédictin. Cela sans renier ni ce qu'il a fait, ni ses engagements présents.

C'est dans le climat de cette période tourmentée qu'il faut situer l'importante correspondance entretenue par Lev Gillet entre 1945 et 1947 avec dom Clément Lialine, à l'époque rédacteur de la revue *Irénikon* des moines d'Amay-Chevetogne.

Moins connu que d'autres, Clément Lialine [12] est l'une des grandes figures de l'œcuménisme catholique francophone. Issu d'une famille de la haute aristocratie saint-pétersbourgeoise, le futur moine bénédictin reçoit à son

---

11. Lettre du 8 janvier 1947.

12. Sur Clément Lialine, voir l'article nécrologique que lui a consacré son ami dom Olivier ROUSSEAU, « In Memoriam. Dom Clément Lialine (1901-1958) », *Irénikon*, 1958, t. XXXI, p. 165-182.

baptême orthodoxe le nom de Constantin. Orphelin, émigré en Belgique à la suite de la révolution russe de 1917, il entre en contact avec les milieux monastiques catholiques. À la suite de retraites d'étudiants à l'abbaye bénédictine de Maredsous, il s'unit à l'Église catholique. Aspirant à consacrer sa vie à l'œuvre d'union des Églises, il entre, en 1928, comme novice, au prieuré bénédictin d'Amay-sur-Meuse. Il y prononce ses vœux définitifs et reçoit le nom monastique de Clément.

Très lié avec dom Olivier Rousseau, Clément Lialine assume, à partir de 1934, les responsabilités de rédacteur-directeur de la revue *Irénikon*. Celle-ci, après une période de déclin, connaît, sous son impulsion, un nouvel essor. C'est de cette époque que datent, sans doute, ses relations avec Lev Gillet.

L'itinéraire spirituel des deux hommes est inverse. Mais pour cette raison même, ils se comprennent. Tous les deux sont porteurs d'un double héritage. En s'unissant à l'Église catholique romaine, Lialine est resté russe et oriental, tout comme Lev Gillet, en dépit de son pseudonyme, est resté français et occidental en entrant dans la communion de l'Église orthodoxe. Tous deux restent attachés à l'Église de leur baptême. Tous deux sont des êtres complexes, tourmentés, partagés entre l'aspiration à une vie solitaire et un immense besoin de communication et d'amitié. Mais, avec la limpidité méditerranéenne de l'intelligence de Lev Gillet, contrastent les cheminements sinueux, sylvestres, de la pensée du Russe Clément Lialine.

Gillet et Lialine ont dû correspondre déjà avant la guerre [13]. Ils se sont rencontrés, à cette époque, aux conférences d'été du Fellowship of St. Alban and St. Sergius. Mais c'est leur rencontre à Londres, au cours de l'automne 1945 qui est à l'origine d'un échange régulier de lettres dont les Archives du monastère de Chevetogne préservent les traces. Première hirondelle annonçant le

13. C'est le P. Lev Gillet qui m'a introduite à cette époque auprès de dom Clément.

printemps, Clément Lialine apporte, en octobre 1945, à l'isolé sur son île, les premières nouvelles sur la vie religieuse pendant la guerre, en France, en Belgique, d'une manière générale, sur le continent. Au « moine d'*Irénikon* » – surnom donné à dom Lialine – Lev Gillet ose proposer une étude rédigée par lui en vue de publication éventuelle dans la revue à la naissance de laquelle lui-même a jadis participé. Sous le titre « La prière de Jésus », elle y paraîtra effectivement en 1948. Mais entre-temps, de fil en aiguille, il sera question de beaucoup d'autres thèmes et problèmes dans les lettres échangées entre le moine orthodoxe français et le bénédictin russe : événements ecclésiastiques, idées et hommes qui en sont les porteurs, problèmes personnels et problèmes théologico-ecclésiologiques seront évoqués. Seules, les lettres de Lev Gillet ont été conservées par leur destinataire [14]. S'y révèlent la sagesse spirituelle de l'aîné à qui dom Clément confie ses perplexités, mais aussi les aspérités d'un tempérament porté aux accès de colère, aux coups de griffe, aux remarques piquantes et aux jugements sévères. Ces derniers portent moins sur les hommes que sur leurs opinions : anglicans dont la doctrine est jugée évanescente, orthodoxes qui *ignorent leur propre tradition ou qui s'enferment dans un anti-catholicisme obsessionnel* sont les principales cibles de l'ironie de Lev Gillet. Cette correspondance est aussi l'occasion, pour Lev Gillet, de rompre le silence qu'il s'est imposé pendant de longues années à l'égard de ses amis et compagnons de route d'antan. Il demande à dom Clément de le *rappeler au souvenir du cher Père Olivier*. Plus significatif encore, est le message dont il le charge pour dom Lambert Beauduin : *Quand vous lui écrirez, ayez la bonté de lui dire – avec mon souhait, pour ses années à venir – mon bien sincère attachement, mon fidèle souvenir de nos années passées sur*

14. Elles se trouvent aujourd'hui dans les Archives du monastère de Chevetogne. Qu'il me soit permis de remercier ici l'abbé de Chevetogne et le bibliothécaire du monastère qui m'ont facilité l'accès à ces archives.

l'Aventin et autour d'Amay naissant, mon ennui d'avoir été, sans doute, pour son œuvre une épine dans la chair [15].

Comment interpréter ce message dont chaque mot a certainement été pesé ? Quel est le sens du « regret » ici exprimé ?

Lev Gillet sait – et il le reconnaît – que ce qui, aux yeux des autorités romaines, ne pouvait apparaître que comme une « défection », a causé le plus grand tort à l'œuvre naissante de dom Lambert Beauduin. Sans en être certes la cause unique, sa décision de s'unir à l'Église orthodoxe russe est à l'origine des tribulations d'Amay et de celles, personnelles, de son fondateur [16]. Il regrette d'avoir été une cause de grandes souffrances. Cependant, il ne regrette pas d'avoir suivi, vingt ans plus tôt, le *dictamen* de sa conscience où il discernait et continue à discerner un appel de Dieu adressé à lui personnellement. Cette conviction du primat de la conscience et de la vocation personnelle au-delà de considérations pragmatiques et quelles que soient les souffrances qui peuvent en résulter s'exprime dans les conseils qu'il donne à Clément Lialine. Le moine russe, à l'époque, se sent déchiré entre l'aspiration à une vie retirée et contemplative et ses obligations de rédacteur d'*Irénikon :* une revue d'une utilité incontestable pour l'œuvre d'unité. Il s'en ouvre à l'aîné. Ce dernier ne prétend pas pouvoir trancher à sa place. Il souhaite que son ami *trouve dans sa retraite, le silence et la prière, une claire lumière, une claire* guidance. Mais il ajoute : *Je suppose que, dans votre cas, comme dans des cas analogues,* [on peut deviner qu'il pense à son cas personnel] *il faut distinguer entre* votre *destin personnel et le destin de votre* œuvre. *Le bien spirituel de la personne importe toujours plus que le bien de l'œuvre*

---

15. Lettre du 29 mai 1947.

16. Voir Louis Bouyer, *Dom Lambert Beauduin, un homme d'Église*, Tournai, 1964, p. 151. Lev Gillet n'est pas nommé. Mais c'est de lui qu'il s'agit quand l'auteur évoque les conséquences graves de la « défection [...] d'un autre moine qui n'avait jamais fait partie du groupe d'Amay mais qui avait été dans les relations les plus étroites avec [dom Lambert] soit à Rome, soit à Ouniov ».

dont Dieu fera ce qu'il veut, si nous faisons ce qu'il veut de nous [17].

Priorité absolue de la personne et de son intégrité dans l'accomplissement par elle et en elle de la volonté divine : de sa vocation unique et mystérieuse. Telle est pour Lev Gillet la ligne directrice, la clé qui permet de déchiffrer son propre destin paradoxal. C'est *dans* l'Église orthodoxe, en la servant humblement et loyalement – sans être intérieurement séparé de l'Église catholique – qu'il se sent appelé à être le témoin de l'unité anticipée par lui et déjà mystérieusement réelle, mais qui reste encore, dans l'histoire, une tâche à accomplir.

Un aspect essentiel de cette tâche, en ce qui concerne les relations entre l'orthodoxie et le catholicisme romain, vise la réconciliation de deux ecclésiologies, l'une centrée sur l'idée de « conciliarité » – la *sobornost*, mystique des slavophiles – l'autre sur celle du ministère d'unité spécifique de l'apôtre Pierre et de ses successeurs. Cette réconciliation est-elle possible ? Question grave et déchirante. De façon inattendue, sa correspondance avec Clément Lialine va fournir au moine de l'Église d'Orient l'occasion de s'expliquer à ce sujet.

Dom Clément, dans une de ses lettres, s'est plaint de l'absence de réactions orthodoxes à l'encyclique *Mystici Corporis* du pape Pie XII. Publiée en 1943, en pleine guerre, cette encyclique n'a reçu qu'un accueil mitigé et plutôt froid dans les milieux œcuméniques protestants. Les orthodoxes, eux, sont restés muets : un mutisme que Lialine attribue à leur « habituel manque de curiosité pour tout ce qui vient de Rome ». Dans sa réponse [18] Lev Gillet se montre plus nuancé. Le silence des théologiens orthodoxes des pays d'Europe de l'Est peut s'expliquer par une situation politique peu favorable à une réflexion philosophique sereine, dans ces contrées et en

---

17. Lettre (sans date) à Clément Lialine, mais qui, d'après certaines indications qui y sont contenues, a dû être écrite dans le courant d'août 1947.
18. Lettre du 14 novembre 1946.

ces années. Lui-même, à l'époque, ne semble guère avoir prêté attention au document papal. Peut-être, tout comme les théologiens anglicans dont il est question dans la lettre, s'intéressait-il en 1943 en priorité aux théologies existentielles – celles de Kierkegaard, Barth et Brunner – plutôt qu'à l'ecclésiologie de Pie XII. Cependant, dans une autre lettre, il revient sur l'indifférence attribuée aux orthodoxes pour ce qui vient de Rome. Entre-temps, il a lu le long article de dom Clément consacré à une analyse minutieuse de l'encyclique [19]. Selon l'expression de l'historien de l'œcuménisme catholique Étienne Fouilloux, le bénédictin y « bataille pour tirer un parti œcuménique » d'une présentation de l'ecclésiologie catholique romaine qui, en son fond, reste celle des conciles de Trente et de Vatican I.

Piqué au vif par la lecture de l'article, Lev Gillet se sent appelé à y répliquer sous la forme d'une « lettre au rédacteur d'*Irénikon* ». Dans le billet qui accompagne l'envoi de ce texte, il écrit : *J'ai lu hier la conclusion de vos articles dans* Irénikon. *Une impulsion – folle ou sage – m'a fait jeter sur le papier des réflexions que je vous envoie ci-joint, sous forme d'une lettre à vous adressée. Je n'en sollicite ni n'en suggère l'insertion dans* Irénikon. *Mais, si vous jugiez que sa publication pût en quelque mesure servir la cause de l'Union (pensée peut-être bien présomptueuse), ce serait à vous d'en décider en toute liberté. Si elle devait être signée (et je n'y vois aucune objection), elle devrait l'être de mon nom et de mon titre monastique (celui-ci pouvant ajouter quelque poids). Si vous la préférez anonyme, j'aimerais (afin de ne pas paraître me dérober à mes responsabilités) que vous mettiez une note ou un chapeau indiquant que, si la signature manque, c'est pour des raisons en tout point spéciales, mais non à cause d'un désir d'anonymat de l'auteur... Mais peut-être vaut-il mieux que vous jetiez tout simplement cette lettre au panier. Je l'ai écrite*

19. Clément LIALINE, « Une étape en ecclésiologie. Réflexions sur l'encyclique "Mystici Corporis" », *Irénikon*, 1946, nos 2, 3-4 ; 1947, no 1.

parce que j'ai voulu exprimer une fois publiquement ce que je porte dans mon cœur. Mais abeat libellius quo voluerit *ou plutôt* quo Deus voluerit [20].

Non sans courage, étant donné la surveillance sourcilleuse dont à l'époque *Irénikon* fait l'objet de la part des congrégations romaines, Lialine publie la lettre dans une prochaine livraison de sa revue. La prudence lui conseille cependant de la faire paraître, non sous le nom de Lev Gillet – comme ce dernier l'a désiré – mais signée « l'auteur d'*Orthodox Spirituality* [21] ».

Dès l'introduction, l'auteur anonyme se situe. Sa prise de position est celle d'un orthodoxe qui, avec d'autres – il n'est pas seul [22] – se tourne avec respect vers la chaire de Pierre. Répondant au reproche d'inattention à ce qui vient de Rome, fait aux orthodoxes, il écrit : « Quoique je n'aie aucun mandat pour parler au nom des orthodoxes en général ou d'un groupe particulier d'orthodoxes, je voudrais qu'il me fût permis de dire ceci : il ne manque pas d'orthodoxes auprès desquels toute parole émanant de la *cathedra Petri* trouve une audience respectueuse et attentive et qui, souvent en ces dernières années, se sont tournés vers cette chaire pour entendre un message de justice, de charité et de paix. »

Il reconnaît cependant que sa première réaction à la lecture de l'encyclique papale, a été « un sentiment de surprise et d'anxiété ». L'auteur de ce texte, c'est-à-dire le pape, lui semble totalement négliger l'ecclésiologie orthodoxe liée à la « conception christologique du Corps Mystique développée par saint Athanase, saint Cyrille d'Alexandrie et saint Grégoire de Nysse, entre autres Pères grecs ». Or, cette conception patristique, à la satisfaction des orthodoxes, a semblé « pénétrer et inspirer dans une large mesure l'ecclésiologie romaine des vingt-

---

20. Lettre du 5 mai 1947.

21. *Irénikon* 1947, n° 4, p. 445-447.

22. Dans le billet qui accompagne la lettre ouverte, Lev Gillet nomme le théologien Vladimir Lossky et le philosophe religieux S. L. Frank comme penseurs orthodoxes qui partagent son désir de dialogue avec l'Église catholique.

cinq dernières années ». L'encyclique serait-elle destinée à freiner cette évolution ? Après les explications données par dom Clément Lialine, l'auteur d'*Orthodox Spirituality* reconnaît que cette impression négative doit être éventuellement corrigée. L'encyclique, effectivement, ne rejette pas l'ecclésiologie des Pères grecs : « Que le pape Pie XII pense le Corps Mystique selon la ligne de saint Paul et de saint Augustin et se place de préférence dans la perspective de la société ecclésiastique militante ne signifie point qu'il condamne la christologie des Pères grecs et qu'il décourage une recherche sobre et prudente accomplie dans le même sens. » Dans cette perspective, mais qui implique le dépassement de son contenu littéral, « un orthodoxe peut être d'accord avec l'encyclique dans le rejet de toute confusion entre l'essence divine et les essences créées et dans l'affirmation que le caractère pneumatique du Corps du Christ se concilie parfaitement avec sa visibilité, avec la réalité de la succession apostolique, de la charge pastorale, de l'unique bercail ».

Ainsi, tout en soulignant les déficiences, au regard du théologien orthodoxe, de l'ecclésiologie de *Mystici Corporis*, Lev Gillet reconnaît que cette encyclique pourrait servir de point de départ à une « confrontation... instructive » de l'enseignement ecclésiologique catholique et de l'ecclésiologie orthodoxe. En vue de cette élucidation nécessaire, il s'agirait d'« étudier phrase par phrase les décrets du Concile du Vatican [23] à la lumière d'une part de *Mystici Corporis*, d'autre part des textes des anciens conciles œcuméniques. Apparaîtraient-ils inconciliables avec ce que les Russes ont appelé *sobornostij ?* Il ne serait ni loyal ni prudent de minimiser les difficultés. Il serait impie de les majorer. »

En quelques lignes est tracé ainsi, avec clarté et précision, le programme d'un dialogue théologico-ecclésiologique catholique-orthodoxe tel qu'il ne commencera à se réaliser qu'un quart de siècle plus tard. Lucide, l'auteur

23. Il s'agit, bien entendu, du concile de Vatican I.

d'*Orthodox Spirituality* en prévoit les difficultés. Croyant, il ne désespère pas. En conclusion est évoquée la nostalgie qu'« éveillent dans les âmes orthodoxes les anciennes formules romaines de *sollicitudo omnium ecclesiarum* et de *servus servorum* ». « Ceux qui approuvent cette nostalgie, précise-t-il, pensent qu'à cette primauté d'humilité, de service et d'amour correspond dans l'intention divine et la tradition ancienne de l'Église, non une simple primauté d'honneur, ou un vague *leadership*, mais bien une mission pastorale d'une nature unique. Ils ne sauraient considérer comme intégrale une ecclésiologie où ne s'harmoniseraient pas la liberté dans le Saint-Esprit, la tradition catholique et apostolique et le charisme de Pierre. »

Ramassée dans une formule concise et brillante, telle est, pour Lev Gillet, la vision de l'Église une de l'avenir à la réalisation de laquelle il faut tendre. Une Église où se trouveraient réconciliées, au-delà de leurs oppositions apparentes, les valeurs essentielles et de la Réforme protestante – la liberté dans l'Esprit Saint – et de l'orthodoxie – la fidélité à la tradition de l'Église indivise – et celle du catholicisme romain – le sens du ministère spécifique et unifiant de l'apôtre Pierre et de ses successeurs.

Frappé par les vues exprimées dans cette « lettre au rédacteur d'*Irénikon* », Clément Lialine demande à son correspondant de les développer et préciser dans un véritable article. Ce dernier accepte. Il s'agirait de faire le tour des problèmes que soulève l'encyclique par rapport à l'orthodoxie et, écrit-il – « elle les soulève tous » –, cela « sans laisser dans l'ombre les difficultés, mais sans jamais élever la voix [24] ».

Au cours de l'automne 1947, Lev Gillet rédige un texte où il évoque l'ensemble du contentieux théologique et

24. Lettre du 18 août 1947.

ecclésiologique orthodoxe-catholique. Ce texte [25] – quarante-trois pages manuscrites – est envoyé à dom Clément le 13 décembre 1947. Il ne sera jamais publié.

N'a-t-il pas reçu l'*imprimatur* du censeur ecclésiastique ? Lialine, dans les circonstances et le climat de l'époque, l'a-t-il jugé impubliable ? On en est réduit, à ce sujet, à des conjonctures. Lev Gillet lui-même semble avoir pressenti que la publication de son étude se heurterait à des difficultés. Dans la lettre personnelle à Lialine qui accompagne son envoi, il écrit : *Tout ce que je puis dire en faveur de cet article, c'est qu'il a été écrit avec une entière bonne foi et en grand respect, tant pour la « Sacra sancta Romana Ecclesia »... que pour la longue tradition dont se réclame l'Orient. Traitez cet article sans indulgence et supprimez-le s'il vous semble, soit déborder votre cadre, soit susceptible de donner offense ou de susciter des controverses. Si vous ne le publiez pas, vous pouvez garder le manuscrit comme un document psychologique et un chapitre d'autobiographie* [26].

Suivant le souhait exprimé, quelque peu ironiquement, par son ami, dom Lialine gardera effectivement ce document précieux dans les archives d'*Irénikon*. Jusqu'à une époque récente, des chercheurs ont pu le consulter. Égaré ou emprunté par un amateur indiscret, il a aujourd'hui disparu. Je n'ai pu me faire une idée de son contenu que d'après les notes prises par l'historien de l'œcuménisme catholique Étienne Fouilloux et mises par lui aimablement à ma disposition.

Ce contenu n'a rien d'autobiographique au sens événementiel. Il est l'aboutissement d'une méditation et d'une réflexion ecclésiologiques poursuivies par Lev Gillet douloureusement, au cours de ces années difficiles où il oscille entre la nostalgie d'un « retour » à Amay-Chevetogne et la fidélité à ce qu'il considère comme sa

25. Ce texte, signé « Un moine de l'Église d'Orient », est intitulé « L'Encyclique "Mystici Corporis" et la Conscience orthodoxe ».
26. Lettre du 18 août 1947.

vocation. Comme dans sa « lettre au rédacteur d'*Irénikon* », mais en explicitant davantage ses vues, l'auteur regrette que le pape *se détourne de la conception réaliste et « physique » que les Pères grecs se faisaient de l'assomption de la nature humaine par la personne du Verbe incarné, pour s'attacher uniquement à la conception ecclésiologique inspirée de saint Paul et de saint Augustin.*

Se situant dans la perspective des théologiens orthodoxes, il dresse ensuite le catalogue de l'ensemble des points de divergence entre l'enseignement de l'Église catholique et celui de l'Église orthodoxe. Ceux-ci concerneraient à la fois la théologie sacramentaire *où il n'y a pas autant d'unité qu'on croit*, la mariologie [dogme de l'Immaculée Conception], la doctrine du Purgatoire, le *Filioque*, c'est-à-dire la théologie trinitaire, mais surtout *la conception de l'autorité dans l'Église* et *la primauté papale. C'est sur ce terrain,* prévoit l'auteur de l'article, *que le dialogue entre Rome et les orthodoxes sera le plus laborieux.* Tout en soulignant les difficultés doctrinales auxquelles se heurtera un dialogue théologique catholique-orthodoxe souhaitable mais qui, à l'époque, n'existe pas officiellement, le moine de l'Église d'Orient ne les juge pourtant pas insurmontables. L'apport de l'encyclique papale lui paraît finalement positif : *D'une part l'Encyclique* Mystici Corporis *est la bienvenue, en ce qu'elle constitue un exposé singulièrement authentique et autorisé [...] de l'ecclésiologie romaine [...]. D'autre part nous voyons par l'Encyclique que la conception de l'Église que professe Rome n'est pas cette conception étroitement juridique et institutionnelle qui a été pour beaucoup une cause de difficultés mais la grande conception scripturaire du Corps mystique du Christ. Enfin, à partir de cette doctrine du Corps mystique, l'Encyclique ouvre une porte, rend possible et désirable un dialogue* [27].

Dans un autre domaine qui lui tient particulièrement

27. Je me réfère ici aux notes prises par Étienne Fouilloux. On aimerait évidemment en savoir davantage.

à cœur – celui de la liberté des personnes et de ce que nous appelons aujourd'hui les droits de l'homme – Lev Gillet croit pourtant devoir souligner une différence, à ses yeux grave et importante, entre l'enseignement de l'Église catholique romaine et celui d'autres Églises, notamment l'Église orthodoxe. L'Église catholique, croit-il constater, est intolérante *par principe. Si d'autres Églises ont, au cours de leur histoire, été persécutrices, l'Église romaine est la seule, croyons-nous, à maintenir aujourd'hui le principe doctrinal de l'intolérance civile* [28].

L'article de 1947, qui ne sera jamais publié, est, à ma connaissance, le seul texte de Lev Gillet où ce dernier s'est exprimé de façon systématique sur les divergences doctrinales entre l'Église orthodoxe et l'Église catholique romaine [29]. Avec la « lettre au rédacteur d'*Irénikon* » dont il est le prolongement, ce qu'on en sait d'après les notes d'un lecteur attentif, laisse entrevoir la souffrance de Lev Gillet écartelé, au moment où il rédige ce texte, entre ses aspirations unionistes réactivées par l'expérience de la guerre, sa loyauté envers l'Église orthodoxe à laquelle il s'est uni et qu'il n'a pas l'intention de quitter et une lucidité intellectuelle qui lui permet de mesurer les obstacles qui se dressent sur la route de l'unité tant désirée. Il n'est sauvé du désespoir que par l'ancrage de sa foi dans la vision du « Corps mystique » : unité invisible mais réelle de tous en Christ, par l'Esprit Saint, transcendant, sans les nier ou les escamoter, les barrières institutionnelles. Cette vision, en ces années, se nourrit de la méditation des textes patristiques grecs. Mais elle discerne des analogies aussi dans la tradition juive. Dans une lettre adressée, vers la même époque, à Clément Lialine,

28. Cela est dit – il faut le souligner – en 1947, bien avant Vatican II.
29. Un article de Lev Gillet publié après sa mort dans la revue catholique *Chrysostom* développe l'idée que le dogme romain de l'Immaculée Conception publié en 1854 ne contredit en rien la mariologie orthodoxe (vol. VI, nº 5, 1953). Quant au problème du *Filioque*, il est abordé assez longuement dans une note de l'ouvrage publié à Beyrouth, *An de Grâce du Seigneur*, chap. VII, p. 3.

Lev Gillet regrette que *la théologie du Corps Mystique du Christ n'ait pas davantage approfondi les antécédents et les parallèles juifs.* La notion du « Corps du Christ », explique-t-il, peut être rapprochée de celle de la Présence de Dieu ou *Chekinah* dans la communauté d'Israël : une communauté dont l'unité est supra-institutionnelle : « Au sens juridique et institutionnel » on ne peut pas parler d'« *une* Synagogue... » *S'il y a des fédérations de rabbins et de synagogues, s'il y a même des « grands rabbins » et des « cours rabbiniques » pour trancher certaines questions alimentaires, matrimoniales et généralement légales, mais tout ceci n'a qu'une valeur empirique pragmatique,* ad bene esse, *et il n'y a rien qui corresponde à une Église en tant qu'organisation centralisée liant les consciences. Par contre, dans le sens spirituel, on pourrait parler d'*une *Synagogue qui n'est coextensive à aucune des synagogues empiriques, orthodoxes ou libérales, mais bien à la « Communauté d'Israël », c'est-à-dire de l'ensemble des Juifs ou des prosélytes qui se réclament de l'Alliance, de la Torah, des Prophètes, et de toute une tradition rabbinique allant de Hillel à Martin Buber et dont la conscience juive admet l'esprit général et la continuité, sans canoniser aucun de ses éléments particuliers...* [Et Lev Gillet de conclure :] *Il y a là certainement la conception d'un Corps mystique d'Israël, d'une présence localisée* (Chekinah) *de Dieu dans ce Corps et même d'une identité entre Dieu et Israël, à un tel point que les rabbins du Moyen Âge, voulant décrire une théophanie disaient : « la communauté d'Israël descend du ciel*[30]. »

Homme déchiré, Lev Gillet est ainsi en même temps un homme *un*. Exprimé tantôt dans le langage des Pères grecs tantôt dans le langage sémitique de la Bible et des rabbins juifs, la même vision mystique et universaliste traverse une œuvre en apparence disparate. Elle sous-tend *Communion in the Messiah, Orthodox Spirituality*, comme aussi son analyse critique de l'encyclique *Mysticis*

30. Lettre du 13 septembre 1947.

Corporis : exercice cathartique, celle-ci semble avoir libéré Lev Gillet de ses angoisses.

Au cours de l'été 1947, il revoit avec joie l'amie à qui, quelques mois plus tôt, il a envoyé un message si désespéré ; au niveau des relations personnelles, les fils avec le passé et le ministère parisien sont renoués. En même temps. lui parvient de l'Orient l'appel à un nouveau ministère.

Le vent se lève, gonflant les voiles : un nouveau départ est proche.

CHAPITRE V

L'APPEL DU LIBAN

En août 1946, Lev Gillet reçoit la visite de trois jeunes chrétiens arabes syro-libanais : une visite mémorable marquant le début d'une longue amitié et de rapports privilégiés entre le moine de l'Église d'Orient et le Liban. La petite histoire a retenu le nom des trois visiteurs : Albert Laham est un jeune juriste beyrouthin, Georges Khodr, originaire de Tripoli, futur métropolite du Mont-Liban, est sur le point d'entreprendre des études de théologie à l'Institut Saint-Serge à Paris, Gaby Saade, issu d'une grande famille chrétienne de Lattaquié en Syrie est passionné d'archéologie. Les trois jeunes hommes viennent d'assister à la conférence d'été du Fellowship of St. Alban and St. Sergius. Pour des raisons obscures, Lev Gillet, cette année, n'y a pas été présent. Le trio a tenu à rencontrer le moine orthodoxe français dont il a beaucoup entendu parler. L'entrevue a lieu à Oxford, dans l'appartement de Nadejda Gorodetzky.

Albert Laham, Georges Khodr et Gaby Saade sont à l'époque, parmi les leaders du MJO [1] : un mouvement lancé en 1942 – en pleine guerre mondiale – par une poignée de jeunes orthodoxes arabes, étudiants à l'université catholique Saint-Joseph de Beyrouth. Éveillés, sous diverses influences, à une foi chrétienne vivante, ces garçons et filles (car, signe spécifique, dès l'origine quelques étudiantes sont associées au mouvement) rêvent d'œuvrer pour la renaissance spirituelle de l'Église

1. Initiales par lesquelles se désigne le Mouvement de la jeunesse orthodoxe du Moyen-Orient.

d'Antioche : une Église au passé prestigieux, dont l'apôtre Pierre fut le premier évêque, qui a donné à la pensée chrétienne saint Jean Chrysostome, et saint Jean Damascène, qui, jusqu'aux temps modernes, a eu de nombreux martyrs, mais qui, après des siècles de *milet* et de turcocratie apparaît comme assoupie. Dépourvue de pensée théologique vivante, corrompue par la simonie dans ses sphères dirigeantes, elle paraît vouée au déclin, incapable de relever les défis de la modernité. C'est pourtant ce que tentent de faire quelques jeunes chrétiens cultivés.

Divers facteurs ont contribué à l'éveil de leur vocation : nationalisme arabe, prise de conscience, au cours de la première moitié du XXe siècle, par des intellectuels arabes, de l'arabité comme valeur culturelle spécifique (certains jeunes chrétiens syro-libanais sont proches du Mouvement Baas naissant), contacts avec l'Occident catholique et protestant dans les écoles et les universités où l'élite sociale du Proche et Moyen-Orient reçoit sa formation. Aux aspirations intenses mais vagues de quelques jeunes orthodoxes du patriarcat d'Antioche, la lecture d'un ouvrage sur l'orthodoxie rédigé en langue française – une langue que tous connaissent – a permis de donner une forme et une expression plus précises. Au milieu de nombreux livres importés de France, *L'Orthodoxie* du P. Serge Boulgakov, dans l'excellente traduction anonyme de Lev Gillet, est tombée entre leurs mains : révélation pour eux d'une pensée de la foi enracinée dans la Tradition orthodoxe, en même temps en dialogue avec d'autres Églises, prête à affronter les problèmes de la société contemporaine.

Quand Albert Laham, Georges Khodr et Gaby Saade rencontrent pour la première fois Lev Gillet, savent-ils qu'il est le traducteur du livre qui a exercé sur eux une influence si déterminante ? En tout cas ils sont frappés par la personnalité de cet ecclésiastique français, porteur d'une culture qui jouit au Liban d'un immense prestige, d'un chrétien qui, baptisé dans l'Église catholique, a choisi de s'unir à l'Église orthodoxe – une Église que tant d'autres Occidentaux considèrent, avec hauteur comme un simple vestige du passé. Cet Occidental qui, dans l'orthodoxie, a découvert la perle de grand prix de l'Évangile, serait-il l'homme capable de les aider à retrouver eux aussi et à déterrer le trésor caché dans le champ de l'antique Église d'Antioche ? Telle est la question avec laquelle ils reviennent au Liban.

Le plus enthousiaste est Albert Laham. Pour lui, il s'agit de faire sans tarder venir au Liban ce moine orthodoxe français, qui, n'étant chargé en Grande-Bretagne d'aucun ministère spécifique, paraît libre et disponible. Jouissant d'un prestige certain, à la fois au sein du MJO dont il est l'un des leaders et auprès des autorités ecclésiastiques, le jeune juriste se fait l'avocat d'un projet qui prend corps progressivement au cours des mois suivants. Ayant réussi à gagner à sa cause le métropolite de Beyrouth, Mgr Salibi, Laham obtient de ce dernier l'envoi au P. Lev Gillet d'une lettre d'invitation pour un séjour au Liban d'une durée indéterminée, mais qui, laisse-t-on entendre, pourrait se muer en installation définitive. En attendant, l'évêque offre au hiéromoine français l'hospitalité de sa résidence épiscopale.

Pour Lev Gillet, la proposition vient à point. Lui aussi a aimé ces trois « jeunes hommes riches » qui sont venus le voir. Leur connaissance parfaite du français a facilité les contacts. La glace a été vite rompue. Terre de soleil et terre biblique, le Liban l'attire. L'appel à s'y installer serait-il l'exaucement, jusqu'ici attendu en vain, de la promesse mystérieuse reçue jadis au lac de Tibériade ? Parmi les projets évoqués par les jeunes militants du MJO, on trouve la restauration d'un authentique monachisme antiochien. Consulté à ce sujet, Lev Gillet se prend à rêver d'une retraite monastique, d'un « jardin sur l'Oronte », selon l'expression de Maurice Barrès reprise par lui dans une lettre à son frère : lieu de paix, loin des tensions et des dilemmes russes, loin des discussions ecclésiologiques et juridictionnelles qui l'irritent et le peinent. Partir, c'est aussi mettre fin au malaise qui depuis quelque temps alourdit ses relations avec le milieu judéo-chrétien prosioniste dont dépend l'institut qui est son employeur.

Les pourparlers au sujet de ce départ traîneront pendant plus d'un an. Les Libanais tardent à répondre aux questions précises de Lev Gillet concernant le statut qu'ils envisagent pour lui. Lui-même hésite avant ce nouveau saut dans l'inconnu qui implique l'abandon de certaines tâches qui semblent importantes, et surtout l'éloignement d'êtres qui lui sont chers et dont, devant Dieu, il se sent responsable. À cela s'ajoutent d'autres difficultés objectives. Celle concernant l'obtention, par l'objecteur de conscience qu'il fut en 1939, d'un nouveau passeport français lui permettant de se rendre à l'étranger, n'est pas la moindre.

Ce dernier obstacle est finalement surmonté grâce à l'appui de personnalités politiques françaises influentes. On trouve des allusions à cet appui dans les lettres adressées par Lev Gillet à son frère [2]. Ses relations pendant la guerre avec les représentants à Londres de la France libre ne sont sans doute pas étrangères à l'issue favorable.

L'ultime décision est prise au cours de l'automne 1947. Lev Gillet se soumet aux vaccinations obligatoires contre le choléra, le typhus et la petite vérole. À la même époque, il démissionne de ses fonctions à l'Institut chrétien d'études juives. Annonçant à son amie son proche départ, il écrit : *Je vous écris à un moment grave de ma vie car je suis en train de brûler tous mes vaisseaux, de renoncer à mon travail actuel et de me rendre disponible, soit pour*

2. Dans une lettre datée du 6 février 1947, Lev Gillet, évoquant l'éventualité de son installation au Liban, écrit à son frère : *Des difficultés politiques retardent la chose et pourraient la rendre impossible.* Mais quelques mois plus tard, écrivant au même, il exprime l'espoir de *pouvoir prendre possession de [son] abbaye en Orient.* Il a obtenu que les négociations concernant l'obtention d'un passeport soient transférées à Londres où il bénéficie de la bienveillance du capitaine qui représente le deuxième bureau à l'état-major français londonien. *Le général Revers, chef d'état-major de l'armée française serait intervenu en faveur d'un règlement favorable* (lettre du 5 avril 1947).

l'Orient – qui me demande – soit pour une vie plus contemplative et spirituelle ici-même – de toute façon une vita nuova *qu'à la fois je crains et je désire et pressens, faisant mien l'appel de Dante au seuil de la* Vita Nuova « ecce fortior me qui veniat et dominabitur mihi [3] ».

La date du départ d'Angleterre est fixée au 1er février 1948. Ayant libéré le 1er janvier la chambre qu'il occupait jusque-là au Foreign Missions Club, Lev Gillet accepte, pendant un mois l'hospitalité à Oxford de Nadejda Gorodetzky. Il revient avec elle à Londres le 31 janvier et passe la dernière nuit avant la séparation à St. Basil's House. Le lendemain, Nadejda et les deux secrétaires du Fellowship, Helle Georgiadis et Joan Ford, l'accompagnent jusqu'à la gare Victoria d'où il va partir pour le continent. Tout le monde est très ému. Joan et Nadejda écrasent quelques larmes. Se trompant de sortie de métro, le groupe a failli manquer le train [4].

Après quelques jours passés à Grenoble dans sa famille, le voyageur s'embarque le 7 février à Marseille sur le *Cyrénia* à destination de Beyrouth. Il arrive à bon port au terme d'une « traversée ennuyeuse et longue » – escales à Gênes, au Pirée, à Alexandrie, à Port-Saïd et à Haiffa – le 17 du même mois.

Ses amis libanais l'attendent sur le quai. On l'installe dans la « demeure somptueuse » du métropolite de Beyrouth où, écrit Lev Gillet à son frère, il *mène une vie quasi épiscopale.* Sa cohabitation, pendant plusieurs mois, avec Mgr Grégoire Salibi – pittoresque prélat oriental – sera une source inépuisable d'anecdotes drôles, parfois piquantes – dont Père Lev se délectera – et délectera ses auditeurs – jusqu'à la fin de sa vie. L'aspect ecclésiastico-mondain de sa vie, pendant ce premier séjour au Liban, semble l'avoir amusé.

Dans les lettres à sa famille, il évoque sa visite officielle

3. Lettre du 10 novembre 1947 à E.B.S.

4. Je dois ces détails pittoresques à Mrs. Rutt qui, à l'époque encore Joan Ford, fut l'une des trois accompagnatrices du P. Lev Gillet.

au patriarche orthodoxe d'Antioche, à Damas, la réception où il est présenté au président de la république du Liban, ses relations avec l'ambassadeur de France au Liban, le comte Arnaud du Chayla, un parent éloigné et ami de la famille Gillet. Il est question aussi de conversations avec l'ambassadeur de l'Union soviétique.

Très apparent dans la correspondance familiale, cet aspect superficiel d'« abbé de cour » que certains ont cru remarquer chez Lev Gillet, ne saurait cependant occulter l'essentiel : son ministère, dans le cadre du MJO auprès de la jeunesse orthodoxe du Liban. Il le décrit dans une lettre à son frère : *Il se trouve que j'ai été fait en quelque sorte prisonnier par la jeunesse de Beyrouth, étudiants et étudiantes des Universités. Ils ne veulent pas me laisser partir. Je leur ai adressé la parole plusieurs fois et ils viennent me visiter jusqu'au milieu de la nuit. Ils entendent que je passe auprès d'eux tout le Carême et, au-delà, jusqu'en mai, les évangélisant, si je puis dire, chaque jour. Tous sont de culture française... Je trouve ces enfants arabes si droits, si intelligents, si sincères, si généreux. Ma crainte est de ne pouvoir leur donner ce qu'ils attendent de moi (et ils attendent tout...). J'ai une immense responsabilité à leur égard. Sans cela, j'aurais des crises de mélancolie en pensant à ceux, à celles, que j'ai laissés en Occident*[5].

Pendant le grand carême pascal, puis entre Pâques et Pentecôte, le hiéromoine français est invité à prêcher dans les églises, à célébrer ou concélébrer l'Eucharistie, à écouter les confessions et à donner la communion. Nulle part ailleurs, sauf peut-être jadis, dans le cadre de sa paroisse parisienne, la vocation proprement sacerdotale de Lev Gillet ne s'est réalisée aussi pleinement qu'au Liban. De façon significative, c'est au Liban qu'il écrira, quelques années plus tard, la méditation *Sois mon prêtre*[6]. Elle est le fruit de cette expérience.

---

5. Lettre du 1er mars 1948.

6. *Sois mon prêtre. Quelques mots sur l'appel du Christ à ses prêtres,* Beyrouth, Éd. An-Nour, 1962.

Pour de nombreux jeunes arabes chrétiens, membres du MJO, la rencontre avec le P. Lev Gillet et sa prédication ont signifié une libération : une brèche ouverte par où pénétrait le souffle de l'Esprit vivifiant d'une religion sclérosée. « Il nous a libérés d'un dogmatisme et d'un ritualisme desséchés, d'un moralisme étriqué [7] », se souvient le métropolite Georges Khodr. Ce témoignage vient d'un théologien. Émanant de laïcs – souvent de femmes – d'autres témoignages rendent le même son. En termes imagés, ils parlent de la « résurrection des morts » dont, pour la jeunesse du patriarcat d'Antioche, la parole de ce messager venu d'Occident fut l'instrument. Comme le métropolite Georges, Emma Khoury se souvient : « Le choc que nous avons reçu de la prédication du Père Gillet peut être comparé à la résurrection de Lazare. Comme Jean Baptiste, Père Lev a préparé en nous la voie du Seigneur. Je me souviens de ma première rencontre avec lui. C'était le jour de la fête de la Pentecôte. J'entends encore sa voix... Son message nous apportait le souffle de l'Esprit, les langues de feu [8]. »

Le rayonnement auprès de la jeunesse chrétienne arabe cultivée de ce hiéromoine orthodoxe français que la *vox populi* désigne déjà comme un futur évêque de l'Église antiochienne inquiéta-t-il certains milieu ecclésiastico-politiques ? Ces milieux ont-ils désiré son départ ?

Dans les derniers jours de juillet 1948, le séjour au Liban de Lev Gillet se termine brutalement. Tel un coup de tonnerre dans un ciel bleu, éclate la nouvelle d'un ordre du patriarcat de Moscou, transmis par celui d'Antioche, lui enjoignant de rentrer immédiatement en Grande-Bretagne.

Le 2 août 1948, lui présentant avec beaucoup de retard des vœux de Pâques que, dans le tourbillon de son ministère beyrouthin, il n'a pas pu lui envoyer à temps, Lev Gillet écrit à son amie :

7. Entretien du 3 novembre 1990 avec le métropolite Georges Khodr (E.B.S.).
8. Voir *Contacts*, nº 116, 1981-4.

Pâques est une réalité de toujours. C'est pourquoi aujourd'hui même, je veux vous redire : Christos Voskresse [9] ! *J'ai des raisons spéciales de rechercher des pensées de Pâques en ce jour où je quitte le Liban, peut-être pour toujours. Dieu a aidé et béni ma tâche ici d'une manière que je ne méritais pas et l'on désirait ici que je reste définitivement. Mais ma mission prend fin par un ordre du Patriarche de Moscou.*

Au début d'août, Lev Gillet rentre précipitamment en Grande-Bretagne. Il se rend immédiatement à la conférence d'été du Fellowship de Saint-Alban et Saint-Serge qui, cette année-là, se tient à Eastbourne au pied des falaises blanches de la côte sud de l'Angleterre, face à la France. Informés des conditions de son retour brusqué, soucieux de panser une blessure qu'ils pressentent vive, ses amis anglais et russes lui réservent un accueil à la fois chaleureux et empreint d'une discrète solennité.

Selon la version officielle, le retour en Europe est motivé par des raisons de santé [10]. Mais Lev Gillet lui-même attribue l'ordre qu'il a reçu de quitter le Liban – ordre du patriarcat de Moscou transmis par le patriarcat d'Antioche – à des pressions exercées sur l'Église russe par le gouvernement soviétique qui voit en lui, comme il l'écrit à Pierre Gillet, un ennemi de sa politique [11].

L'hypothèse est plausible, mais en l'état actuel, invérifiable : un passage d'une lettre adressée en septembre

9. En slavon : « Christ est ressuscité ».

10. Pendant les dernières semaines de son séjour au Liban, Lev Gillet a souffert effectivement d'une amibiase, infection qui atteint souvent les Européens non immunisés quand ils séjournent au Proche et Moyen-Orient. Mais il était bien soigné par des médecins compétents. Son état de santé n'inspirait aucun souci sérieux.

11. Doutant du succès des démarches entreprises par le MJO en vue d'une éventuelle réception de Lev Gillet parmi le clergé du patriarcat d'Antioche, ce dernier écrit : *La Russie soviétique me range au nombre de ses ennemis et l'a fait savoir en Syrie et au Liban. Dans l'état des choses créé par le conflit palestinien, les Arabes sont tenus à de tels ménagements envers les Soviets qu'ils ne voudraient pas les mécontenter à cause d'un seul individu* (lettre du 15 mars 1949 à Pierre Gillet).

1948 par le patriarche d'Antioche « à l'archimandrite Lev Gillet, sous couvert du secrétaire général du MJO » (à l'époque Édouard Laham) a été censuré, c'est-à-dire au sens littéral du terme, « coupé ». On peut penser qu'il contenait des informations ou des explications jugées indésirables par la censure syrienne [12].

Comment expliquer l'hostilité présumée des services secrets soviétiques à l'égard d'un obscur ecclésiastique orthodoxe français ? La conjonction rare de l'état d'ecclésiastique orthodoxe et de la nationalité française a pu éveiller les soupçons de fonctionnaires soviétiques à la fois consciencieux et mal informés. Ces soupçons ont pu se conjuguer avec des ragots colportés dans les milieux prosoviétiques de Grande-Bretagne[13] et plus subtilement avec la conviction que l'influence exercée par cet homme évangélique pourrait contrarier les manœuvres politiciennes du gouvernement soviétique au sein du patriarcat d'Antioche.

Quoi qu'il en soit, le coup est rude pour Lev Gillet. Au moment de l'embarquement, quand ses jeunes amis libanais sont venus l'accompagner jusqu'au bateau, lui apportant, en dernier signe d'amitié, un panier rempli de fruits, il s'est « raidi et durci pour ne pas se laisser aller à l'émotion ». Mais en leur écrivant d'Angleterre, il avoue avoir *la gorge serrée [et] sentir les larmes [lui] monter aux yeux quand [il] repense à ce moment* [Et d'ajouter :] *l'Angleterre m'a réservé le meilleur accueil. Mais après réflexion* devant Dieu, *c'est parmi vous que je crois devoir vivre et mourir ; en tous cas mon cœur a choisi* [14].

Parmi ces jeunes chrétiens arabes droits et enthousiastes, Lev Gillet a retrouvé l'émotion pentecostale ressentie jadis, au début de son ministère parisien, parmi

---

12. Cette lettre censurée se trouve dans les archives personnelles de Me Albert Laham qui m'en a communiqué une photocopie.

13. Le Dr Vaccaro, qui connut Lev Gillet au collège quaker de Woodbrooke (Selly Oak), rapporte que certains étudiants l'accusaient d'antisoviétisme systématique.

14. Lettre du 16 août 1948 à Albert Laham.

les jeunes Russes émigrés : l'« extase » – au sens fort du mot – la bienheureuse sortie du moi égocentrique à laquelle, jusqu'à la fin, son cœur ne cessera d'aspirer.

Dans l'immédiat, il ne désespère pas de retourner à Beyrouth, voire de pouvoir s'installer au Liban à demeure. Une fois écarté l'obstacle de son appartenance au patriarcat de Moscou : *une Église,* écrit-il, *soumise aux pressions du gouvernement soviétique qui se sert d'elle comme d'un instrument de sa politique au Proche et Moyen-Orient.* Il s'agit donc de sortir de cette obédience tout en respectant les règles canoniques : souci caractéristique de Lev Gillet qui, intérieurement totalement libre, se distingue par un méticuleux légalisme sur le plan des réalités institutionnelles.

Au cas où il recevrait l'*exeat* canonique de Moscou, le patriarcat d'Antioche accepterait-il de le recevoir ? Sondées à ce sujet, les autorités antiochiennes ne répondent pas ou donnent des réponses dilatoires. Sans se laisser décourager, Lev Gillet entreprend auprès de l'exarque du patriarcat de Moscou à Paris les démarches nécessaires en vue d'obtenir son congé. De façon presque inattendue, elles sont couronnées de succès. Le jeudi saint de 1949, selon le calendrier julien, il reçoit à titre d'« œuf de Pâques » – l'expression est de lui – l'avis libératoire des autorités patriarcales russes : « L'archimandrite Lev Gillet qui reste en jouissance de la plénitude des droits d'exercice du ministère sacerdotal, est autorisé à s'adresser à l'archevêque Germanos de Thyatire, exarque à Londres du Patriarche Œcuménique, en vue d'être admis sous la juridiction de quelque autre Église orthodoxe », dit le texte officiel que lui communique l'exarque à Paris, du patriarcat de Moscou [15].

Lev Gillet a tout lieu d'être satisfait : grâce à la compréhension de l'exarque, le métropolite Sérafim, il retrouve son entière liberté, dans le respect, auquel il tient, des règles canoniques. Non sans raison, il prévoit

15. Document n° 215, 15 avril 1949. Le texte original est rédigé en anglais.

cependant que le document libératoire *ne suffira pas à dissiper l'appréhension des évêques antiochiens qui craignent d'offenser Moscou* [16].

Le meilleur et le plus opportun pour lui paraît donc de demeurer sous l'obédience de l'exarque, en Grande-Bretagne, du patriarcat de Constantinople. Tel restera son statut canonique jusqu'à sa mort : statut auquel il se conformera toujours loyalement et scrupuleusement.

Dès l'automne 1949, Lev Gillet se rend pour un second séjour au Liban. À cette occasion, il visite également Le Caire et Jérusalem. Il ne sera plus question désormais d'une installation définitive au Pays des Cèdres. Mais pendant un quart de siècle, Père Lev y reviendra fidèlement année après année, pour des séjours plus ou moins longs. Éloigné d'eux géographiquement, il reste en relations épistolaires avec ses amis et ses enfants spirituels du MJO. Il forme les générations successives. Ses voyages en Orient ont maintenant un caractère strictement privé. Il n'est plus reçu « épiscopalement », il ne fréquente plus les ambassades. Avec le métropolite de Beyrouth, Mgr Salibi, il gardera des relations polies et déférentes. Mais il ne sera plus l'hôte de la résidence épiscopale. Au lieu de cela, il habite maintenant chez tel ou tel de ses jeunes amis : chez des couples comme celui formé par Paul Issaïd et son épouse, que Lev Gillet aime particulièrement. Pendant ses derniers séjours au Liban, il est reçu par le propriétaire d'un hôtel assez luxueux – l'hôtel Bristol – qui attend du savant moine français une aide pour rédiger son autobiographie ! On ignore si cet espoir s'est réalisé.

Le lien qui unit le moine français aux jeunes chrétiens arabes du MJO est un lien d'amour personnel, un lien en quelque sorte « mystique de paternité oblative », comme il l'exprime dans la lettre qu'il leur adresse à l'occasion du seizième anniversaire de sa venue au Liban : *Je suis à vous, je vous appartiens. Je ne sais quelles formes*

16. Lettre du 16 août 1948 à Albert Laham.

Dieu voudra donner dans le futur à ce lien. Mais je puis dire, en toute sincérité, que vous m'êtes plus proches, plus chers que n'importe quel autre groupe envers lequel je me trouve parfois appelé à exercer mon ministère... En vous, plus que dans tout autre groupe de jeunesse que je connais, je sens (comme déjà il y a 16 ans) la verte nouveauté de l'Évangile, le souffle de Pentecôte [17].

Dans le MJO Lev Gillet a discerné et aimé un mouvement né sous le souffle de l'Esprit : un « mouvement charismatique » avant que ce terme ne devienne populaire dans le christianisme occidental contemporain. Il y a discerné le lieu où il est appelé à enseigner, à « prophétiser » – au sens biblique et néo-testamentaire du terme – mais non à exercer une autorité hiérarchique. Pour ces jeunes hommes et femmes, il n'a voulu être ni un directeur de conscience, ni un maître à penser, mais un serviteur et le frère de tous et de toutes : *Je veux être et je ne veux être pour vous qu'un frère et un serviteur. Notre lien ne doit être qu'un lien de libre affection,* écrit-il dans la lettre déjà citée plus haut.

Cette relation collective d'humble amour est tissée d'innombrables liens personnels. Pour ses jeunes amis, Lev Gillet est le conseiller, le confident prêt à écouter chacun, disponible à toute heure du jour et de la nuit. « Mon temps est dévoré par ceux et celles qui viennent me voir », confie-t-il à ses amis en France qui se plaignent de son silence.

Une rencontre avec Père Lev, une conversation avec lui à une heure décisive de leur existence ont ainsi marqué d'innombrables orthodoxes libanais : des laïcs qui seront des piliers de leur Église, comme Albert Laham, des prêtres, des évêques, comme le patriarche Ignace IV d'Antioche, le métropolite Georges du Mont-Liban, le métropolite Elias Aoudé, de Beyrouth ; mais aussi des femmes comme Maud Nahas, Emma Khoury et beaucoup

17. Lettre datée du 4 mars 1964, publiée dans le périodique du MJO *An-Nour (La Lumière)*.

d'autres qui ont participé à l'éclosion de ce nouveau printemps de l'antique Église d'Antioche.

Le ministère libanais de Père Lev a revêtu les formes les plus diverses : entretiens en tête à tête ou, comme il aimait dire « de cœur à cœur », mais aussi, prédications, conférences, ouvrages écrits pour répondre à des besoins précis, pour évangéliser une Église locale. En s'apprêtant à partir pour le Liban en 1947, Lev Gillet rêvait d'une retraite monastique, de vie contemplative quelque part dans la montagne libanaise. Par ses conseils et par l'esprit qu'il insuffle au MJO il participera effectivement à la fondation de communautés monastiques : celle de Der-El-Harf pour les hommes, celle – féminine – de Mar Yakoub au-dessus de Tripoli. Mais son propre ministère libanais fut essentiellement actif et citadin. À Beyrouth comme à Londres et Paris, il est un « moine dans la Ville ». S'il appelle à la contemplation du Mystère divin, c'est toujours avec le souci d'illuminer, par elle, l'existence journalière personnelle de chaque chrétien comme aussi, la vie sociale et politique. C'est dans cette perspective que se situe l'insistance de sa prédication sur une tradition spécifiquement antiochienne à laquelle il exhorte les jeunes du MJO à rester fidèles : *une tradition... qui ne sépare pas l'aspiration au règne de Dieu dans l'âme et l'action, nécessaire à une pénétration croissante de la communauté et de l'Église locale par l'Esprit du Royaume, dans la paix et la charité*[18].

Ce rappel est prononcé à un moment grave où se joue déjà – dans l'indifférence coupable de l'Occident et l'inconscience aussi d'une grande partie de la bourgeoisie chrétienne et sunnite du Liban – l'avenir de ce petit pays jusqu'ici paisible. 1963, c'est Septembre noir, l'afflux au Liban de centaines de milliers de réfugiés palestiniens, déséquilibrant sa démographie, la société et l'État. C'est le début d'une crise qui se répercutera aussi dans le MJO.

18. *Ibid.*

Émue de compassion pour les réfugiés palestiniens entassés dans des camps, en révolte contre des structures sociales et politiques injustes, une partie des jeunes orthodoxes du MJO – les plus généreux souvent – est attirée par l'aile marxisante de FATH et bascule dans la violence. Des garçons et des filles que Lev Gillet connaît, qui se confessent à lui, deviennent des poseurs de bombes, songent à organiser des attentats. Il ne saurait les approuver. Mais tout en condamnant leurs actes, il les comprend et partage leur indignation. Dans ses homélies, il dénonce la « pourriture interne » de la société libanaise, rongée par le goût immodéré du luxe, la « recherche de l'argent et du plaisir », l'injustice sociale et politique. Avec les jeunes révoltés, il garde des liens. Il prie pour eux : une attitude qui prépare le retour de certains d'entre eux à l'Église et à l'Évangile du Christ [19].

Lev Gillet vit ainsi intérieurement, en toutes ses dimensions politiques, sociales et spirituelles, le drame, la tragédie du Liban qui sont ceux du Moyen-Orient tout entier. Lucidement – alors que d'autres se bercent encore d'illusions – il prévoit que le conflit israélo-palestinien risque de détruire ce pays qu'il aime, où il a retrouvé la « douceur galiléenne ». Blâmant la politique de l'État d'Israël qu'il juge responsable de cette crise, il appelle cependant « au respect de l'Israël éternel », à la réconciliation de tous les fils d'Abraham. « Nous pouvons, et je crois nous devons réprouver moralement certaines initiatives politiques d'un Judaïsme dévié, souvent même athée ou matérialiste. Mais à l'égard du Judaïsme spirituel et, par là même éternel, purifions notre âme de toute amertume. Demandons pardon à Dieu du mal que des chrétiens nominaux ont fait à des Juifs innocents, depuis le Moyen Âge jusqu'à Hitler. Soyons ce que Jésus disait de Nathanaël : “un Israélite véritable.” Pensons à la jeune

19. Je me fonde ici sur le témoignage d'une de ces jeunes révoltés.

fille de Nazareth qui fut au suprême degré l'Israël véritable et qui nous donna Jésus [20]. »

Au printemps 1975, Lev Gillet est le témoin navré et impuissant des événements qui marquent le début de la guerre civile. De retour à Londres après ces journées tragiques, il confie à ses amis libanais la vision folle ou prophétique qui le hante : *Pendant mon dernier séjour parmi vous, j'ai vécu intensément ce que les meilleurs d'entre vous sentaient. J'ai eu comme une révélation bouleversante du fait que la guerre locale est périmée – elle appartient au passé – et que la jeunesse arabe* et [21] *la jeunesse israélienne pressentent l'écroulement de toutes les structures locales actuelles et un combat pour des structures nouvelles, un combat universaliste pour la justice. L'Esprit souffle.*

À la prophétie du vieux moine, les événements, dans l'immédiat, vont infliger un démenti cruel. Les dernières années de Père Lev en seront assombries. Il gardera cependant sa sérénité, continuant d'espérer et croire qu'un jour les véritables fils et filles d'Abraham s'uniront pour lutter contre les forces du Mal et de la Mort « aux côtés du Dieu à la fois souffrant et vainqueur [22] ».

Au service du Mouvement de la jeunesse orthodoxe, mais d'une portée qui dépasse largement ses buts immédiats, Lev Gillet a réalisé une importante œuvre littéraire, rédigée, en grande partie, pendant ses séjours au Liban. Outre divers articles, il faut nommer les brochures *Notre Père, Notes sur la liturgie, Sois mon prêtre...* trois opuscules de dimensions réduites mais, dans leur concision, d'une grande profondeur spirituelle. À cela s'ajoute l'important commentaire de l'année liturgique selon le rite byzantin, *L'An de grâce du Seigneur*. Dans l'édition originale de Beyrouth, ces œuvres sont signées tantôt de son nom,

---

20. Lev GILLET, *Jérusalem, symbole des convergences spirituelles,* Conférences du Cénacle, Beyrouth, 1964.

21. C'est Lev Gillet qui souligne.

22. Archimandrite Lev GILLET, *Notre Père*, Beyrouth, Éd. An-Nour du Mouvement de la jeunesse orthodoxe, p. 60 (p. 76 de la réédition à Paris, en 1988).

tantôt de pseudonymes différents : « Lev Gillet », « Un moine de l'Église d'Orient », « Un prêtre [23] ».

Notre Père, sous la forme d'un commentaire précis des termes et des demandes de la prière dominicale, constitue une catéchèse complète destinée à présenter au chrétien ordinaire l'essentiel de la foi et de la praxis chrétiennes. L'auteur écrit : « L'œuvre atteindrait son but si elle pouvait intéresser l'homme moyen, l'homme de la rue et si elle pouvait rapprocher du Christ ceux qui connaissent mal son message et, enfin, si elle pouvait aider le croyant qui récite souvent le Notre Père à mieux prendre conscience de ce qu'implique chacune des paroles sacrées et à prononcer cette prière avec plus de ferveur. »

Sois mon prêtre... est un petit traité de spiritualité sacerdotale. L'introduction comporte un bref mais précis exposé de théologie du sacerdoce, mettant en lumière l'articulation entre le sacerdoce unique du Christ, le sacerdoce, dans l'Église, de tous les croyants et le sacerdoce spécifique de quelques-uns. Ce dernier sacerdoce, affirme l'auteur, « n'est pas d'une autre essence que le sacerdoce de tous les fidèles ». Sa mission spécifique est d'« exprimer et d'exercer le sacerdoce universel » : un « service », une « fonction » en vue de l'exercice de laquelle une grâce spéciale est implorée par l'Église, sous la forme de l'ordination, sur celui qui y est appelé [24].

Notes sur la liturgie évoque les principaux moments de la liturgie orthodoxe selon saint Jean Chrysostome et saint Basile. Par l'évocation de ce rite particulier, le moine de l'Église d'Orient fait accéder au sens profond,

23. Archimandrite Lev GILLET, *Notre Père ; Sois mon prêtre. Quelques mots sur l'appel du Christ à ses prêtres,* par un prêtre, Beyrouth, Éd. An-Nour, 1962 ; UN MOINE DE L'ÉGLISE D'ORIENT, *Notes sur la liturgie,* Beyrouth, Éd. An-Nour, 1973 ; UN MOINE DE L'ÉGLISE D'ORIENT, *L'An de grâce du Seigneur*, Éd. An-Nour, 1973. Ces livres ont été réédités en 1988 en France aux Éd. du Cerf : *Notes sur la liturgie* et *Sois mon prêtre...* rassemblés sous le titre *L'Offrande liturgique* (tous étant signés : « Un moine de l'Église d'Orient).

24. Il faut remarquer cette conception fonctionnelle du sacerdoce qui est celle de l'Église orthodoxe que l'auteur fait sienne. Ce n'est pas celle enseignée officiellement dans l'Église catholique.

spirituel et universel du mystère auquel tout croyant est appelé à participer : l'offrande du Fils au Père et aussi, dans la communion du Christ et sous le souffle de l'Esprit – avec les anges et les saints de tous les temps – l'offrande du peuple sacerdotal tout entier, « pour tout et pour tous ».

L'An de grâce du Seigneur est publié à Beyrouth en 1972. La préface, non signée mais qui est manifestement de Lev Gillet lui-même, est datée : « Au Liban, Noël 1971 ». Rédigé en Angleterre à la demande du Fellowship de Saint-Alban et Saint-Serge (mais non publié), le manuscrit a circulé parmi les membres du MJO. Quand Raymond Rizk, jeune secrétaire du MJO, prend la décision de publier le texte, on s'aperçoit que des chapitres entiers ont disparu. Lev Gillet, tout en maugréant, accepte de les récrire. Ainsi, l'ouvrage peut enfin voir le jour. Sa visée, comme l'explique la préface, est ensemble pastorale, œcuménique et spirituelle : « Le but de ce travail est d'aider les fidèles soit orthodoxes, soit catholiques romains de rite byzantin à connaître le calendrier de ce rite et à en comprendre le sens intérieur, et secondairement d'aider les chrétiens occidentaux intéressés aux choses de l'Orient à s'initier à un cycle liturgique autre que le leur. »

Il faut remarquer la mention des « catholiques romains de rite byzantin ». Au Liban, le moine de l'Église d'Orient est en excellentes relations avec les melkites, dont certains, y compris des évêques, se confient à lui. Dans la préface, l'auteur insiste aussi sur la modestie de son propos : « Nous n'avons voulu faire ni une œuvre théologique, ni une œuvre historique... Notre livre est un “compagnon” aussi simple et bref que possible des textes liturgiques, rien de plus... Il n'est ni un commentaire savant, ni même une œuvre de vulgarisation érudite. Il s'inspire avant tout d'une préoccupation pratique et voudrait remettre les fidèles en présence des paroles qu'ils entendent dimanche après dimanche, fête après fête, dans leurs églises [25]. »

---

25. P. 11 de l'édition de 1988.

En réalité, l'ensemble est sous-tendu par une solide érudition, mais qui est rejetée dans des notes, particulièrement nombreuses. Lev Gillet y exprime, entre autres, ses positions personnelles sur des problèmes, tels que la controverse entre Grecs et Latins sur le processus du Saint-Esprit, la conception de l'Église comme Corps du Christ, la théologie de la rédemption.

La visée essentielle cependant est spirituelle. Écrit dans une langue d'une clarté cristalline mais qui laisse entrevoir les profondeurs, ce commentaire des fêtes et des saisons de l'année ecclésiale, selon le calendrier liturgique des Églises de rite byzantin, appelle à « revivre toute la vie du Christ : de Noël à Pâques, de Pâques à la Pentecôte, nous sommes exhortés à nous unir au Christ naissant, au Christ croissant, au Christ souffrant, au Christ mourant, au Christ triomphant et au Christ inspirant son Église [26] ».

Il s'agit d'intérioriser et d'actualiser le *message spirituel* de ces « commémoraisons » liturgiques d'événements de la vie du Christ et de ses saints, cela de manière que ce message forme « le Christ en nous, depuis sa naissance jusqu'à la stature de l'homme parfait ».

Spirituel, christocentrique, ce commentaire du calendrier liturgique se veut également scripturaire. L'intention est soulignée dès la préface : « C'est le message scripturaire que nous avons mis au centre du présent travail. Les textes de l'Ancien et du Nouveau Testament lus au cours des offices constituent la plus haute expression du sens que l'Église attribue à chaque dimanche et à chaque fête. Notre livre est donc, en grande partie, une explication élémentaire des évangiles et des épîtres et autres textes bibliques insérés dans l'office. »

L'ouvrage propose ainsi, pour presque tous les dimanches et toutes les grandes fêtes de l'année ecclésiale, un commentaire succinct, mais profond et original. Sans entrer dans les discussions de critique textuelle et d'exégèse, il tire du message scripturaire la substance spirituelle

26. *Ibid.*, p. 16, ainsi que la citation suivante.

qui peut nourrir les âmes et éclairer la vie de tous les jours.

De tous les ouvrages du moine de l'Église d'Orient, *L'An de grâce du Seigneur* est sans doute celui qui correspond le mieux à l'image qu'ont retenue de lui les auditeurs de ses homélies et de ses études bibliques données au cours des dernières vingt-cinq années de sa vie ; celle du *rabbi* commentateur inlassable de l'Écriture, y découvrant sans cesse de nouveaux sens, de nouveaux trésors d'une portée existentielle pour l'assemblée ecclésiale comme pour chacun personnellement.

Humble et modeste, le ministère du P. Lev Gillet au Liban doit être considéré comme un facteur déterminant du renouveau antiochien dans la seconde moitié du XXe siècle : un renouveau qui a enrichi l'orthodoxie et, avec elle, l'Église universelle.

Écrits au service d'une Église locale, destinés à répondre à ses besoins immédiats à un moment précis de son histoire, les écrits libanais du moine de l'Église d'Orient ont en réalité une portée plus vaste. Réédités aujourd'hui plus d'un quart de siècle après leur publication, traduits et diffusés largement en France, en Grande-Bretagne, aux États-Unis, ils ont gardé toute leur fraîcheur. On y puise l'eau vive qui désaltère.

CHAPITRE VI

LE CHAPELAIN DE ST. BASIL'S HOUSE

Un moine dont la cellule est le British Museum

À son retour précipité en Angleterre, après la fin mise brutalement à son séjour au Liban, Lev Gillet se trouve de nouveau (comme quatre ans plus tôt, après les bombardements de Londres) dans une situation matérielle extrêmement précaire, littéralement sans ressources et sans toit. Quelques mois plus tôt, « brûlant ses vaisseaux », prêt à commencer une vie nouvelle, il a quitté l'emploi qui constituait son gagne-pain à l'Institut chrétien d'études juives et renoncé à sa chambre au Club des Missions étrangères à Hampstead. Toujours généreuse, son amie Nadejda Gorodetzky lui offre l'hospitalité dans son appartement à Oxford. Mais cette situation ne saurait se prolonger. Mis au courant du problème, le comité directeur du Fellowship – heureux sans doute, de renforcer les liens entre ce dernier et Lev Gillet – offre au prêtre orthodoxe de s'installer à St Basil's House : la maison Saint-Basile, siège à Londres du secrétariat de l'association. On vient précisément d'y achever l'aménagement d'une chapelle : un projet déjà ancien qui a pu enfin se réaliser grâce à la venue à Londres pour quelques mois d'une religieuse russe, iconographe connue, Sœur Jeanne Reitlinger. Sans délégation officielle – mais avec l'accord tacite de la hiérarchie orthodoxe, Lev Gillet va donc devenir le « chapelain de St. Basil's House » : un ministère qu'il assumera pendant plus de trente ans, jusqu'à sa mort. Il n'aura point de successeur.

St. Basil's House devient ainsi *sa* maison, le havre où il revient se reposer, chercher le calme après chacun de ses voyages souvent épuisants ; le lieu où il s'endormira pour son dernier sommeil. Les secrétaires du Fellowship s'y succéderont. Lui demeure, gardien, par sa seule présence toujours discrète, d'une tradition.

La maison a pu être acquise par le Fellowship en 1943, à l'époque où les bombardements de Londres par l'aviation allemande ont fait considérablement baisser le prix des immeubles. On l'a placée sous le patronage de saint Basile de Césarée, organisateur en Orient d'un monachisme citadin. Situé 52, Ladbroke Grove, dans un quartier résidentiel au nord-ouest de Londres, St. Basil's House se présente comme une maison de style typiquement victorien, comme il y en a des milliers à Londres : une maison de deux étages au-dessus d'un sous-sol habitable, la façade agrémentée d'un jardinet assez misérable. Mais l'arrière donne sur les vestiges d'un ancien parc : merveilleux îlot de verdure, ombragé de hêtres, de tilleuls et de platanes centenaires. Les soirs d'été, Père Lev aimera venir ici se reposer des fatigues de la journée. Assis sur un banc, il égrène le petit chapelet qu'il porte toujours sur lui ou devise paisiblement avec des amis.

Au fil des ans, ce quartier calme – quelques carrés de maisons, en bordure de Notting Hill Gate bruyant et populeux mais dont le vacarme n'y parvient qu'assourdi comme le bruissement d'une houle lointaine – deviendra le village de Père Lev. De plus en plus courbé, sa frêle silhouette finira par être une figure familière pour les habitants : celle d'un vieillard flottant dans des vêtements usés et mal taillés que peu de chose distingue des clochards qui hantent le square autour de l'église anglicane voisine.

La chapelle de St. Basil's House a été aménagée dans une pièce du rez-de-chaussée : à côté de la bibliothèque.

Quand Lev Gillet en prend possession, les fresques qui couvrent les murs viennent d'être achevées. L'iconographe, une des représentantes les plus douées et les plus inspirées de l'école iconographique russe de Paris, y a travaillé pendant des mois, consacrant à cette œuvre toutes ses forces, tout son talent et tout son cœur. Disciple et amie du P. Serge Boulgakov dont elle partage la grande aspiration à l'unité chrétienne, Sœur Jeanne a voulu faire de l'humble chapelle le signe visible de la communion invisible des saints, de l'unité mystique, déjà réelle en Christ de l'Église d'Orient et de l'Église d'Occident, telle qu'elle sera révélée à la fin des temps.

Placé au fond et au centre, l'autel orthodoxe est dominé par la vision du Christ de l'Apocalypse et de la Jérusalem céleste qui descend du ciel. Sur les deux parois latérales sont représentés, se faisant face, les grands saints de l'Orient et de l'Occident chrétiens : saint Basile de Césarée et saint Benoît de Nursie, saint Serge de Radonège figure emblématique du monachisme de la Russie ancienne et saint Alban, premier martyr chrétien de Grande-Bretagne, Pères du désert égyptien et syrien et moines qui, tels saint Augustin et saint Patrick, ont évangélisé l'Europe atlantique. Point de lourde iconostase. Seule une barrière légère et transparente sur laquelle sont fixées les icônes du Christ et de la *Théotokos*, sépare le sanctuaire orthodoxe d'un autel latéral destiné aux célébrations anglicanes. La lumière du jour pénètre par une large baie que balaient, les jours de vent, les branches des arbres du parc voisin. Sous le soleil – image du soleil spirituel – châtoient les bleus, les verts émeraude, les gris, les ocres et le jaune or dont l'iconographe s'est servie de préférence. Invisible de l'extérieur, minuscule graine de l'Église *kat'holon* enfouie au cœur de la grande ville – au cœur de l'Occident – telle est la chapelle de St. Basil's House : un lieu de prière cher à Père Lev et selon son cœur.

Respectueux des aspirations des animateurs du Fellowship de Saint-Alban et Saint-Serge, l'archevêque Germanos de Thyatire, à l'époque exarque en Grande-Bretagne du patriarcat œcuménique, est venu solennellement consacrer l'autel orthodoxe le 29 avril 1949.

À l'époque où Lev Gillet est installé comme chapelain à St Basil's House, la secrétaire du Fellowship est Helle Georgiadis : une jeune femme d'origine grecque et orthodoxe, mais née en Angleterre et de culture anglaise. Elle est secondée par une secrétaire anglicane, Joan Ford, chargée de la direction de la maison et de l'accueil des hôtes. Helle et Joan s'accordent et se complètent. Helle – grands yeux sombres dans un grave visage d'icône, mathématicienne de formation – représente l'intelligence et la rigueur. Lev Gillet admire chez elle la clarté grecque alliée à une piété profonde. Gaie et chaleureuse, les pieds bien sur terre, Joan incarne la *comprehensiveness* anglicane. L'une et l'autre se donnent entièrement, avec un immense dévouement, à la tâche que leur a confiée le Fellowship. Dix années de vie en commun, sous le même toit, tisseront entre le moine et les deux femmes des liens durables d'amitié. Ils survivront à la crise provoquée en 1957 par la décision de Helle de s'unir à l'Église catholique romaine [1]. Mais en 1948, rien ne laisse encore prévoir cet orage lointain. L'oiseau blessé qu'est Lev Gillet, après son retour précipité du Liban, trouve à St. Basil's House, grâce en partie à cette présence féminine, le havre où il peut se restaurer et retrouver des forces. Femmes sûres d'elles-mêmes, nullement enclines à une adulation béate, Helle et Joan aiment et respectent « Father Lev ». Devinant sa vulnérabilité, sa sensibilité d'écorché vif, elles passent en souriant sur ses

1. À cette « conversion », Lev Gillet est totalement étranger. Elle s'est produite sous d'autres influences que la sienne : il la respectera tout en souffrant du trouble qui en résulte au sein du Fellowship et à St. Basil's House. Malgré une amitié très réelle qui les a liés, les positions ecclésiologiques et canoniques de Lev Gillet resteront toujours pour Helle Georgiadis une énigme.

« faiblesses » et ce que Helle nomme ses « aspérités » sous lesquelles se cache « une immense bonté [2] ».

De leur côté, les deux jeunes femmes se forment intellectuellement et spirituellement au contact d'un homme d'une vaste culture qui leur ouvre de nouveaux horizons. Ce qui les frappe, est la grande humilité de ce prêtre. Lev Gillet ne cherche jamais à s'imposer : toute idée de supériorité masculine ou cléricale lui est étrangère. Entre les « secrétaires » et le « chapelain » il n'y aura jamais de conflit d'autorité. Toutes les deux, Helle et Joan, dans leurs « souvenirs sur Père Lev », évoquent son sens de l'humour et son talent de narrateur d'anecdotes drôles et parfois piquantes [3]. De ces années de vie commune, elles gardent le souvenir d'une époque bénie où, dans le rayonnement d'un homme parfois « difficile », mais aux dons spirituels exceptionnels, St. Basil's House a su répondre à sa vocation de lieu de vie et de prière pour des chrétiens issus de traditions différentes.

Encore plein des projets monastiques ébauchés au Liban, cette vie communautaire, Lev Gillet l'envisage, tout d'abord, selon une règle stricte : *Chaque jour, le matin, Prime, le soir Complies ou prière libre, au milieu du jour, intercession. Chaque mercredi, litanies anglicanes et liturgie orthodoxe. Chaque vendredi, matines et eucharistie anglicane. En présence constante du Saint Sacrement dans la chapelle* [4].

Sous cette forme rigoureuse, le projet se révèle utopique. Mais l'esprit de cette règle imprégnera la vie de l'*ecclesiola* domestique dont Helle, Joan et Père Lev constituent le noyau : un groupe auquel se joignent régulièrement ou épisodiquement d'autres hôtes de St. Basil's House. De la règle subsiste surtout, tant que Helle et

2. Helle GEORGIADIS, « The Witness of Father Lev Gillet », *Chrysostom*, vol. V, nº 8, 1980, p. 232.

3. Mes informations proviennent d'une part de l'article de H. Georgiadis, d'autre part de « Souvenirs », manuscrits de Joan Ford.

4. Lettre du 10 octobre 1948 à E.B.S.

Joan dirigent la maison, avec la célébration hebdomadaire, chaque samedi, de la liturgie eucharistique orthodoxe, une pratique fervente et compatissante de la prière d'intercession. La petite église domestique porte dans sa pensée, son cœur et sa prière le souci de l'Église universelle, mais aussi les peines et les épreuves des membres individuels du Fellowship. Dans les lettres à ses amis lointains, Lev Gillet y fait souvent allusion. « Nous prions pour vous », leur écrit-il.

Il peut être intéressant de noter que, célébrant la liturgie dans sa chapelle, Lev Gillet ne semble avoir jamais proposé l'hospitalité eucharistique aux non-orthodoxes présents, même pas à Joan Ford, la maîtresse de maison qui, d'ailleurs, ne l'a sans doute jamais sollicitée. Très libre intérieurement – et précisément pour cette raison – il s'en tient, en tant que prêtre mandaté par elle, aux règles canoniques de l'Église orthodoxe. En même temps, il affirme que, « spirituellement », c'est-à-dire très réellement, en l'Esprit, par la foi, le désir et l'intention, tous peuvent invisiblement mais réellement, prendre part à l'unique Cène du Seigneur [5].

Pendant dix ans, d'automne 1948 à septembre 1958 – avec quelques interruptions dues aux voyages des uns et des autres, notamment de Père Lev –, le trio va ainsi vivre selon un style communautaire à la fois familial et très libre.

Dans la journée chacun vaque à ses occupations personnelles. En semaine, à 8 heures du matin ponctuellement, Lev Gillet quitte sa chambre. Pendant les premières années, elle est située au deuxième étage, sous les combles. Les jours de grand vent, les branches des arbres du parc voisin balaient les vitres. Il est « pensionnaire chez les oiseaux », dit-il en plaisantant. Plus tard, pour lui éviter les montées d'escalier après l'alerte d'une crise d'angine de poitrine dont il est victime en 1956, on

---

5. UN MOINE DE L'ÉGLISE D'ORIENT, « La Cène du Seigneur », dans : *La Prière de Jésus*, Chevetogne, 1963, p. 83-85.

installe « Father Lev » dans une pièce du sous-sol. Quand 9 heures sonnent à l'église anglicane voisine, il quitte la maison. À pied – une marche d'une dizaine de minutes – il rejoint la station de métro de Notting Hill Gate. En passant, il achète son journal – *Le Monde* – toujours chez le même marchand de journaux du coin. Puis il s'engouffre dans l'*underground* qui le dépose à Tottingham Quarter Road, à quelques pas du British Museum.

Déjà, avant son départ pour le Liban, Lev Gillet a pris l'habitude d'en fréquenter la riche bibliothèque et la salle de lecture. À partir de l'hiver 1948-1949, cette salle de lecture devient son cabinet de travail ou, comme il dit, sa « cellule monastique ». Arrivé peu avant 10 heures du matin, il y reste jusqu'à 5 heures du soir, lisant, écrivant, compulsant d'innombrables documents, ne s'arrêtant que pour prendre, vers 13 heures, une légère collation, une tasse de café au lait et un sandwich dans la cafétéria. À l'heure de la fermeture du British Museum, en fin d'après-midi, il prévoit assez souvent des rendez-vous avec des personnes qui désirent le rencontrer. Vers 7 heures du soir, parfois un peu plus tard, il est de retour à Notting Hill Gate. Remontant lentement l'avenue qui conduit à Ladbroke Grove, il lui arrive de s'arrêter à l'église pentecôtiste qui se trouve sur son chemin. Elle est fréquentée par des gens très simples, des immigrés, *coloured people*, comme disent les Anglais. Lev Gillet en apprécie l'atmosphère à la fois populaire et charismatique. Dans les années où Helle et Joan dirigent St. Basil's House, il évite pourtant de s'attarder pour ne pas arriver en retard au dîner familial qui réunit la maisonnée. Après le repas, il prend part au rite du *washing up* – le laver de la vaisselle –, essuyant gauchement mais avec application quelques assiettes et couverts. Puis la « famille » se réunit – en été au salon ou au jardin, en hiver dans la cuisine, seul endroit bien chauffé, pour causer, plaisanter et échanger les nouvelles du jour. Une prière commune, dans la chapelle, clôt ordinairement la journée.

Le mandat de Helle et de Joan expire en 1958. Leur

départ de St. Basil's House mettra fin à une vie communautaire déjà agonisante depuis la « crise » consécutive à la « conversion » de Helle.

Désormais Lev Gillet ne se hâtera plus de rentrer à la maison pour le dîner familial. Seul, debout dans un coin de cuisine, il avale rapidement son frugal repas du soir. En revanche, quand des amis du continent ou d'ailleurs lui rendent visite à Londres, il les invite volontiers à dîner dans un des nombreux restaurants grecs, italiens ou indiens du quartier de Notting Hill Gate. Rompant la monotonie d'une vie austère et laborieuse, ces visites le réjouissent. Excellent guide, Lev Gillet, jusqu'à un âge avancé, aimait faire découvrir à ses hôtes les beautés secrètes de *sa* ville.

Pour le reste, l'horaire de ses journées londoniennes ne variera plus guère jusqu'à la fin de sa vie. Une régularité et une ponctualité quelque peu tyranniques, qui lui permettent de maîtriser un travail considérable : rédaction d'un bulletin bibliographique érudit et travaux de secrétariat qui constituent son gagne-pain, ministère pastoral aux formes variées, enfin une œuvre d'écrivain de plus en plus importante.

Refusant de « vivre de l'autel », comme il l'écrit à son frère, Lev Gillet a toujours tenu à gagner sa vie grâce à un travail professionnel séculier.

À quelques semaines ou mois près, l'installation de Lev Gillet comme chapelain à St. Basil's House coïncide avec son entrée au service – à l'origine sous la forme d'un secrétariat aux contours assez flous – d'un riche mécène anglais, H. N. Spalding.

Très liés aux milieux universitaires oxfordiens dont il fait partie, Spalding est à l'origine du *trust*, c'est-à-dire de la fondation qui porte son nom. Le Spalding Trust est destiné à promouvoir, sous forme de diverses dotations, l'étude des religions : expressions différentes du christianisme, monothéisme juif, chrétien et islamique, grandes religions d'Asie, d'Afrique et d'Amérique. En relation avec le World Congress of Faiths [6], Spalding compte œuvrer pour la paix mondiale en favorisant, entre croyants de différentes religions, des contacts générateurs – espère-t-il – d'une meilleure connaissance réciproque et de respect mutuel.

Travailler pour gagner sa vie correspond, pour Lev Gillet, à une nécessité – son ministère n'est rémunéré par aucune Église – mais aussi à un idéal moral et spirituel. Ses fonctions auprès de Spalding, plus tard au service d'organismes créés par ce dernier, lui procurent *les ressources nécessaires pour ne pas tomber à la charge d'autres personnes* [7]. Comme un simple ouvrier, accomplir d'humbles tâches anonymes, c'est aussi – à l'exemple du P. Charles de Foucauld que Lev Gillet admire et qu'il cite volontiers – « entrer dans la voie de Nazareth », s'identifier à Jésus, humble charpentier. À ces motivations d'ordre général s'ajoute, en ce qui concerne son engagement auprès de Spalding, une sympathie, peut-être mêlée d'indulgence, pour l'œcuménisme universaliste quelque peu brouillon, mais généreux et sincère, de ce « croyant sans Église mais qui s'intéresse à toutes les Églises », selon la formule d'un de ses proches collaborateurs [8].

Proche de World Congress of Faiths, attiré par les religions orientales, Spalding, par l'intermédiaire de sa fondation a subventionné la création, à Oxford, vers la fin de la guerre, d'une chaire pour l'étude de l'orthodoxie d'Orient. Nicolas Zernov, dont on connaît les liens avec Lev Gillet, en a été le premier titulaire.

Le but poursuivi par Spalding – il faut insister sur ce point – n'est pas purement théorique. Convaincu de l'importance du problème religieux dans la vie des peuples comme des individus, il attribue l'échec de la Société des

6. Alliance mondiale des religions, sur le WCF voir plus loin, p. 519-520.

7. Lettre du 18 avril 1956 à E.B.S.

8. Voir D.D. Henderson, *Union for the Study of Great Religions, 36th News Letter*, automne 1979.

Nations, entre les deux guerres, à la méconnaissance de cette réalité. Il s'agirait donc, après le cataclysme de la Seconde Guerre mondiale, de faire pénétrer dans les esprits l'idée d'un dialogue nécessaire et bénéfique des religions. Il faut que l'éducation soit orientée à ce but que devraient prendre en considération des organismes mondiaux, tels l'UNESCO et les Nations unies. Il existe là, affirme Spalding, une tâche urgente et sacrée, proposée aux hommes de bonne volonté.

Homme riche et influent, Spalding y rencontre des sympathies dans les milieux ecclésiastiques anglicans. À l'UNESCO et aux Nations unies, il se heurte, en revanche, à la fois à l'opposition des représentants des États communistes et à la « méfiance catholique », malgré la caution que lui accorde ce catholique fervent qu'est Jacques Maritain.

Quand et comment Spalding et Lev Gillet sont-ils entrés en relation ? La question reste ouverte. Le milieu du Fellowship de Saint-Alban et Saint-Serge et en particulier de sa branche oxfordienne a pu constituer un terrain de rencontre. L'ami de Spalding, George Bell, évêque de Chichester, a préfacé pendant la guerre l'œuvre de Lev Gillet *Communion in the Messiah*. Les relations entre les deux hommes sont donc sans doute assez anciennes. Quoi qu'il en soit, à partir de 1949, Spalding est désigné par Lev Gillet comme son « employeur ». Quand, en 1953, le mécène meurt, Lev Gillet craint de perdre son travail. Mais sous de nouvelles formes, les multiples projets de Spalding sont assumés et poursuivis par l'association qu'il a fondée peu avant sa mort : l'Union pour l'étude des grandes religions, connue sous le sigle USGR c'est-à-dire Union for the Study of Great Religions. C'est pour l'USGR que Lev Gillet rédigera pendant plus d'un quart de siècle d'innombrables fiches bibliographiques destinées à un bulletin trimestriel polycopié, des *booklists* dont chaque livraison comporte plus d'une centaine de brefs comptes rendus de livres et de revues couvrant un champ immense : des grandes religions monothéistes, judaïsme, christianisme, islam, il s'étend aux religions traditionnelles de l'Asie et aux croyances des peuples indigènes d'Amérique, d'Australie et d'Afrique. La rédaction de ces comptes rendus implique des recherches et une immense érudition. Chefs-d'œuvre d'intelligence et de concision, ces petits textes laissent aussi entrevoir, par le choix des ouvrages recensés et, çà et là, quelques remarques pertinentes et parfois piquantes, les préférences et convictions personnelles de leur auteur. Une analyse exhaustive de ces *booklists* reste encore à entreprendre. Elle pourrait être révélatrice [9].

La matière de cet immense travail de compilation et d'analyse, Lev Gillet la trouve au British Museum. Dans la salle de lecture il a sa place attitrée : rangée A, siège numéro 7. Il y retrouve chaque matin les livres et les revues laissés la veille. Il y lit, il y écrit, il y prie. Tous les habitués de la maison – lecteurs et employés – le connaissent. Quand le British Museum célébrera son jubilé, les journalistes de la BBC interrogeront ce vieil ecclésiastique français qui est l'un des utilisateurs les plus assidus de cette institution vénérable. C'est dans cette salle de lecture que, pendant les trente dernières années de sa vie, le moine de l'Église d'Orient a rédigé la plus grande partie de son œuvre littéraire : une œuvre dont il cherche et reçoit l'inspiration ailleurs – souvent à Jérusalem – mais dont il finit de calligraphier le texte définitif, d'une belle écriture claire, dans la paisible retraite du British Museum.

Quoiqu'il soit assez astreignant, le travail professionnel de Lev Gillet a l'avantage de lui laisser la possibilité de disposer assez librement de son temps. Une partie importante est consacrée à un ministère pastoral à la fois discret et divers.

Son statut de chapelain de St. Basil's House et ses

9. En 1979, un lecteur de ces comptes rendus à la fois ignorant et clairvoyant émet l'hypothèse qu'ils émaneraient d'« un chrétien protestant convaincu ». Voir D.D. HENDERSON, p. 1.

relations amicales avec Helle Georgiadis et Joan Ford ont resserré ses liens avec le Fellowship. Membre pendant des années du comité directeur de l'association, il en connaît les problèmes et prend part aux décisions. Seul, ou avec l'un ou l'autre des secrétaires, il continue de répondre, comme il l'a fait pendant la guerre, aux invitations de groupes, paroisses de province, collèges, universités, qui sollicitent une information sur les buts et les activités de l'association. Dans ses « Souvenirs », Joan Ford évoque avec humour ces expéditions parfois pittoresques où Lev Gillet se révèle être un compagnon attentionné et toujours solidaire dans les moments difficiles.

À la demande des secrétaires, il accepte, à partir de cette époque, de conduire alternativement avec un ecclésiastique anglican la « retraite » annuelle de printemps du Fellowship. Elle a lieu en mai ou juin au centre de conférences de Pleshey, en pleine campagne anglaise : un lieu décrit par Père Lev comme « idyllique ». Les retraites dirigées par lui attirent de plus en plus de monde : pour être sûr d'y trouver une place, il faut s'inscrire plusieurs semaines ou même plusieurs mois d'avance. C'est en s'adressant à l'auditoire limité et réceptif de ces retraites que le « moine de l'Église d'Orient » se sent le plus à l'aise et inspiré. Elles sont le blanc d'essai où s'élaborent des méditations groupées souvent autour d'une image biblique : *The Shepherd* (Le Berger), *The Burning Bush* (Le Buisson ardent), *Encounter on the Well* (Rencontre au puits). Publiés d'abord en anglais sous forme de petites brochures, ces textes seront repris et développés dans des ouvrages en français publiés dans les années 1960-1970 par les Éditions du monastère bénédictin de Chevetogne. C'est aussi à Pleshey que Lev Gillet donne une série de méditations sur l'usage de *La Prière de Jésus*.

Il va de soi que le chapelain de St. Basil's House participe régulièrement aux conférences d'été du Fellowship. En ces années à la fois d'essor du mouvement œcuménique et de grands espoirs pour le dialogue bilatéral anglican-orthodoxe, ces conférences connaissent un succès grandissant. Accueillies en quelque collège entouré de pelouses verdoyantes – à la campagne ou au bord de la mer, à Abingdon, Eastbourne, Broadstairs au centre de conférences de High Leigh – elles mêlent, dans une atmosphère détendue et très spécifiquement anglaise, des joutes théologiques, des services religieux anglicans et orthodoxes admirablement chantés et des distractions vacancières : matches de cricket et de tennis, concerts, pièces de théâtre jouées par les enfants et les adolescents. Car on y vient en famille : *clergymen* anglicans avec leurs épouses et leurs enfants, mais aussi beaucoup de laïcs cultivés qui s'intéressent à la théologie. Les vedettes – les *stars*, comme les nomme Lev Gillet – sont quelques théologiens connus : orthodoxes de tendance néo-patristique comme le P. Georges Florowsky et Vladimir Lossky, anglicans teintés de thomisme comme Eric Mascall, solides biblistes comme Father Hebert de Kelham, ou passionnément philorthodoxes comme le fougueux Gallois P. Derwas Chitty. À ce monde anglican-orthodoxe se mêle parfois quelque visiteur catholique « continental », tel l'oratorien Louis Bouyer.

Père Lev évite de se mêler aux discussions théologiques qu'il exècre d'une façon générale. Assis silencieux et boudeur dans un coin, il se donne l'air de sommeiller, quitte à lancer soudain, comme une flèche acérée, quelque remarque sarcastique. Son propre apport aux conférences, avec la célébration de la liturgie, sont ses études ou méditations bibliques. Il les donne dans une salle exiguë mais qui est toujours pleine. Tyranniquement ponctuel, il n'y admet pas les retardataires. « La porte est fermée – *the door is shut* –, leur lance-t-il en les foudroyant du regard. Puis, rasséréné, il parle comme un ange : toujours la seule Bible ouverte devant lui, sans texte écrit, sans notes. « Je m'en souviens comme si cela s'était passé hier, se rappelle un auditeur de cette époque. J'entends encore son fort accent français, ses paroles si simples et lumineuses dont se dégageait quelque chose comme un appel urgent, à la fois paisible et tendre. On était toujours frappé par l'étonnante fraîcheur et l'originalité de ses commentaires de textes évangéliques pourtant connus et familiers [10]. »

Nombreux sont ceux qui viennent aux conférences du Fellowship, non seulement pour écouter « Father Lev » – comme tout le monde l'appelle –, mais surtout pour lui parler, se confier à lui, recevoir ses conseils. Le soir, à la chapelle, avant ou après les vêpres, les orthodoxes – certains venus de loin – viennent se confesser à lui. Mais son charisme, ce sont surtout ces entretiens « de cœur à cœur », comme il aime dire, accordés dans un coin du parc ou du salon, aussi bien à un inconnu qu'à un ami de longue date.

Amorcé souvent dans le cadre des retraites et des conférences du Fellowship, le ministère pastoral de Lev Gillet se poursuit à Londres. Le solitaire s'y trouve au centre d'un réseau d'amis et d'enfants spirituels. Il les rencontre régulièrement, leur donnant souvent rendez-vous à la sortie du British Museum, « chez Oddy's » – un petit bar qu'il fréquente – ou à la cafétéria de la maison de l'YMCA. Ceux qui ont recours à son ministère sont des orthodoxes, mais aussi des anglicans, des protestants, parfois des catholiques ou même des athées, tel un jeune Français d'origine juive rencontré à Hyde Park alors qu'il pérorait sur l'estrade des « sécularistes [11] ».

Lev Gillet ne cherche pas à attirer les non-orthodoxes à l'Église orthodoxe. Tout prosélytisme confessionnel lui est étranger. Il estime – comme il l'a dit à John Vaccaro – que « le Christ est présent dans toutes les Églises ». C'est vers le Christ qu'il cherche à conduire ceux qui se confient à lui. Dans la communion à Jésus, dans le rayonnement de la lumière qui émane de lui, ils trouveront, assure-t-il, la solution de leurs problèmes. Ce

---

10. KALLISTOS DE DIOKLEIA, « Father Lev Gillet memorial lecture », *Sobornost*, n° 13-1, 1991.

11. Voir plus loin p. 554.

n'est pas qu'il soit indifférent à la quête de la vérité, ou qu'il pense que celle-ci soit également présente dans toutes les doctrines religieuses. S'expliquant à ce sujet, il écrit : « Nous ne pouvons croire que les interprétations divergentes de l'Évangile soient vraies et que des chrétiens divisés possèdent la même mesure de lumière ; mais nous croyons que ceux qui, prononçant le nom de Jésus, essayant de s'unir à leur Seigneur par un acte d'obéissance inconditionnelle et de charité parfaite, dépassent les divisions humaines [12]. »

Il arrive cependant qu'au contact de Lev Gillet, certains de ceux et celles qui se confient à lui se sentent attirés vers l'Église orthodoxe. Il ne les dissuade pas. Il les encourage quand il estime qu'il s'agit d'une décision réfléchie, mûrie dans la prière, en présence de Dieu, parfois de l'issue, enfin trouvée, à une situation autrement sans issue. Pourtant, de façon générale, ce n'est pas lui qui les reçoit dans l'Église orthodoxe. Souvent il les dirige vers celui dont il pense qu'il est *de tous les prêtres orthodoxes londoniens celui qui porte en lui la flamme spirituelle la plus vive* [13] : le hiéromoine, puis métropolite Antoine (Bloom) en charge de la paroisse orthodoxe russe de Londres sous la juridiction du patriarcat de Moscou. Dans tous les cas, il leur demande de s'adresser à un prêtre régulièrement en charge d'une paroisse, ce qui n'est pas son propre cas. Adhérer à l'Église orthodoxe, c'est entrer dans sa *communion :* une communion dont l'intégration à une communauté paroissiale est normalement le signe et l'expression.

Un des aspects importants du ministère ecclésial de Lev Gillet à Londres pendant les trente dernières années de sa vie, est certainement sa collaboration fraternelle avec celui qui deviendra le métropolite Antoine de Souroge.

---

12. UN MOINE DE L'ÉGLISE D'ORIENT, *La Prière de Jésus*, Chevetogne, 1963, p. 93.

13. Lettre à Mrs. Pegeen O'Sullivan.

C'est au cours de l'été 1948 que le jeune Dr André Bloom – en religion secrètement moine Antoine – assiste pour la première fois, avec quelques autres « Russes parisiens », à une conférence d'été du Fellowship de Saint-Alban et Saint-Serge à Abingdon. Lev Gillet y est également présent. Immédiatement, l'aîné discerne les dons exceptionnels de son jeune frère. « C'est de l'or pur », dit-il, parlant de lui. Bien qu'à l'époque, il ne parle pas l'anglais, les responsables du Fellowship aimeraient amener le jeune moine à s'établir en Angleterre où l'on manque de prêtres orthodoxes cultivés. De façon inattendue, les circonstances permettent la réalisation de ce projet. L'installation définitive a lieu à l'époque où Lev Gillet, revenu du Liban mais espérant y retourner, passe de la juridiction du patriarcat de Moscou à celle du patriarcat de Constantinople. En fait, comme on sait, il restera « épinglé » en Grande-Bretagne. Ses relations amicales avec Antoine (que n'altèrent en rien les problèmes juridictionnels), les conseils qu'il prodigue au jeune prêtre russe parisien aideront ce dernier à s'intégrer au milieu anglo-orthodoxe et anglican qu'il ne connaît pas. C'est bientôt chose faite. Maîtrisant très vite la langue anglaise, doué d'un charisme particulier pour parler à la radio et à la télévision, le futur métropolite Antoine acquiert très vite une véritable notoriété et un rayonnement qui s'étend bien au-delà des milieux orthodoxes russes et grecs. Lev Gillet s'en réjouit, sans l'ombre d'une jalousie. Fortes personnalités, les deux hommes se heurtent parfois. Mais ils sont profondément unis en Christ, dans la flamme de l'Esprit. C'est l'archimandrite Lev qui, en novembre 1957, à sa demande, conduit Antoine à l'autel où il recevra la consécration épiscopale. C'est le métropolite Antoine qui, en 1980, au lendemain des fêtes de Pâques, conduira Père Lev à sa dernière demeure terrestre dans un cimetière londonien.

Illustré par cette amitié, plus tard avec des nuances différentes par ses relations amicales avec le futur évêque Kallistos Ware du patriarcat de Constantinople, l'ancrage du chapelain de St. Basil's House dans la réalité ecclésiale orthodoxe concrète en Grande-Bretagne apparaît donc comme un fait incontestable. Mais il faut reconnaître qu'il va de pair, dans une existence pleine de contrastes, avec un anti-institutionnalisme ou plutôt a-institutionnalisme viscéral et l'œcuménisme spirituel le plus large, quoique exempt de tout syncrétisme superficiel.

Voulant caractériser le style de ministère pastoral de Père Lev, tel qu'il l'a perçu à l'époque où, lui-même, jeune étudiant en théologie anglicane, cherche sa voie, l'évêque Kallistos Ware écrit : « La simplicité et la liberté caractérisaient son ministère ecclésiastique. Il évitait les honneurs, les comités, les responsabilités administratives. Il détestait le cléricalisme sous toutes ses formes, le genre "théologien", la pompe ecclésiastique, et il pouvait à l'occasion faire preuve d'une ironie mordante à l'égard de ces choses. Son œuvre pastorale était accomplie discrètement, d'une manière presque cachée, sous forme de causeries faites en général dans de petits cercles informels et par des contacts personnels avec ses enfants spirituels. Ses conseils avaient souvent une profonde et féconde influence sur la vie des autres. Il les donnait sans prétention, d'un ton direct et sans détour, parfois avec une certaine brusquerie, soulignant surtout la nécessité de pratiquer le "sacrement de l'instant présent", pour se pénétrer de la réalité de la proximité du Dieu qui est près de nous dans nos tâches quotidiennes les plus familières. »

Ensemble Helle Georgiadis et Kallistos Ware, évoquent les nombreuses et profondes relations de Lev Gillet, en Grande-Bretagne, avec des hommes et des femmes étrangers au milieu orthodoxe comme aux structures des grandes Églises traditionnelles : quakers, « charismatiques », pentecôtistes, mais aussi croyants d'autres religions, voire agnostiques. « Il se plaisait en compagnie des Quakers et assistait volontiers à leur culte, partageait l'enthousiasme des Pentecôtistes, sympathisait avec le judaïsme et l'Islam, discernant partout le mouvement de l'Esprit de Dieu. Ceci précisément parce qu'il était fermement ancré dans l'Église et dans la foi au Fils de Dieu venu pour rassembler toutes choses en lui et les ramener au Père [14]. » Tel est le témoignage de Helle Georgiadis, confirmé par celui de l'évêque Kallistos de Diokleia : « Comme l'auteur du 4e Évangile et comme le théologien du Logos du IIe siècle, Père Lev croyait que la vraie lumière du Christ "éclaire tout homme en venant dans le monde" (Jn 1, 5). Son universalisme n'avait rien d'un relativisme. Dans sa quête de l'unité, il aspirait toujours à jeter des ponts entre des mondes séparés, sans qu'il tendît pour cela à quelque amalgame syncrétique des religions. Mais il appréciait l'authenticité spirituelle partout où elle se manifestait. Il était ouvert aux contacts les plus divers précisément parce qu'il était fermement ancré dans l'Église et pouvait donc, en toute liberté, discerner la présence du Christ et le mouvement de l'Esprit en toute personne humaine [15]. »

Ce survol du ministère de l'humble chapelain de St. Basil's House, du « moine dont la cellule était le British Museum », devra être complété. Mais auparavant, il nous faut évoquer d'autres aspects de l'existence et de l'œuvre de celui qui fut aussi un grand voyageur, un pèlerin entre les Orients et les Occidents à la fois géographiques, culturels et spirituels.

---

14. Helle GEORGIADIS, p. 233.

15. *The Jesus Prayer*, édition révisée avec une préface de Kallistos Ware, évêque de Diokleia, New York, Crestwood, 1987, p. 14.

CHAPITRE VII

« LA PRIÈRE DE JÉSUS »

À la fin de 1951 est publiée aux éditions du monastère de Chevetogne *La Prière de Jésus*, par un moine de l'Église d'Orient : un mince volume qui rassemble les articles du même auteur précédemment publiés, par dom Clément Lialine, dans la revue *Irénikon* [1]. Lev Gillet y a ajouté deux appendices : « L'invocation du nom de Jésus en Occident », et « La méthode psycho-physiologique de la prière ». Quelques mois plus tard est publiée dans la même revue l'adaptation développée d'un texte d'abord rédigé en anglais et publié sous forme d'une brochure par les soins du Fellowship de Saint-Alban et Saint-Serge [2] : « Sur l'usage pratique de la prière de Jésus ». Il complétera la troisième édition de *La Prière de Jésus* publiée en 1959. Sous cette forme l'ouvrage, qui a immédiatement trouvé de nombreux lecteurs, connaîtra encore plusieurs rééditions, d'abord à Chevetogne, puis à partir de 1974 aux Éditions du Seuil dans la collection « Livre de vie [3] ».

Chaque nouvelle édition est soigneusement revue par l'auteur, « corrigée et augmentée ». Manifestement, Lev Gillet a porté ce livre en lui pendant de nombreuses années. Sa publication en 1951 au monastère de Chevetogne a marqué dans sa vie une date : elle consacre

---

1. *Irénikon*, 1947, n°s 3 et 4, t. XX, p. 249-273.

2. A MONK OF THE EASTERN CHURCH, *On the Invocation of the Name of Jesus*, Londres, 1950 (*Irénikon*, 1952, t. XXV, p. 371-382).

3. C'est à cette édition définitive que se réfèrent nos citations.

le rétablissement, amorcé depuis 1945, de ses relations fraternelles avec les moines d'Amay-Chevetogne : une communauté dont il a été spirituellement l'un des fondateurs, pour laquelle son passage dans la communion sacramentelle de l'Église orthodoxe a constitué une blessure douloureuse mais avec laquelle les liens sont maintenant renoués en toute clarté, dans un esprit de confiance et de respect mutuel. Pendant la période dépressive qu'il a traversée au sortir de la Seconde Guerre mondiale, Lev Gillet a connu des heures de nostalgie : l'idée – la tentation – d'un retour au bercail l'a effleuré. Elle s'est dissipée au soleil du Liban où il s'est senti appelé à un nouveau ministère au sein de l'Église orthodoxe. En même temps, libéré de ses angoisses, il parvient à établir des relations simples et claires avec les amis de jadis, qui restent pour lui des frères. Au cours de l'été 1951, Olivier Rousseau et Lev Gillet se revoient avec émotion à Londres, pour la première fois après une séparation de près d'un quart de siècle. L'ancienne complicité est retrouvée. Grâce à elle, Chevetogne sera – avec An-Nour au Liban – le principal éditeur des ouvrages du moine de l'Église d'Orient redevenu un écrivain de langue française. *La Prière de Jésus* est le premier d'une série de sept titres publiés par le monastère [4]. C'est grâce au courage et au dévouement amical de dom Olivier – à l'époque l'entreprise ne va pas de soi – que le mystérieux moine anonyme va devenir un auteur connu et apprécié d'un large public chrétien francophone.

En se lançant dans des investigations érudites sur l'oraison appelée « Prière de Jésus », en suggérant à Clément Lialine, puis à Olivier Rousseau la publication des études qui en sont le fruit, Lev Gillet poursuit un double but audacieux, toujours dans la grande perspective qui est la sienne : la restauration de la pleine communion entre les Églises d'Orient et d'Occident. Il s'agit pre-

4. Voir la Biliographie p. 621 la liste des ouvrages de Lev Gillet publiés à Chevetogne.

mièrement d'informer, de faire connaître et comprendre, en son sens profond et authentique, une prière qui est l'« âme », selon lui, de l'orthodoxie orientale, mais qui reste inconnue, ou pis, méconnue en Occident. Discréditée par les polémiques qui, dans le contexte des controverses palamistes [5], opposent au XIVe siècle moines grecs et moines latins, assimilée à des techniques psychosomatiques par des théologiens latins qui ne les comprennent pas et les présentent de façon caricaturale, la prière de Jésus reste encore, au milieu du XXe siècle, pour la majorité des chrétiens occidentaux, un « trésor caché ». Le but de Lev Gillet est de dégager ce trésor d'une gangue d'ignorance, de préjugés et de malentendus. Telle est sa première visée. La seconde est encore plus audacieuse : non seulement faire connaître la prière de Jésus, mais initier à son « usage pratique » des Occidentaux qui se sentiraient attirés par elle, faire d'une forme d'oraison qui fut au centre des débats houleux et parfois haineux entre chrétiens d'Orient et d'Occident, un instrument de réconciliation, une voie et un signe de communion spirituelle.

Dès le début, les deux visées, l'une théorique, l'autre pratique, sont présentes à l'esprit de Lev Gillet. Mais c'est de la première que relèvent les six premiers chapitres de l'édition de 1951. On y trouve un survol, comme le dit le sous-titre, des principales étapes de la « genèse et des développements dans la tradition byzantino-slave » de la prière de Jésus en grec : ευχη του Ιησου, en russe *Iésoussovaïa molitva* [6].

---

5. Sur ces controverses analysées dans une perspective orthodoxe, on peut consulter J. MEYENDORFF, *Introduction à l'étude de Grégoire Palamas*, Paris, Éd. du Seuil, 1959 et, du même auteur, le résumé simplifié de ses thèses dans *Grégoire Palamas et la mystique orthodoxe*, Paris, Éd. du Seuil, 1959.

6. En Occident on désigne cette prière souvent par l'expression « prière du cœur », traduction admissible à condition d'être bien comprise, du terme slave *doukhovnaïa molitva*, « prière spirituelle ». La littérature du sujet est aujourd'hui abondante. Parmi les ouvrages récents d'accès facile on peut citer H. P. RINKEL, *La Prière du cœur*, Paris, Éd. du Cerf, 1990, et É. BEHR-SIGEL, *Le Lieu du cœur*, Paris, Éd. du Cerf, 1989, qui contient un important article consacré à cette prière de l'évêque Kallistos Ware, auteur de la traduction en anglais de l'ouvrage de Lev Gillet.

Transmise de maître à disciple au long d'une tradition monastique millénaire, en grande partie orale, la forme de cette prière est simple. Pour l'essentiel, elle consiste dans l'invocation inlassable, comme « collée » au rythme respiratoire, du nom de Jésus : nom prononcé avec foi et amour, porteur et symbole sacramentel, pour l'orant, de la présence divine. La formule classique est : « Seigneur Jésus-Christ, Fils de Dieu, aie pitié de moi, pécheur. » À l'humble prière du péager de l'évangile de Luc (18, 13), elle associe la confession de foi de Pierre en Jésus reconnu comme le Christ, le Messie, le Sauveur. Ni obligatoire, ni immuable, cette formule est susceptible d'être développée (par exemple en introduisant l'idée de l'intercession de Marie) ou réduite au seul nom de Jésus qui en est le cœur. Pratiquée et systématisée dans les grands centres monastiques de l'empire byzantin, au Mont-Sinaï, au Mont-Athos, cette invocation du Nom « qui est au-dessus de tout nom » (Ph 2, 9) s'accompagne souvent – mais non nécessairement – de techniques psycho-somatiques : contrôle et rétention de la respiration, posture accroupie, la tête inclinée vers le milieu du corps, concentration de l'attention sur le lieu physique du cœur. Il s'agit de prier de tout son être, c'est-à-dire aussi avec son corps. On a pu, pour cette raison, la comparer à un yoga chrétien. Sans se confondre avec lui, la pratique de la prière de Jésus est aussi en relations avec le grand courant mystique appelé « hésychasme » : aspiration à la paix divine, au repos et à l'unification en Dieu de la personne humaine. Ce courant de vie ne cesse d'irriguer en profondeur un monachisme oriental parfois en apparence sclérosé. C'est pour défendre ses frères, les « saints moines hésychastes » qui pratiquent la prière de Jésus, contre les attaques du moine latin Barlaam, que Grégoire Palamas, au XIVe siècle, rédigea ses fameuses Triades, synthèse théologique de l'hésychasme et de la spiritualité des moines orientaux.

La publication, en 1782 à Venise, de la célèbre *Philocalie* grecque de Macaire de Corinthe et Nicodème l'Hagiorite, marque une date : traduite en slavon ecclésiastique, puis en russe, cette grande encyclopédie hésychaste contribuera à la diffusion de la prière de Jésus dans la Russie moderne : une diffusion dans les milieux sociaux les plus divers dont témoignent les *Simples récits d'un pèlerin russe*, une œuvre anonyme publiée à Kazan au milieu du XIXe siècle.

En Occident, cette prière est restée longtemps à peu près ignorée. Seuls lui portaient un intérêt – du reste plutôt critique – quelques spécialistes catholiques de byzantinologie. Ce sont les émigrés russes qui, dans l'entre-deux-guerres la feront connaître à quelques chrétiens occidentaux impliqués dans le Mouvement œcuménique naissant. En 1928, les moines d'Amay-sur-Meuse publient dans leur revue *Irénikon* la première traduction française des *Simples Récits d'un pèlerin russe*. Une traduction anglaise est publiée en 1930, préfacée par l'évêque Walter Frere, président anglican du Fellowship de Saint-Alban et Saint-Serge. C'est dans ce milieu que la prière de Jésus commence à être pratiquée par quelques chrétiens occidentaux. Lev Gillet, membre actif du Fellowship, a dû être parmi les initiateurs de ce mouvement très modeste et presque secret.

Lui-même semble avoir été initié à la prière de Jésus à l'époque où il accomplit ses vœux monastiques solennels au monastère d'Ouniov en Galicie. « Ce petit livre est le fruit de vingt-cinq années de méditation et d'expérimentation intérieure », écrit-il dans la préface de *On the Invocation of the Name of Jesus* publié en 1950. Ailleurs, il évoque, comme une expérience personnelle, la cérémonie de la remise au jeune moine basilien du chapelet monastique sur lequel il est appelé à « égrener la prière de Jésus ». Un peu plus tard, au temps de son ministère parisien, Lev Gillet vit en symbiose avec un milieu – celui de la première émigration russe – où cette prière, pratiquée par des chrétiens vivant dans le monde, connaît un renouveau créatif : une expérience émouvante et forte, évoquée par son amie Nadejda Gorodetzky, dans un article publié pendant la guerre dans la revue *Blackfriars* des dominicains d'Oxford [7]. « Est-ce une prière de moine... ? demande l'auteur. Elle est si simple qu'il n'est pas nécessaire de l'apprendre pour s'en souvenir. Elle peut demeurer sur les lèvres du malade trop faible pour dire le Notre Père... Beaucoup vaquent à leur travail habituel en répétant cette prière. Après un certain temps, les mots de l'invocation semblent d'eux-mêmes venir aux lèvres. Ils introduisent de plus en plus dans la pratique de la présence de Dieu [8]. »

Lev Gillet lui-même, dans une lettre adressée en septembre 1939 à ses paroissiens écrit : *Se réfugier dans le nom de Jésus et s'exprimer tout entier dans ce Nom est le moyen le plus simple de sentir constamment la présence et la puissance de Notre Seigneur... Ce nom est le filtre qui, appliqué à nos pensées et à nos paroles, ne laisse passer que ce qui peut passer à travers lui sans être détruit ou sans le blesser. Il est le frein de nos lèvres, le sceau posé sur notre cœur. Ou du moins il pourrait l'être.*

En ces années, Lev Gillet n'a en vue que l'« usage » de la prière de Jésus : une pratique simple et évangélique, dont l'expérience précède et sous-tend ses investigations érudites ultérieures.

Dans *Orthodox Spirituality*, Lev Gillet évoque l'hésychasme comme l'un des grands courants dont se nourrit la spiritualité orthodoxe. La prière de Jésus est simplement mentionnée. L'idée de lui consacrer une étude savante naîtra d'un événement fortuit : la lecture d'un article du théologien roumain N. Crainic [9]. La prière de Jésus y est désignée comme le « cœur de l'orthodoxie ». Mais l'article, constate Lev Gillet, « est déparé par un singulier manque

7. *Blackfriars*, février 1942, p. 74-78.

8. Voir *La Prière de Jésus*, p. 67-68. La citant longuement, le moine de l'Église d'Orient semble faire sien le témoignage de son amie.

9. N. Crainic, « Das Jesusgebet », *Zeitschrift für Kirchengeschichte*, 1941, n° 2.

d'esprit critique [10] » : un défaut qui risque de discréditer cette prière aux yeux de lecteurs occidentaux plus exigeants intellectuellement. Lev Gillet pense à des savants, tel le P. Irénée Hausherr, auteur de la première édition critique avec traduction de la *Méthode d'oraison hésychaste* faussement attribuée – comme il tente de le démontrer – à saint Syméon le Nouveau Théologien [11].

Sur les traces de l'érudit jésuite, mais avec plus de sympathie que ce dernier, ne faut-il pas entreprendre une investigation sur les origines d'une forme d'oraison qui est effectivement au cœur de la spiritualité chrétienne orientale ? Telle est, greffée sur sa préoccupation dominante – le rétablissement de l'unité des chrétiens – la motivation immédiate de Lev Gillet quand il se plonge dans une recherche qu'il poursuivra pendant plusieurs années.

Dès 1945-1946, en effet, apparaît dans sa correspondance avec dom Clément la mention d'une étude sur la prière de Jésus qu'il est en train d'écrire et qu'il propose au directeur d'*Irénikon* pour sa revue. Timidement formulée, la proposition est audacieuse. Pendant des décennies, toute collaboration à l'œuvre de dom Lambert, de celui qui, aux yeux de l'opinion publique catholique, apparaît comme un « apostat » semblait exclue. Mais, au fil des ans, les blessures se sont cicatrisées. L'épreuve de la Seconde Guerre mondiale a rapproché les âmes. Un vent de liberté semble souffler sur l'Europe. D'ailleurs l'anonymat scrupuleusement préservé du moine de l'Église d'Orient permettra d'éviter tout scandale.

Il reste que le thème même de l'article peut apparaître comme un terrain dangereux. S'y aventurer, évoquer la genèse de la prière de Jésus, en dégager la signification spirituelle profonde à l'opposé de sa présentation erronée

10. *La Prière de Jésus*, Préface à l'édition de 1951, p. 7. Crainic désigne la Vierge Marie comme l'« inventeur » de la prière de Jésus.

11. Irénée HAUSHERR, s.j., « La Méthode d'oraison hesychaste », *Orientalia Christiana* IX/2, juin-juillet 1927.

et caricaturale par des polémistes latins, n'est-ce pas rouvrir de nouvelles et désastreuses controverses ?

Ces controverses qu'on croyait oubliées resurgissent en effet, au moment où naît ce projet, sous des formes nouvelles et plus élaborées, ceci dans le contexte d'un double renouveau : renouveau, d'un côté, de la théologie aristotélico-thomiste toujours dominante dans la sphère catholique-romaine, de l'autre, du palamisme – au sein d'une théologie orthodoxe en train de s'éveiller, de prendre conscience de ses valeurs propres, au contact, dans la Diaspora, des acides de l'Occident [12]. En s'engageant dans une investigation approfondie sur la prière de Jésus, Lev Gillet est conscient de prendre des risques. Ils sont partagés par les responsables de la revue *Irénikon* et des éditions de Chevetogne qui acceptent de publier le résultat de ces recherches. L'histoire de cette publication, avec ses prudences, ses hésitations et ses audaces, signes de l'écartèlement intérieur de Lev Gillet – un écartèlement finalement dépassé précisément dans et par la *Prière de Jésus* –, mérite donc d'être rapidement évoquée.

Remerciant Clément Lialine qui a accepté de publier son article, Lev Gillet lui écrit, dans la lettre qui accompagne l'envoi du manuscrit de son article : *Je vous envoie un manuscrit sur la Prière de Jésus. Il est plutôt monstrueux. J'en sais, mieux que personne, les défauts : il est beaucoup trop long, il est peut-être ennuyeux, il n'est pas dactylographié* [13]*, les notes sont disproportionnées et peut-être difficiles à lire. La seule chose que je trouve à dire, c'est qu'il rassemble des données historiques et bibliographiques qui ne sont pas faciles à trouver et qui peuvent rendre service à d'autres. Je voudrais qu'il ne contienne rien qui puisse choquer ou blesser. Enfin... si lamentable que*

---

12. Le renouveau palamite s'amorce avec l'*Essai sur la théologie mystique de l'Église d'Orient* de Vladimir Lossky, publié à Paris en 1944. Il se poursuivra dans les décennies suivantes grâce notamment aux recherches historiques de J. Meyendorff.

13. À l'époque, Lev Gillet, qui n'a jamais disposé d'une machine à écrire, écrit d'une écriture magnifiquement claire et lisible.

puisse être la façon dont j'ai traité le sujet (j'ai d'ailleurs voulu faire de l'histoire et non de la spiritualité), celui-ci est un grand sujet. La prière de Jésus n'appartient pas à l'Église orthodoxe. Elle fait partie de la tradition la plus authentique de l'Église romaine [pour convaincre son correspondant, Lev Gillet adopte ici le vocabulaire de la théorie newmanienne de l'Église *une*, universelle aux branches multiples] *en sa branche byzantine ! Pourquoi Amay ne deviendrait-il pas le point de départ ou le centre d'un apostolat de cette prière en Occident – ou, aussi bien, en Orient ? Pourquoi ne serait-il pas, relativement à l'invocation du Saint Nom de Jésus (sans le lier aux formes de l'Athos), ce qu'a été Paray-le-Monial par rapport au culte du Sacré Cœur ? D'autant que cette dévotion pourrait faire beaucoup pour l'Union. Il faudrait y intéresser l'abbé Couturier. Le Nom de Jésus renferme tous les croyants* [14].

Ainsi, audacieusement et paradoxalement, Lev Gillet, rêve de faire de la prière de Jésus – objet de controverse au XIVe siècle entre moines grecs et latins, et encore aujourd'hui associée au grand débat qui divise théologiens orthodoxes et théologiens catholiques – l'instrument même de la réconciliation entre tous les disciples du Christ. Elle est pour lui le lieu d'une communion dans le Nom, c'est-à-dire dans la *personne* de Jésus : communion déjà mystiquement réelle dans l'invisible de l'Église visible, mais qu'il s'agit d'actualiser *ici et maintenant* dans l'existence historique.

De façon significative, l'invocation du nom de Jésus appelée aussi « prière du cœur » est rapprochée par lui de la dévotion latine au Sacré Cœur de Jésus : une dévotion populaire souvent mal comprise et critiquée par les protestants mais aussi par beaucoup d'orthodoxes. Dans les deux cas – qu'il s'agisse de la prière de Jésus ou de la dévotion au Sacré Cœur – il s'agit de creuser assez profond pour atteindre, sous l'écorce peu attrayante ou déconcertante, le noyau, c'est-à-dire l'essentiel.

14. Lettre du 14 novembre 1946.

L'article sur la prière de Jésus paraîtra dans *Irénikon*, en deux parties, dans le courant de 1947. Lev Gillet se sent « honoré et heureux », dit-il dans la même lettre, à l'idée de reprendre place, fût-ce anonymement, dans la revue à la fondation et aux débuts de laquelle il a jadis contribué.

Contrairement à ses appréhensions, l'étude est bien accueillie par les lecteurs, si bien qu'Olivier Rousseau qui, en 1949, a succédé à Clément Lialine à *Irénikon*, décide de la publier sous la forme d'une brochure qu'il préfacera lui-même. Celle-ci, comme on l'a déjà dit, comprend maintenant, outre l'article primitif, deux appendices.

Vers la même époque est publié à Londres l'opuscule intitulé *On the Invocation of the Lord*. Dès juin 1951, Lev Gillet en a proposé une adaptation en langue française à Olivier Rousseau. Il revient sur la question quelques mois plus tard à son retour d'un long périple en Orient qui l'a mené à Beyrouth, Damas, Amman, et aussi en Galilée et à Jérusalem : « Jérusalem arabe et Jérusalem juive », précise-t-il. Évoquant ce voyage, il écrit à son ami : *Du point de vue politique, l'atmosphère en Palestine est pénible... Mais, à Tabga, entre Magdala et Capharnaüm, dans le petit couvent des Franciscaines italiennes au bord du lac de Galilée, j'ai trouvé une paix, une beauté indicibles. Au bord de ce lac – le lac de mon cœur – c'est « la prière de Jésus » qui vient le plus naturellement, le plus facilement aux lèvres – de même que dans Nazareth toute blanche, c'est l'*Ave Maria.

Et quelques lignes plus loin : *Je reviens à l'invocation du Nom. Vous m'avez dit qu'*Irénikon *publierait éventuellement un petit écrit où je traiterais de la question, non plus du point de vue historique, mais du point de vue de la piété pratique. Je me permets de vous envoyer un petit (pas trop grand en tous cas) opuscule manuscrit rédigé par moi en Orient. Voudriez-vous y jeter un coup d'œil ? Il me semble que cette question ayant été bien amorcée, ces quelques nouvelles pages pourraient intéresser – aider même – certaines âmes. Je ne sais... Au cas où* Irénikon *ne pourrait pas accueillir cela (qui est ressemblant, mais non identique,* *à mon opuscule anglais sur le même thème), pourriez-vous le proposer à quelque périodique catholique – ou protestant* (Cahiers du Rhône ? Semeur ?). *Je ne cherche aucune gloire d'auteur. Je voudrais seulement être un peu utile. Surtout à des âmes simples* [15].

Soumis par dom Olivier – non sans quelque appréhension – au censeur ecclésiastique, le nouveau texte du moine de l'Église d'Orient comme les précédents, reçoit l'*imprimatur*. Il est publié dans *Irénikon* en 1952 [16].

En 1959, la brochure de 1951 est rééditée, complétée par l'article publié dans *Irénikon* en 1952. L'opuscule se divise maintenant nettement en deux parties : une partie historique, érudite (chap. I-V) et une partie « dévotionnelle » selon l'expression du moine de l'Église d'Orient, intitulée « Sur l'usage pratique de la prière de Jésus » (chap. VI). L'ouvrage contient de nombreuses notes dont il pourrait être intéressant d'étudier les variantes dans les différentes rééditions [17].

Ouvrage érudit, en même temps porteur d'un message spirituel, *La Prière de Jésus* est, avec *Jésus. Simples regards sur le Sauveur*, l'œuvre du moine de l'Église d'Orient qui a touché le plus de lecteurs : hommes et femmes de cultures différentes, Européens et Asiatiques, gens de l'Ancien et du Nouveau Monde, orthodoxes et chrétiens d'autres confessions, chercheurs de Dieu hors de tout contexte ecclésial y ont trouvé une nourriture spirituelle. Plus que tout autre ouvrage, ce livre a contribué à

---

15. Lettre du 16 janvier 1952. Publiés à Neuchâtel (Suisse), les *Cahiers du Rhône* ont édité en 1943 une traduction en français par Jean Gauvain des *Simples récits du pèlerin russe.* Le *Semeur* est l'organe de la Fédération française d'associations chrétiennes d'étudiants, un mouvement d'inspiration protestante avec lequel Lev Gillet, comme son ami Paul Evdokimov, est en relations.

16. T. XXV, p. 371-382.

17. C'est sous sa forme définitive qu'il a été traduit par l'évêque Kallistos (Ware) et publié aux États-Unis : A MONK OF THE EASTERN CHURCH, *The Jesus Prayer*, Saint Vladimir's Seminary Press, New York, Crestwood, 1987. Une autre traduction très défectueuse aurait été publiée chez Desclée & Cie, en Belgique, en 1967. Des extraits traduits par M. C. Chamberlan ont été publiés dans la revue catholique anglaise *Chrysostom*.

acclimater la prière de Jésus en Occident. Son originalité réside dans la synthèse d'une information historique solide, sans jamais être pesante, et d'une expérience spirituelle personnelle, profonde et originale.

Le moine de l'Église d'Orient ne prétend pas retracer, en tous ses méandres, l'histoire de la prière de Jésus. Il en signale « quelques étapes » (p. 7) en s'efforçant de mettre en lumière leur signification spécifique, l'apport de chacune d'elles au trésor commun *catholique*.

L'accent est mis sur l'enracinement scripturaire, dans l'Ancien et le Nouveau Testament, de la vénération du Nom divin. Des relations sont établies entre l'invocation chrétienne du nom de Jésus et la place du « Nom ineffable » dans la piété juive. D'une littérature surabondante et parfois répétitive, qui des premiers siècles chrétiens s'étend à l'époque contemporaine, l'auteur extrait les textes les plus significatifs d'un courant spirituel vivant : textes grecs et slaves souvent difficilement accessibles aux non-spécialistes traduits ici dans un français limpide et beau.

Certaines des thèses historiques de l'ouvrage, comme la place dévolue à une tradition spécifiquement sinaïtique de la prière de Jésus, ont fait l'objet de critiques de la part de spécialistes en byzantinologie comme le P. Irénée Hausherr. Mais comme le souligne l'évêque Kallistos Ware, ces critiques reposent en grande partie sur un malentendu.

Plus pertinent apparaît un autre reproche amical du même Kallistos Ware. Concernant l'importance de la théologie de Grégoire Palamas, Père Lev, estime-t-il, « a laissé son horreur viscérale de toute controverse théologique infléchir son jugement [18] ». En réalité, Lev Gillet n'épouse nullement les critiques occidentales du palamisme. Se référant à ce qui lui paraît valable dans les théories de la psychologie de la *Gestalt*, proche de certaines thèses du structuralisme français, il voit dans le

18. *The Jesus Prayer*, p. 18-19.

dialogue de sourds entre néo-palamistes orthodoxes et néo-thomistes catholiques, l'affrontement de deux langages, de deux systèmes qui ont chacun sa propre logique, difficilement transposable dans les catégories de l'autre. D'où le malentendu. « Nous remarquerons... qu'on a trop perdu de vue que la théorie hésychaste de la vision de la lumière divine se situe sur le plan surnaturel et non dans l'ordre psychologique normal et aussi que cette question, comme celle du *Filioque* comporte une large part de malentendu : on risque de créer des monstres lorsqu'on transpose un concept dans un système étranger en l'arrachant à son contexte, et lorsqu'on traduit et introduit dans certaines catégories intellectuelles des choses qui ne sont pensables et exprimables que dans des catégories toutes différentes [19]. »

Le tort des Latins du XIVe siècle comme des théologiens catholiques romains modernes (tel le P. Jugie, directement mis en cause par Lev Gillet) est d'envisager le palamisme d'un point de vue scolastique « aristotélico-thomiste » et cela non sans une certaine véhémence (*ibid.*, p. 109, n. 2). Sur ce dernier point, Latins et Grecs, théologies catholique romaine et orthodoxe sont renvoyés par lui dos à dos. Mais la sympathie profonde du moine de l'Église d'Orient va aux hésychastes dont Grégoire Palamas a pris la défense. À ce dernier est seulement reproché d'être « devenu moins moine » en se lançant dans une polémique à propos d'une vision mystique dont l'authenticité n'est en rien niée.

Ce qui agace et afflige Lev Gillet, c'est la prétention des théologiens – aussi bien des palamistes que des aristotélico-thomistes – d'enfermer la vérité divine dans des systèmes conceptuels clos dressés les uns contre les autres comme des forteresses ennemies. Le palamisme, pour lui, n'est pas une hérésie, comme l'ont prétendu les Latins. Au mystique authentique que fut Grégoire Palamas, il reproche seulement de s'être transformé en

19. *La Prière de Jésus*, p. 45.

polémiste contribuant ainsi « à élargir un courant de piété simple et tendre, en un estuaire de querelles haineuses... ». À l'offensive dirigée contre la prière de Jésus par le moine calabrais Barlaam, porte-parole du nominalisme occidental auquel s'oppose le réalisme mystique de Palamas – réalisme mystique que Lev Gillet fait sien –, « la meilleure réponse, dit-il, n'eût-elle pas été l'exemple pacifiquement rayonnant de cette prière, son exploration en profondeur et, si l'on veut le bref témoignage d'une expérience personnelle, libre de théorie et de polémique ? » (*Ibid.*, p. 42.)

Telle est la réponse que lui-même espère donner dans la seconde partie du chapitre VI de son livre : « Sur l'usage pratique de la prière de Jésus ».

La présentation de la genèse historique d'une spiritualité centrée sur la prière de Jésus sert, en fait, d'introduction à cette partie la plus originale et la plus personnelle de l'œuvre du moine d'Orient.

Voulant caractériser l'« usage pratique » de la prière de Jésus par celui qui fut pour lui-même un initiateur, Kallistos Ware écrit : « Cette prière ne consistait pas pour lui dans une technique. Elle était un acte d'amour, l'expression de la relation immédiate entre deux personnes. Quand nous disons cette prière, nous apprend-il, nous n'avons pas à penser au fait que nous invoquons le nom, à nous préoccuper de la "méthode" de prière et de ses effets possibles. Nous devons penser simplement et uniquement à Jésus lui-même [20]. »

Prononcé avec foi et amour (ou du moins avec l'aspiration à la foi et à l'amour dans les moments d'apparente sécheresse spirituelle), le nom de Jésus est porteur de la présence de celui qui est nommé. Il s'agit, écrit le moine de l'Église d'Orient, « de concentrer peu à peu notre être autour du nom et de laisser celui-ci, comme une tache d'huile, pénétrer et imprégner silencieusement

20. *The Jesus Prayer*, p. 18.

notre âme [21] ». La prière de Jésus est une voie d'union à la personne du Sauveur. « Elle s'approfondit et se dilate selon que nous découvrons dans le nom un contenu nouveau » (*ibid.*, p. 77). Médiateur impalpable de la présence du Christ, secours dans les besoins, assurance de pardon, le nom, peut devenir « application à nous-mêmes du mystère de l'Incarnation », « méthode de transfiguration des hommes en leur plus profonde et divine réalité », union au « Corps du Christ », « eucharistie spirituelle », « anticipation du Royaume éternel ».

L'approfondissement du sens de la prière de Jésus est l'occasion pour Lev Gillet de revenir, sous une forme nouvelle, sur l'idée « communion *spirituelle* au *corps* et au *sang* du Christ » : idée jadis développée par lui, en réponse à la proposition d'intercommunion sacramentelle entre orthodoxes et anglicans dans le cadre du Fellowship de Saint-Alban et Saint-Serge. Invitant à « un certain usage "eucharistique" du nom de Jésus », le moine de l'Église d'Orient écrit : « L'Eucharistie sacramentelle ne rentre pas dans les limites de notre thème. Mais notre âme est aussi une chambre haute où Jésus désire manger la pâque avec ses disciples et où la Cène du Seigneur peut être célébrée à n'importe quel moment d'une manière invisible. Dans cette Cène purement spirituelle, le nom du Sauveur peut prendre la place du pain et du vin du sacrement. Nous pouvons faire du nom de Jésus une offrande d'action de grâces (et c'est là le sens original du mot "eucharistie"), le support et la substance d'un sacrifice de louange rendu au Père [22]. » Et de poursuivre un peu plus loin : « le nom de Jésus... peut nous être une nourriture spirituelle, une participation au Pain de Vie. Seigneur, donne-nous toujours ce pain (Jn 6, 34). Dans ce nom, dans ce pain, nous nous unissons à tous les membres du Corps mystique du Christ, à tous ceux qui s'asseyent au banquet du Messie, nous qui "étant

21. *La Prière de Jésus*, p. 73.
22. *La Prière de Jésus*, p. 84.

nombreux formons un seul pain et un seul corps" (1 Co 10, 17) » (*ibid.*, p. 85).

« L'invocation du nom de Jésus comporte ainsi un aspect ecclésial... Le nom de Jésus est un moyen de nous unir à l'Église, car l'Église est dans le Christ. Elle y est sans souillure. Ce n'est pas que nous puissions nous désintéresser de l'existence et des problèmes de l'Église sur terre ni fermer les yeux aux imperfections et à la désunion des chrétiens. Nous ne séparerons pas les aspects visibles et invisibles de l'Église ; nous ne les opposerons pas. Mais nous savons que ce qui est impliqué dans le nom de Jésus, c'est l'aspect sans tache, spirituel et éternel de l'Église qui transcende toute manifestation terrestre et qu'aucune sclérose ne peut déchirer... Nous croyons que ceux qui, prononçant le nom de Jésus, essaient de s'unir à leur Seigneur par un acte d'obéissance inconditionnelle et de charité parfaite, participent en quelque manière à l'union surnaturelle du Corps mystique du Christ et sont les membres sinon visibles et explicites, du moins invisibles et implicites de l'Église. Et ainsi, l'invocation du nom de Jésus, faite d'un cœur intègre, est une voie vers l'unité chrétienne » (*ibid.*, p. 81-83).

Expression d'une spiritualité christocentrique, la prière de Jésus a une signification trinitaire. En conclusion de son chapitre « L'usage pratique de la prière de Jésus » le moine de l'Église d'Orient insiste sur ce dernier point. C'est l'Esprit qui « écrit le nom de Jésus en lettres de feu dans le cœur de ses élèves... En prononçant le nom du Sauveur nous pouvons obtenir une certaine "expérience"... de la relation entre le Fils et l'Esprit. Nous pouvons nous efforcer de coïncider avec la descente de la Colombe sur Notre Seigneur, unir notre cœur (pour autant qu'une créature se puisse unir à une activité divine) à l'éternel mouvement de l'Esprit vers Jésus » (*ibid.*, p. 86).

Coïncidant avec le mouvement de l'Esprit vers le Fils, l'invocation de Jésus, en lui, nous oriente vers le Père : « prononcer le nom de Jésus, c'est nous approcher du

Père, c'est contempler l'amour et le don du Père se concentrant sur Jésus... c'est entendre la voix du Père déclarant : Tu es mon Fils bien-aimé (Lc 3, 22) et dire humblement oui à cette déclaration » (*ibid.*, p. 88).

Au-delà de tous ces aspects divers qui font de l'invocation du nom de Jésus, pour le moine de l'Église d'Orient, comme une récapitulation expérientielle de l'histoire du salut et une synthèse vécue de la théologie chrétienne, cette prière, écrit-il, conduit à l'intuition d'une plénitude, d'une totalité qui en constitue le sommet et le couronnement. « Nous disons “Jésus”, et nous nous reposons dans une plénitude, une totalité qu'il ne nous est plus possible de disjoindre. Le nom de Jésus devient alors porteur du Christ total. Il nous introduit dans la Présence totale... La présence totale est tout. Sans elle, le Nom n'est rien. Qui a atteint la Présence n'a plus besoin du Nom. Le Nom n'est que le support de la Présence et, au terme de la route, nous devons devenir libre du Nom lui-même, libre de tout, sauf de Jésus, du contact vivant et indicible avec sa Personne » (*ibid.*, p. 89).

La Prière de Jésus véhicule ainsi une théologie et une expérience mystiques. Mais en même temps, son message porte la marque d'une piété sobre, évangélique, qui ne sépare jamais la mystique de l'éthique. Le nom de Jésus, écrit le moine de l'Église d'Orient, « n'est pas une formule magique ». Son invocation, pour porter des fruits, est inséparable de la totalité de la vie chrétienne, du combat spirituel, de l'ascèse purificatrice. Elle est inséparable surtout de « l'humble amour et du don de soi ». La prière de Jésus n'est pas un « raccourci » pour parvenir aisément à des extases, comme pourraient le faire croire certaines expressions maladroites ou mal interprétées : « Que l'on bannisse toute sensualité spirituelle, toute recherche de l'émotion » (*ibid.*, p. 73). Une prière apparemment sèche, « réduite à une offrande de la volonté nue » sera acceptable à Dieu « parce que dépouillée de toute préoccupation de délices spirituelles » (*ibid.*, p. 74). Cependant, « le Sauveur enveloppe souvent son nom d'une atmosphère de joie, de chaleur et de lumière » (*ibid.*, p. 75). Lev Gillet rapproche l'atmosphère de la prière de Jésus de celle du courant hassidique, joyeux et chaleureux, au sein du judaïsme.

Au cours de la lente élaboration de son petit livre, le moine de l'Église d'Orient a évolué, mûri. Le grand dessein unioniste qui a présidé à sa mise en route subsiste, mais comme à l'arrière-plan, comme un lointain horizon. Dans l'immédiat, il y a le désir d'apporter une modeste aide à ceux et celles qui, vivant dans le monde ou dans un monastère, aspirent à suivre « la voie du Nom » : une voie qu'on ne choisit pas « mais à laquelle on est appelé et conduit par Dieu, s'Il le juge bon » (*ibid.*). Préfaçant la dernière édition de son livre réalisée de son vivant, Lev Gillet constate que ce but semble avoir été en partie atteint : l'ouvrage a aidé certaines âmes à mieux connaître « les trésors que renferme le Nom très doux du Sauveur ».

Il en rend grâces : *« Non nobis, Domine, sed nomine tuo »* (*ibid.*, p. 8).

CHAPITRE VIII

UN LIBRE CROYANT UNIVERSALISTE ET MYSTIQUE

Voulant marquer à leur manière, dans la souffrance et l'espérance, le neuvième centenaire du schisme qui a séparé Rome et Constantinople, les moines du monastère de Chevetogne publient en 1954 un ouvrage collectif : *1054-1954 : l'Église et les Églises*. En deux épais volumes, il rassemble les exposés donnés sur ce thème en 1953 aux Journées théologiques du monastère où se retrouvent chaque année des théologiens catholiques, orthodoxes, anglicans et, de plus en plus aussi, des protestants.

Lev Gillet n'a pas participé à ce colloque. Je crois savoir qu'il n'a jamais assisté à ces Journées. Mais Olivier Rousseau, avec lequel ses relations sont redevenues étroites, lui a demandé – comme à quelques autres non-participants connus – de donner une contribution à ce livre destiné à être offert en hommage à dom Lambert Beauduin pour son jubilé. Lev Gillet accepte. Sa contribution figure dans l'ouvrage sous la forme d'un article intitulé « La Signification de Soloviev ». A-t-il lui-même choisi ce thème ? Lui a-t-il été soufflé par son ami ? Quoi qu'il en soit, il est évident pour ceux qui ont été proches de lui, qu'à travers l'analyse du cas de Vladimir Soloviev œcuméniste, Lev Gillet a tenté de s'expliquer lui-même, d'élucider ses propres positions qui restent énigmatiques, incompréhensibles, même pour ses amis.

Dans son article – comme cela est souligné –, il s'agit uniquement de Soloviev en tant qu'œcuméniste, ou, selon l'expression employée par lui, du « chrétien épris d'unité ». Cela sans ignorer d'autres aspects de cette personnalité complexe et « pleine d'obscurités » dont ses apologistes ont « construit » des images simplifiées : « Le Soloviev lumineux d'une clarté cristalline que certains ont construit ne correspond pas à la réalité. Lui qui tendait passionnément à l'"unitotalité" ne semble s'être jamais unifié et intégré. »

Formulée avec une sorte de compassion, cette constatation laisse entrevoir des affinités. Lev Gillet sait que lui aussi n'est pas simple et un, et que pour l'homme multiple, déchiré qu'il est, l'unité, au-delà des déchirements, ne peut être qu'un don de Dieu.

Ce qui l'intéresse chez Soloviev – du moins dans cet article-confession –, c'est non cette complexité, ce ne sont pas les cheminements de la pensée du philosophe religieux ou du théologien du théandrisme et de la *Sophia*. Proposant comme une thèse fondée sur une analyse historique sérieuse son interprétation personnelle de l'itinéraire unioniste de Soloviev, Lev Gillet vise à éclairer l'énigme de sa propre situation et de ses propres positions ecclésiales. Telle est, fondée sur les confidences de l'auteur, ma propre interprétation de ce texte.

Concernant Soloviev unioniste, les faits sont brièvement rappelés : en 1889, Vladimir Soloviev, dans un livre publié à l'étranger et qui fit scandale en Russie, *La Russie et l'Église universelle*, a prôné l'union de l'« empire christophile des tsars russes » et de la « chaire de Pierre », centre de l'Église chrétienne. Sept ans plus tard, en 1896, il s'unit personnellement à l'Église de Rome. Cependant, en 1900, quatre ans après cette adhésion solennelle, Soloviev mourant a recours au ministère d'un prêtre orthodoxe pour recevoir les derniers sacrements.

Ce geste ultime représente-t-il un reniement du premier ? Est-il conciliable avec lui ? Et quelle est alors sa signification ? Telles sont les questions auxquelles Lev Gillet croit pouvoir apporter une réponse nouvelle.

Du côté des panégyristes catholiques de Soloviev, l'essentiel est sa « conversion » à l'Église catholique en 1896 : une conversion définitive. En recevant, à l'approche de sa mort, la communion d'un prêtre orthodoxe, le philosophe aurait seulement usé du droit accordé par les canons à tout fidèle catholique de recourir *in extremis*, en l'absence d'un ministre catholique, au ministère d'un prêtre orthodoxe.

À l'opposé, les admirateurs orthodoxes de Soloviev, tout en blâmant ou en regrettant le geste de 1896, en minimisent la portée. Il s'agirait d'un « incident », d'un « épisode » bientôt dépassé. Revenu de son enthousiasme procatholique, Soloviev serait mort en fils fidèle de l'Église orthodoxe et de cette Église seulement.

Les deux interprétations sont récusées par Lev Gillet qui les renvoie dos à dos. Elles ont en commun de voir en l'événement de 1896 une « conversion » au sens classique du terme : le *passage* d'une foi et d'une Église à une *autre* foi et à une *autre* Église. Or, dans la pensée et l'intention de Soloviev, tel n'était pas le cas, affirme Lev Gillet, en se fondant sur l'analyse des circonstances et de ce que l'on sait de l'état d'esprit de Soloviev à l'époque de sa réception dans l'Église catholique. Il en ressortirait que Soloviev, en 1896, n'a pas agi sous l'empire d'une ferveur unioniste passagère. C'est, au contraire, dans la période de déception qui a suivi celle-ci qu'il a posé son acte de façon consciente comme s'il avait voulu dire : « Au moment même où mes espoirs s'écroulent, où toute réunion en corps semble hors de question, où ceux vers lesquels je viens ne prêtent pas attention à ma voix, je tiens à montrer que j'espère contre toute espérance et que, fût-ce seul, je montre la route et fais ce qui dépend de moi [1]. »

L'acte posé consciemment par Soloviev en 1896, affirme Lev Gillet, ne signifiait nullement pour lui le *passage* [2] d'une foi et d'une Église à une *autre* foi et à une *autre*

1. À juste titre V. Soloviev se serait senti à cette époque incompris de ses interlocuteurs catholiques romains. – *La Russie et l'Église universelle*, p. 371-372.

2. C'est Lev Gillet qui souligne.

Église. « Il est clair que Soloviev n'a jamais pensé à une "conversion", à un "passage", ni même à une "réunion". Il a voulu reconnaître, constater, déclarer, professer solennellement une union qui, selon lui, existait déjà... Il ne s'agit pas de créer un état de choses nouveau, mais seulement d'admettre ce qui, en droit, n'a jamais cessé d'être » (*ibid.*, p. 373-374).

Soloviev, du reste, n'aurait jamais considéré que son acte pût lui interdire à l'avenir toute *communicatio in sacris* avec les orthodoxes. C'est dans cette perspective qu'il convient d'interpréter son recours, très conscient également, au ministère d'un prêtre orthodoxe au moment où il se sait atteint d'une maladie grave mais dont l'issue fatale ne fut pas subite et dont la durée aurait permis l'appel d'un prêtre catholique. En recevant sa dernière communion eucharistique d'un prêtre orthodoxe, Vladimir Soloviev n'a nullement eu l'intention de renier l'acte de 1896 : « jamais Soloviev n'a exprimé devant ses amis un regret ou un blâme pour son "acte" d'union. » Il « trouvait aussi légitime de recevoir les derniers sacrements d'un prêtre orthodoxe en 1900 que de se déclarer en union avec Rome devant un prêtre catholique en 1896. Pour lui, ces deux actes n'impliquaient aucune contradiction, ils étaient même complémentaires l'un de l'autre. Tous deux ils proclamaient, selon lui, l'existence d'une unité essentielle sous les divisions apparentes ; tous deux ils étaient l'anticipation d'une lumière totale qui abolit toutes les ombres, d'une Église universelle où Rome et l'orthodoxie se trouvaient intégrées » (*ibid.*).

Mais il y a plus. Considérant, non plus seulement les deux événements de 1896 et de 1900, mais la courbe entière de la vie terrestre et de l'évolution spirituelle de Soloviev, Lev Gillet croit y discerner une « série de purifications ». De l'idéologie d'un messianisme et d'un unionisme terrestre, telle qu'elle s'exprime dans *La Russie et l'Église universelle*, Soloviev passe à la vision mystique exprimée dans les *Trois dialogues sur l'Antéchrist*. L'union des chrétiens – peut-être des croyants de toutes les religions – y est envisagée comme un événement eschatologique. Ainsi « par une longue et douloureuse expérience », Soloviev se serait persuadé que « l'unité chrétienne ne sera le fruit ni des discussions théologiques, ni de négociations entre les hiérarchies ecclésiastiques, ni d'une alliance entre le sacerdoce et l'empire. Il avait trop longtemps prêté confiance à ces moyens trop humains. Enfin il a vu que l'unité doit être reportée à la fin des temps. La crise provoquée par l'Antéchrist sera le catalyseur. » Telle est l'idée que Soloviev, peu avant sa mort, a exprimé dans les *Trois dialogues sur l'Antéchrist* et dans le récit sur l'Antéchrist. « L'unité se fera, mais d'une manière imprévisible et transcendante, quand les Églises auront été purifiées et en quelque sorte fondues dans le creuset de la souffrance. Ces minorités souffrantes et "confessantes" représenteront un état de transfiguration par rapport à ce que sont les groupes chrétiens contemporains. Le pape Pierre II, le professeur Pauli et le *starets* Jean représentent bien le catholicisme romain, le protestantisme et l'orthodoxie orientale, mais un catholicisme, un protestantisme, une orthodoxie qui peuvent s'unir parce que déjà prévaut la lumière éternelle et parce que déjà est rejeté tout l'imparfait qui s'attache à l'existence terrestre et historique. L'union s'opère dans l'atmosphère du martyre et de la résurrection » (*ibid.*, p. 376-377).

Il ne saurait être question d'entrer dans une discussion sur la pertinence ou non de cette interprétation par Lev Gillet de l'itinéraire spirituel et œcuménique de Soloviev.

Cette interprétation ne nous intéresse ici que dans la mesure où Lev Gillet laisse entendre qu'il voit en Soloviev – œcuméniste – comme un *alter ego* dont il se fait le porte-parole. Bien entendu, il ne s'agit pas d'une identification littérale. Mais en expliquant correctement – croit-il – le sens donné par Soloviev à son adhésion au catholicisme romain, il indique la signification qu'il donne (qu'il a sans doute toujours donnée mais qu'il parvient seulement maintenant, à travers Soloviev, et au terme d'une expérience personnelle douloureuse, à articuler plus clairement) à sa propre adhésion à l'Église orthodoxe. Il ne se veut pas, il ne se sait pas *spirituellement* séparé de l'Église de son baptême. Entré dans la communion de l'Église orthodoxe pour obéir à un appel personnel et en vertu d'une décision prise en conscience, il anticipe, selon la position qu'il attribue aussi à Soloviev, une unité qui, au-delà des séparations historiques réelles qu'il ne s'agit ni de nier ni d'ignorer, existe déjà en Dieu, dans l'éternité divine. Sa situation paradoxale doit être déchiffrée à la lumière de l'*eschaton*, du royaume de Dieu à la fois encore à venir et déjà présent comme le dit Jésus à la Samaritaine au puits de Jacob (Jn 4, 5-42) : un passage de l'évangile de Jean que Lev Gillet ne cesse de méditer.

De cette perception d'une unité mystique, transhistorique, qu'il partage avec Soloviev, Lev Gillet, dans les conditions qui sont les siennes, ne tire pas les mêmes conclusions que ce dernier. Respectueux des règles canoniques, il ne se croit pas autorisé à pratiquer la *communicatio in sacris*. Mais pacifié et intérieurement libre, « libre croyant universaliste et mystique » (*ibid.*, p. 379) comme Soloviev, il s'est établi dans une attitude d'attente à la fois patiente et espérante. L'unité espérée, affirme-t-il, sera l'œuvre de Dieu et non le fruit de discussions et de négociations humaines. Elle se situe « au seuil même de l'Apocalypse ». Dans cette perspective eschatologique, l'« œcuménisme » de « Buchenwald et d'Auschwitz » lui paraît « plus profond que celui des grandes assemblées d'Amsterdam et de Lund, qu'il ne s'agit cependant pas de mépriser. En route vers le royaume éternel, les chrétiens, suggère-t-il, sont appelés à être attentifs aux signes du temps pour accueillir la grâce inattendue, offerte dans l'instant historique. » Paradoxalement, il pense qu'un de ces signes nouveaux pourrait venir de Rome, de cette Église dont la réalité historique dément trop souvent la vocation divine à une primauté d'amour. Le moine de l'Église d'Orient continue d'espérer d'elle « le fait nouveau qui peut produire une intervention divine » *(ibid.)*. Croyant pouvoir parler au nom de Soloviev, il exhorte les « orthodoxes et les évangéliques » [c'est-à-dire les protestants] à être attentifs à tous les mouvements de charité qui peuvent émaner de Rome » *(ibid.)*. Sans renoncer à ce qu'ils croient être la vérité de l'Évangile, « qu'ils prient pour Rome, afin que la grâce y produise des théophanies de charité et de lumière » *(ibid.)*.

La rédaction de cet article « Sur la signification de Soloviev » correspond à la période difficile ou, du moins, incertaine, que sont pour l'œcuménisme catholique les dernières années du pontificat de Pie XII. La publication presque simultanément, en 1950, de l'encyclique *Humani generis* et du dogme de l'Assomption de Marie irrite pour des raisons différentes les orthodoxes comme les protestants [3].

À la même époque, les théologiens catholiques les plus ouverts et les plus clairvoyants sont critiqués par Rome et souvent réduits au silence. Proche de cette avant-garde courageuse, en particulier de ses amis de Chevetogne, Lev Gillet compatit à ses épreuves. Son article veut être un appel à l'espérance adressé à tous. Il l'a rédigé à Jérusalem en juin 1953. C'est dans la lumière pentecostale de la Ville sainte, à laquelle il est toujours sensible, qu'il en a trouvé l'inspiration : une inspiration qui, après Vatican II, apparaît prophétique.

---

3. Pour les réactions à ces textes romains des milieux œcuméniques, voir É. FOUILLOUX, *Les Catholiques et l'Unité chrétienne*, Éd. du Centurion, p. 907-917.

CHAPITRE IX

LONDRES, JÉRUSALEM, PARIS

Depuis que Lev Gillet a fait son deuil du projet d'installation permanente au Liban, son existence se partage entre des périodes sédentaires en Grande-Bretagne et des périodes voyageuses en Orient : mot magique qui cristallise ses nostalgies. Les séjours à Beyrouth « deviennent une habitude ». Il se rend également en Égypte, à Alexandrie et au Caire. Plus que tout autre lieu, Jérusalem – où, écrit-il, mon cœur se fixe de plus en plus [1] – l'attire.

Ses escales en Égypte sont l'occasion d'entrer en relation avec des chrétiens coptes. Bien avant d'autres, Lev Gillet discerne l'importance du renouveau spirituel, tel qu'il se manifeste dans ce milieu sous l'influence de quelques grands moines. Il semble avoir connu personnellement le spirituel copte P. Matta el Meskine dont le Fellowship de Saint-Alban et Saint-Serge – sur son instigation – éditera la brochure *Christian Unity by a Coptic Monk*.

Dans une direction différente, il sympathise également avec de jeunes intellectuels égyptiens qui, parlant les langues européennes, aspirent à une rencontre en profondeur avec l'Occident. C'est à leur demande qu'il accepte de collaborer, par un article, à l'ouvrage collectif

1. Lettre du 17 juin 1951 à E.B.S.

Vues sur Kierkegaard publié au Caire à l'occasion du centenaire de la mort du penseur luthérien danois [2].

En Kierkegaard, l'homme qui « a une fois vu, une fois senti quelque chose de si incomparablement grand que tout le reste, en comparaison, semble n'être rien, quelque chose qu'on n'oublie jamais, même si on en oublie, toutes les autres choses », Lev Gillet – citant cette phrase du *Journal* de l'écrivain – reconnaît un frère. Il voit en lui surtout un « éveilleur ». Les plaçant devant des options décisives, Kierkegaard « a enlevé des théologiens et des philosophes à un contentement superficiel. Barth, Chestov, Heidegger, Jaspers, Sartre portent sa marque *existentialiste* ». Mais « resté luthérien jusqu'à la moelle », non seulement quant aux grandes affirmations positives du luthérianisme mais en ce qui concerne aussi son aspect « négatif », le penseur danois se situe pour Lev Gillet, en marge de « la longue tradition à la fois *évangélique, catholique* et *orthodoxe* [de l'Église] » : une tradition qui repose sur les Écritures inspirées, sur l'enseignement des conciles et des Pères de l'Église et sur l'exemple des saints (*ibid.*, p. 91-92).

Kierkegaard, affirme Lev Gillet, est un « théologien, dans la *coupure* ». Proclamant une hétérogénéité radicale entre l'homme et Dieu, il se meut dans une atmosphère tragique de « crainte et tremblement ». Il a manqué à Kierkegaard « de connaître le mystère de l'Église et la communion des saints ». « Pèlerin souffrant, marchant dans les ténèbres », il a eu le tort « de faire des difficultés », des embarras subjectifs et toujours extrêmes dont il a lui-même souffert, « les conditions nécessaires à tout acte de foi » (*ibid.*, p. 94). Au subjectivisme romantique de Kierkegaard, à ses « nuages orageux » et à toute l'école tragique et pathétique issue de lui et notamment au

2. *Vues sur Kierkegaard* réunies par Georges HENEIN et Magdi WAHBA, Le Caire, « La Part du sable », 1955. Parmi les autres collaborateurs occidentaux, on trouve Jean Wahl, Yves Bonnefoy, Léon Zander. L'article signé Lev GILLET est intitulé : « Dieu est lumière », p. 91-97.

jargon barthien, qui l'agace, Lev Gillet oppose le message de la première épître de saint Jean : « voici le message que nous avons entendu de lui et que nous déclarons, c'est que Dieu est lumière et qu'en lui il n'y a aucune obscurité » (*ibid.*, p. 95).

Prise de distance « catholique » par rapport aux théologies « existentielles » dont il a subi l'attrait quelques années plus tôt, réaction, en partie épidermique, à la théologie barthienne de la crise qui triomphe dans beaucoup de milieux intellectuels chrétiens, la profession de foi de Lev Gillet est aussi une manière d'exorciser le Kierkegaard déchiré qu'il porte en soi. Lui aussi connaît les déchirements et les crises. Mais au-delà, comme Pascal qu'il cite, il a connu comme ce dernier, « la joie, les larmes de joie », la paix divine qui est au-dessus de toute intelligence : la démarche confiante de la foi qu'il s'agit de ne pas confondre avec « un saut dans l'absurde » (*ibid.*, p. 93).

Un an plus tôt, en 1954, Lev Gillet a déjà donné au même groupe de jeunes intellectuels égyptiens un texte sur Franz Kafka. L'article ouvre un cahier consacré à l'écrivain juif pragois à l'occasion du trentième anniversaire de sa mort [3]. En référence à l'avant-dernier chapitre du roman *Le Procès*, l'article est intitulé « Dans la cathédrale ». Se substituant en quelque sorte au prêtre qui, dans le roman, du haut de la chaire, adresse au héros – c'est-à-dire à Kafka lui-même – un discours élevé mais obscur, un discours qui, par conséquent, ne peut en rien l'aider, Lev Gillet tente de comprendre la quête spirituelle à la fois désespérée et infiniment espérante de l'écrivain. Il éprouve pour ce dernier une immense sympathie. En fait, il s'identifie à Kafka dont le destin lui paraît marqué, d'une part, par de grandes difficultés d'ordre psychologique dont il n'est pas responsable, d'autre part, transcendant ces difficultés subjectives, par une quête spirituelle authentique. Le désespoir de Kafka

3. *Allusion à Kafka*, Le Caire, « La Part du sable », juin 1954.

est comparable pour Lev Gillet aux « nuits » des grands mystiques, tel saint Jean de la Croix. « Il ne lui fut pas donné de déboucher en pleine lumière, de passer de la nuit à l'union mystique. Il mourut dans le tunnel. Mais ses ténèbres n'étaient pas sans un avant-goût et un pressentiment de la lumière. Il voyait l'aube blanchir. Il attendait la Présence qu'il ne nommait pas, sur laquelle il ne dogmatisait pas, mais qui est, il le savait bien, la Présence totale et libératrice [4]. »

À la place du prêtre sans amour, Lev Gillet, prêtre lui aussi mais qui aime Kafka, « le remet à la tendresse infinie »... C'est quand toutes les portes de la nuit se ferment que s'ouvre celle du Bien-Aimé, telle est sa conclusion, et son espérance.

Toutes les terres bibliques, le Liban, l'Égypte, et les hommes qui les habitent sont chers à Lev Gillet, mais plus que tout autre l'est pour lui, Eretz Israël : terre de la Promesse, sanctifiée pour les chrétiens par la vie terrestre du fils de Dieu fait homme, terre sainte également pour les Arabes musulmans qui l'habitent depuis des siècles, pour Lev Gillet lui-même le lieu de cette rencontre sans cesse renouvelée avec le Seigneur à laquelle il se sent appelé. Toute occasion est bonne pour y revenir, cela malgré les conflits politiques qui déchirent la contrée. Venant de Beyrouth ou y retournant, muni d'un passeport qui porte le visa de pays arabes, la partie israélienne du territoire lui est en principe interdite. À deux reprises, il parvient cependant à se rendre en Galilée.

En décembre 1951, au cours d'un périple mouvementé en Méditerranée orientale – tempête, arraisonnement du paquebot *Le Champollion* sur lequel il se trouve embarqué par une vedette militaire israélienne – il bénéficie d'une escale forcée à Haiffa. Elle lui permet de se rendre en Galilée. Là, au bord du lac de Tibériade, « quelque part entre Magdala et Capernaum », il ressent

4. *Allusion à Kafka*, p. 17.

de nouveau l'« ineffable paix » dont le sentiment l'a submergé, seize ans plus tôt. Une nouvelle fois, en 1960, il vit une expérience analogue. Cependant, progressivement, c'est Jérusalem qui prend la première place dans sa vie spirituelle.

En 1935, la Ville sainte lui avait fait une impression de dureté : « Jérusalem, toi qui tues les prophètes et qui lapides ceux qui te sont envoyés ! » (Mt 23, 37). Cette lamentation sur elle de Jésus, il l'avait fait sienne. Maintenant, la Ville sainte l'émeut tout autrement. Il confie à son amie : « Jérusalem, chaque fois que je m'y rends, me bouleverse par son humble tendresse d'aïeule, sa misère humaine et sa force [5]. »

Politiquement, la ville est divisée à cette époque en deux parties : d'un côté, à l'est, sous l'autorité jordanienne, la vieille ville arabe, ceinte de ses remparts ocre et rose, englobe le Saint-Sépulcre, la *Via dolorosa*, mais aussi le Mur des lamentations et l'esplanade du Temple avec la mosquée d'Omar et la mosquée du Roc. De l'autre côté, à l'ouest, dominée par le mont Scopus, la Jérusalem israélienne. Entre les deux parties existe encore virtuellement l'état de guerre. Des coups de feu sont échangés. Un jour des obus de mortiers endommageront gravement les locaux autour de Christ Church – l'église anglicane – que Lev Gillet vient juste de quitter.

Moine orthodoxe, rattaché canoniquement au patriarcat œcuménique de Constantinople, Lev Gillet entretient des relations déférentes avec le patriarche de Jérusalem auquel, lors de ses passages, il rend régulièrement visite. Il compte aussi quelques connaissances parmi les moines grecs de la confrérie du Saint-Sépulcre. Mais pratiquement, il se meut surtout dans les milieux anglicans. Il est particulièrement lié avec le P. Edward Every, recteur de la paroisse anglicane de Jérusalem qui est un membre du Fellowship de Saint-Alban et Saint-Serge. L'épouse du P. Every travaille comme médecin au service de

5. Lettre du 3 août 1953 à E.B.S.

l'UNWRA, l'organisation d'aide aux réfugiés palestiniens des Nations unies. À l'époque des milliers de ces réfugiés végètent dans des camps sommairement édifiés dans la banlieue de Jérusalem et autour de Jéricho. Accompagnant Mrs. Every, Lev Gillet pénètre parfois dans ces camps. Le spectacle de l'immense misère de ces hommes, femmes et enfants, chassés de leurs foyers à la suite de la guerre arabo-israélienne de 1945, l'émeut profondément. Parlant de leur détresse, il évoque dans ses lettres les larmes d'Agar chassée de la maison d'Abraham, pleurant sur Ismaël qui meurt de soif dans le désert. L'injustice faite aux Palestiniens le renforce dans son opposition à la politique du gouvernement israélien. Il se montre à son égard d'autant plus sévère qu'il a cru et continue de croire à la vocation spirituelle d'Israël selon lui trahie par l'État qui porte ce nom. Comme Louis Massignon dont il se sent proche, il garde cependant des relations amicales avec quelques intellectuels juifs : les Martin Buber, Gershom Scholem qui, groupés autour du recteur Magnes de l'université hébraïque de Jérusalem, continuent de rêver d'une coexistence pacifique, sur la même terre, des Juifs et des Arabes palestiniens.

Quelquefois, Lev Gillet disparaît pendant quelques jours. Ses amis anglais le soupçonnent de franchir clandestinement, par quelque moyen inconnu d'eux, la ligne de démarcation entre les deux parties de Jérusalem. On n'ose pas lui poser de questions à ce sujet. Vraie ou fausse, cette légende paraît assez caractéristique du personnage.

Attentif aux événements politiques, Lev Gillet se rend cependant à Jérusalem essentiellement en pèlerin. Chaque séjour dans la Ville sainte est pour lui un événement spirituel. Il y ressent, sous le souffle de l'Esprit, la présence de Jésus. Le Christ lui dit des paroles ineffables perçues par l'ouïe du cœur. Son livre *Jésus. Simples regards sur le Sauveur* – l'ouvrage qui rendra le moine de l'Église d'Orient célèbre – a été en grande partie conçu et écrit à Jérusalem.

L'un des lieux où il aime se rendre pour méditer et prier est la *Garden Tomb* : un tombeau creusé dans le roc entouré d'un jardin paisible aux portes de la vieille cité. Cette cavité rocheuse, selon les archéologues, pourrait être une tombe datant du Ier siècle de l'ère chrétienne, semblable à celle où Joseph d'Arimaschée, selon les évangiles, déposa le corps de Jésus : une colline proche est identifiée par certains au Golgotha.

De là à émettre l'hypothèse que la Tombe du jardin est l'authentique Saint-Sépulcre, il n'y a qu'un pas qu'osent franchir quelques archéologues opposés à la Tradition. À ce débat, Lev Gillet reste totalement étranger. Ce qu'il trouve en ce lieu, c'est une inspiration. Priant ici, il s'identifie à Marie de Magdala qui, le matin de Pâques, reconnaît Jésus quand il l'appelle par son nom (Jn 20, 16). En cette femme qui, selon l'expression de Renan, « a jeté dans le monde une émotion dont nous vivons encore [6] », il discerne le « vrai disciple » qu'il voudrait être lui-même, malgré ses défaillances. Associé, non historiquement mais spirituellement à cette Marie « de laquelle étaient sortis sept démons » (Lc 8, 2) et à la pécheresse qui inonde de ses larmes les pieds de Jésus (mais aussi à Marie de Béthanie), « Marie du jardin de Pâques » est pour lui l'indication d'une « voie spirituelle » : « la voie de Magdala, un long et passionné itinéraire d'amour » qui est peut-être le sien. Le fruit de cette méditation est un poème en prose publié dans la revue *Contacts* : « Le nom propre, le mot unique prononcé dans le Jardin de Pâques, était une consécration, un sceau apposé sur un long et passionné itinéraire d'amour, quoi qu'il en soit du problème historique des "trois Marie", Marie dans le jardin, entendant son nom, pouvait revivre les étapes de la "Voie de Magdala", les larmes lavant

6. Lev Gillet, « Jésus lui dit "Marie" », *Contacts,* nº 100, 1977-4, p. 264. Les citations qui suivent sont toutes empruntées au même article qui fut la contribution du P. Lev Gillet à un numéro spécial de la revue *Contacts* consacré au thème « La Femme ».

les pieds du Sauveur, la chevelure qui les essuie, l'onction d'huile sur la tête du Christ, l'"Oint", le vase brisé et le parfum répandu, les aromates portés au Sépulcre, le choix de la meilleure part aux pieds du Maître, la première vision du Ressuscité. Marie de Magdala, apprends-moi ces choses. Tu t'es définitivement engagée lorsque tu te joignais au groupe de femmes qui suivaient Jésus. Elles le suivirent plus fidèlement que les apôtres (un excepté, en qui vivait aussi l'âme de Magdala). Mets-moi aux écoutes du mot unique, de l'appel nominal et personnel que Jésus me réserve et qu'il prononce jour après jour, heure après heure, et qu'il prononcera jusqu'à l'instant où il me sera peut-être donné de vraiment aimer, Celui que tu as tant aimé... Que je renonce à tout si Lui prononce mon nom » (*ibid.*, p. 263).

En ces années 1950 où l'existence de Lev Gillet est partagée entre Londres et Oxford, d'une part, Beyrouth et Jérusalem, de l'autre, les problèmes de l'orthodoxie en France – ceux de l'insertion de l'Église orthodoxe à la fois dans le tissu culturel d'un vieux pays chrétien occidental et en celui de la modernité occidentale contemporaine –, ces problèmes pour lesquels il s'est jadis passionné, semblent maintenant très éloignés des préoccupations du moine de l'Église d'Orient. Au naufrage de son ministère parisien ne paraissent avoir échappé que quelques amitiés auxquelles il reste fidèle.

Chaque fois qu'il se rend en Orient par voie maritime (c'est le cas le plus souvent), Lev Gillet traverse la France du nord au sud pour s'embarquer à Marseille. Il refait le même trajet à son retour. Chaque fois, il s'arrête pendant quelques jours à Grenoble pour revoir son frère. Une halte à Paris est aussi généralement au programme, mais uniquement pour revoir quelques amis, tels Vladimir et Madeleine Lossky, Paul Evdokimov, ou encore Marguerite Zagorovsky, membre du conseil de son ancienne paroisse. Fidèle entre les fidèles, cette vieille amie rêve de faire renaître la première communauté française. Épouse du président laïc de la paroisse russe de la cathédrale Saint-Alexandre-Nevski, elle exerce dans ce milieu une discrète influence. Mais Lev Gillet paraît se désintéresser de ce projet. Pour sa réalisation, il renvoie à un prêtre plus jeune, le P. Valentin de Bachst [7]. Désormais canoniquement rattaché à l'exarchat grec en Grande-Bretagne du patriarcat œcuménique, il prétend n'avoir plus guère de relation avec la Rue Daru : l'exarchat russe du patriarcat œcuménique en France et en Europe occidentale. La page franco-russe parisienne de sa vie paraît définitivement tournée. Peut-être s'agit-il surtout pour lui de ne pas toucher à une ancienne blessure ? Paris qu'il a jadis aimé lui inspire maintenant une appréhension passionnée et irrationnelle. Il prétend n'en pouvoir supporter plus de deux ou trois jours « l'atmosphère pernicieuse ». Les Parisiens de l'après-guerre lui paraissent grossiers. Leurs visages, selon lui, ont une expression hostile et fermée. « Néfaste Paris », « Paris où l'on parle trop et à trop haute voix », « Paris qui, en comparaison de Londres et Oxford est pour moi un cauchemar », telles sont des expressions glanées dans les lettres de cette époque. Pourtant, il revient régulièrement à Paris, du moins pour quelques heures. Et soudain, comme le retour d'un refoulé, éclate l'aveu. De Jérusalem où il vient de fêter Noël, Lev Gillet écrit à son amie : *quelquefois, je me dis que j'aimerais de nouveau célébrer une liturgie en français, à Paris, pour faire revivre ce lointain passé.* [Mais aussitôt d'ajouter :] *Il est trop tard, je suis trop vieux. Et comme tout cela paraît inexistant ici, à l'ombre de Gethsémani et du Golgotha* [8].

Le choc psychologique qui a permis à l'aveu de monter aux lèvres, est un entretien que Lev Gillet vient d'avoir, quelques jours plus tôt, avec le patriarche Athenagoras. Pour celui qui, depuis 1948, occupe le trône du patriarcat

7. Voir plus haut p. 278. Luthérien entré dans la communion de l'Église orthodoxe, le P. Valentin de Bachst a assumé en relation avec le Cimade, animé d'un immense dévouement, la pastorale des orthodoxes disséminés en France pendant et après la Seconde Guerre mondiale.

8. Lettre du 11 janvier 1955 à E.B.S.

œcuménique de Constantinople, il éprouve – cela ressort dans ses lettres – une immense admiration. Athenagoras est pour lui le « grand évêque capable de mettre fin à l'enfermement historique de l'Église orthodoxe ». Plaçant en lui l'espoir d'une réconciliation authentique entre les Églises sœurs d'Orient et d'Occident – une réconciliation dont bénéficieraient aussi les autres Églises et, en particulier, les communautés issues de la Réforme du XVIe siècle –, il rêve de passer à son service direct.

On ignore à quel moment exact Lev Gillet est entré en relations personnelles avec le patriarche. Il semble déjà le connaître quand ce dernier le convoque à Istanbul à la fin de décembre 1954. L'entretien porte d'une part sur le dessein œcuménique d'Athenagoras qui ne pourra prendre corps qu'après le concile de Vatican II, mais surtout sur les « affaires orthodoxes françaises », celles, en particulier, qui concernent la communauté issue de Mgr Winnaert, à présent dirigée par l'archiprêtre Evgraf Kovalevsky.

Le patriarche Athenagoras n'ignore pas les liens qui existaient entre le groupe Winnaert et Lev Gillet venu, en 1935, plaider sans succès, la cause du groupe auprès du Patriarcat œcuménique. Il voudrait connaître l'opinion de ce dernier sur le successeur de Winnaert qui, à son tour, frappe à la porte du *primus interpares* au sein de la communion orthodoxe. De son côté, Lev Gillet n'a jamais totalement perdu de vue celui qui reste pour lui « Grafchik », le « jeune homme riche » qu'il a aimé du premier regard quand il l'a rencontré un jour de novembre 1928, rue de Crimée à Paris.

Depuis la grande séparation de la guerre, Lev Gillet n'a guère eu de relations directes avec Evgraf [9]. Mais par des amis communs, en particulier Vladimir Lossky

9. Les deux hommes se sont pourtant rencontrés en 1947 quand le P. Kovalevsky accompagné par Mme Yvonne Winnaert a participé à une conférence d'été du Fellowship de Saint-Alban et Saint-Serge. Une autre rencontre semble avoir eu lieu au foyer d'étudiants fondé par le P. Kovalevsky à Colombes, près de Paris vers 1930.

et moi-même, il n'a cessé de suivre, avec à la fois sympathie et inquiétude, l'itinéraire mouvementé de la « mission orthodoxe française » animée par le P. Kovalevsky.

L'expérience de la guerre de 1939-1945 où, mobilisé dans l'armée française et fait prisonnier, il a connu plusieurs années de captivité en Allemagne, a fait du jeune prêtre russe un autre homme. Il se sent très proche maintenant du peuple français dont il a partagé les épreuves : des épreuves dont il est sorti fortifié et plein de grands espoirs.

Dès son retour à Paris, en 1944, Evgraf s'attèle à la réalisation d'un grand dessein. À partir des vestiges de l'Église indivise préservés dans la conscience profonde de la France très chrétienne – vestiges qu'il faut redécouvrir et déterrer comme le talent enfoui sous terre de la parabole évangélique – il s'agirait d'édifier une Église orthodoxe authentiquement française et occidentale. Cette utopie exaltante, il la partage avec quelques amis : son frère Maxime Kovalevsky, musicologue de grand talent, avec Vladimir Lossky, le théologien de la bande, avec d'autres hommes et femmes souvent d'origine russe mais, comme lui, inculturés en France, tout en gardant des liens avec la prophétique pensée religieuse russe du début du XXe siècle. Ainsi est née la « mission orthodoxe française ». Officiellement rattachée à ce qui subsiste de la communauté de Mgr Winnaert reçue, en 1936, dans le patriarcat de Moscou, elle est pratiquement animée par Evgraf Kovalevsky et ses proches. En quelques années le groupe réussit à créer non seulement une paroisse de langue française, mais un institut de théologie orthodoxe, l'Institut Saint-Irénée dont l'enseignement est dispensé en français. La tendance du P. Evgraf est à l'ouverture la plus large possible. Parmi les enseignants de l'Institut Saint-Irénée on trouve non seulement des Français d'origine et de culture russes comme Vladimir Lossky et le Pr V. N. Iljine (qui a longtemps enseigné à l'Institut Saint-Serge), mais aussi des Occidentaux comme l'archimandrite belge Alexis Van der Mensbrugghe, un ancien moine d'Amay-sur-Meuse, entré dans la communion de l'Église orthodoxe, et le philosophe Gabriel Marcel ainsi que l'écrivain Marie-Madeleine Davy. Dom Lambert Beauduin accepte d'y donner des conférences.

La Mission orthodoxe française et l'Institut Saint-Irénée ont bénéficié jusqu'en 1953 de la protection du patriarcat de Moscou auquel ils sont canoniquement rattachés. Cependant, progressivement, les relations se sont tendues entre le P. Evgraf qui aspire à une totale autonomie et l'administration diocésaine en France de l'Église russe. Attisés par des rivalités personnelles entre clercs, divers conflits éclatent au cours des années 1951-1952. Ils sont en partie dus à l'impatience et à l'indiscipline du P. Kovalevsky, autour duquel ses admirateurs et admiratrices ont créé un culte auquel il a la faiblesse de se prêter. Mais ils s'expliquent aussi par l'incompréhension manifeste concernant « le grand dessein » de la lointaine hiérarchie russe. En janvier 1953, l'« *ecclesiola* evgrafienne » prend la décision, lourde pour elle de conséquences et qui va compromettre tout son avenir, de quitter l'obédience du patriarcat de Moscou.

Les voilà posés en l'air ! Qui voudra les recevoir ? s'écrie le Père Lev Gillet consterné en apprenant la nouvelle [10].

De loin, s'informant auprès d'amis communs, il a suivi l'affaire evgrafienne. Au « trop impétueux Evgraf », il a, par lettres, prodigué des conseils de prudence et de modération qui n'ont pas été suivis. Comme il l'a prévu, le P. Evgraf et ses fidèles vont connaître, privés de légitimité canonique, une longue traversée du désert. Sollicitées par eux, aucune des grandes Églises orthodoxes ne se montre prête a accueillir le groupe en souscrivant

10. Lettre du 2 février 1953 à E.B.S. Sur l'histoire de ces conflits et sur les origines de l'ECOF (Église catholique orthodoxe de France), consulter l'étude polycopiée d'Alexis VAN BUNNEN, *Une Église orthodoxe de rite occidental : l'Église catholique-orthodoxe de France*, Louvain-la-Neuve, 1981 ; les ouvrages très partiaux sur le même thème de Vincent Bourne fournissent des indications précieuses mais doivent être utilisés avec précaution.

aux prétentions immodérées posées par ce dernier : intégration en tant qu'entité ecclésiale autonome utilisant un rite qui lui est propre, dit « rite des Gaules », sacre épiscopal du P. Evgraf.

Après l'échec d'une tentative de réception par l'archevêque Vladimir qui a succédé au métropolite Euloge, les Français font le tour des patriarcats traditionnels : Antioche, Alexandrie et Constantinople. En octobre 1954, une délégation de la Mission orthodoxe de France s'est rendue à Constantinople. Poliment reçue, elle n'a obtenu aucune assurance concrète concernant un éventuel accueil. Des lettres ont été échangées. C'est dans ce contexte que Lev Gillet a été appelé en consultation par le patriarche Athenagoras. Tout porte à penser qu'il s'est exprimé de façon objective, reconnaissant les imprudences du P. Evgraf, ses manquements à la discipline ecclésiastique tout en se montrant cependant prudemment favorable à l'accueil du groupe par le patriarcat œcuménique [11]. Discernant ce qu'il nomme « le génie »

---

11. Pour comprendre les relations entre le futur évêque Jean de Saint-Denis (*alias* Evgraf Kovalevsky) et le P. Lev Gillet, il peut être utile de citer une longue lettre de ce dernier où il s'exprime librement à propos du « fils » qu'il continue d'aimer et pour lequel il continue d'espérer un avenir digne de sa vocation profonde : *Je vous dirai mon opinion sur Evgraf. Je vois clairement les déficiences et les déviations, mais je suis porté à les interpréter moins défavorablement qu'on ne le fait. Il y a deux points douloureux dans l'histoire publique d'Evgraf (s'il y a des chapitres secrets de cette histoire, je les ignore et préfère les ignorer). Tout d'abord Evgraf a parfois donné l'impression que, pour lui, la fin justifie les moyens et qu'il n'hésite pas à user de moyens regrettables. Mais je ne crois pas que ce soit en lui l'effet d'une détermination cynique. Je dirai plutôt que l'excellence de certains buts l'éblouit à tel point, qu'elle l'aveugle, trouble son jugement, fausse son optique. Il fonce vers le but sans regarder autour de lui, sans faire attention à ce qu'il foule aux pieds. C'est une sorte d'extase et d'ivresse. Mais il n'y a pas d'hypocrisie. L'intention* première *reste droite. Le deuxième point est l'ambition « cléricale »... Mais ce n'est pas, me semble-t-il, l'ambition vulgaire de l'arriviste et du vaniteux. Evgraf ne cherche ni argent, ni confort, et il est trop intelligent pour ne pas savoir exactement ce que valent les « honneurs ». Alors quoi ? Il y a là un homme qui désire de grandes choses, des choses bonnes, et qui voit très bien ce qu'une certaine extension de pouvoir lui permettrait de réaliser. Il tend naturellement – et avec son impétuosité habituelle – vers cette élévation. Je reconnais que c'est choquant. Mais là encore, je ne doute pas de l'intention* généreuse *qui est au point de départ et je suis persuadé*

d'Evgraf, ses charismes personnels, il désire ardemment pour lui une sortie « par le haut » de l'impasse où l'on acculé ses erreurs.

Le lendemain de son entretien avec le patriarche Athenagoras, Lev Gillet est reçu par le secrétaire du Saint-Synode, le métropolite de Philadelphie qui y a assisté. Ce dernier laisse entendre qu'une solution positive du problème posé par le groupe orthodoxe français serait envisageable à condition que lui, Lev Gillet, en assume la responsabilité. Dans ce cas, il devrait accepter d'être élevé à la dignité épiscopale. Lev Gillet se récuse. L'épiscopat, déclare-t-il, ne lui semble pas être dans la ligne de sa vocation personnelle. Les choses en restent là [12]. Mais l'incident laissera une trace.

Revenu à Jérusalem, Lev Gillet tombe assez sérieusement malade. Fin janvier, il est de retour à Londres où il reprend ses activités habituelles. Dans une lettre au P. Evgraf Kovalevsky, il lui fait part de ses impressions constantinopolitaines, lui conseillant de se montrer humble et patient : un conseil, comme d'habitude, ironiquement rejeté par ceux – Evgraf et son proche entourage – auxquels il est adressé [13].

---

que, si Evgraf atteignait la situation qu'il désire... son action serait à certains égards libératrice et inspiratrice... Sans jutifier tout ce qu'a fait Evgraf – loin de là ! – je serais heureux de le voir s'évader « par en haut » de son impasse actuelle, et de devenir ainsi « capable de rendre des services proportionnés à ce qu'il y a en lui de meilleur et (j'oserai dire) de génial. On a le droit d'attendre de lui de grandes choses. Il se peut d'ailleurs que ses épreuves présentes soient un creuset purifiant. Jacob, soit chez son père, soit chez son beau-père, n'a pas agi en être candide. Mais un jour vint où, ayant lutté avec l'ange au gué de Jabbok, il sortit de cette épreuve blessé mais transformé » (lettre du 16 février 1954 à E.B.S.).

12. Des détails concernant ces conversations sont exposés dans une lettre adressée par Lev Gillet à E.B.S. seize mois plus tard (29 avril 1956) à l'occasion d'un rebondissement de l'affaire evgrafienne.

13. Vincent BOURNE, *La Divine Contradiction*, Paris, Éd. Présence orthodoxe, 1978, t. II, p. 229.

CHAPITRE X

UN NOUVEAU MINISTÈRE EN FRANCE ?

Parmi les partisans d'une orthodoxie francophone et occidentale, Paul Evdokimov est l'un de ceux avec lesquels Lev Gillet, après la guerre, est de nouveau entré en relations. Les deux hommes ont toujours été particulièrement proches. Dans le courant du printemps ou de l'été 1955, Evdokimov – Pavlik comme nous l'appelions – fait part à son ami du projet d'ouverture à Paris d'un « Centre d'études orthodoxes » où l'enseignement serait dispensé en langue française. À l'origine de cette initiative se trouvent lui-même et Léon Zander. Tous deux sont professeurs à l'Institut de théologie orthodoxe Saint-Serge, et déplorent que l'enseignement continue d'y être donné uniquement en langue russe : un conservatisme qui peut s'expliquer par le souci de préserver une certaine identité mais qui décourage d'éventuels étudiants francophones et nuit au rayonnement de cette unique école théologique orthodoxe en Europe occidentale. Evdokimov et Zander demandent le concours de Père Lev. Accepterait-il de donner quelques cours ou conférences dans le cadre de ce nouveau centre universitaire orthodoxe ? Après quelques hésitations, Lev Gillet donne une réponse positive. En conséquence de quoi, le programme du Centre pour l'année universitaire 1955-1956 annonce pour janvier 1956 trois conférences du « révérend Père Lev Gillet » sur la notion du nom de Dieu et la tradition de la prière « perpétuelle ». En fait, il s'agit du thème de la prière de Jésus. Lev Gillet est anxieux. Annonçant la nouvelle à son amie, il ajoute : *Le retour au Paris orthodoxe, après une absence de 17 ans m'effraie. Puis-je encore donner quelque chose* [1] ?

Ainsi, pour la première fois depuis la grande séparation, surmontant ses appréhensions, il envisage des retrouvailles avec ce Paris orthodoxe qu'il aime et qu'il redoute ; source de troubles qui menacent une paix intérieure fragile. Mais une secrète nostalgie n'a-t-elle pas préparé le terrain pour ce retour ?

À l'Institut Saint-Serge, Léon Zander et Paul Evdokimov, de façon différente, s'efforcent de préserver l'héritage spirituel du P. Serge Boulgakov. Tous deux ont hérité et de son ouverture œcuménique et de sa vision universaliste *catholique* de l'Église. Tous deux sont attachés à l'idée d'une « orthodoxie occidentale » qu'ils se sentent appelés à promouvoir. Le terme « orthodoxie occidentale » n'a cependant pas pour eux la même signification. Pour Zander, proche de certains milieux luthériens et anglicans qui s'intéressent à l'orthodoxie, il s'agit avant tout de « rendre l'orthodoxie compréhensible aux Occidentaux ». D'une meilleure compréhension et d'une sympathie mutuelle pourrait résulter une osmose spirituelle en l'absence de liens institutionnels. Dans la brochure *L'Orthodoxie occidentale* dont il est l'auteur, Zander évoque une « Orthodoxie en dehors des murs de l'Église [2] ».

Pour Paul Evdokimov, le problème se pose à l'intérieur de l'Église orthodoxe historique. Russe, devenu un théologien et un écrivain d'expression française, père d'enfants dont le français est la langue maternelle, il aspire à l'inculturation de l'Église orthodoxe en France. Elle lui apparaît comme une nécessité historique et une tâche pastorale. À partir de groupes d'émigrés multiethniques venus de pays où l'orthodoxie est la forme traditionnelle du christianisme, il s'agit, sans prosélytisme agressif, en

1. Lettre du 2 décembre 1955 à E.B.S.

2. Léon ZANDER, *L'Orthodoxie occidentale,* Paris, Éd. du Centre d'études orthodoxes, 1958, p. 9.

témoignant de l'universalité du message de l'Église indivise, de bâtir une Église orthodoxe locale intégrée au tissu de la culture occidentale et particulièrement à celui de la culture française. Tel était déjà le grand dessein de la minuscule paroisse orthodoxe française d'avant la guerre. Il est à l'horizon de l'invitation que Paul Evdokimov a adressée à son vieil ami, le P. Lev Gillet.

Pendant son séjour parisien en janvier 1956 et d'autres qui suivront, Lev Gillet est l'hôte de la Cimade [3] au foyer d'étudiants de Sèvres dirigé par Paul Evdokimov et Tomoko, sa jeune épouse. Organisation œcuménique marquée par le protestantisme, la Cimade, pendant la guerre sous l'occupation allemande, a été en France à l'avant-garde de la minorité qui s'efforçait de sauver le plus de juifs possible du génocide.

Après la guerre, elle s'est spécialisée dans l'accueil des « personnes déplacées », comme on désigne les réfugiés provenant alors surtout des pays d'Europe de l'Est annexés par l'URSS ou tombés après Yalta dans sa zone d'influence. Des victimes d'autres régimes en Amérique latine leur succéderont. Les « équipiers » de la Cimade sont pour la plupart d'origine protestante. Mais on compte parmi eux aussi des catholiques et quelques orthodoxes. Lev Gillet apprécie le travail pratique d'entraide accompli par la Cimade dans la ligne Life and Work, du Mouvement œcuménique naissant. Les étudiants du foyer de Sèvres ont aménagé une « chapelle œcuménique » où, dès ce premier séjour, Père Lev est invité à célébrer la liturgie orthodoxe selon saint Jean Chrysostome, en langue française.

On lui demande également de prendre la parole dans le cadre des réunions d'un cercle de réflexion interconfessionnel organisé par la Cimade parisienne. Revenant désormais régulièrement à Paris, il deviendra, pendant quelques années, l'un des piliers de ce groupe, dialoguant

3. Le sigle Cimade est formé à partir des initiales de l'appellation Comité inter-mouvements d'aide aux personnes déplacées.

avec des œcuménistes, tels le pasteur Hebert Roux et le dominicain Irénée Dalmais. C'est à l'occasion d'une de ces réunions qu'il donne en 1960 une conférence – remarquable par sa lucidité – sur « les difficultés de croire de l'homme contemporain ».

D'une façon générale, Père Lev se sent bien accueilli dans le milieu protestant français dont Paul Evdokimov est proche. Écrivant à son frère, il lui signale, avec un brin de fierté, qu'il a été l'hôte à déjeuner du pasteur Marc Boegner, président de la Fédération protestante de France qui s'est longuement entretenu avec lui. Cependant l'aspect le plus émouvant de ce « retour » à Paris, ce sont ses retrouvailles avec les survivants de la première paroisse orthodoxe française. Ils ne l'ont pas oublié. Le temps ne serait-il pas venu, plaident-ils, de reprendre, dans des conditions nouvelles plus favorables cette première expérience positive ? À ce sujet et de nouvelles possibilités étant offertes, il a de longs entretiens avec Paul Evdokimov, l'ami de jadis retrouvé.

Toujours svelte, d'une distinction aristocratique un peu raide, tempérée par un sourire malicieux, Pavlik n'a extérieurement guère changé. Mais celui que Lev Gillet a connu comme un jeune théologien russe totalement inconnu, exilé en province, loin des ténors orthodoxes parisiens, est devenu l'un des principaux interlocuteurs orthodoxes des théologiens protestants – et parfois catholiques – qui hantent les couloirs du genevois Conseil œcuménique des Églises (COE). Des personnalités protestantes françaises, le pasteur Marc Boegner et surtout une amie de longue date, Suzanne de Dietrich, l'ont introduit dans le sérail. Appelée à diriger l'Institut œcuménique de Bossey – annexe universitaire du COE, Suzanne a appelé auprès d'elle Paul Evdokimov dont, bien avant d'autres, elle a discerné les dons. Il anime à Bossey des sessions et des séminaires destinés à faire connaître l'Église orthodoxe, sa théologie, son ecclésiologie, sa spiritualité. C'est à la suite de la notoriété œcuménique ainsi acquise que Paul Evdokimov sera invité à enseigner également à l'Institut orthodoxe Saint-Serge dont il est issu mais qui l'a longtemps ignoré. Dans l'atmosphère quelque peu confinée de cet institut – après la disparition des grands penseurs de la première émigration –, Evdokimov apporte un souffle d'air frais.

Les relations entre Lev Gillet et Paul Evdokimov sont simples, cordiales, exemptes de toute familiarité vulgaire. Malgré leurs relations intimes, les deux hommes ne se tutoieront jamais. Le premier se réjouit sans réserve de la réussite sociale et théologique de son ami. Chez ce fils spirituel lointain du grand théologien russe méconnu Alexandre Boukharev, il apprécie le souci de dialogue avec le monde contemporain, une spiritualité incarnée dans le service des frères. En Pavlik, Père Lev voit, comme il le dira dans l'homélie prononcée à ses funérailles, « un adorateur en esprit et en vérité [4] ».

Paul Evdokimov se confie volontiers au moine dont il se sait compris et aimé. En même temps, il se considère comme son protecteur, voire comme son *impressario*. Conscient des dons aussi bien intellectuels que spirituels exceptionnels de Père Lev, il voudrait tirer son ami de l'obscurité où celui-ci semble se complaire. Son talent enfoui sous terre, pense-t-il, doit être mis au service de l'orthodoxie francophone qui est en train d'émerger et qui a besoin d'un guide spirituel.

Au cours de longs entretiens, il lui expose sa vision de la situation présente : un intérêt croissant pour l'orthodoxie se manifeste dans différents milieux chrétiens occidentaux, aussi bien catholiques que protestants. Incontestablement, la présence en Occident de millions d'émigrés russes et de leurs descendants a contribué à l'éveil de cet intérêt. Mais aujourd'hui, il appartient aux entités ecclésiales issues de l'émigration russe de s'adapter à une situation nouvelle. Sans renier l'héritage russe, il s'agit de l'intégrer à une vision plus vaste : une vision

---

4. *Contacts*, nos 73-74, 1971-1-2, p. 7. Le destin et le message prophétique de Boukharev qui l'ont marqué sont évoqués par Paul EVDOKIMOV dans son livre *Le Christ dans la pensée russe*, Éd. du Cerf, 1986.

catholique. En même temps il est devenu urgent de répondre aux besoins spirituels de nouvelles générations orthodoxes soit occidentalisées, soit occidentales par leurs origines.

En France, les enfants et petits-enfants des émigrés russes – certains porteurs souvent d'une riche double culture – sont devenus des Français. Des Français se sont unis à l'Église orthodoxe. Les uns comme les autres se sentent à l'étroit dans des paroisses qui risquent de se transformer en ghettos ethniques. Tous aspirent à des célébrations, à des prédications et à une catéchèse en langue française. D'entreprise volontariste et quelque peu utopique, la promotion d'une orthodoxie française est devenue un devoir pastoral. À ces besoins nouveaux l'institution ecclésiale ne répond pas ou répond médiocrement, en ordre dispersé, en l'absence de toute coordination entre les différentes « juridictions ».

L'analyse de Paul Evdokimov, leur aîné, est confirmée par des jeunes intellectuels, les uns d'origine russe, les autres Français orthodoxes, tel le jeune et brillant Olivier Clément.

Dans ses lettres, Lev Gillet évoque ses rencontres avec le représentant de la nouvelle génération d'intellectuels russes issu de l'émigration : Nikita Struve – fils de l'un des protagonistes du retour à l'Église de l'*intelligentsia* russe au début du siècle ; Jean Meyendorff, jeune théologien issu de l'Institut Saint-Serge sur le point de soutenir en Sorbonne une importante thèse de doctorat sur Grégoire Palamas ; le futur P. Boris Bobrinskoÿ à l'époque encore laïc (ordonné prêtre en 1959, il deviendra le recteur, en 1968, de l'importante paroisse orthodoxe française de la Crypte de la Sainte-Trinité à Paris). Tous lui parlent de leurs espoirs, l'assurent de leur confiance et de leur désir de se rassembler autour de lui pour entreprendre l'œuvre commune.

Lev Gillet est touché plus qu'il ne laisse voir. Ce temps qu'il croyait perdu à jamais subitement resurgit. La question sourd : *Serait-ce avec ces jeunes hommes que se réaliserait ce que, en 1928, espérait cette autre génération de jeunes hommes, Evgraf, Lossky, Chrol, la paroisse française d'alors ? Quelque chose se fera-t-il*[5] *?*

Un autre moment fort, pour Lev Gillet, de ce séjour à Paris, est sa rencontre avec l'archevêque Vladimir, l'évêque qui, trente ans plus tôt, à Nice, a accueilli comme un père le jeune moine catholique désemparé. Successeur du métropolite Euloge à la tête de l'exarchat russe du patriarcat œcuménique, Mgr Vladimir réside maintenant à Paris. Revoyant le P. Lev Gillet qu'il a invité à concélébrer avec lui la liturgie dans la crypte de la cathédrale Saint-Alexandre-Nevski, il l'attire et le serre dans ses bras. Les liens anciens sont renoués. Après la liturgie au cours de laquelle Lev Gillet a été invité à prononcer l'homélie en français, les deux hommes ont un long entretien. Mgr Vladimir se confie au prêtre français : il est conscient du problème pastoral posé par la montée d'une nouvelle génération de jeunes orthodoxes occidentalisés et francophones. Mais seul, âgé et malade, il se sent incapable d'y répondre de façon adéquate. Il prie Lev Gillet de le conseiller et de le seconder. Profondément touché, ce dernier l'assure de son entier dévouement.

Un point noir pour Lev Gillet est l'attitude « émotionnellement négative » à l'égard du P. Evgraf Kovalevsky et de son groupe qu'il croit déceler chez la plupart de ses interlocuteurs orthodoxes. Lui-même reconnaît le bien-fondé de certaines critiques. Evgraf, avoue-t-il, manque de discernement et de rigueur morale dans le choix des moyens employés pour réaliser la vision de l'orthodoxie française qui le hante. Mais cela est dû – croit-il – à son tempérament de « fonceur ». Il arrive à Père Lev d'ironiser à propos du « triomphalisme » à la fois naïf et arrogant du fondateur de l'« Église catholique-orthodoxe de France », de déplorer l'absence chez lui d'humilité. Il continue cependant de croire au meilleur que porte en lui celui dont il affirme avoir beaucoup reçu à l'époque

5. Lettre du 14 juin 1956 à E.B.S.

de leur collaboration au sein de la première paroisse française [6]. Une attitude trop systématiquement négative à l'égard du groupe Kovalevsky le choque et l'incite à prendre sa défense. On reproche au P. Evgraf de fréquenter les milieux ésotériques. Mais les chrétiens des premiers siècles ne fréquentaient-ils pas les milieux gnostiques pour y annoncer le Christ ? *Moi-même,* s'exclame-t-il, *si je pouvais parler à l'Évangile dans un cercle d'adorateurs de Lucifer, je le ferais* [7]. On reproche à Evgraf de recevoir dans sa paroisse des « divorcés, des homosexuels », d'une façon générale des personnes dont le comportement est « irrégulier ». Mais ne leur annonce-t-il pas *le Sauveur, le Crucifié aux bras ouverts ?... Il y a pour eux un salut, s'ils veulent accepter le Sauveur, mais comment l'accepteraient-ils si personne ne cherche à les mettre en contact avec lui ?* Le « don d'Evgraf est de toucher les âmes », affirme Père Lev. *Qu'on ne lui demande pas d'organiser des paroisses régulières et édifiantes... qu'on le laisse conduire une mission de sauvetage, être un abbé Pierre sur le plan spirituel offrant aux sans-logis de l'âme des centres d'hébergement et de nourriture – œuvre aux aspects chaotiques mais qu'importe ?*

Inspiré par sa profonde affection, cette vision du charisme et de la vocation spécifique du futur évêque Jean de Saint-Denis contient à la fois une part de vérité spirituelle et une part d'irréalisme. Peut-être, si elle avait été partagée par les uns et les autres, eût-elle permis l'intégration d'un groupe que l'exclusion figera dans des attitudes séparatistes et orgueilleuses. Mais, en réalité, Evgraf n'aspire pas – ou du moins n'aspire pas principalement – à être un abbé Pierre, un « bon samaritain » au plan spirituel, selon la virtualité discernée en lui par Père Lev. Reprenant à rebours l'idéologie des slavophiles russes du XIXe siècle, peut-être poussé par son entourage, il rêve de devenir l'évêque d'une « Église orthodoxe de France » : d'une Église *nationale,* voire

6. Lettre du 14 juin 1956 à E.B.S.
7. Lettre du 18 avril 1956 à E.B.S.

nationaliste, jouant parfois sur ce registre auquel il sait que certains Français sont sensibles, en ces années [8]. Lev Gillet n'a-t-il pas vu, n'a-t-il pas voulu voir cet aspect du fondateur de l'ECOF ?

Au cours de ce séjour parisien en janvier 1956, Lev Gillet, à l'initiation du P. Kovalevsky, se rend à l'Institut Saint-Irénée, boulevard Blanqui, dans le 18e arrondissement. Il y revoit son ami et fait la connaissance de quelques-uns de ses collaborateurs. Reçu chaleureusement et avec déférence, il rapporte de cette visite rapide une impression plutôt favorable. Lui a-t-on demandé d'intervenir en faveur du groupe auprès de son supérieur hiérarchique, l'archevêque Athenagoras de Thyatire, exarque du patriarche œcuménique pour l'Europe occidentale ? Cela paraît probable.

À son retour à Londres, le P. Lev Gillet a un long entretien avec l'exarque du patriarche œcuménique, Mgr Athenagoras, qui s'intéresse aux « affaires françaises ». Le problème posé par le groupe evgrafien est évoqué. Lev Gillet plaide pour son accueil, « puisque les Russes n'en veulent pas », dans l'exarchat grec. L'archevêque l'interrompt : une solution envisageable, dit-il, serait que lui, Lev Gillet, ecclésiastique jouissant de la confiance de tous, soit chargé, en tant qu'évêque, de la responsabilité de cette *ecclesiola* naissante. Rendant compte de cet entretien et des événements qui l'ont suivi, Lev Gillet écrit : *J'ai répondu que je ne me sentais pas qualifié pour cette charge et que je préférais continuer en Angleterre ma vie plus ou moins obscure. Il m'a dit que la question n'était pas de savoir ce que* je *désirais et que lui-même n'avait pas souhaité l'épiscopat. J'ai répondu que je ne pourrais accepter que comme un acte d'obéissance envers le Patriarche, que je prévoyais de grandes objections de la part des evgrafiens et que – puisque sans avoir d'objection de principe contre le Père Evgraf, l'autorité grecque désirait lui imposer un temps (même quelques années) d'épreuve, je suggérais ceci :*

---

8. Celles de la guerre d'Algérie et de l'OAS.

j'assumerais, évêque ou non évêque, la responsabilité temporaire *du groupe evgrafien, jusqu'à ce que les choses aient pris une forme acceptable et acceptée – un peu comme le pilote dans les ports, conduit les vaisseaux étrangers jusqu'en pleine mer et alors se retire. Lorsque le groupe aurait acquis une certaine stabilité, le Patriarche verrait s'il ne peut consacrer évêque le Père Evgraf et moi, je m'effacerai* [9].

La réponse de Lev Gillet paraît réfléchie et sereine. En réalité, avoue-t-il dans la même lettre, il a connu après cet entretien des « moments très noirs d'angoisse ». « Sur le plan divin », il se sent totalement indigne d'être un « successeur des apôtres ». « Sur le plan humain » – psychologique mais aussi matériel – il prévoit de grandes difficultés : *Je ne pouvais prévoir qu'une vie déchirée, des hostilités, l'incertitude matérielle. La friction continue avec les milieux ecclésiastiques que je redoute, que je ne comprends pas, qui ne me comprennent pas, et contre lesquels cette île m'est un refuge et un salut.* Cependant, refuser l'épiscopat pour des raisons humaines, n'est-ce pas faire preuve d'égoïsme et de lâcheté ? se demande-t-il.

Est-ce que je ne vais pas me dérober à une tâche nécessaire par égoïsme, par attachement à des habitudes, à un petit confort ? par crainte de renoncer aux amitiés dévouées et compréhensives qui m'entourent ici ? est-ce que je ne suis pas, peut-être (je le dis avec une humilité sincère) mieux préparé que d'autres pour m'occuper d'orthodoxie en Occident, avec les contacts romains, protestants, anglicans, etc. ? ai-je le droit de dire non ? n'ai-je pas une occasion merveilleuse de montrer (oh, je dis ceci sans orgueil) ce que pourrait être un évêque absolument pauvre, absolument indifférent au prestige, se penchant avec prédilection vers tout « ce qui était perdu » et voulant seulement être un « témoin de la résurrection du Christ » ? Et d'ajouter : *Je n'ai plus, je pense, que peu d'années à vivre – vais-je les vivre en avare spirituel – ou vais-je tout risquer, me jeter*

9. Lettre du 29 avril 1956 à E.B.S.

à la mer, me perdre pour me sauver – et aider d'autres à trouver leur Sauveur.

« Da mihi animas, cetera tolle »... « Cor ad cor loquite » *(devise épiscopale de saint François de Sales et devise du cardinal Newman). Enfin, je me suis maintenant établi dans un état d'âme que je résume dans la prière suivante : « Seigneur, si l'épicospat doit être pour moi une tentation humaine, s'il ne me permet pas de Te servir mieux, qu'il passe loin de moi ! Si, devenant évêque, je peux mieux communiquer Ta miséricorde, qu'alors je devienne évêque ! Que Ta volonté soit faite quelle qu'elle soit* [10] ! »

La lettre, dont nous venons de citer de larges extraits, éclaire l'état d'esprit dans lequel Lev Gillet, à la demande de l'archevêque de Thyatire, se rend une nouvelle fois à Paris, vers mars ou avril 1956, pour soumettre la proposition de ce dernier au P. Evgraf Kovalevsky et à sa communauté. Comme il le prévoyait, elle n'est pas acceptée par le groupe. À la suite d'un troisième voyage éclair en France, un compromis semble trouvé : Lev Gillet serait désigné non comme évêque mais comme « administrateur temporaire » d'un groupe de paroisses françaises incorporées immédiatement – sans autre condition préalable – à l'exarchat grec du patriarcat de Constantinople. Mais il est trop tard. De retour à Londres, Lev Gillet apprend de l'archevêque de Thyatire que les problèmes de l'orthodoxie française sont désormais soustraits à la compétence de ce dernier. Le patriarche a chargé l'évêque Iakovos de Malte – son représentant personnel auprès du Conseil œcuménique des Églises – de les étudier. Une ultime tentative de règlement sous l'égide de Constantinople échoue en 1958 : le patriarcat œcuménique fait savoir qu'il est prêt à accueillir le groupe français dont l'administration temporaire serait confiée à un comité composé de trois ecclésiastiques : le P. Lev Gillet, le P. Cyrille Argenti – un jeune prêtre grec francophone chargé d'un ministère dans le Midi de la France qui a

10. Lettre du 29 avril 1956 à E.B.S.

fait des études à Saint-Irénée – et le P. Evgraf Kovalevsky lui-même : une proposition rejetée ironiquement comme un affront par Kovalevsky qui, à l'époque, a d'autres fers sur le feu [11].

Blessé par la brutalité de ce rejet [12], Lev Gillet n'en garde cependant pas rancune à celui qui reste pour lui un fils et un ami. Jusqu'à la fin, il suivra de loin, tantôt avec tristesse, tantôt avec humour indulgent, les pérégrinations juridictionnelles de l'ECOF, toujours attentif au bon grain qui y lève parmi les ronces et les épines.

Entre-temps, un autre projet épiscopal concernant Lev Gillet voit le jour dans le milieu de la Rue Daru. Son principal promoteur, avec l'archevêque Vladimir, est Paul Evdokimov. Ce dernier, ainsi que d'autres laïcs appartenant au diocèse de Mgr Vladimir, s'adressent dans le courant de 1956 au patriarcat œcuménique en suggérant la désignation de Lev Gillet comme « guide et coordinateur » des efforts destinés à répondre aux besoins spirituels d'orthodoxes francophones d'origines ethniques différentes. Tenu au courant, Lev Gillet ne s'oppose pas à ce second projet. Dans son esprit, il n'est pas en concurrence avec celui qui concerne le sauvetage du groupe evgrafien mais pourrait se coordonner avec lui dans le cadre d'un règlement global du problème orthodoxe français.

En juin 1956, probablement à la suite des tensions et du *stress* des derniers mois, Lev Gillet connaît une grave crise d'angine de poitrine. Admis à l'hôpital français du quartier londonien de Soho, il est soumis à un électrocardiogramme qui révèle une thrombose. Bien soigné, il se remet assez rapidement. Adoptant désormais un régime alimentaire très strict, il refuse en revanche de limiter

11. Il est, à l'époque, déjà en pourparlers avec le Synode de l'Église russe hors frontière qui le recevra, lui et son groupe, en 1966 ; voir A. VAN BUNNEN, *Une Église orthodoxe de rite occidental, l'Église catholique-orthodoxe de France,* Louvain-la Neuve, 1981, p. 250 s.

12. Voir Vincent BOURNE, *La Divine Contradiction,* Paris, Éd. Présence orthodoxe, t. II, p. 263.

ses activités. « J'aime mieux finir en menant une vie active et brûlante que me conserver dans un cocon », confie-t-il à ses amis.

Dans les mois et les années qui suivent, il reste en relations étroites avec Paris, en particulier avec Mgr Vladimir qui l'invite régulièrement à venir s'entretenir avec lui. Mais du côté de la Rue Daru comme du côté de Constantinople le ou les projets épiscopaux, après une flambée passagère, s'enlisent. Les lettres adressées au patriarcat de Constantinople ne reçoivent pas de réponse. Il s'avère aussi que l'évêque russe et le moine français, malgré l'amitié personnelle qui les unit, ne se trouvent pas sur la même longueur d'ondes. Le vieil évêque aimerait que Lev Gillet, passant sous sa juridiction, devienne son évêque-vicaire. Lev Gillet, lui, ne voudrait pas être « épinglé rue Daru ». Il pense, sans doute à juste titre, qu'un évêque pour les orthodoxes français doit être le moins possible mêlé aux différends qui divisent les entités ecclésiales issues de l'émigration russe. Il aimerait, s'il était appelé à assumer une charge épiscopale, jouer le rôle d'un médiateur et d'un rassembleur : être un lien entre les évêques russes et les évêques grecs, entre les différentes juridictions russes, entre les orthodoxes francophones présents dans toutes les juridictions – rôle délicat que pourrait faciliter, pense-t-il, son appartenance au patriarcat œcuménique.

Continuant à réfléchir aussi objectivement que possible à la tâche à accomplir par l'évêque désigné pour répondre aux besoins d'orthodoxes occidentaux, il écrit : *Je pense que le Patriarche Œcuménique devrait désigner quelqu'un qui seconderait à la fois son Exarque grec et son Exarque russe dans l'œuvre à accomplir auprès des orthodoxes occidentaux. Il ne prétendrait à une juridiction propre, mais se mettrait loyalement au service des deux Exarques. Le fait qu'il ne serait pas uniquement « vladimirien » le rendrait capable de contacts avec d'autres obédiences – son ministère devrait être plus itinérant que local – celui d'un agent de liaison, d'un conciliateur, d'un stimulateur* [13].

Clairvoyante et prophétique, cette vision vient trop tôt. Elle reste étrangère aux catégories de pensée habituelles d'administrateurs ecclésiastiques bien intentionnés mais qui restent prisonniers des problèmes juridictionnels hérités du passé. Lev Gillet en est conscient et se résigne : *Mgr Vladimir insiste pour que je passe purement et simplement sous sa juridiction. Devant mes objections, il a eu deux crises cardiaques l'année dernière, si bien que je ne dis plus rien et lui réponds que, si Constantinople m'ordonne de passer à l'exarchat russe sans plus, j'obéirai... En somme, je ferai ce que mes supérieurs me diront de faire – le seul obstacle possible (que je suis obligé de prévoir) étant mon état de santé dont je ne sais quelles inconnues peuvent surgir.*

En fait, se heurtant à l'inertie d'une administration diocésaine incapable et désuète [14], aux intrigues des uns et aux soupçons des autres, ce projet épiscopal ne se réalisera ni sous la forme souhaitée par Mgr Vladimir, ni sous celle esquissée par Lev Gillet [15]. Âgé, malade, soumis à des pressions contradictoires, l'évêque se révèle incapable de mettre son projet à exécution. Lev Gillet en prend lucidement conscience dès la fin de 1958. Sans amertume, il s'en remet une nouvelle fois à la volonté du Seigneur : *Voilà trois ans que « Daru » me parle de tout cela sans qu'il y ait jamais un commencement de réalisation. Monseigneur Vladimir ne peut plus suivre aucune affaire.*

---

13. Lettre du 18 novembre 1958 à E.B.S. – La citation suivante est extraite de la même lettre.

14. Désespérés par cette inertie qui marque aussi l'attitude des responsables de l'Institut Saint-Serge qui continuent de s'opposer à tout enseignement donné en français, deux « espoirs » de cet institut, le P. Alexandre Schmemann et le P. Jean Meyendorff quittent à la même époque la France pour tenter d'œuvrer pour une orthodoxie occidentale aux États-Unis.

15. Le fait que le Père Lev Gillet soit en relation avec le groupe evgrafien a pu le rendre suspect à certains.

Enfin, notre Seigneur sait mieux que nous ce qui est selon son cœur et il disposera tout suaviter et fortiter [16].

L'archevêque Vladimir meurt en décembre 1958. Avec son successeur, l'archevêque Georges (Tarassov), Lev Gillet n'a pas de relations personnelles. Du côté de la Rue Daru, le projet épiscopal paraît enterré. Paul Evdokimov et quelques autres persistent pourtant à croire sa réalisation possible et souhaitable, peut-être sous de nouvelles formes à inventer. Interrogé à ce sujet, Lev Gillet répond qu'il n'a pas de projets, qu'il laisse à d'autres le soin d'en faire pour lui. Est-il aussi détaché qu'il l'affirme ? Dans un *Memorandum* qu'il adresse en 1963 ou 1964 au patriarche œcuménique [17], on le découvre toujours hanté par l'idée d'une tâche urgente à laquelle il pourrait être appelé « à consacrer les dernières années de sa vie », d'une « mission » à accomplir auprès de l'Église orthodoxe en France, mais dans une perspective mondiale et œcuménique. Il s'agirait, écrit-il en insistant sur ce point, d'un ministère « non institutionnel mais intime et personnel » de « conseiller discret » et de « conciliateur » entre différents groupes pour lequel néanmoins il souhaite recevoir l'épiscopat, non, écrit-il, comme « pouvoir » mais comme *sacrement* [18] : signe efficace d'une « grâce » lui conférant une « autorité morale ». Ce désir ne sera pas exaucé. Cependant sans titre, sans consécration officielle à laquelle, paradoxalement, n'a cessé d'aspirer cet homme pourtant si étranger aux cadres institutionnels, Lev Gillet accomplit en ces années, auprès de l'orthodoxie française naissante, ce ministère de « rassembleur », de « jeteur de ponts », et de « semeur » où il discerne sa véritable vocation.

À partir de 1956, Lev Gillet se rend régulièrement à Paris, deux ou trois fois par an. Il s'agit de séjours brefs

16. Lettre du 18 novembre 1958 à E.B.S.
17. Nous avons en notre possession le brouillon de ce texte écrit de la main du P. Lev Gillet.
18. C'est Lev Gillet qui souligne.

mais qui sont toujours bien remplis d'activités diverses, de cours, de rencontres personnelles de plus en plus nombreuses. Tant que ce centre subsiste – c'est-à-dire pendant deux ou trois ans – il donne des conférence au Centre d'études orthodoxes de Zander et d'Evdokimov. Une série mémorable sera consacrée au renouveau de la théologie protestante contemporaine, à K. Barth, E. Brunner et R. Bultmann. Il participe aussi aux importantes Journées théologiques de Massy, joue un rôle essentiel dans le lancement de la revue orthodoxe de langue française *Contacts* et pour la naissance d'une Fraternité orthodoxe visant à rassembler, en vue d'un témoignage commun, des orthodoxes de toutes les origines ethniques et de toutes les juridictions.

Les Journées théologiques à Massy sont organisées par Paul Evdokimov. Cet dernier a su s'entourer d'une équipe qui, avec l'aîné Léon Zander, comprend aussi des hommes plus jeunes, tels le Français Olivier Clément et le théologien grec Nikos Nissiotis, directeur à l'époque de l'institut œcuménique à Bossey. Elles ont lieu au foyer d'étudiants de la Cimade transféré en 1963 de Sèvres à Massy. Ses locaux nouveaux plus vastes, entourés d'un parc constituent un cadre idéal pour ce genre de rencontres. À l'origine, ces journées – en fait des weeksends – sont destinées à rassembler une ou deux fois par an les jeunes théologiens orthodoxes originaires de différents pays, venus en France pour achever leur formation, soit à l'Institut Saint-Serge, soit au sein de différentes facultés et instituts de théologie catholique et protestants, à Paris ou en province. En fait, elles attirent un public beaucoup plus large : des orthodoxes, surtout du milieu étudiant, qui, sans être théologiens professionnels, aspirent à approfondir leur foi ; des catholiques et des protestants désireux de s'initier à l'enseignement et à la spiritualité de l'Église orthodoxe. Au cœur de ces Journées marquées par leur ouverture œcuménique et leur ouverture à la culture occidentale contemporaine, il y a la liturgie eucharistique toujours célébrée par le

P. Lev Gillet. Il célèbre en français selon le rite de saint Jean Chrysostome où il se sent à l'aise. Sans en exclure la possibilité, il n'éprouve pas le besoin de créer une nouvelle liturgie. Mais dans la ligne de l'expérience acquise au sein de la paroisse française des années trente, il inaugure, dans un cadre plus vaste, un nouveau style de célébration. Sa façon de célébrer est simple, sobre, dépouillée. Des redites sont supprimées. L'épiclèse, l'invocation de l'Esprit sur les dons et sur les fidèles est prononcée à haute voix. Les fidèles sont invités à ne pas être de simples assistants. Par leurs répons – en particulier le triple *amen* confirmant l'épiclèse prononcée par le prêtre –, ils deviennent coliturges de l'offrande commune. Les célébrations de Massy sont le modèle dont s'inspireront les jeunes prêtres chargés des paroisses françaises qui vont bientôt s'ouvrir. Adaptées à la sensibilité de l'homme moderne, elles restent mystériques. La preuve est faite qu'à la source antique il est possible de puiser une eau nouvelle et éternellement fraîche : un fait qui frappe en particulier des catholiques désorientés par des réformes liturgiques hâtives et parfois destructrices. C'est le Père Lev également qui prononce l'homélie : un message bref, toujours original, centré sur l'essentiel du kérygme évangélique [19].

Plus rarement, il donne des exposés de caractère plus intellectuel où affleure sa culture à la fois philosophique et théologique. L'une de ces conférences sur le structuralisme – idéologie qui, à l'époque, trouble beaucoup de jeunes intellectuels chrétiens – restera gravée dans les mémoires. Plus tard, après le décès de Paul Evdokimov, les Dimanches de Montgeron organisés par la Fraternité orthodoxe prendront le relais des Journées de Massy.

Un autre événement important pour le rayonnement en France de la théologie et de la spiritualité orthodoxes est la re-fondation de la revue *Contacts*. À l'origine organe d'un groupe quelque peu marginal, elle devient à partir

19. Plusieurs de ces homélies de Massy sont publiées dans la revue *Contacts*.

de 1959, en grande partie grâce à la caution morale que lui accorde Lev Gillet et aux conseils qu'il prodigue à son comité de rédaction, une revue indépendante de culture spirituelle d'inspiration orthodoxe. Y collaboreront des penseurs et des théologiens de différentes tendances, des orthodoxes, mais aussi des catholiques et des protestants. Le fondateur de la revue est un laïc français, Jean Balzon, juriste de formation intéressé par la théologie. Attiré à l'orthodoxie par le P. Alexis Van der Mensbrugghe qui, à l'époque, enseigne à l'Institut Saint-Irénée, Jean Balzon rêve de mettre sa revue, fondée en 1948, au service de l'orthodoxie française telle que l'entend le P. Evgraf Kovalevsky. Cependant, progressivement, il se rend compte du fossé qui se creuse entre les fidèles groupés autour de ce dernier et le reste du monde orthodoxe. C'est en s'efforçant de sortir de cet isolement qu'il entre en relation avec le P. Sophrony, futur higoumène du monastère St. Jean Baptiste à Maldon, en Angleterre, puis, quand ce dernier quitte la France, avec le P. Lev Gillet.

D'abord réticent et méfiant, Père Lev se convainc progressivement de la bonne volonté et de l'immense dévouement du directeur de *Contacts* et de son associée, Mme Germaine Revault d'Allonnes. Il devient le guide de cette dernière vers l'Église orthodoxe. Convaincu du rôle important que pourrait jouer leur revue renouvelée et intégrée à la conciliarité orthodoxe, il les met en relation avec l'avant-garde théologique groupée en partie autour de Paul Evdokimov, en partie autour de l'héritage de Vladimir Lossky (décédé en 1958). L'ambition de Père Lev pour *Contacts* serait d'en faire l'équivalent dans la sphère orthodoxe de ce qu'a été la revue *Dieu vivant* dans l'aire du catholicisme français : un pari difficile à tenir et qui ne sera pas toujours gagné. Mais c'est Lev Gillet qui, en suggérant à Jean Balzon de faire appel à Olivier Clément comme secrétaire de rédaction de la revue, tire celle-ci définitivement de l'isolement et de la médiocrité où elle risquait de rester confinée. Ainsi est publié, au début de 1959, le numéro 25, premier d'une nouvelle série. Le nom de Lev Gillet n'y figure pas. Ce dernier n'a pas voulu faire partie du comité de rédaction [20]. Mais son inspiration est sensible dans le premier liminaire rédigé par Olivier Clément. « *Contacts,* y est-il dit, se veut au service de l'Orthodoxie, or pur dans son écrin et dans sa gangue de l'Orient. » Mais au-delà, la revue se veut au service également d'une triple rencontre : « rencontre des orthodoxes avec les autres chrétiens, avec les autres religions et avec les incroyants ». Ce programme est celui du P. Lev Gillet. Jusqu'à la fin de sa vie, il restera proche de l'équipe de *Contacts,* lui prodiguant encouragements, conseils et critiques judicieuses. À la revue, il donnera de nombreux articles, des notices brèves, des textes d'homélies, des articles importants comme les méditations « La Colombe et l'Agneau » et « Le Dieu souffrant », les uns signés de son nom, d'autres du pseudonyme « Un moine de l'Église d'Orient ».

En relation avec la re-fondation de *Contacts,* Lev Gillet est aussi, en ces années, l'inspirateur de la démarche, dont sortira la Fraternité orthodoxe en Europe occidentale. L'idée de fonder une « fraternité » comme union de prière et lieu d'un témoignage commun des orthodoxes vivant en ce pays est lancée par lui, pour la première fois, dans le cadre d'une réunion informelle des amis de la revue *Contacts*, dans l'arrière-boutique de la petite librairie tenue par Jean Balzon et Germaine Revault d'Allonnes.

Devant un groupe d'orthodoxes qui se lamentent de l'absence de coordination entre les différentes « juridictions » orthodoxes présentes en France – un désordre qui stérilise les efforts les meilleurs – il évoque le rôle bénéfique joué, en d'autres circonstances, par des fra-

20. Les membres de ce comité de rédaction sont, selon l'ordre indiqué sur la page de garde, Élisabeth Behr-Sigel, Germaine Revault d'Allonnes, Jean Balzan, Boris Bobrinskoÿ, Olivier Clément.

ternités ou confréries laïques comme celles qui ont fleuri en Ukraine au XVIIe siècle ou comme la fraternité Zoï dans la Grèce contemporaine. « À maintes reprises, explique-t-il, elles furent l'instrument de l'Esprit Saint pour préserver et vivifier la foi du peuple orthodoxe. » « Telle pourrait être aussi la vocation d'un groupe de laïcs consacrés dans la dispersion orthodoxe en Europe occidentale. » Progressivement, au terme de recherches tâtonnantes et jalonnées d'échecs, l'idée va prendre corps.

Dans le courant de l'été 1959, sur le conseil de Lev Gillet, le groupe rassemblé autour de *Contacts* tente une démarche auprès de l'évêque Emilianos Timiadis, représentant du patriarcat œcuménique auprès du COE à Genève. Sachant l'évêque bien disposé envers le P. Lev Gillet qui lui a rendu service alors qu'il était étudiant à Oxford, on lui demande de sonder les autorités patriarcales au sujet de l'éventuelle création en France d'une Fraternité orthodoxe stavropigiaque, c'est-à-dire relevant directement du Trône œcuménique. Le P. Timiadis répond aimablement. Mais Constantinople demeure silencieux.

En réalité, Lev Gillet, sans vouloir décourager les initiateurs de cette démarche, ne se fait guère d'illusion quant à se réussite [21]. L'échec est pour lui presque un soulagement. Il appréhende l'institutionnalisation d'un mouvement qui, dans son esprit, doit préserver sa spontanéité charismatique. Il ne se sent pas appelé à devenir l'organisateur d'une confrérie canonique.

J'éprouve une véritable allergie à l'égard de tous les cadres. Nous mourons déjà d'institutionnalisme, confie-t-il à son amie. *Mon sentiment est que le Patriarche ne fera rien. Peut-être quelque chose se fera-t-il beaucoup plus tard avec une autre génération – peut-être quand l'« institution » ortho-*

21. *N'ayons pas trop d'illusion. D'après des renseignements concordants que j'ai, le Patriarche est avant tout désireux de ne rien faire en Europe qui déplaise à Moscou (où je ne suis pas* persona grata) (lettre du 24 août 1959).

doxe aura été radicalement réformée par la persécution, purifiée par le fer, le feu et le sang[22].

En 1959, Lev Gillet fait l'expérience de ce qu'avec l'Écriture il nomme une « effusion de l'Esprit Saint ». Elle inspire l'exhortation qu'il adresse à ses amis en France qui aspirent à « organiser » la Fraternité. Il ne les blâme pas, mais il leur rappelle l'essentiel : *Ce qui est essentiel, ce qui seul importe, c'est que nous implorions le Saint Esprit de descendre* avec puissance *sur ceux que la foi orthodoxe attire et qu'il fasse lui même surgir les dynamismes et les structures par lesquels, il lui plaira de se révéler. Jetez-vous dans le Seigneur, dans sa volonté quelle qu'elle puisse être. Une fois établi sur le roc qui ne sera jamais détruit, l'assaut des vagues sera peu de choses.* [Et d'ajouter cette confidence :] *je parle comme quelqu'un à qui de grandes grâces pentecostales ont été faites et qui voit tout ce qui peut arriver comme dans un soleil éblouissant*[23].

L'événement spirituel auquel cette lettre fait allusion a eu lieu au cours de la retraite annuelle du Fellowship à Pleshey, en juin 1959. Lev Gillet en parlera parfois, usant du vocabulaire du Mouvement charismatique comme d'un « baptême de l'Esprit » : pentecôte intérieure, invisible où il s'est senti libéré de toutes les angoisses, nullement « démobilisé », mais appelé à accomplir sereinement sa tâche quotidienne en remettant l'avenir – la croissance de l'œuvre – entre les mains de Dieu[24].

Les débuts de la Fraternité orthodoxe en France sont illuminés par cette lumière pentecostale *reçue* par Lev Gillet et qu'il a diffusée par ses conseils spirituels et par sa prédication, par cette Parole de Dieu dont il n'a voulu

22. Lettre du 9 décembre 1959 à E.B.S.

23. Lettre du 8 septembre 1959.

24. *Depuis juin dernier, il m'a été montré clairement, impérativement, que je ne dois jamais me poser des problèmes qui appartiennent au lendemain, mais me concentrer uniquement sur ce que chaque jour apporte... cela bannit toute anxiété, unifie, simplifie. Aussi j'ai été mis dans un rapport plus intime avec la Colombe, alors qu'auparavant, j'avais surtout rapport avec l'Agneau* (lettre du 24 octobre 1959).

être que l'humble serviteur. La fragile Fraternité des débuts, auprès de laquelle il joue le modeste rôle d'« assistant spirituel » n'est encore qu'un germe, une semence, un mouvement informel, longtemps sans statuts, sans cadres, sans direction officielle [25]. C'est ainsi qu'elle est chère au cœur de Père Lev. Dans les années soixante-soixante-dix, quand il vient à Paris, il célèbre pour elle la liturgie d'abord à Massy, plus tard dans la chapelle du Moulin-de-Senlis à Montgeron. Il reçoit les confessions, dispense des conseils, toujours avec une extrême humilité. Il ne veut pas être un « directeur de conscience ». Mais il est souvent l'inspirateur de ceux qui, par la grâce de Dieu, deviendront les artisans d'un modeste mais authentique renouveau théologique et spirituel au sein de l'Église orthodoxe en France.

---

25. Sur les débuts de la Fraternité orthodoxe en France, voir : É. BEHR-SIGEL, « La Fraternité orthodoxe en Europe occidentale », *Contacts,* n° 55, 1966-3.

CHAPITRE XI

« ESPRIT DE VÉRITÉ, TOI QUI ES PARTOUT PRÉSENCE ET QUI REMPLIS TOUT » (Prière initiale de la liturgie byzantine)

Nous venons d'évoquer ce que l'on peut appeler – sans trop forcer les mots – un second ministère parisien de Lev Gillet : ses retrouvailles, si émouvantes, à partir de 1956, avec le « Paris orthodoxe », les espoirs et les projets qui en naissent, les déceptions, enfin l'humble fécondité dans les décennies suivantes de ce ministère. Mais celui-ci – on ne saurait l'oublier – n'a jamais constitué que l'un des aspects d'une existence aux facettes multiples quoique *une* en profondeur. Pour situer ce nouveau ministère parisien par rapport à l'ensemble dans sa continuité dynamique, il faut revenir en amont, sur l'événement libérateur qui inaugure dans sa vie une nouvelle saison spirituelle féconde, active, charismatique, sous le souffle de l'Esprit.

En juin 1959, lors de la retraite du *Fellowship* à Pleshey, Lev Gillet a connu ce qu'il nomme lui-même « une Pentecôte intérieure [1] » ou encore, en se servant du vocabulaire des pentecôtistes avec lesquels il sympathise, un « baptême de l'Esprit Saint » : « comme manifestation *avec puissance* de l'Esprit en nous et par nous ». À ce don non seulement peut mais doit aspirer tout chrétien comme le proclame aussi le grand spirituel byzantin saint Symon le Nouveau Théologien dont Lev Gillet se sent

1. Voir p. 509.

particulièrement proche et dont, à l'époque, il traduit certains textes [2].

La vision de la vie chrétienne comme vie en Christ par l'Esprit Saint n'est pas nouvelle chez Lev Gillet. Elle apparaît déjà clairement dans son livre *Orthodox Spirituality* écrit en 1944. Mais l'événement – *Erlebnis* [3] – de Pleshey l'a actualisée, inaugurant dans sa vie intérieure, après la concentration sur un dialogue intime, et ineffable avec le Sauveur [4], une nouvelle saison spirituelle plus extravertie, charismatique et prophétique. Il s'en explique dans un texte publié en 1963 dans la revue *Contacts* sous le titre « La Colombe et l'Agneau [5] ». Il n'y a pas de discontinuité entre l'orientation christocentrique de sa vie intérieure au cours des années précédentes – telle qu'elle s'exprime dans *Jésus. Simples regards sur le Sauveur* – et la relation plus intime et plus personnelle avec l'Esprit dont témoigne la méditation sur « La Colombe et l'Agneau ». Il s'agit d'une prise de conscience, d'un approfondissement, de la dynamique trinitaire. « La Colombe vient à nous pour nous conduire avec elle vers l'Agneau », écrit le moine de l'Église d'Orient. « L'Esprit se manifeste aux hommes comme élan vers le Fils. Or le Fils est élan vers le Père [6]. »

Lev Gillet insiste sur le fait que sa « méditation ne prétend en aucune manière être une étude de théologie

---

2. Ces traductions dont lui-même m'a parlé, qu'il aurait voulu voir publiées par Chevetogne, semblent avoir été perdues.

3. Sensible à une nuance de sens difficile à rendre en français – *Erlebnis* vient de *leben*, « vivre » – Lev Gillet emploie dans ses lettres le terme allemand correspondant au français « événement ».

4. Voir *Jésus. Simples regards sur le Sauveur.*

5. À l'origine de ce texte, il y a une méditation donnée en anglais par Lev Gillet en 1962 à Brodstairs, dans le cadre de la conférence annuelle du Fellowship de Saint-Alban et Saint-Serge. Une version française considérablement allongée, d'abord destinée à *Irenikon,* paraît finalement dans la revue *Contacts* (1963, n° 41) où l'auteur affirme « se sentir plus libre » (lettre du 2 octobre 1962 à E.B.S.). Ce texte sera plus tard incorporé au petit volume publié à Chevetogne qui porte ce texte. Nos citations se réfèrent à cette ultime publication.

6. *La Colombe et l'Agneau*, Chevetogne, 1979, p. 25, 51, 52.

ou d'exégèse ». En réalité, La Colombe et l'Agneau est une méditation ensemble théologique et mystique et Lev Gillet, comme il l'écrit dans la lettre qui accompagne l'envoi de son article à *Contacts* croit *avoir quelque chose à dire sur l'Esprit Saint : il s'agit de montrer que nous le saisissons seulement dans notre élan (il est cet élan) vers Jésus (et à travers Jésus vers le Père) et que toute tentative de le fixer à notre profit au cours de cet élan – de l'immobiliser pour le contempler – le rend plus insaisissable encore et plus évanescent – mais que, si nous coïncidons avec cet élan (bergonisme), si nous devenons un avec la descente de la Colombe sur Jésus, nous percevons cette descente en tant que don et commençons à* erleben *le Saint Esprit comme* le don d'une personne faite par une personne à une autre personne, *un* autre *parce que c'est la suprême manifestation de l'Amour personnel* [7].

Perceptible en filigrane, la visée de Lev Gillet est de dépasser les antagonismes, qui sur le terrain de la pneumatologie opposent Grecs et Latins, théologiens orthodoxes et théologiens catholiques. À l'opposition irréductible de conceptualisations figées, prétendant chacune « posséder » l'Esprit, il s'agit de substituer la dynamique de l'intuition qui, coïncidant avec le mouvement de l'Esprit, le saisit comme « personne-don », « coaimant », « *codilectus* » (expression empruntée au théologien médiéval Richard de Saint-Victor) « égal au Père et au Fils », personne distincte du Fils, en même temps ineffablement unie à lui, issue comme lui de l'unique source qui est le Père, l'Amour originel [8]. Telle est l'intuition de la foi qui pourrait être acceptée, croit pouvoir affirmer Lev Gillet, « par ceux qui admettent que l'Esprit procède seulement du Père et par ceux qui admettent que l'Esprit procède du Père et du Fils, et par ceux qui admettent que l'Esprit procède du Père par le Fils [9] ».

---

7. Lettre du 20 octobre 1962 à E.B.S.
8. *La Colombe et l'Agneau*, p. 48-50.
9. *Ibid.*, p. 50, n. 1.

Dans le « tête-à-tête » avec l'Esprit qui caractérise cette nouvelle saison de sa vie, le souci d'œuvrer pour la restauration de l'unité des chrétiens reste visiblement primordial pour Lev Gillet. Pourtant – paradoxalement, en apparence – mûrit en lui, à la même époque, la conviction qu'il est appelé par l'Esprit à un ministère qui se situe, en grande partie, non seulement au-delà des limites institutionnelles de l'Église orthodoxe, mais au-delà du dialogue œcuménique chrétien institutionnalisé. Cet appel, il le déchiffre comme autant de « signes » dans les circonstances et les événements de sa vie. Il s'en explique dans une lettre adressée à son amie au cours de l'automne 1960.

En ce qui me concerne, tout se passe comme si mon reste de vie était de plus en plus appelé à se concentrer autour des deux pôles Londres-Jérusalem, au-delà des limites confessionnelles orthodoxes et même de limites chrétiennes. Presque tout mon temps et toute mon attention sont déjà consacrés au christianisme latent et agissant dans les grandes religions non chrétiennes. Le récent congrès de Marburg, mes contacts avec Heiler, et ce que je fais à Londres, m'ont rendu ces choix assez clairs. [Et d'ajouter :] *L'Orthodoxie, ses structures, ses rites, importent peu. L'Évangile seul importe. Je vois plus d'évangile dans ce que font présentement Vinova Bhave et Danilo Dolci que dans toutes les liturgies pontificales du monde* [10].

À l'arrière-plan de ces déclarations il y a un contexte événementiel. La mort en 1959 de l'archevêque Vladimir impliquant la mise en veilleuse, voire l'abandon du projet épiscopal, l'insuccès des démarches le concernant de la Fraternité orthodoxe parisienne, la méfiance à l'égard des projets parisiens de son supérieur direct, l'archevêque Athenagoras de Thyatire, semblent fixer Lev Gillet définitivement en Grande-Bretagne. Certes les liens avec l'orthodoxie française ne sont pas rompus. Divers projets de collaboration avec ses amis français sont envisagées

10. Lettre du 28 octobre 1960 à E.B.S.

et se réaliseront. Mais en France, constate Lev Gillet, il ne peut être qu'un « hôte de passage ». En Grande-Bretagne, il reste solidement lié au Fellowship de Saint-Alban et Saint-Serge. Cependant, le départ de St. Basil's House de Helle et Joan a signifié « la fin d'une époque ». Son ministère auprès de l'association anglicane-orthodoxe n'occupe d'ailleurs qu'une partie relativement restreinte de son temps.

Une grande partie de ce temps est consacrée a un travail « professionnel » qui par ses « employeurs », le Spalding Trust et l'Union for the Study of Great Religions (USGR), l'a mis en relation avec le World Congress of Faiths (WCF) : une organisation qui se propose l'instauration d'un véritable dialogue entre chrétiens de différentes confessions et croyants d'autres grandes religions. Lev Gillet est hostile à tout syncrétisme, à tout ce qui viserait la fondation d'une super-Église, synthèse artificielle de toutes les croyances. Mais il est sensible au mouvement de l'Esprit invisiblement « présent partout », « tendresse diffuse », couvant dès les origines « le chaos du monde », orientant toute chose vers le *Logos*, le Christ total de la fin des temps.

C'est dans la mouvance de ce « puissant espoir [11] » qu'il se sent amené à discerner, « le christianisme latent et agissant dans les religions non chrétiennes » et même dans certaines formes d'athéisme qui sont révolte contre les « idoles que se donnent les croyants ». Est-il appelé à se consacrer encore davantage à ce discernement des esprits et de l'Esprit ? La question est posée quand en 1960 le WCF fait appel à lui pour assumer le secrétariat de la branche britannique – la plus importante – de cette association. Ressentis comme des « signes », deux événements inclineront Lev Gillet à répondre positivement à cette invitation. L'un est le congrès de Marburg. En 1960, il est invité à participer au dixième congrès d'histoire des religions – *Religionsgeschichte* – organisé dans le

11. *La Colombe et l'Agneau*, p. 10.

cadre de l'université de Marburg. Il y prononcera l'homélie au culte d'ouverture célébré en l'église de l'université : la plus ancienne université luthérienne allemande. L'auditoire est constitué non seulement de chrétiens de diverses confessions – protestants, anglicans, catholiques –, mais aussi de juifs, de musulmans, d'hindouistes, de bouddhistes, de shintoïstes. Obéissant à une inspiration, il a choisi comme thème de sa prédication « le tressaillement » de Jean Baptiste dans le sein d'Élisabeth quand Marie, portant elle-même Jésus dans son sein, vient voir sa parente. Commentant le passage de l'Évangile (Lc 1, 39-45), il a conclu : *Ainsi ce qui est de Dieu dans tout homme et dans toute religion peut reconnaître ce qui est de Dieu dans une autre religion* [12].

Sa prédication a été bien reçue. Lev Gillet a eu un long entretien avec l'un des organisateurs du congrès, le Pr Friedrich Heiler : « un des pères du mouvement œcuménique » par lequel le moine orthodoxe se sent compris. Un autre événement quelques mois plus tôt à Jérusalem a aussi été vécu par lui comme une indication : *Le matin de Pâques, cette année, devant la Mosquée d'Omar, dans l'enceinte de l'ancien Temple juif, moi, Français, prêtre d'origine romaine, en communion avec l'orthodoxie grecque, je lisais en anglais, à un groupe de protestants européens, les passages du Coran relatifs à Jésus. C'est là un* signe *de ma vie.* [Et d'ajouter :] *Mes jeunes amis de Hyde Park disent de moi :* « He is the only loving christian. » *[Il est l'unique chrétien aimant.] Ils se trompent, mais le fait qu'eux le disent est aussi un* signe *de ma vie* [13].

Lev Gillet se sent appelé à être un témoin du Christ *in partibus infidelium*. Comme son ami Louis Massignon (avec lequel il communie dans la souffrance au sujet de Jérusalem) il est convaincu de la nécessité d'élargir le

12. Lettre du 28 octobre 1960 à Pierre Gillet.

13. Lettre du 20 octobre 1960. À partir de 1960, Lev Gillet qui n'y est plus retourné depuis 1939, recommence à fréquenter « le coin des orateurs » de Hyde Park. Il s'y lie d'amitié avec quelques jeunes « sécularistes » dont Jean-Pierre Schweitzer, voir plus loin p. 553-554.

dialogue œcuménique aux religions non chrétiennes. *Massignon lui a fait comprendre,* écrit-il, *que tout l'effort œcuménique contemporain (que Dieu l'aide) est déjà dépassé par l'histoire et que l'œcuménisme devrait être envisagé non seulement par rapport à Rome, Constantinople, Genève, Cantorbéry, mais par rapport à Bénarès, Tokyo, La Mecque et surtout Jérusalem* [14].

Au début de janvier 1961, Lev Gillet entre en fonctions comme secrétaire du World Congress of Faiths, des fonctions qu'il assumera jusqu'à la fin de l'année 1965. La décision de se consacrer à ce travail n'implique de sa part aucun éloignement du Christ. Il obéit à l'Esprit qui l'appelle à « aller vers le Christ inattendu », reconnu en sa « présence diversifiée [15] » dans l'*autre*.

L'association qu'il va servir a été fondée en 1936 par un ancien officier de l'armée britannique des Indes, sir Francis Younghusband, explorateur du Tibet. Au cours d'une de ses expéditions, ce dernier a connu ce qu'il nomme une « illumination ». Découragé, amer, après l'échec, par suite d'intrigues politiciennes, de négociations menées avec le dalaï-lama, l'officier s'est retiré dans un lieu solitaire. Là, soudain, au fond du désespoir, il s'est senti envahi d'une joie immense, extatique. Toutes ses angoisses et tous ses ressentiments ont été balayés par la conscience d'une harmonie universelle où le mal et les séparations sont surmontées et où se fondent toutes les dissonances. Il a touché l'« amour brûlant qui est au cœur de l'univers. L'unité transcendante qui est au-delà de toutes les divisions, de toutes les séparations [16]. » Désormais les préoccupations religieuses tiendront la

14. Lettre du 7 novembre 1962, à E.B.S. écrite au lendemain de la mort de Massignon. Voir aussi la lettre du 28 octobre 1960 : *Mon temps et mon attention sont consacrés au christianisme latent et agissant dans les grandes religions non chrétiennes.*

15. UN MOINE DE L'ÉGLISE D'ORIENT, *Présence du Christ*, p. 105 (daté « Jérusalem, Pâques, 1960 »).

16. Francis YOUNGHUSBAND, *Vital Religion*, Londres, 1940, p. 3-6.

première place dans la vie et dans la pensée de Younghusband. Mais c'est seulement beaucoup d'années plus tard, en 1936, qu'il devient le fondateur du World Congress of Faiths : une association dont le but n'est pas la promotion d'une « nouvelle religion synthétique » mais qui s'efforcera de développer d'une part un « esprit d'amitié et de compréhension réciproque entre croyants de différentes religions », et d'autre part le « sens d'une responsabilité mondiale au-delà des égoïsmes nationaux [17]. Younghusband meurt en 1942. Les sympathisants, et membres du World Congress of Faiths appartiennent souvent à l'aristocratie et aux milieux dirigeants anglais. Il y a parmi eux des représentants de la hiérarchie de l'Église d'Angleterre, tel l'évêque de Chichester, George Bell, mais aussi des unitariens, des rabbins et des chercheurs religieux qui n'appartiennent à aucune religion institutionnelle. À l'époque où Lev Gillet devient le secrétaire de l'association, la présidence de celle-ci est assumée par lady Irène Curzon, baronne Ravensdale, fille de lord Curzon, ancien vice-roi des Indes [18]. Il aura avec elle des relations particulièrement amicales. L'association est soutenue financièrement par le Spalding Trust. C'est par ce milieu intéressé à la fois par l'étude des religions et soucieux de mettre les convictions religieuses au service de la paix mondiale que Lev Gillet est entré en contact avec le World Congress of Faiths. Il y a laissé le souvenir d'un « prêtre orthodoxe d'une intelligence brillante et fascinante qui apporta à l'œuvre de l'association une contribution qui reste gravée dans les mémoires [19] ».

Sa tâche de secrétaire du World Congress of Faiths est en partie administrative. Ce travail assez ingrat accapare une partie importante de son temps. Il l'accomplit comme un véritable ministère. Évoquant dans une lettre

---

17. Marcus Bray-Brooke, *Faiths in Fellowship*, édité par le World Congress of Faiths, Younghusband House 23, Norfolk Square Londres W2 IRU.

18. Le *chairman* à la même époque est un pasteur unitarien, le révérend Reginald Sorensen, membre du Parlement et leader du parti travailliste où il a milité pour l'indépendance des Indes.

19. M. Bray-Brooke, p. 18.

cet aspect de son existence, il écrit : *je suis occupé comme je ne l'ai jamais été : secrétaire du World Congress of Faiths – avec des responsabilités qui s'étendent de Londres à Hong Kong – des réunions à organiser ici même plusieurs fois par mois – des services* inter-faiths *(le prochain dans une synagogue) – beaucoup d'émouvants contacts avec des bouddhistes, des musulmans, des bahaïstes – dans ma pensée reconnaître et adorer le Christ caché et implicite... Chez tous, je vois le Logos*[20]. *C'est le Christ – j'ose le dire – qui fait l'unité de ma vie et de ses voies multiples*[21].

C'est dans cet esprit d'amour du Christ, allié à la perception de sa présence cachée en ceux qui, en apparence, sont éloignés de lui, que Lev Gillet préside et anime les cultes « interreligions » organisés dans le cadre du WCF. Avec les retraites du Fellowship et les prédications qu'il donne au temple réformé français de Soho[22], ils constituent l'aspect de son ministère en Angleterre qui lui tient le plus à cœur et qui exige de lui, écrit-il, la préparation la plus intense.

Que deviennent, dans le contexte que nous venons d'évoquer, les relations de Lev Gillet, et avec l'Église orthodoxe, et avec l'œcuménisme chrétien ? En ce qui concerne les unes et les autres peut-on parler d'éloignement ? Certaines boutades pourraient le laisser croire. Elles sont à la fois le signe d'une blessure et un appel au dépassement de limites jugées trop étroites. Cependant Lev Gillet reste pleinement dans la communion de l'Église orthodoxe – il ne cesse de le souligner – et il participe aussi de tout son cœur à la grande espérance de restauration de l'unité visible des chrétiens, qui, en ces années, dans le climat de Vatican II, connaît un nouvel et grand essor.

S'il lui arrive de soupirer : « c'est avec les orthodoxes

20. Lettre du 6 avril 1961 à E.B.S.
21. *Ibid.*
22. Voir p. 521.

que j'ai le moins de contacts [23] », c'est que peu nombreux sont les orthodoxes qui s'intéressent à son travail au WCF. Ignorant la profondeur de son engagement, incapables de le comprendre, ils y voient pour lui – à l'exception de quelques théologiens antiochiens eux-mêmes engagés dans le dialogue avec l'islam – un simple gagne-pain.

Ses fonctions au service du WCF et du Spalding Trust, il les exerce au su et avec l'accord de l'évêque grec, représentant du patriarcat œcuménique dont il dépend canoniquement. L'affection et le respect mutuels qui le lient au métropolite Antoine de Souroge restent une donnée permanente et fondamentale de sa vie londonienne. Les deux hommes collaborent sur le plan pastoral. Lev Gillet se charge de la préparation des catéchumènes que Mgr Antoine recevra dans la communion de l'Église orthodoxe. Lev Gillet est convaincu de partager avec l'évêque Antoine certaines options fondamentales. Il plaisante : *C'est l'orthodoxie antiochienne, chrysostomienne avec un peu de l'inspiration d'Édimbourg-Genève que Monseigneur Antoine et moi avons en commun* [24].

Lev Gillet reste aussi le chapelain orthodoxe de St. Basil's House. Après de longues années d'exercice non officiel de cette fonction, une *gramma* patriarcale l'accrédite comme tel officiellement précisément à cette époque.

Au sein du Fellowship, il continue de participer au dialogue anglican-orthodoxe, plus d'ailleurs par sa présence priante et accueillante, par ses méditations bibliques données aux conférences d'été et d'innombrables contacts personnels qu'en prenant part aux débats théologiques. De ces derniers, il paraît se désintéresser de plus en plus.

À la pratique œcuménique au sein du Fellowship s'en ajoute en ces années une autre plus exceptionnelle pour

23. Lettre du 23 mars 1961 à E.B.S.
24. Lettre du 15 juillet 1966 à E.B.S.

un prêtre orthodoxe. À partir de 1962, Lev Gillet mentionne dans sa correspondance les prédications qu'il est appelé à donner au temple réformé français du quartier londonien de Soho. La fondation de la communauté, dont ce temple est le lieu de culte, remonte au XVIIe siècle, à la révocation de l'édit de Nantes, quand des milliers de protestants français, persécutés « pour cause de religion », cherchent refuge en Grande-Bretagne. Ces origines la rendent particulièrement sympathique à Lev Gillet. J'ignore dans quelles conditions et à quelle occasion il est entré en relations avec elle et avec les pasteurs qui le desservent. Le fait est, qu'en ces années, Lev Gillet prêche régulièrement à Soho, présidant même à l'occasion le culte de la Parole en l'absence du pasteur, assurant l'intérim entre deux nominations pastorales. Ce ministère ne relève d'aucune ambiguïté. Il l'assume avec l'autorisation de son évêque et l'accord des paroissiens protestants qui le connaissent comme prêtre et moine orthodoxe. Il réussit même à entraîner un jour dans son fief huguenot son ami le métropolite Antoine. Ce dernier y délivre « en excellent français », un sermon qualifié par Lev Gillet de « très kierkegaardien [25] ».

Ses relations amicales avec le milieu protestant français en Grande-Bretagne (il prêche également au temple réformé français de Cantorbéry) n'empêchent nullement Lev Gillet d'entrenir également des rapports amicaux avec des personnalités et des groupes catholiques : non seulement avec des spécialistes du dialogue catholique-orthodoxe comme dom Bede Winslow, mais aussi avec des uniates ukrainiens qui sollicitent son témoignage en vue d'une éventuelle béatification du métropolite Andréas Szeptykij dont la cause est plaidée à Rome.

Il va de soi que le moine de l'Église d'Orient reste, en ces années soixante, en contact permanent avec ses frères, les bénédictins de Chevetogne. Ces derniers, dans le sillage du succès obtenu par l'opuscule *La Prière de*

25. Lettre du 25 mai 1964 à E.B.S.

Jésus, continuent à publier divers ouvrages, tous signés de son pseudonyme mystérieux et quelque peu mystificateur (mais dont le mystère est de plus en plus percé par de nombreux lecteurs).

En tous ces domaines, il s'agit d'un œcuménisme pratique vécu sur le plan de relations personnelles ou d'organisations non officielles comme le Fellowship de Saint-Alban et Saint-Serge. Qu'en est-il des relations de Lev Gillet avec l'œcuménisme institutionnalisé représenté, d'une part, par le Conseil œcuménique des Églises, d'autre part, par le dialogue officiel amorcé dans le sillage de Vatican II, entre Rome et Constantinople ?

À première vue, il n'y joue aucun rôle ou, tout au plus, un rôle très marginal. Lui qui, dans l'entre-deux-guerres, fut un précurseur passionné du mouvement œcuménique naissant, lui qui se veut spirituellement un témoin de l'unité catholique-orthodoxe, n'est invité à participer ni aux grandes assemblées du COE après la guerre, ni à titre d'observateur au concile de Vatican II : ce « signe » enfin venu de Rome, tant espéré et attendu par lui depuis tant d'années.

L'annonce du concile l'a profondément réjoui, comme en témoignent les lettres qu'il adresse à cette époque à son frère. En Jean XXIII « homme simple et bon », il voit et « le premier pape romain moderne ». Par la suite, les débats de Vatican II le déçoivent. Peut-être parce qu'il ne les connaît que par ce que la presse en dit, ils lui paraissent « provinciaux » – manquant d'une perspective mondialiste –, « fastidieux [26] ». En revanche, le rapprochement qui s'esquisse entre l'Église catholique romaine et les Églises orthodoxes, sous l'impulsion du pape Paul VI et du patriarche Athenagoras Ier, le remplit d'une immense espérance. Dès 1954, le patriarche semble s'être confié au moine orthodoxe français de son grand dessein, laissant entendre qu'il pourrait l'associer à sa réalisation. Lev Gillet pourrait devenir son « porte-parole

---

26. Lettre du 8 novembre et 8 décembre 1962 à E.B.S.

auprès des Occidentaux [27] ». De la part du patriarche, le projet de faire du moine français un de ses proches collaborateurs restera toujours une vélléité qui a pu se heurter à différentes oppositions aussi bien orthodoxes que romaines. C'est pourtant dans ce contexte qu'il convient de situer la présence de Lev Gillet « dans l'ombre, dans les coulisses, jamais sur la scène [28] », à la rencontre les 4 et 5 janvier 1964, à Jérusalem, du pape Paul VI et du patriarche Athenagoras.

A-t-il participé à la préparation de cette rencontre mémorable ? On le devine, mais sa réponse est évasive. Il a été « proche de ceux qui préparaient et savaient [29] ». Arrivé à Jérusalem dans les derniers jours de décembre il a « habité dans le même hôtel que les experts catholiques orientaux », partageant leurs repas, ayant avec eux de nombreux entretiens.

Quelques jours plus tard, encore sous le choc de l'émotion, il évoque à Beyrouth, dans une « conférence du Cénacle », l'événement qu'il vient de vivre. « Dans les personnes de Paul et d'Athenagoras, estime-t-il, ce sont l'Orthodoxie orientale et le catholicisme romain qui se sont rencontrés. Mais au-delà de sa signification pour les chrétiens, cette rencontre a une portée universelle. Ayant eu lieu sur une terre sacrée pour l'Islam comme pour le judaïsme, en présence d'un souverain qui descend du prophète Mahomet, ne pourrait-elle déboucher sur un "dialogue universel [30]". »

---

27. Lettre du 11 janvier 1955 à E.B.S. : *Personne n'est mieux fait que le présent patriarche pour ouvrir toutes les portes, universaliser l'orthodoxie et la dégager de ce qui est périmé. Il est très noble, très large d'intelligence et de cœur. Je vais passer directement à son service et, d'Occident, collaborer avec lui intimement et confidentiellement.*

28. Lettre du 20 février 1964 à Pierre Gillet.

29. *Ibid.* L'allusion semble concerner l'archevêque Athenagoras de Thyatire en résidence à Londres, peut-être aussi l'archevêque grec de Galilée, Mgr Hakim, avec qui Lev Gillet est en relation (lettre du 9 mai 1964 à Pierre Gillet).

30. Lev GILLET, *Jérusalem, symbole des convergences spirituelles*, Beyrouth, 1964, p. 22.

En ce qui concerne le dialogue entre Rome et les Églises orthodoxes, il s'agit pourtant, estime-t-il, de ne pas se laisser aller à un optimisme superficiel. Comme toujours on sent Lev Gillet douloureusement écartelé entre l'espoir, le désir et une lucidité cruelle. L'antinomie est dépassée dans l'espérance théologale. « Des différences fondamentales subsistent. Mais le dialogue est engagé. Il reste à le poursuivre. Ce sera long, ce sera difficile, ce sera nécessaire ». L'important à Jérusalem a été « l'ouverture réciproque dans une atmosphère non de discussions mais de prières, la commune lecture de l'Évangile et la commune récitation du Notre Père » (*ibid.*, p. 22-23) Ici Lev Gillet prend soin de noter que le texte utilisé pour la récitation de cette prière a été la traduction établie par le savant protestant Nestlé : une manière discrète de souligner que le dialogue œcuménique orthodoxe-catholique a toujours besoin de la présence du troisième qu'est le protestantisme, en l'absence duquel ce tête-à-tête risque d'être infructueux. Est citée également la prière du repentir commun, lue par le pape Paul VI : « L'unité se fera dans la commune conversion au Christ, une conversion sans cesse à renouveler et à actualiser. »

En conclusion, Lev Gillet rappelle les paroles de Jésus à la Samaritaine, au puits de Jacob : « l'heure vient et elle est déjà venue où les vrais adorateurs adoreront le Père en esprit et en vérité » (Jn 4, 23). « À Jérusalem, la semaine dernière, le Christ présent devant les deux Patriarches, abolissait déjà en sa personne Rome et Constantinople et Genève et Cantorbéry, car en Sa Personne, malgré nos divisions visibles et terrestres, nous pouvons déjà rencontrer la vérité totale et l'Amour absolu » (*ibid.*, p. 25).

Selon cette vision mystique et eschatologique qui anticipe déjà la fin, les efforts humains en vue de réaliser l'unité visible des chrétiens divisés ne risquent-ils pas de paraître négligeables ? Lev Gillet ne le pense pas. Tout en les relativisant, il exhorte à les poursuivre dans un esprit d'« intégrité intellectuelle et morale », dans la reconnaissance « claire et loyale de ce en quoi on diffère », comme dans le discernement joyeux « de ce qui unit » (*ibid.*, p. 22-23).

Dans une lettre adressée quelques mois plus tard à son frère, Lev Gillet se montre plus explicite quant aux voies à explorer pour parvenir à l'unité visible. Il croit connaître la pensée visionnaire à ce sujet du patriarche Athenagoras : *Le but contemplé à Jérusalem et depuis Jérusalem est : non pas négociations en vue d'une union juridique à établir, mais* constatation *et* développement *d'une union eucharistique déjà existante et confirmée à Jérusalem – mettre au premier plan l'*intercommunion *et l'étendre, en mettant au second plan l'union juridique... On ira très prudemment et assez secrètement parce que la masse des fidèles ne comprendrait pas et n'est pas préparée* [31].

Entre la rencontre de Jérusalem et le décès d'Athenagoras, en ces années où semblent s'ouvrir de grands espoirs pour une réconciliation entre les Églises d'Orient et d'Occident, Lev Gillet paraît constamment partagé entre l'adhésion (où l'incline son cœur) aux projets généreux (mais manquant, peut-être, de sérieux théologique) du patriarche et une attitude plus prudente tenant compte des « différences fondamentales » qui subsistent. Cela tout en restant fidèle à la « vision céleste » – inspiratrice de nos efforts humains – vision de la foi de l'unité déjà réalisée dans la Personne du Christ par l'Esprit Saint. Progressivement c'est la seconde attitude qui prévaudra. « Les Grecs ne suivent pas le Patriarche », constate Lev Gillet. Hésitante, l'attitude de Paul VI lui paraît en retrait sur celle de Jean XXIII en ce qui concerne aussi bien le dialogue œcuménique que la prise de conscience des problèmes éthiques que posent les progrès de la science et de la médecine. Certains gestes spectaculaires – la levée réciproque des anathèmes de 1054 en décembre 1965, Paul VI baisant les pieds du messager, le métropolite

31. Lettre du 9 mai 1964.

Meliton, qui lui apporte la bonne nouvelle de l'acceptation par les Églises orthodoxes du dialogue théologique avec Rome – lui paraissent dépourvus de l'importance décisive que semblent leur accorder les médias. Je me souviens d'une longue conversation avec lui à ce sujet. Versant de l'eau froide sur mon enthousiasme, Lev Gillet déclare qu'il faut distinguer entre l'aspect subjectif et l'aspect objectif de l'événement. Subjectivement le geste du pape est admirable : « signe bouleversant d'un changement du cœur » que les orthodoxes doivent accueillir « avec infiniment de respect ». Mais rien n'est changé sur le plan objectif. Des questions brûlantes restent sans réponse. Lev Gillet nomme, non le débat au sujet du *Filioque* qu'il a toujours considéré comme relevant, en grande partie, d'un malentendu, mais le dogme de l'infaillibilité papale (bien qu'une interprétation acceptable pour les orthodoxes lui paraisse possible) et surtout la juridiction directe du pape sur l'ensemble de l'Église ; thèse incompatible avec l'ecclésiologie orthodoxe de communion des Églises locales en chacune desquelles subsiste l'*Una Sancta Catholica*. Et d'ajouter à ce contentieux ecclésiologique un problème d'ordre éthique qui est pour lui d'une extrême importance : la justification de l'usage par l'Église de la violence pour la défense de ce qu'elle croit être la vérité. « L'Église romaine reconnaît-elle qu'il est contraire à l'Esprit Saint de brûler les hérétiques ? » demande-t-il [32].

L'opinion de Lev Gillet sur ces différents points ne variera pas. Elle s'exprimera dans les mêmes termes, faisant allusion à la levée des anathèmes, dix ans plus tard, dans une conférence donnée pour la Fraternité orthodoxe parisienne.

Quelles sont dans les mêmes années les relations de Lev Gillet avec ce qu'il nomme l'« œcuménisme de Genève » ? Moins tourmentées, elles n'en paraissent pas moins complexes et marquées de sentiments contradic-

32. Notes prises au cours de cette conversation.

toires. Les grandes conférences œcuméniques qui, entre les deux guerres, ont jalonné les progrès de l'esprit œcuménique dans une Europe qui se dit encore chrétienne – Stockholm, Lausanne, Édimbourg – ont été saluées par lui, comme des événements prophétiques. Paradoxalement, la fondation, après la Seconde Guerre mondiale, du Conseil œcuménique des Églises semble l'avoir laissé presque indifférent. Il n'en parle guère. Plongé dans une douloureuse crise intérieure, il est tenté, à l'époque, de revenir dans le bercail catholique romain. Plus tard, alors que cette crise est surmontée, il lui arrive de mentionner « l'œcuménisme d'Amsterdam et de Lundt » comme n'étant pas le sien. En réalité, ces flèches acérées ne visent pas l'idée inspiratrice du COE mais ce qui lui paraît occulter cette idée : la « bureaucratie genevoise », un « œcuménisme spectacle », « les défilés, les cortèges de professionnels », un « blablabla [33] » qui lui paraît stérile. Il s'agit en partie de la réaction épidermique d'un « puritain », la même qui lui fait rejeter avec horreur toute « mise en scène » quand à Paris on lui demande de s'exprimer à la télévision. Les nouveaux leaders du Mouvement œcuménique lui paraissent inférieurs aux Soederblom, Temple, Heiler, Wilfred Monod qui en furent les pères. Il leur manque l'esprit prophétique, écrit-il sévèrement, en évoquant en 1968 l'atmosphère de l'assemblée d'Upsala : Ce sont « des ecclésiastes administratifs face à une jeunesse révoltée [34] ».

À la même époque (et déjà depuis le milieu des années cinquante), Lev Gillet est cependant un hôte régulier de l'Institut œcuménique de Bossey : annexe académique du Conseil œcuménique des Églises, marqué par l'influence de Suzanne de Dietrich, l'amie protestante de Paul Evdokimov. C'est par ce dernier et le théologien grec Nikos Nissiotis que Lev Gillet a été introduit à Bossey. En avril 1958, il y dirige un séminaire sur *La Prière de Jésus*

33. Lettre du 29 juillet 1968 à E.B.S.
34. Lettre du 5 août 1968 à E.B.S.

en collaboration avec le P. Maurice Villain, un spirituel, disciple du P. Couturier, éditeur d'un bulletin au titre significatif : *Le Monastère invisible*. Les deux hommes se comprennent et sympathisent profondément.

Lev Gillet revient encore à Bossey en 1959 et en 1960, puis, après une interruption due à ses occupations londoniennes encore en 1964, 1966, 1968 et probablement l'une ou l'autre fois dans les années soixante-dix. Ces séjours sont toujours évoqués d'une façon très positive. Il aime la vieille demeure – une grande maison de campagne plutôt qu'un château – son parc aux tilleuls et aux hêtres centenaires, la vue sur le lac Léman. Il apprécie l'œcuménisme de Bossey : la prière partagée avec des chrétiens de traditions différentes, la présence attentive des « anges bleus [35] », un débat théologique souvent de haut niveau dans une atmosphère irénique. Un de ses meilleurs souvenirs concerne le colloque qui, dans le courant du printemps 1960, a rassemblé des théologiens protestants, catholiques et orthodoxes. À cette occasion, Lev Gillet prononce l'homélie au service de la sainte Cène célébré « sous l'égide de Calvin » par un jeune frère de Taizé, Max Thurian [36]. Lui-même se sent particulièrement proche de la forme calvinienne du protestantisme. Quand il passe par Genève, confie-t-il à son amie, il aime se rendre à la cathédrale Saint-Pierre pour y assister à un culte ou simplement pour réciter seul la confession des péchés de Théodore de Bèze qu'il admire depuis son adolescence [37].

Un autre colloque mémorable rassemble, en 1968, des médecins, des biologistes de haut niveau et des ecclésiastiques, prêtres et pasteurs, pour réfléchir aux problèmes éthiques posés par les progrès scientifiques, en particulier dans le domaine de la biologie moléculaire.

---

35. Nom donné à l'époque à cause de la couleur de leurs vêtements aux jeunes volontaires féminines chargées des multiples services de la maison.
36. Lettre du 24 mars 1960 à E.B.S.
37. Lettre du 13 août 1964 à E.B.S.

Chargé de présider le culte de la Parole, Lev Gillet a eu le sentiment que sa présence était utile et appréciée et que sa double formation scientifique et théologique lui a permis de jouer un rôle de jeteur de ponts.

Pendant cette première moitié de la décennie 1960 où Lev Gillet, quoique très pris par ses fonctions de secrétaire du WCF, assure de multiples ministères tant à Londres qu'à Paris et Genève, son regard intérieur reste pourtant tourné vers l'Orient, vers Beyrouth et Jérusalem. Il reste en relations étroites avec ses « enfants libanais ». Il suit de loin la vie personnelle de chacun et de chacune, prenant part aux joies et aux épreuves, encourageant des vocations monastiques et sacerdotales, se réjouissant des mariages et des naissances. Aux heures de crise, il est le conseiller et le consolateur. Moins disponible que les années précédentes, il ne renonce pas à ses échappées vers les terres bibliques. En 1960 et 1962 il fait des voyages éclairs à Jérusalem. Il s'y trouve – comme on l'a vu – en janvier 1964 pour la rencontre entre le pape Paul VI et le patriarche Athenagoras. Au retour il fait escale à Beyrouth. Il y revient en janvier 1965 en relation avec des projets que font pour lui ses amis libanais. À l'occasion de ce voyage, il se rend également à Constantinople où il est reçu en audience par le patriarche. Les intentions de ce dernier à son égard – après tant de promesses non tenues [38] – lui paraissent énigmatiques. Mais quelques mois plus tard à la fin de mai 1965, un document signé par Athenagoras l'« accrédite en qualité de conseiller spirituel et représentant personnel du Patriarche auprès des organisations de jeunesse orthodoxes [39]. En fait, l'expression « organisations de jeunesse orthodoxes » désigne Syndesmos – mot grec qui veut dire « lien » – l'Alliance mondiale de la jeunesse

---

38. « Le patriarche est charmeur, inspirant mais on ne peut compter sur lui » (lettre du 8 juillet 1963).

39. C'est en ces termes, sans doute repris du document patriarcal, que cette nomination est décrite par Lev Gillet dans une lettre datée du 1er juin 1965.

orthodoxe fondée en 1953 à Paris, ou plus exactement, à Sèvres, dans le cadre d'une consultation qui a réuni des jeunes orthodoxes au foyer de la Cimade. L'impulsion est venue de deux orthodoxes russes occidentalisés, le jeune théologien Jean Meyendorff et son aîné – représentant de la génération précédente – Paul Evdokimov. C'est ce dernier proche de Père Lev qui devient le premier président du Syndesmos.

Vers le milieu des années soixante, après une période de lente germination, Syndesmos qui a su établir des liens avec des mouvements de jeunesse orthodoxe en Grèce, au Moyen-Orient, en Amérique du Nord ainsi qu'avec l'académie de théologie en URSS, commence à s'affirmer comme une force vive au sein de l'Église orthodoxe. Un Libanais, fils spirituel de Père Lev, Albert Laham, en est devenu le président. Le secrétaire général, Gaby Habib, est également un Libanais issu du MJO. Le siège de l'association est à Beyrouth. Ce sont ces jeunes Libanais qui, soutenus par quelques personnalités influentes auprès du patriarche œcuménique, ont poussé à la désignation de l'archimandrite Lev Gillet comme aumônier d'un mouvement de jeunesse orthodoxe devenu mondial. En recevant l'avis officiel de sa nomination, le vieux moine ne cache pas sa joie : une joie qui permet de mesurer ses frustrations pendant tant d'années où il a humblement servi l'Église orthodoxe sans mandat officiel, sans « être envoyé » par ses supérieurs hiérarchiques. Annonçant la nouvelle à l'amie, il écrit : *C'est la première fois depuis 1937 que j'aurai une responsabilité pastorale... C'est une porte ouverte sur les jeunes du monde entier. L'importance de la tâche me bouleverse.* La veille, dans une église pentecôtiste, il a entendu une voix de femme chanter un *negro spiritual* américain : *« You haven't chosen me, I have chosen you* [40] *»*. Ces paroles l'ont rempli d'« une émotion soudaine ». Dans son envoi vers les jeunes, Lev Gillet perçoit l'appel à une « conversion renouvelée ».

---

40. « Ce n'est pas toi qui m'as choisi, c'est moi qui t'ai choisi. »

Désormais il portera cette jeunesse dans son cœur et dans sa prière, comptant sur la grâce de l'humble amour pour franchir la grande distance des années qui le sépare d'elle : une distance dont, plus que tout autre, il est conscient, malgré le sentiment paradoxal d'une jeunesse intérieure [41].

Le premier acte de ce ministère officiel sera la conduite d'un pèlerinage de Syndesmos à Jérusalem, en août 1965. Pour Lev Gillet qui a soixante-douze ans, ce pèlerinage représente une épreuve à la fois physique et morale : fatigue du long, interminable trajet, sous la chaleur, dans des cars inconfortables, de Beyrouth, à travers la Syrie et la Jordanie jusqu'à Jérusalem. Il appréhende surtout la rencontre avec un groupe hétéroclite de jeunes venus de différentes parties du monde [42] qui ne le connaissent pas et qu'il ne connaît pas. Les jeunes Franco-Russes parisiens si sûrs d'eux-mêmes qui avec les Libanais, constituent le gros de la troupe, l'intimident. Lui-même se montre nerveux et exigeant. Pourtant, miraculeusement, le courant passe. Lev Gillet a préparé minutieusement et avec amour la visite des Lieux saints. Les explications qu'il donne sont à la fois d'ordre historique, archéologique et nourries de son expérience spirituelle [43]. Les jeunes Parisiens gouailleurs, à l'esprit disposé à la critique, sont sensibles au charisme du vieux moine qui réussit à leur transmettre ce qu'il nomme les « grâces » de la Ville sainte : ville « pentecostale » par excellence.

---

41. « Il peut paraître paradoxal de proposer au Syndesmos la collaboration d'un vieil homme à qui certainement il ne reste que peu de temps à vivre sur terre. J'en suis conscient plus que tout autre » (lettre de Lev Gillet à G. Habib citée dans « Jésus Christ in a Changing World », *Rattvik*, 68, p. 10 (publication de Syndesmos).

42. Aux pèlerins venus en bateau de Marseille sous la conduite d'un prêtre jeune et dynamique, le P. Pierre Struve, se joignent à l'escale du Pirée des Grecs et des Finlandais, puis à Beyrouth, des Syriens et des Libanais avec l'archimandrite (futur métropolite) Georges Khodr.

43. Le texte de ce commentaire se trouve dans une brochure polycopiée : *The Syndesmos Holy Land Pilgrimage*, 21-28 août 1965. Voir également le compte rendu de ce pèlerinage dans *Contacts*, n° 52, 1965-4.

Pour beaucoup des participants le moment fort de ce pèlerinage restera l'heure passée à Haram El Charif, l'esplanade du Temple – lieu saint pour les juifs, les chrétiens et les musulmans – où ils ont prié pour la paix de Jérusalem. « Ici, a dit leur guide, notre prière n'est liée ni aux ruines du passé, ni à des sanctuaires actuels. Notre prière ira au-delà du Temple de jadis, au-delà des églises chrétiennes du passé et des lieux de culte actuels. Nous nous souvenons en ce lieu des paroles de Jésus : "Il y a ici quelqu'un de plus grand que le Temple" (Mt 12, 6). » En prononçant ces paroles, Lev Gillet pressent-il qu'il vient d'accomplir son dernier pèlerinage à Jérusalem ? Après la guerre des Six Jours en juin 1967, il refusera, par solidarité avec ses amis arabes, d'y revenir. Cependant la grâce de Jérusalem, dit-il dès 1965, n'est liée à aucun lieu : « Le vent – l'Esprit – souffle où il veut. »

Le pèlerinage est suivi d'une conférence du Syndesmos à Broumana, dans la montagne libanaise. Le thème « L'homme nouveau » est abordé de différents points de vue par quatre orateurs qui sont : le philosophe grec Nikos Nissiotis, le P. Jean Meyendorff du séminaire orthodoxe Saint-Vladimir de New York, le P. Pierre Struve, prêtre et médecin à Paris, enfin le P. Lev Gillet. Ce dernier a donné pour titre à sa conférence « L'éthique chrétienne dans un monde nouveau ». À la révolution dans l'ordre des valeurs morales qui caractérise le monde contemporain, il croit devoir opposer la révolution infiniment plus radicale, cette « révolution maximale qu'est la conversion au Christ ». « La Loi cesse d'être une réalité statique pour ne plus subsister que dans la personne vivante de Jésus qui n'est pas la loi, mais la plénitude, l'accomplissement de sens ultime de la loi réalisé dans l'union à la volonté du Père. » La nouveauté de l'Évangile consiste dans une attitude de « dépassement » qui fera exploser les limites habituelles de la morale sociale. Poser les problèmes éthiques en termes nouveaux, c'est les poser « en termes du Christ ». C'est témoigner du maximalisme de l'Évangile et en même temps être invité à faire preuve de beaucoup de prudence et de charité dans les jugements portés sur la conduite d'autrui. C'est se rappeler qu'au Jugement dernier, l'homme sera jugé non sur ses chutes, mais sur l'amour dont il a témoigné [44]. Cet appel au dépassement en Christ, dans l'Église, des normes éthiques sociales – Lev Gillet le prévoit – choquera certains de ses auditeurs. Il se sait exposé à l'incompréhension et aux critiques. Mais il croit devoir lancer cet avertissement à des jeunes chrétiens appelés à affronter l'immense raz de marée d'une permissivité vulgaire balayant toutes les anciennes digues. L'appel au dépassement des limites dans la communion à l'« Amour sans limites » divin sera au cœur du ministère du Père Lev auprès de la jeunesse orthodoxe. « Au-delà du moralisme et de l'immoralisme, l'Évangile » est le titre d'une conférence donnée par lui à la demande de cette jeunesse à Paris en 1966. Il s'agit, écrit-il, de l'« humble exploration d'un immense problème ». De cette exploration, *Amour sans limites*, le livre où il voit son testament spirituel, sera le fruit.

En concluant cette conférence sur le thème de « l'homme nouveau », Lev Gillet exhorte ses jeunes auditeurs à croire qu'ils peuvent devenir véritablement des hommes nouveaux, des femmes nouvelles, par le don de l'Esprit Saint : « Je vous demande de croire que la Pentecôte peut s'accomplir pour chacun de nous dans cette conférence de Broumana. Je vous demande de croire que l'Esprit Saint peut tomber sur vous, non pas d'une manière visible mais vous pouvez recevoir le baptême de l'Esprit invisible dont parle le Livre des Actes à plusieurs reprises. Vous pouvez être changés, être transformés... L'homme nouveau est créé par le Saint-Esprit. »

Dans le courant de l'automne 1965, Lev Gillet démissionne de ses fonctions de secrétaire du WCF. Sa démis-

44. Résumé d'après des notes prises à cette conférence.

sion devient effective au début de 1966. Il ne rompt pas avec l'association. Le dialogue avec des croyants d'autres religions comme avec les athées reste une de ses préoccupations essentielles. Mais libéré de tâches administratives, il se veut désormais entièrement disponible aux les jeunes qui pourraient et ont le droit de faire appel à lui. « Je n'ai pas de droit sur vous. Vous avez des droits sur moi », écrit-il au secrétaire du Syndesmos en s'introduisant auprès de ce mouvement de jeunesse.

Au moment de son départ du secrétariat du WCF, les collègues de Lev Gillet lui offrent un sac de voyage, symbole du ministère itinérant qui sera le sien tant qu'il aura la force de l'assumer. Les fils qui le retiennent en Grande-Bretagne – son travail pour le Spalding Trust, ses obligations envers le Fellowship de Saint-Alban et Saint-Serge – ne sont toutefois pas rompus.

Dans la période entre 1965 et 1971 (année qui marquera pour lui une coupure), Lev Gillet se rend fréquemment à l'étranger, en France, en Suisse, en Grèce, au Moyen-Orient, pour Syndesmos, pour la Fraternité orthodoxe parisienne, pour le MJO, pour un petit groupe suisse dont il sera question de loin. À plus de soixante-dix ans, souffrant d'une maladie cardiaque, il mène une vie étonnamment active, associant recherches érudites et ministère pastoral, à une importante œuvre d'écrivain spirituel. Il connaît en ces années comme une nouvelle jeunesse : un lumineux et ardent été de la Saint-Martin avant l'hiver du grand âge.

En juillet 1968, a lieu à Rattvik (en Suède) la septième assemblée générale du Syndesmos. Lev Gillet a participé à sa préparation et au choix du thème de cette assemblée : « Jésus-Christ dans un monde qui change ». Les principaux intervenants sont, avec un laïc indien, C.I. Itty, l'archevêque Antoine Bloom de Grande-Bretagne et l'archimandrite Georges Khodr, un des leaders du MJO. Tous deux sont proches de Lev Gillet. La conférence orthodoxe a été précédée par l'assemblée générale du COE à Upsala – « Upblabla », ironise méchamment Père Lev – marquée par la prise de parole d'une jeunesse contestataire. L'aumônier du Syndesmos en a eu des échos par les jeune orthodoxes qui y étaient présents. Lui-même, quelques mois plus tôt, a vécu, au foyer de la Cimade, Mai 1968 à Paris. Certaines manifestations de violence grossière l'ont choqué. Il a parlé à leurs propres de « voyoucratie ». Mais au fond de lui-même, il sympathise avec cette jeunesse révoltée contre un ordre social injuste et une morale souvent hypocrite.

À Rattvik, Lev Gillet donne chaque matin une méditation biblique [45] : manducation de la parole de Dieu dont se dégage le message ardent, prophétique, spirituellement « révolutionnaire », qu'il se sent appelé à transmettre à ses jeunes amis : appel à rencontrer le « Christ vivant » au-delà de traditions mortes, à s'ouvrir au-delà de la « lettre mortifère » au souffle de l'« Esprit vivifiant », à discerner en Christ, Parole divine faite chair, l'« abrogation de la loi remplacée par l'insertion dans le cœur de l'homme d'une image ensemble divine et humaine » : celle de Jésus de Nazareth, fils de Dieu. Tous les thèmes présents à la méditation intérieure du moine de l'Église d'Orient – le Dieu souffrant, l'Amour sans limites – traversent ces méditations matinales. Son credo, Père Lev le résume en cinq paroles de l'Écriture : « Dieu est amour » (1 Jn 4), « Vous aimerez de tout votre cœur » (Mt 22, 37), « Demeurez dans mon amour » (Jn 15, 13), « Il n'y a pas de plus grand amour que de donner sa vie pour ses amis » (Jn 15, 9), « L'amour est fort comme la mort » (Ct 8, 5), « En cela consiste tout l'Évangile, conclut-il : Dieu n'est rien d'autre [46] ».

C'est aux jeunes que Lev Gillet s'adresse de préférence. Il veut servir cette jeunesse dont il se sent mieux compris d'elle que des gens de sa propre génération. Mais il

---

45. Rédigé par Lev Gillet, un résumé de ces méditations se trouve dans la brochure éditée par le Syndesmos : « Jesus Christ in a Changing World ».

46. « Jésus-Christ in a Changing World », p. 14.

connaît aussi des déceptions dans ce domaine. En 1967, on lui demande d'assurer un cours de philosophie à l'Institut Saint-Serge à Paris. L'offre est tentante. Il se réjouit de revenir dans la vieille maison qui évoque pour lui tant de souvenirs chers. Il espère y retrouver les descendants des jeunes Russes enthousiastes qui furent jadis ses élèves. La réalité se révèle cependant décevante.

Il est convenu qu'il donnera trois séries de cours réparties sur l'année scolaire. Le thème proposé par lui est formulée : « La problématique religieuse contemporaine ». Initier à celle-ci de jeunes orthodoxes – peut-être de futurs prêtres – lui semble une œuvre utile. Une première série de ces cours portera sur « Le marxisme, l'idéalisme de l'immanentisme absolu, le positivisme ». La deuxième sera consacrée aux « Psychologies : Freud, Jung, la *Gestalt*, la psychologie religieuse (W. James) ». Une troisième série aura pour thème : « L'approche historique, l'étude comparée des religions, l'histoire des origines du christianisme ». Le but est de démystifier ces approches critiques et souvent réductrices du christianisme comme du phénomène religieux en général, tout en montrant qu'elles ont aussi un « aspect positif » [47]. Un programme ambitieux mais dont la réalisation se heurtera au manque de préparation et, par suite, au manque d'intérêt d'étudiants venus en grande partie de pays balkaniques et n'ayant qu'une connaissance limitée de la langue française.

Lev Gillet est déçu. L'Institut Saint-Serge qu'il a connu si vivant au temps des Boulgakov, Kartachev, Fedotov, lui paraît maintenant « un peu mort ». Il s'y sent seul, isolé. Ne se laissant pas décourager, il trouve plus de satisfaction dans un enseignement d'homilétique qui lui est proposé pour 1968-1969 et 1969-1970. Les étudiants qui le suivent sont peu nombreux. Mais ces cours sont pour lui l'occasion de contacts personnels dont quelques étudiants garderont le souvenir.

Les séjours à Paris de Lev Gillet, dans les années

---

47. Lettre du 18 décembre 1967 à E.B.S.

soixante, sont donc toujours bien remplis. Aux cours donnés à Saint-Serge s'ajoutent la participation aux Journées de Massy, son ministère auprès de la Fraternité orthodoxe naissante, diverses activités œcuméniques [48], sans parler de multiples rencontres personnelles. Auprès de ce *starets* moderne des hommes et des femmes appartenant aux milieux les plus divers cherchent une aide et trouvent une inspiration [49].

L'un des principaux pôles d'intérêt de Lev Gillet en ces années reste bien entendu le Liban, et avec lui l'Orthodoxie antiochienne en relation avec l'ensemble des problèmes à la fois spirituels et politiques du Moyen-Orient. « L'idylle libanaise se poursuit », écrit-il. Il retourne à Beyrouth en 1968, 1969, 1970, presque toujours pour le temps du grand carême précédant Pâques. De ce ministère qui se poursuivra dans les années soixante-dix, il sera question plus loin. Auparavant, il paraît nécessaire d'évoquer l'œuvre littéraire accomplie par le moine de l'Église d'Orient entre 1960 et 1970.

48. En mai 1968, Lev Gillet prononce en l'église des Carmes l'homélie à l'occasion d'une rencontre interconfessionnelle des enseignants de théologie de la région parisienne. En août 1969, il participe à la rencontre de l'Amitié, association œcuménique de membres de l'enseignement public. On lui a demandé de répondre à la question : « Comment parler de Jésus-Christ à l'homme d'aujourd'hui ? »

49. Voir les témoignages publiés après la mort du P. Lev Gillet dans *Contacts*, nº 116, 1981-4.

CHAPITRE XII

SUCCÈS D'UN AUTEUR ANONYME

Au début de janvier 1960, est publié aux Éditions du monastère de Chevetogne : *Jésus. Simples regards sur le Sauveur.* Le nouveau livre de Lev Gillet – tout comme le précédent publié aux mêmes éditions – est signé « Un moine de l'Église d'Orient ». Il ne s'agit pas, cette fois-ci, d'un ouvrage érudit destiné à répondre à la curiosité de théologiens ou de moines qui s'intéressent à une forme d'oraison caractéristique de la spiritualité orientale. Le message de *Jésus. Simples regards sur le Sauveur* est essentiellement spirituel et personnel : témoignage d'un croyant, d'un chrétien dont l'appartenance confessionnelle et l'identité restent mystérieuses. Le livre s'adresse visiblement à un large public. La publication d'un tel ouvrage par Chevetogne se justifie-t-elle ? Ne risque-t-elle pas de soulever des interrogations, voire des critiques ? Dom Olivier Rousseau qui a succédé à Clément Lialine à la direction des Éditions et de la revue *Irénikon*, s'est certainement posé ces questions. Mais il a cru pouvoir et devoir passer outre. Au cours de l'été 1951, lui et Lev Gillet, après une interruption de leurs relations pendant près d'un quart de siècle, se sont revus à Londres ; les liens anciens se sont renoués. Retrouvant la complicité amicale qui les unissait jadis, ils sont de nouveau en correspondance régulière.

À l'étonnement secret et au soulagement du bénédictin dom Olivier (qui me l'a confié), le censeur ecclésiastique compétent – en l'occurrence le vicaire général de l'évêché de Namur – accorde sans difficulté l'*imprimatur* au nouvel ouvrage du moine de l'Église d'Orient.

Déjà le livre précédent, *La Prière de Jésus*, a connu un honnête succès. Celui du nouvel ouvrage dépasse toutes les attentes. En quelques semaines, la première édition est épuisée. D'autres tirages suivront rapidement. En 1979, les Éditions de Chevetogne annoncent la parution du trente et unième mille [1]. *Jésus. Simples regards sur le Sauveur* sera traduit en allemand, en néerlandais, en espagnol, en portugais, en italien, en grec et en japonais. Une traduction en anglais est annoncée aux États-Unis avec l'*imprimatur* du cardinal Spellmann. « On aura tout vu », commente Lev Gillet, en annonçant la nouvelle à son frère.

En France, le livre bénéficie de l'accueil favorable de la critique catholique. Le ton a été donné par l'oratorien Louis Bouyer dont un compte rendu enthousiaste est publié dans l'hebdomadaire *La France catholique*. C'est le même P. Bouyer qui le fait connaître dans les milieux catholiques américains. Recommandant sa lecture à un ami cistercien, il lui écrit : « Jetez tous vos livres bavards pour lire ce livre-là. » « J'ai pris le livre et je l'ai lu presque d'une seule traite, tel un assoiffé du désert qui trouve une gourde d'eau », avoue à son tour le cistercien [2]. « Confus et gêné » d'un succès auquel il ne s'attendait pas, Lev Gillet n'y est pourtant pas insensible : il annonce à son frère que « le sept millième exemplaire vient d'être vendu », que le livre trouve des lecteurs aussi bien « chez les trappistes que chez les protestants », comme vient de le lui écrire Olivier Rousseau. C'est, en particulier, le caractère œcuménique de ce succès qui le réconforte et qui l'enchante : ce sont des bénédictins qui ont accepté de publier ce livre – œuvre de l'un des leurs entré dans la communion de l'Église orthodoxe – et c'est une protestante, Sœur Geneviève (Micheli), fondatrice de la

1. Depuis, *Jésus. Simples regards sur le Sauveur* a été publié en livre de poche, Éd. du Seuil, coll. « Livres de Vie ».

2. *Collectanea Cisterciensia,* 1960, n° 3, cité par Olivier Rousseau dans l'article nécrologique qu'il consacre à son ami (*Irénikon*, 1980 n° 2, p. 194).

communauté des sœurs de Grandchamp, qui a encouragé le moine orthodoxe à rassembler et à faire paraître ces méditations éparses. Sans fausse modestie, Lev Gillet partage sa satisfaction avec ses proches, son frère et quelques amis. En même temps, il les supplie – parfois avec véhémence, quand il craint de ne pas être obéi – de préserver le secret concernant l'auteur du livre. À aucun prix l'identité du mystérieux moine de l'Église d'Orient ne doit être révélée. La non-observation de cette consigne, explique-t-il, entraînerait de graves difficultés pour les moines de Chevetogne qui se sont montrés si généreux à son égard. Le souci de ne pas embarrasser Chevetogne est légitime. Il justifie le désir de Père Lev de rester dans l'ombre. Mais comme le souligne l'évêque Kallistos Ware dans la préface qu'il donne à la réédition anglaise de la *Prière de Jésus* ce désir relève aussi du « kénotisme » du moine de l'Église d'Orient, de son refus de toute gloire et de tous les honneurs terrestres, de sa conviction que « sa vocation est une *vocation de perte* ». Concernant *Jésus. Simples regards sur le Sauveur* et les ouvrages suivants publiés aux Éditions de Chevetogne – la partie de son œuvre la moins connue en Grande-Bretagne – le désir de Père Lev sera respecté, du moins de son vivant. Parmi ceux qui le croisent dans sa vie quotidienne – même dans le milieu du Fellowship où il est aimé et respecté –, peu savent que l'humble vieux moine au verbe puissant et original est aussi un auteur mondialement connu dont les œuvres ont trouvé un écho dans le cœur de dizaines, peut-être de centaines de milliers de lecteurs.

Du succès de son livre, Lev Gillet ne veut tirer ni gloire personnelle, ni bénéfice matériel. D'avance, il a renoncé à ses droits d'auteur au bénéfice du monastère de Chevetogne comme il a renoncé aux mêmes droits en faveur du MJO pour les ouvrages édités par ce dernier. L'essentiel ne sont pas sa personne, ses intérêts. L'essentiel, c'est que le message du livre soit reçu. Dans l'avant-propos à *Jésus. Simples regard sur le Sauveur* l'auteur se compare au « possédé du pays des Géraséniens » que Jésus a guéri et qui s'en va « publier ce que le Seigneur a fait pour lui et comment il a eu pitié de lui » (p. 7). De lui aussi le Christ a chassé les démons par lesquels il se sentait « possédé ». Son livre ne veut être qu'un témoignage : l'action de grâces de l'un de ceux que le Christ a guéris.

Résumer le contenu du livre se révèle une tâche impossible. On y discerne un mouvement – celui même des récits évangéliques – de la naissance de Jésus et de son ministère galiléen à la Croix, la Résurrection et l'Ascension. Mais cela en l'absence de tout plan systématique : pas de division en chapitres, pas de titres. La pensée avance et revient sur les mêmes thèmes, comme par vagues successives. Pas de méthode mais une libre docilité à l'inspiration, une écoute de paroles ineffables. Pour guider le lecteur, seulement deux index à la fin du volume : l'un des citations scripturaires données dans le texte sans référence, comme coulant de source, l'autre sous la forme d'une table analytique des thèmes abordés. Ces thèmes sont signifiés par des noms propres de personnes (Pierre, Lazare, Judas, Marie) ou de lieux (Bethléem, Nazareth, Béthanie, Jérusalem) ou encore par des substantifs symboliques de l'expérience de la foi chrétienne : le mot « cœur » est cité le plus souvent. Viennent ensuite « Croix », « péché », « souffrance », mais aussi « miséricorde » et « transfiguration ». Paradoxalement ces méditations d'un moine de l'Église d'Orient portent en partie la marque d'une spiritualité désignée souvent – Lev Gillet dirait « abusivement » – comme occidentale. Manifestement, l'opposition devenue banale entre Orient et Occident est ici dépassée. Elle ne concerne pas l'essentiel : la naissance *ici et maintenant* à la vraie vie, dans la communion personnelle, conscientisée au Christ vivant, au « Christ des Évangiles, notre contemporain ». Il n'y a ici rien d'autre que la foi proclamée par Pierre et Paul, par les apôtres, les Pères de l'Église, par l'Église *catholique*, au sens profond du mot. La Tradition, tout comme les épisodes de l'Évangile évoqués dans les quarante-six méditations qui constituent le livre, sont actualisés dans la démarche de foi personnelle d'un chrétien du XXe siècle. Aux sources anciennes, le moine de l'Église d'Orient invite à boire l'eau toujours vive.

Chacune des méditations s'organise autour d'un thème traité de façon dynamique par touches successives. Ainsi : « voir Jésus », « se savoir regardé par lui », « condition de la vision » – en quoi consiste la « pureté du cœur » dont Jésus proclame heureux ceux qui la possèdent car « ils verront Dieu » (*ibid.*, p. 13-15).

Souvent cette méditation se mue en prière ou en dialogue. À celui qui l'interroge, Jésus répond de manière ineffable.

Le moine de l'Église d'Orient ose l'avouer : « j'ai eu quelquefois l'impression que certaines paroles, certaines images venaient de plus loin et de plus haut que moi. » Expérience sensible de la grâce, qui n'est, pas réservée selon lui, à quelques privilégiés mais à laquelle tous peuvent aspirer. Dieu est à la fois totalement transcendant et totalement proche de chacun de nous. Élevé auprès du Père, en l'événement symbolique de l'Ascension, le Christ, Dieu-Homme, ne s'est pas séparé des siens. Désormais, il est auprès d'eux d'une façon nouvelle par le ministère de l'Esprit. L'idée des ministères à la fois distincts et conjoints de la Colombe et de l'Agneau est présente dans *Jésus. Simples regards sur le Sauveur* : « L'Esprit nous dit les mots de Jésus, tantôt avec la force de l'ouragan, tantôt avec la douceur d'une brise légère... Il pose Jésus devant nous, il nous unit au Sauveur. » Les événements de la vie terrestre du Christ peuvent sembler appartenir au passé. Par l'Esprit qui transcende les limites de l'espace et du temps, ils nous deviennent contemporains et personnels. Il y a une « Vie de Jésus » que l'Esprit ne cesse d'« écrire, de former dans les âmes ». C'est de cette expérience vécue, de cette inscription en lui, pauvre pécheur, de l'icône vivante du Sauveur, que le moine de l'Église d'Orient se sent appelé à témoigner, non pour se glorifier, mais pour persuader d'autres à aller, comme lui, vers Jésus, le contemporain. « Contemporanéité de Jésus-Christ. Chaque mot d'un récit évangélique est pour moi un événement présent. (Il a aussi des prolongements dans la vie éternelle.) Il est autre chose qu'un fait du passé que je commémore. Il est pour moi, en ce moment même, un fait de conscience appartenant à une vie. »

Dans un langage marqué par la psychologie contemporaine et Bergson (le Bergson de l'*Essai sur les données immédiates de la conscience,* de l'*Énergie spirituelle* et des *Deux sources de la morale et de la religion)*, Lev Gillet ne dit pas autre chose ici que ce dont témoignent tous les grands mystiques chrétiens, de l'apôtre Paul à Syméon le Nouveau Théologien, à saint Sérafim de Sarov et à la petite Thérèse de Lisieux. Esprit moderne formé par les disciplines de la science et de l'intelligence contemporaines, il aspire en même temps, comme eux, à la Présence divine se donnant en son immédiateté, au-delà de toute connaissance discursive : « Mon Sauveur, j'en ai assez de raisonner et de discuter à ton sujet. Je voudrais m'approcher de Toi simplement. Laisse-moi fermer les livres ! Qu'entre nous plus rien ne s'interpose. Laisse-moi m'absorber, m'abîmer en ta présence. Que ton cœur parle à mon cœur » (*ibid.*, p. 27, 28, 29).

C'est le mystique qui s'exprime ici. Mais ce mystique est aussi un théologien authentique en quête d'intelligence. « Dieu est Lumière », proclame Lev Gillet dans son article sur Kierkegaard. La foi pour lui n'est pas un cri dans les ténèbres absolues. Elle est la démarche de celui qui entrevoit la lumière qui illumine la nuit et qui se dirige vers elle, fût-ce en tâtonnant. La foi appelle la pensée de la foi. C'est dans *Jésus. Simples regards sur le Sauveur* – œuvre de pure spiritualité – qu'il formule le plus clairement et le plus profondément sa théologie du « Dieu souffrant [3] », de même que sa théologie de la rédemption par la Croix.

Récusant l'opinion selon laquelle une spiritualité cen-

3. *Jésus. Simples regards sur le Sauveur*, p. 169-176.

trée sur la Résurrection et la Transfiguration du Christ mais laissant dans l'ombre le Golgotha serait caractéristique de l'orthodoxie orientale, le moine de l'Église d'Orient médite longuement la Passion du Christ, à laquelle, écrit-il, tout chrétien est appelé à participer. Il écarte cependant une conception ensemble juridique et doloriste de la Rédemption telle qu'elle a longtemps prévalu en Occident. À l'idée qui fait de la souffrance du Fils l'expiation exigée par le Père en réparation du péché des hommes, se substitue, pour lui, celle d'une exigence de l'amour maximal : amour ensemble des trois Personnes, du Père, du Fils et de l'Esprit : « "Il n'y a pas de plus grand amour que de donner sa vie pour ceux qu'on aime." En cette phrase est contenue l'explication la plus complète, ou mieux le sens le plus profond de la Passion du Sauveur. Le plus grand amour est maximal. Il exige le don qui va jusqu'à la mort. Le Golgotha, non une exigence de justice : une exigence d'amour. »

Levant le regard vers Jésus crucifié, le moine de l'Église d'Orient poursuit : « Ta tête est baissée. Tu l'inclines dans un mouvement qui acquiesce. Tu as accepté et consommé la volonté de Dieu, la tienne donc autant que celle du Père et de l'Esprit. Tu inclines la tête en signe d'obéissance à ce qu'exige envers les hommes l'amour des Trois » (*ibid.*, p. 164-165).

Dans la théologie mystique du moine de l'Église d'Orient, horizontalité et verticalité, loin de s'opposer, se rejoignent et se croisent comme les bras de la Croix. Le Christ crucifié qu'il appelle à contempler est présent dans les hommes, ses frères, qui souffrent aujourd'hui. Les « blessures du Christ sont encore saignantes ». On le crucifie aujourd'hui encore. Pour le disciple de Jésus, il s'agit d'être présent à cette souffrance : « "Étiez-vous là, quand on a crucifié mon Seigneur ?" Cette phrase d'un chant spirituel nègre forme une question actuelle et poignante. Suis-je là où l'on crucifie mon Seigneur ? Suis-je capable d'élargir, aux dimensions du Golgotha contemporain, ma pauvre imagination si étroite, si centrée sur elle-même ? Puis-je me rendre présent aux agonies du corps du Christ en chaque homme que le Mauvais écartèle ou que les hommes font souffrir (parfois en Ton nom, ô Christ) ? Puis-je me rendre présent aux tête-à-tête de Jésus avec chaque malheureux ? Tête-à-tête, oui. D'une part, une tête humaine. D'autre part, la Sainte Face, bafouée et meurtrie. Je serais présent en esprit à ces tête-à-tête, si je porte en moi cette Sainte Face » (*ibid.*, p. 168). « Entre donc en moi, ô crucifié rayonnant » (*ibid.*, p. 167).

Les dernières phrases du livre sont celles mêmes sur lesquelles s'achevait la dernière lettre de Lev Gillet à ses paroissiens, en 1938 : « Seigneur, j'ai si souvent et pendant tant d'années entendu l'appel ! Combien de fois, je me suis mis en route ! Et puis, je suis tombé, je n'ai pas continué. Je ne peux pas dire que je t'ai suivi. Je t'ai souvent perdu de vue... Et pourtant, j'ai toujours senti que tu étais là... Seigneur, tu me fais encore, peut-être la dernière fois, la grâce de m'appeler ?... Seigneur, je viens » (*ibid.*, p. 188).

Jésus. Simples regards sur le Sauveur n'a rien d'une autobiographie au sens événementiel. Mais c'est une œuvre révélatrice du cheminement intérieur de Lev Gillet en son unité essentielle. Ces pensées, comme il l'écrit dans l'introduction, « sont le fruit de Jérusalem, de la mer de Galilée, le fruit de toute ma vie » (*ibid.,* p. 16).

Autant que l'authenticité de l'expérience spirituelle qui sous-tend ce livre, c'est la perfection de l'expression littéraire qui frappe le lecteur. Théologien mystique, le moine de l'Église d'Orient est aussi un très grand écrivain, un maître de la langue française. D'une limpidité et d'une concision raciniennes, son écriture – tout comme sa parole parlée – sont imprégnées et portées par un intense et puissant souffle poétique. Ainsi, lorsqu'il écrit : « L'ombre de la croix sur toutes choses. Non : le soleil de la croix » (*ibid.*, p. 65) ou encore lorsque la vision de la beauté naturelle et celle de la beauté spirituelle se pénètrent et que la seconde transfigure la première qui lui offre sa matière : « Jésus : immensité de la mer. Mer d'un bleu profond à la tombée du soir. Mer que le soleil de midi couvre d'une blancheur aveuglante. À l'horizon se fondent la ligne de la mer et la ligne du ciel. Ainsi, Seigneur, aussi loin que mon regard peut te suivre, je te vois te perdre dans la gloire du Père » (*ibid.*, p. 46).

« Lev Gillet est un génie », disait de son élève dom Lambert Beauduin [4]. Un génie qui est aussi un homme accablé du fardeau d'une immense souffrance, de la « souffrance du monde » – *Weltschmerz*, disait Père Lev qui affectionnait ce terme allemand expressif. De cette souffrance assumée, surmontée et transfigurée dans la communion au « Crucifié rayonnant », *Jésus. Simples regards sur le Sauveur* est le témoignage.

Dans la foulée du succès de *Jésus. Simples regards sur le Sauveur*, les Éditions de Chevetogne publient, dès 1961, un troisième ouvrage du moine de l'Église d'Orient : *Présence du Christ*. L'auteur reprend, en le développant considérablement, un thème déjà abordé par lui dans un opuscule publié en Angleterre quelques années plus tôt ; un recueil de méditations données dans le cadre de la retraite annuelle du Fellowship à Pleshey [5]. La brochure anglaise est signée Lev Gillet.

L'appel est à la sanctification de l'existence quotidienne et, au-delà, de toutes les sphères de l'activité et de la culture humaines [6]. En vertu de l'incarnation du Fils de Dieu et de l'économie de l'Esprit qui, au-delà des limitations de l'espace et du temps, rend la grâce de cette incarnation toujours actuelle, le tout de l'homme, en ses aspects les plus humbles, comme en ses aspects les plus sublimes, est virtuellement sanctifié. Il s'agit de savoir saisir cette grâce, de s'ouvrir à elle, de vivre une journée,

---

4. Ce jugement m'a été rapporté par un familier de dom Lambert.

5. Lev GILLET, *A day with the Lord*, Londres, Mowbray, 1958.

6. Cette idée a été développée, dans la théologie orthodoxe moderne, par le grand théologien prophète Alexandre Boukharev à la pensée duquel Lev Gillet m'a rendue attentive.

ou plutôt de vivre la vie de tous les jours en Christ par l'Esprit Saint, selon le commandement : « faites ceci en mémoire de moi » (Lc 22, 19). En gardant à l'expression « en mémoire de » toute la force du terme grec *anamnesis*, le moine de l'Église d'Orient ose audacieusement donner à ce commandement, au-delà de la sphère sacramentelle, une portée universelle. Il s'en explique dans un dialogue intérieur avec le Seigneur : « J'oserai faire de cette parole une application élargie, mais (Dieu veuille !) non sacrilège. Sans confondre avec aucune autre action l'acte unique de Ton Souper, et, maintenant chaque réalité dans son ordre propre, j'aimerais étendre ces mots – "faites ceci en mémoire de moi" – à tous les actes journaliers que tu fis et que nous-mêmes nous faisons... Ce que les hommes font chaque jour, ce qu'aujourd'hui je fais, tu l'as fait aussi, pendant Ton existence terrestre. Tu as dormi et tu t'es éveillé. Tu t'es lavé et tu t'es vêtu. Tu as travaillé de tes mains et tu t'es reposé. Tu as lu et tu as écrit. Tu as marché sur nos chemins. Tu as pris part aux conversations des hommes. Tu as mangé et bu avec eux. Et maintenant tu me dis : "Mon enfant, fais toutes ces choses en mémoire de moi [7]." »

Ce qui est suggéré n'est ni une imitation purement extérieure de Jésus en sa vie historique terrestre, ni une communion seulement intérieure à ses dispositions, c'est, par cette communion (qui en est la condition indispensable), une transfiguration de l'existence terrestre et de toute la culture humaine dans le rayonnement qui, porté et diffusé par l'Esprit, émane du Dieu-Homme.

« Je prie », écrit le moine de l'Église d'Orient, que la "mémoire de toi" associée à nos actes les plus simples apporte pour moi, grâce à l'Esprit vivificateur une réalité divine et évangélique, actuelle et contemporaine » (*ibid.*, p. 12). Et un peu plus loin : « Ce que je crois fermement Seigneur, c'est que *par don* et *par grâce*, ton Saint-Esprit peut me rendre présents et communicables tous les actes

7. *Présence du Christ*, p. 12.

de ta vie terrestre. Je crois que par l'Esprit et dans l'Esprit, je puis devenir participant des épisodes de l'Évangile. Je crois que le Saint-Esprit peut ainsi écrire dans mon âme une "vie de Jésus" et me la faire vivre, selon qu'il voudra. Je crois que surnaturellement, il y a une sorte d'osmose et de continuité entre les actes humains de mon Sauveur et mes propres actes » (*ibid.*, p. 14).

On a reproché à Lev Gillet – non sans raison – de ne considérer en Grégoire Palamas que le polémiste antilatin qui l'irrite, ce qui l'empêche de rendre justice aux intentions profondes du théologien [8]. Cette critique paraît en partie fondée en ce qui concerne l'essai *La Prière de Jésus*. Mais, on n'a pas assez remarqué – peut-être parce qu'il s'agit d'un ouvrage de spiritualité dont l'auteur, avec beaucoup de modestie, affirme qu'il n'a rien à offrir au théologien – que l'apport le plus précieux du palamisme à la spiritualité chrétienne se retrouve dans *Présence du Christ.* Dégagé de sa gangue historique, transposé dans un langage évangélique, il est mis ici à la portée de tous, du croyant le plus humble comme du théologien soucieux de rigueur dans l'expression de la foi. Avec et comme Palamas, le moine de l'Église d'Orient affirme que le Dieu totalement transcendant est aussi le Dieu qui, se donnant entièrement dans son action salvatrice, se rend infiniment participable aux hommes. Entre l'action – c'est-à-dire les « énergies » – de Dieu et l'activité humaine, une « osmose » est possible, conformément à l'intention, à l'amour, à la grâce divine. Mais, ajoute l'auteur de *Présence du Christ*, cette osmose ne constitue pas seulement la fin proposée à une catégorie particulière de chrétiens : aux moines, aux hésychastes, aux contemplatifs retirés du monde. Elle est la vocation de tout chrétien : une vision appelée à inspirer, à sanctifier et transfigurer toute activité, tout travail, des mains comme de la pensée – comme aussi le repos nécessaire –, tous les domaines de l'existence humaine.

8. Voir Kallistos WARE, Introduction à *The Jesus Prayer*, p. 19.

Palamas n'est pas nommé dans *Présence du Christ*. Mais l'antinomie est dépassée entre une spiritualité dite occidentale de l'« imitation du Christ » et une spiritualité orientale qui viserait la « transfiguration » ou « divinisation » de l'homme. Il s'agit, affirme le moine de l'Église d'Orient, de tendre, *ici et maintenant*, en toutes circonstances, même ou surtout dans les circonstances les plus humbles, à vivre et à cheminer *in Christo per Spiritu sancto*, au sens le plus mystiquement réaliste de ces mots.

Tout comme *Jésus. Simples regards sur le Sauveur*, ce nouveau livre du moine de l'Église d'Orient est l'expression d'une spiritualité et d'une théologie tout à la fois christocentriques et trinitaires. La fin visée est la communion par l'Esprit au Fils tout entier dynamiquement tourné vers le Père et un avec lui. On y retrouve aussi la même aspiration kénotique. Le moine de l'Église d'Orient se reconnaît « petit, pauvre, faible ». Il n'aspire qu'à « suivre et étreindre humblement l'humble Jésus, *humilis humilem* [9] ».

Cette humilité est cependant imprégnée d'un sentiment nouveau d'espérance et de joie pascale. L'opuscule anglais se termine par l'évocation de la fin de la journée, de la prière de Jésus à Gethsémani, par le grave avertissement de la parabole des vierges en l'attente, dans la nuit, de l'Époux qui tarde à venir. *Présence du Christ* s'achève et culmine dans la vision radieuse du matin de Pâques que pourrait être pour le chrétien chaque lendemain matin, chaque réveil après le sommeil de la nuit : « Seigneur Jésus, chaque matin peut être pour moi le « premier jour de la semaine », la fête de la Résurrection. Que chaque matin soit pour moi le matin de Pâques... Que chaque jour, chaque éveil m'apportant la joie de Pâques m'apporte aussi la plus profonde conversion – celle par laquelle je me tournerai de ton image d'hier vers ton image d'aujourd'hui ! Que je sache, dans chaque situation et dans chaque personne, te connaître tel que tu veux être

9. *Présence du Christ*, p. 10.

connu en cette journée même, non tel que tu m'apparus hier, mais tel que tu te montres maintenant ! Conversion et arrachement qui ne vont pas sans violence, mais que tu exiges. Ces nouvelles personnes, ces nouvelles situations à travers lesquelles je te rencontrerai peuvent être bien diverses. Que chacun de mes recueils soit un éveil à ta présence ainsi diversifiée – une rencontre "pascale" avec le "Christ au jardin", ce Christ parfois si inattendu (*ibid.*, p. 104-105).

Au bas de la dernière page du livre on trouve l'indication « Jérusalem, Pâques 1960 ». La conclusion de *Présence du Christ* porte la marque du pèlerinage pascal accompli par Lev Gillet au printemps 1960 : pèlerinage où il a reçu le « signe » le confirmant dans l'appel à un nouveau ministère et au discernement de la présence du Christ hors des limites de l'Église visible [10]. Dans le jardinier inconnu du jardin de Pâques Marie de Magdala reconnaît le maître bien-aimé lorsqu'il l'appelle par son nom.

Publié en 1966, également aux Éditions de Chevetogne, *Le Visage de Lumière* se situe dans la continuité des deux ouvrages précédents. *Jésus. Simples regards sur le Sauveur, Présence du Christ, Le Visage de Lumière*, tout en témoignant d'une évolution intérieure, constituent une trilogie. Auprès d'un large public, d'ailleurs surtout occidental et en majorité catholique, cette trilogie popularise le pseudonyme « Un moine de l'Église d'Orient », d'autant plus intrigant que l'œuvre n'a rien de spécifiquement « oriental » au sens banal donné à cette épithète.

Les soixante-trois méditations – certaines très brèves – du recueil *Le Visage de Lumière* sont présentées dans un ordre qui suit, *grosso modo*, celui du ministère du Christ selon les synoptiques, comme c'est le cas pour les deux ouvrages précédents. Une place privilégiée est cette fois-ci accordée à l'enseignement du Maître, en particulier aux paraboles évangéliques. Leur commentaire se dis-

10. Voir lettre du 28 octobre 1960 à E.B.S., voir plus haut p. 514.

tingue par la fraîcheur de ton et une originalité sans cesse renouvelée qui ont frappé à Oxford et aux conférences du Fellowship le futur évêque de Diokleia.

Comme d'habitude, l'auteur déclare n'avoir aucune prétention intellectuelle. « ... mon livre, écrit-il, ne peut rien offrir à l'éxégète, à l'historien, au théologien. » Son message s'adresse aux fidèles les plus humbles, aux « cœurs simples ». Tout comme la prédication de Jésus à laquelle elles se réfèrent, ces pages ne sont rien d'autre qu'un appel à la conversion et à l'accueil du royaume de Dieu : « Le Sauveur a tout d'abord annoncé le Royaume de Dieu sous la forme d'images très élémentaires. J'ai voulu, avec mes lecteurs éventuels, venir boire à ces sources primitives et toujours fraîches. Les images de l'Évangile ont une puissance propre d'émotion, et, à travers les émotions, elles peuvent susciter les décisions dont dépend toute une vie [11]. »

Cette volonté de retour au « simple », à l'« élémentaire », n'exclut ni la rigueur intellectuelle, ni certaines formes d'érudition. Pour élucider la portée authentique du message délivré par les paraboles, la linguistique, la connaissance exacte du sens des mots en grec néotestamentaire ou en araméen sont appelées au secours et éclairent l'intuition spirituelle.

La simplicité du moine de l'Église d'Orient ne procède ni de l'ignorance des complexités de l'investigation scientifique des textes, ni d'une absence de réflexion théologique. Elle se situe au-delà.

Dans les années où il rédige *Le Visage de Lumière*, Lev Gillet, aussi bien par son travail professionnel pour le Spalding Trust que par son implication dans les activités du *Congress of Faiths,* se trouve en relation avec les meilleurs spécialistes mondiaux de l'étude comparée des religions. Il est parfaitement au courant de l'exégèse biblique scientifique tant catholique que protestante et juive. Il est tenté parfois de s'investir dans des explorations

11. *Le Visage de lumière*, p. 8.

du domaine de l'étude des origines du christianisme et de l'influence exercée sur le naissant « mouvement de Jésus » par la mystique juive contemporaine. Dans le prolongement de ses recherches antérieures dont *Communion in the Messiah* est le fruit, il se croit capable de mener à bien de telles investigations [12].

Il y renonce pourtant tout en encourageant d'autres à les entreprendre [13]. Sa vocation est ailleurs. Elle est de suivre l'« appel de Nazareth » : appel à un ministère humble, obscur et lumineux dans le rayonnement du *Visage de Lumière*. C'est en regardant vers lui [14] que le moine de l'Église d'Orient trouve la réponse aux questions qui le tourmentent, l'apaisement de ses angoisses [15]. Comme la Samaritaine qui a rencontré Jésus au puits de Jacob – un épisode sur lequel il ne cesse de méditer – il invite les « gens de la ville » à aller vers celui qui peut leur donner à boire l'eau de la « source jaillissante en vie éternelle [16] ».

À cette intentionnalité globale qui marque son œuvre et sa prédication s'ajoute pour Lev Gillet, en ce qui concerne la rédaction du troisième volet de sa trilogie, une circonstance particulière. Sur la page de garde des épreuves d'impression du *Visage de Lumière*, on peut lire, écrit de la main de Lev Gillet et signé de son nom : « À

12. Cela ressort de sa correspondance avec Jean-Pierre Schweitzer dont il sera question p. 256 s.

13. Dans une lettre adressée le 9 janvier 1962 à Jean-Pierre Schweitzer, Lev Gillet lui donne des indications très précises concernant quatre thèmes pouvant faire l'objet d'un mémoire à présenter à l'École des hautes études à Paris. Un des sujets porterait sur les relations entre les paraboles évangéliques et celles citées dans l'Évangile apocryphe de Thomas. Il ajoute à ce propos : « Les paraboles m'intéressent seulement du point de vue spirituel. Néanmoins, mon obscurantisme ne va pas jusqu'à ignorer systématiquement les recherches critiques sur le sujet. »

14. *Ils regarderont vers Lui* est le titre d'une petite anthologie de textes du moine de l'Église d'Orient publiée aux Éditions de Chevetogne en 1975.

15. *Jésus. Simples regards sur le Sauveur*, p. 15.

16. Voir « Jésus et la Samaritaine », dans *La Colombe et l'Agneau*, p. 96-102.

Monsieur Jean-Pierre Schweitzer, amateur historien des religions, l'un des auteurs de ce livre [17]. »

Le ton relève de l'espièglerie bien connue du vieux moine, de son humour tantôt tendre, tantôt féroce. L'allusion concerne ici un fait réel. Elle situe l'ouvrage dans son contexte existentiel concret : l'amitié en apparence paradoxale – comme beaucoup d'autres choses dans sa vie – qui, dans les années où il rédige *Le Visage de Lumière*, lie Lev Gillet à un jeune athée militant. Leurs solitudes se sont rencontrées un dimanche après-midi à Hyde Park, au « coin des orateurs » que Lev Gillet a recommencé à fréquenter à partir de 1959-1960.

Dans une brève notice autobiographique qu'il a tenu à me remettre, Jean-Pierre évoque et représente même par un dessin – non sans talent – cette première rencontre. Un jour, alors que du haut de la plate-forme réservée aux « sécularistes », lui, Jean-Pierre, harangue la petite foule rassemblée autour de la tribune – attaquant les Églises, dénonçant les crimes, croisades, l'Inquisition, commis au nom de la religion – son regard croise celui d'un « vieux monsieur » qui semble suivre attentivement son discours. La scène se répète plusieurs dimanches de suite. Un soir, le vieil auditeur s'approche de lui. Un entretien s'engage. « C'était là le début, écrit Jean-Pierre, d'une conversion encore inachevée. »

Jeune Français d'origine israélite, mais agnostique, étranger à toute pratique religieuse, Jean-Pierre Schweitzer a échoué à Londres pour fuir un service militaire qu'il abhorre. Poussé par des convictions vaguement anarchistes, il s'est lié avec des représentants de la « nouvelle vague » contestatrice qui surgit dans une Angleterre en apparence encore assez puritaine, ou du moins très conformiste. Des diplômes peut-être imaginaires, et des connaissances, elles, très réelles dans le domaine des antiquités religieuses du Moyen-Orient – il parle et lit

17. J'ai sous les yeux une photocopie de cette page avec sa dédicace. Elle a été précieusement conservée par celui à qui elle a été offerte.

l'hébreu et le grec – lui ont permis d'obtenir un emploi rémunéré comme guide conférencier au British Museum. C'est dans ce cadre que Lev Gillet et lui auront l'occasion de se rencontrer assez régulièrement. Après la fermeture de la bibliothèque, en fin d'après-midi, ils poursuivent souvent leur conversation chez Oddy's, un petit *coffee bar* où Lev Gillet a ses habitudes et où il donne rendez-vous à ses amis. Ces relations amicales dureront plusieurs années, jusqu'au départ définitif de Jean-Pierre en 1967.

Manifestement Lev Gillet éprouve de l'affection pour ce jeune révolté. Les outrances mêmes de Jean-Pierre, sa critique véhémente du christianisme, son acharnement à nier l'existence historique de Jésus autour de la personne duquel, tel un aveugle, il ne cesse de tourner sans le voir, sont pour le vieux moine le signe d'une blessure secrète. Il ose le lui dire. En même temps, respectant ses goûts, il encourage les recherches de l'« amateur historien des religions ». L'incitant à leur donner une forme plus rigoureuse, il lui propose des thèmes d'investigation et se met à son service en lui fournissant des bibliographies. C'est une manière d'approcher Jean-Pierre, de lui témoigner son affection. Car sous le discours violent et agressif du jeune athée, le vieux moine croit discerner avant tout la plainte d'un enfant esseulé pour lequel il éprouve une immense compassion. Combien il désirerait orienter le regard de son jeune ami vers le Visage de Lumière où lui-même trouve l'apaisement de ses angoisses, la réponse à toutes les questions ! C'est dans cet espoir, espoir d'un fol amour – à l'image de l'« amour fou [18] » du Père céleste – que Lev Gillet, lui « qui a trouvé », associe à l'élaboration de son livre « celui qui cherche [19] ». Au fur et à mesure qu'il les rédige, il lui donne à lire des pages écrites en partie à son intention, à l'intention

18. *L'Amour fou de Dieu* (Paris, Éd. du Seuil) est le titre d'un livre de Paul Evdokimov dont, comme on sait, Lev Gillet est particulièrement proche.

19. L'exemplaire de *Jésus. Simples regards sur le Sauveur* offert par Lev Gillet à Jean-Pierre Schweitzer porte cette dédicace.

d'hommes et de femmes en quête du « dieu inconnu » dans un monde sécularisé. Humblement, l'auteur guette les réactions du jeune lecteur. Ce dernier apprécie l'œuvre, mais seulement, avoue-t-il, d'un point de vue intellectuel et esthétique comme un beau poème.

En 1967, le jeune insoumis décide, avec la « bénédiction de Père Lev », de se présenter aux autorités militaires françaises. Il est emprisonné, condamné à un an de prison avec sursis en raison de « circonstances atténuantes ». Rapidement libéré, il s'installe à Paris. Faisant du cinéma et prêchant l'anarchie, Jean-Pierre semble alors avoir perdu contact avec son vieil ami. Pense-t-il à lui quand, une dizaine d'années plus tard, il rejoint une communauté religieuse catholique ? À cet épisode qu'il apprend avec étonnement, Lev Gillet est en apparence totalement étranger. Jean-Pierre quittera d'ailleurs bientôt l'habit religieux pour mener dans le monde – tout en restant chrétien – une existence qui connaîtra encore divers avatars. Il portera en lui, « jusqu'à la mort », écrit-il dans l'autobiographie qu'il m'a confiée, la question brûlante posée à son sujet par le vieux moine dont le souvenir ne cesse de le hanter : « Que sera ce jeune homme ? »

Illustrant l'enracinement existentiel – le *Sitz im Leben* – de l'œuvre du moine de l'Église d'Orient, le témoignage de Jean-Pierre m'a paru mériter d'être rapporté. Il met aussi en lumière un charisme particulier de Lev Gillet : l'aide qu'il a souvent su apporter à ceux qu'on nomme des « marginaux », et qui sont pour lui des enfants de Dieu, des bien-aimés dignes de respect.

Ici s'achève notre rapide survol – il mériterait d'être approfondi – de la trilogie centrée sur la personne du Christ : *Jésus. Simples regards sur le Sauveur, Présence du Christ, Le Visage de Lumière,* qui a rendu familier le pseudonyme de son auteur à un large public chrétien mais aussi non chrétien.

Amour sans limites, une œuvre du moine de l'Église

d'Orient d'une tonalité différente et étonnamment neuve, est publiée aux Éditions de Chevetogne en 1971. Son achèvement porte une date indiquée par l'auteur : « Au Liban, Pâques 1970 » (p. 103).

Dix ans plus tôt, les dernières pages de *Présence du Christ* – ouvrage également achevé à Pâques, mais à Jérusalem, en 1960 – disaient l'appel à une nouvelle rencontre avec le « Christ inattendu » : l'inconnu en qui Marie de Magdala reconnaît son maître bien-aimé – Rabouni – qui l'appelle par son nom. Manifestement, l'auteur s'identifiait à cette Marie. *Amour sans limites* est le fruit de cette rencontre avec l'Unique, toujours le même et toujours nouveau. Au fil des dix années qui séparent les deux livres, cette rencontre s'est réalisée grâce à de multiples rencontres humaines, avec des hommes, des femmes, des croyants, des incroyants, des croyants de religion non chrétiennes, à travers aussi un déchirement intime qui ouvre Lev Gillet encore davantage à l'Autre et aux autres. Ce mince volume – cent six pages – apparaît comme l'œuvre à la fois la plus mystique, la plus poétique mais aussi la plus théologique des œuvres du moine de l'Église d'Orient. Paradoxalement, le Christ des Évangiles en paraît presque absent. Jésus n'est nommé qu'une seule fois dans un passage où l'auteur s'explique au sujet de cette absence apparente qui pourrait étonner, voire scandaliser. Le nom de Jésus n'est-il pas au-dessus de tout nom ? Ne renferme-t-il pas en lui tout le mystère du salut ? C'est ce qu'affirme le moine de l'Église d'Orient dans son essai *La Prière de Jésus.* De même peut surprendre l'absence de références directes, précises à l'Écriture, aux textes de l'Ancien et du Nouveau Testament si abondamment cités et commentés dans la trilogie précédemment publiée. Le contenu et l'atmosphère d'*Amour sans limites* témoignent-ils d'une évolution intérieure de son auteur ? La question peut se poser. Nous essayerons d'y répondre en examinant d'un peu plus près les trente-huit brèves méditations –

certaines sont de petits poèmes en prose – qui composent ce volume.

Quelques grandes images de l'Ancien Testament émaillent ces textes : celle du Buisson ardent qui est centrale [20], celle des murs de Jéricho qui tombent, celle des Trois jeunes hommes vivants dans la fournaise où les a fait jeter le roi de Babylone. Mieux que des concepts théologiques abstraits ou peu compréhensibles pour des esprits issus de cultures autres que celles marquées par le christianisme, ces images, affirme le moine de l'Église d'Orient, peuvent parler de « Dieu inconnu aux âmes » de bonne volonté à qui son œuvre est destinée.

Tout laisse penser – bien que l'auteur ne le dise pas explicitement – que les méditations d'*Amour sans limites* apportent l'écho de celles délivrées par Lev Gillet dans le cadre de *devotionals* du Congress of Faiths. Dans les lettres à ses amis, Lev Gillet évoque fréquemment la grande difficulté de cette tâche : parler à des croyants de différentes religions de manière à « vivifier en eux le mouvement – peut-être à peine perceptible – vers le Dieu Unique, le Dieu qui se révèle en Jésus-Christ ». Cela sans tomber ni dans le syncrétisme, ni dans un prosélytisme irrespectueux et blessant. Cette visée peut expliquer, en partie, l'absence de référence directe au Christ des Évangiles et à son enseignement. Mais il y a plus et autre chose. *Amour sans limites* se présente comme la transcription poétique d'un dialogue intérieur – dialogue entre l'« aimé » et « l'Amant suprême » – de

20. À l'origine de l'ouvrage, il y a une série de méditations données à l'une des retraites de Pleshey et publiées en anglais sous la forme d'une brochure d'une soixantaine de pages intitulée *The Burning Bush* (Fellowship of St. Alban and St. Sergius, 1971). – *Amour sans limites* est une extension moins biblique et plus « poétique » de ces méditations, déclare Louis Gillet dans une lettre datée du 9 novembre 1971.

paroles ineffables reçues comme « venant d'ailleurs et de plus haut [21] ».

D'emblée, le premier texte introduit dans cette atmosphère d'intimité. Celui que le moine de l'Église d'Orient nomme désormais le « Seigneur Amour » – préférant cette désignation au mot « Dieu » d'une connotation pour lui trop vague et trop générale – parle à l'aimé « en secret ». S'adressant à lui personnellement, il se révèle à lui et l'appelle à entrer dans la communion de son amour : « Je suis l'Amour ton Seigneur. Veux-tu entrer dans la vie de l'amour ? Il ne s'agit pas d'une atmosphère de tendresse attiédie. Il s'agit d'entrer dans l'incandescence de l'Amour. Là est la vraie conversion, la conversion à l'Amour incandescent. Veux-tu devenir autre que celui que tu as été, que celui que tu es ? Veux-tu être celui qui est pour les autres et d'abord pour cet Autre et avec cet Autre par lequel chaque être a l'existence ? Veux-tu être le frère universel, le frère de l'univers [22] ? »

Tel est l'appel fondateur, la « violente annonciation » (*ibid.*, p. 48) d'une spiritualité ensemble mystique et personnaliste : exigence de décision, de « conversion » et expérience de communion ineffable – mais non d'évasion – au Dieu vivant (*ibid.*, p. 25). On y perçoit l'écho d'influences et de langages contemporains divers – du P. de Foucauld à Bonhoefer et Teilhard de Chardin –, influences toutes rassemblées dans l'élan vers l'Amour total qui est le propre de tous les grands mystiques chrétiens, de l'apôtre Paul à François d'Assise et Thérèse de Lisieux en Occident, Sérafim de Sarov et Silouane du Mont-Atlas en Orient.

---

21. Au sujet de ces auditions, Lev Gillet s'explique dans l'entretien accordé à E. Robinson : « À diverses époques de ma vie, lorsque j'ai imploré une *guidance*, en demandant qu'elle me soit donnée en termes concrets, j'ai reçu cette réponse sous la forme de paroles : des paroles prononcées en moi intérieurement, sans aucun son audible mais d'une façon qui ne laissait aucun doute pour moi quant à leur origine supra-humaine. » (*This Unbound Ladder,* Oxford, 1977, p. 33.).

22. *Amour sans limites*, p. 8.

Il ne s'agit pas d'une « révélation nouvelle », affirme fortement le moine de l'Église d'Orient, mais d'un « approfondissement » de la foi ecclésiale traditionnelle. « Ce qui pourrait être nouveau – explique-t-il –, ce serait une attention spéciale donnée à certains aspects de la vérité éternelle » (*ibid.*, p. 12). « Dieu est amour », proclame l'apôtre Jean. Il s'agit d'approfondir et le sens de cette proclamation et ses implications pour la vocation de l'homme comme aussi pour le destin de l'univers.

On sait l'impression profonde que fit sur Lev Gillet, dans les années trente, la lecture de l'ouvrage désormais classique d'Anders Nygren, *Éros et Agapè* [23]. Entre l'*éros*, le désir humain égoïste qui tend à s'élever vers Dieu, et l'*agapè*, amour gratuit, amour-générosité de Dieu qui *descend* vers l'homme, le théologien luthérien établit une distinction de nature radicale aboutissant à l'opposition de deux religions : d'une part la mystique païenne, notamment néo-platonicienne fondée sur l'*éros*, d'autre part le message du Nouveau Testament fondé sur la révélation, en Christ, de l'*agapè* divine. Le courant mystique au sein du christianisme, affirme Nygren, résulterait d'une contamination de l'*agapè* par l'*éros*, d'un compromis fâcheux qu'il s'agit de dénoncer et d'éliminer.

De l'ouvrage du moine de l'Église d'Orient qui se veut accessible aux « simples », aux non-théologiens, les termes *éros* et *agapè* sont absents. La distinction des deux notions est pourtant présente dans la pensée de l'auteur. En même temps, la systématisation mutilante de leur opposition, telle qu'elle constitue la thèse soutenue par le penseur protestant, est dépassée.

Le « Seigneur Amour » est le « Premier Aimant » dont l'amour *descend* vers ses créatures qu'il aime d'un amour généreux sans limites. L'homme est appelé à s'ouvrir à cet amour, à en propager la flamme. Mais ce feu que l'homme reçoit ne le consume pas, n'annihile pas le désir qui est sa vie, l'élan de sa nature vers l'Autre et les

23. Voir plus haut « Éros et Agapè », p. 277 s.

autres. Il le purifie, il le transfigure. L'image employée pour expliciter ce qui constitue, en fait, une vision théologique est celle, empruntée à Maxime le Confesseur, du Buisson ardent. « Le Buisson Ardent est une expression de la nature divine. » « Comme la flamme du Buisson, dit le Seigneur-Amour, je suis l'Amour qui se donne sans jamais s'épuiser. Je suis la générosité qui ne connaît aucune mesure. Je suis l'Amour qui toujours tend à incorporer et assimiler tous les éléments qu'il rencontre (et à l'origine desquels il est). Pas plus que le feu ne détruit le bois du buisson, je ne détruis les hommes que j'ai créés. Je veux seulement faire disparaître ce qui, dans un homme, contredit l'essence de l'Amour. »

« Je prends et je fais mien. Je transforme et je transfigure. Je vivifie. Je transpose sur un autre plan, sur un plan plus haut [24]. »

La communion avec Dieu n'abolit pas la distance entre le Créateur et la créature : « Il ne peut y avoir de confusion entre moi, qui suis l'Amour et vous, qui avez l'Amour » (*ibid.*, p. 15). Respectant la distance entre l'homme et Dieu, elle respecte aussi la liberté inaliénable de la personne humaine que le créateur a posé devant lui comme un sujet libre. Tel un « mendiant », le Seigneur Amour implore la réponse d'amour. Le Dieu vivant vient vers les hommes et femmes qu'il aime, disant à chacun « tu », appelant chacun par son nom, ce nom véritable que lui seul connaît. Il est l'« Amant passionné » par excellence : « un Amant passionné qui ne peut subir aucune passion mais qui porte en lui, au maximum, l'élan passionnel actif » (*ibid.*, p. 25). « C'est parce qu'il vient vers moi que je vais aller vers lui » (*ibid.*, p. 26). « Tu es aimé » (*ibid.*, p. 43), tel est le message de l'Amour suprême transmis que le moine de l'Église d'Orient se sent appelé à transmettre, un message si proche de celui d'un Sérafim

24. *Amour sans limites*, p. 14. – En référence aux dernières thèses de Jung, l'idée de la transfiguration de la *libido* est aussi évoquée dans *The Time Bound-Ladder*, p. 44-45.

de Sarov saluant chacun de ses visiteurs en l'appelant « ma joie » (mais proche aussi de celui des *hassidim* juifs) : « Tu es aimé. C'est "toi" qui es aimé. Approfondis la valeur de ce "toi"... À chacun de vous, dans la pensée divine, il est accordé de découvrir et rendre apparent à d'autres une facette différente du Diamant unique. Tu es cette facette quoique la vie n'ait que faire de toi, tu es l'un des aspects, un aspect différent, du lien qui joint chaque homme à l'Amour personnel. Tu es un rayon d'Amour émanant de l'Amour, même si le rayon paraît brisé » *(ibid.)*.

Ce lien, même le péché ne saurait le briser : « l'Amour est assis comme un mendiant à la porte. Il attend. Ne cherche pas à percer le mystère. J'attends » (*ibid.*, p. 44).

Cette spiritualité d'une tonalité si personnaliste va de pair avec l'invitation à une piété cosmique. Il s'agit de dépasser un intimisme étroit, centré sur l'homme et le salut individuel : « L'Amour sans limites ne s'arrête pas à l'homme. C'est l'univers entier que mon amour soutient. Il est le lien substantiel entre tous les êtres, toutes les choses et Celui qui les anime » (*ibid.*, p. 22).

Tirée de sa gangue philosophique, une idée que l'on trouve chez Leibniz et quelques philosophes modernes anglo-saxons est ici « baptisée ». Pour Lev Gillet comme Teilhard de Chardin, il s'agit pour les chrétiens, et en particulier pour le chrétien contemporain, de s'orienter « vers des avenues plus larges que celles d'une piété où l'univers n'aurait aucune place ». L'Amour dit : « Sois emporté par le courant immense de l'Amour sans limites, par cet élan, par cette aspiration de la nature entière qui attend gémissante d'être délivrée des conséquences de la chute » *(ibid.)*.

Cette vision à la fois personnaliste et cosmique ouvre la « porte de l'Espérance ». Le regard de la foi, foi en l'Amour sans limites (et il s'agit bien de *foi* et d'*espérance* et non de connaissance) discerne le double mouvement qui anime l'univers : « Il y a une ascension de l'homme vers moi. Mais ne perds pas de vue ma descente vers l'homme, vers les choses » *(ibid.)*.

Rejoignant et illuminant la connaissance scientifique – sans jamais se confondre avec elle – l'espérance théologale découvre dans la nature les « signes », une aimantation vers le haut, vers le dépassement de la séparation qui constitue l'essence du péché. Au terme d'une évolution millénaire « l'homme est le moins protégé des vivants, mais le plus capable de communication » (*ibid.*, p. 50) écrit Lev Gillet.

Reste pourtant le scandale du Mal, de la souffrance innocente. Comment « concilier l'Amour sans limites avec la peine des hommes, avec la douleur du monde » ? (*Ibid.*, p. 67.) Le visionnaire de l'*Amour sans limites* n'escamote pas cette question qui n'a jamais cessé de le hanter. Ici apparaît encore une fois, en son expression ultime, dans l'œuvre écrite du moine de l'Église d'Orient, le thème du Dieu souffrant : « le Seigneur Amour est le Dieu qui *prend* [25] sur lui toute souffrance humaine, non pour être limité par elle mais pour la surmonter » ? Il est le « Dieu vainqueur ». Il souffre « divinement », c'est-à-dire non moins mais autrement que la créature : un mystère qu'une image, mieux que des concepts intellectuels, pourrait éclairer. Le Seigneur Amour est le quatrième homme mystérieux, « semblable à un fils des dieux », qui se tient auprès des « trois jeunes hommes marchant dans la fournaise » (*ibid.*, p. 72).

Cette vision cosmique et mystique indiquerait-elle chez l'auteur d'*Amour sans limites* un détachement, à la fois du fondement historique, néo-testamentaire du christianisme, et de la foi et de la théologie trinitaire traditionnelles ? Il s'en défend. Il n'est pas question pour lui de nier ou de sous-estimer l'enracinement historique de la révélation du Dieu Amour : « L'Amour a reçu un nom personnel. Il a pris un visage d'homme. Il a marché sur

25. Le moine de l'Église d'Orient insiste sur le caractère actif de cette « prise sur soi ».

nos chemins. Il est devenu l'un de nous, sans cesser d'être divinement lui-même, « Jésus Amour » (*ibid.*, p. 20). Cependant, loin de l'interdire, la foi qui en Jésus de Nazareth, porteur de l'Esprit, discerne le visage humain de l'Amour suprême, induit une autre exploration. « Au-delà d'une personne ou des personnes divines, cette "exploration" concerne ce qui en elles est leur intérieur commun. Il s'agit de contempler l'« essence divine » – du moins de l'entrevoir – d'entrevoir ce qui est en Dieu, ce qu'a été l'émotion génératrice première. Cela nous l'avons appelé Amour, et Amour sans limites... C'est de *source* même que nous voulons remonter » *(ibid.)*. Telle est l'« approche première, immédiate, dégagée (quoique non détachée) du sensible et des formes » qu'il convient de proposer, à ceux, si nombreux aujourd'hui, qui ignorent le vocabulaire et les théories de la théologie. Ensuite seulement, il pourra être « inspirant de discerner, de suivre, dans cette source des jaillissements orientés et distincts, de s'attarder auprès des trois figures symboliques également jeunes, également belles, assises à la table d'Abraham, sous les térébinthes de Mambre, d'entendre la cantate à trois voix où chaque voix chante le même Amour avec ses modulations propres [26] » (*ibid.,* p. 20-21).

Cette théorie ou théologie mystique est « pratique » au sens que Vladimir Lossky donne à ce terme dans son célèbre essai : elle indique « une voie d'accès [27] » (*ibid.,* p. 19). Elle voudrait conduire vers le Dieu de Jésus-Christ des âmes pour qui le langage traditionnel des Églises est ou est devenu un langage étranger.

Loin d'être une spéculation intellectuelle suspendue entre ciel et terre, sans rapport avec la vie concrète des hommes et femmes dans le monde, la foi en l'Amour

26. La première allusion concerne l'icône de l'hospitalité d'Abraham d'André Roublev dont Lev Gillet a jadis écrit un commentaire, la seconde évoque le poème de Paul Claudel dont, dans sa jeunesse, il a reçu un choc initiatique bouleversant.

27. Voir Vladimir LOSSKY, *Essai sur la théologie mystique de l'Église d'Orient*, Éd. du Cerf, Paris, 1944, p. 7.

sans limites pourrait devenir, affirme le moine de l'Église d'Orient, l'étoile-guide de ceux que désoriente la crise morale sans précédent de l'Occident contemporain.

Confesseur, confident de nombreux hommes et femmes, Lev Gillet est conscient – il le dit dans les lettres à ses amis – d'un désarroi croissant (qui touche également les milieux chrétiens) en ce qui concerne les problèmes de sexualité, de mariage, d'homosexualité. Il reconnaît l'impuissance et la stérilité d'une morale légaliste qui veut ignorer la spécificité de chaque situation particulière, personnelle. Au-delà d'un légalisme rigide comme de la permissivité que risquent d'induire des morales dites « situationnistes », existe-t-il une troisième alternative ? À cette question si importante, l'intuition de l'Amour sans limites et la réflexion à partir de cette intuition pourraient apporter, pense-t-il, une réponse positive et éclairante. C'est à la lumière qui émane de l'Amour qu'il s'agit d'apprécier les situations. Ainsi parle le Seigneur Amour : « Vois comme mes pauvres enfants se débattent dans la confusion, lorsqu'il s'agit des problèmes les plus personnels, les plus intimes... Vois par exemple leurs attitudes dans les matières de mariage, de divorce, d'adultère... Où est la vérité, où est l'intention, où est le consentement réel ? Où est la lettre ? Où est l'esprit ? Où est ce qui tue ? Où est ce qui vivifie ? » (*Ibid.,* p. 79).

Au-delà de l'observation extérieure des règles, il s'agit de « marcher dans la vérité ». La seule norme absolue est l'amour authentique, c'est-à-dire désintéressé, généreux, l'amour qui est don de soi.

« Apprends... à discerner où est l'Amour. Vois et apprécie la situation en pleine lumière. Une situation peut sembler « régulière » aux yeux des hommes et n'être point régulière à mes yeux. Une situation peut être valide devant toutes les lois et être cependant invalide devant moi. Inversement, telle situation que les hommes peuvent juger irrégulière ou coupable est sans faute devant Dieu. Aucune autorité humaine n'est juge de l'Amour. C'est moi, le Seigneur Amour, qui suis le seul juge infaillible des cœurs » (*ibid.*, p. 78-79).

Message audacieux, libérateur, mais non indication et éloge d'une voie facile : l'appel de l'Amour sans limites est exigence et parfois « violente annonciation » qui arrache au conformisme et au confort moral : « L'Amour sans limites veut faire irruption dans ma vie... Il vient troubler ce qui existe. Il vient briser ce qui paraissait stable et ouvrir des horizons nouveaux auxquels je n'avais jamais pensé » (*ibid.*, p. 48-49).

La voie de l'Amour sans limites est souvent celle du sacrifice, non au sens purement négatif de renoncement à un plaisir, mais comme expression positive du don de soi. En écho aux paroles du Christ : « Il n'y a pas de plus grand amour que de donner sa vie pour ses frères » (Jn 15, 13), le moine de l'Église d'Orient déclare : « renversant les limites les plus admises, les plus sûres en apparence, le sacrifice est l'expression maximale de l'Amour » (*ibid.*, p. 80), « de l'Amour absolu et de ses audaces » (*ibid.*, p. 49).

L'image qui explicite la conduite ainsi suggérée est celle du navigateur qui dirige son vaisseau d'après l'observation des étoiles. Celle-ci assure « un point de repère certain » tout en laissant « au navire la liberté dans le choix des moyens d'être fidèle aux directives des astres ».

« Ainsi l'Amour échappe-t-il aux conduites d'abandon et aux conduites mécaniques. Il est l'étoile de mer. Elle luit pour nous, guidant sans imposer. Ardente et constante – l'étoile va vers son but sans dévier. Mais, généreuse et sans limites, elle diffuse de tous côtés des rayons » (*ibid.*, p. 80-81).

Il ne s'agit pas cependant de s'en tenir à cette sphère de la morale personnelle et des conduites intimes. L'Amour sans limites devient, pour ceux qui s'ouvrent à lui, le feu d'où jaillissent les étincelles de l'amour actif dans le monde : « Partout où une âme se laisse embraser par le Seigneur Amour, partout où, dans les rues, sur les places, le long des haies, parmi les pauvres et les infirmes, les prisonniers, les errants, et les sans-abri, un élan de sacrifice fait que des hommes et des femmes se penchent vers les détresses et se lèvent contre l'injustice, la flamme sacrée se propage » (*ibid.*, p. 93).

L'appel adressé par le Seigneur Amour aux hommes, à tous les hommes – à toutes les femmes – est de se laisser « prendre » par son feu, pour devenir à leur tour des « porteurs de feu » (*ibid.*, p. 92-94). Tel est le message d'*Amour sans limites* : intuition de la foi où sont dépassées les oppositions idéologiques, entre verticalisme et horizontalisme, entre mystique et action dans le monde, entre soumission à la loi (dite « naturelle ») et appel à la liberté de la personne, entre *éros* et *agapè*.

Quand il achève de rédiger son livre, Lev Gillet va entrer dans sa soixante-dix-huitième année. C'est du seuil du grand âge qu'il lance l'appel à entrer dans la communion de l'Amour sans limites, appel aussi à pousser la « porte de l'Espérance illimitée ». Tel est son testament spirituel.

C'est comme une confidence et un aveu personnels qu'on discerne en ces lignes écrites par un vieillard dont les « espoirs » – mais non l'« espérance » – ont souvent été déçus et qui s'est souvent aussi douloureusement heurté aux murs de sa propre prison intérieure : « Peut-être arriverons-nous à la fin de notre vie sans avoir vu capituler ceux dont, en vain, nous appelons l'amour ? [...] Ce n'est pas nous non plus qui pouvons aisément détruire nos propres murs... Il faut un bouleversement profond qui libère. Il fallut un tremblement de terre pour rouler la pierre qui fermait ce tombeau dans le jardin... Oh, donne-moi Seigneur Amour, la grande secousse initiale ! La percussion d'une pierre contre une autre pierre fait jaillir l'étincelle. Que le choc produit par l'écroulement des murs de séparation allume en moi l'incendie désiré et me rende participant au Buisson Ardent ! Que toutes ces misérables limites soient abolies par la grande Entrée de l'Amour sans Limites » (*ibid.,* p. 57-59).

Les yeux du cœur fixé sur l'étoile-guide, Lev Gillet avec foi avance vers sa fin terrestre, comme vers l'écroulement tant souhaité de ses propres murs, de ses propres limites : de toutes les limites.

QUATRIÈME PARTIE

LES DERNIÈRES ANNÉES

1970-1980

CHAPITRE PREMIER

LUMIÈRES ET OMBRES DU SOIR

Inaugurées par l'événement pentecostal de juin 1959, les années soixante ont constitué dans l'existence de Lev Gillet une décennie féconde. Étonnamment bien remis de son infarctus de 1956, il a réussi à mener de front les travaux bibliographiques qui constituent son gagne-pain, une importante œuvre littéraire, ainsi qu'un ministère pastoral aux aspects multiples, exercé au sein de l'Église comme hors de ses limites visibles.

Selon une formule du Talmud souvent citée par lui, il discerne et adore le Dieu unique, proche de chacun dans la multitude de ses approches [1].

Lui, qui, dans ses périodes dépressives, se croit coupé des autres, incapable de communiquer, a reçu un nouveau « charisme d'ouverture et de sympathie [2] ». Il connaît l'*ekstasis* dont parlent les Pères de l'Église et qu'il évoque lui-même dans la méditation intitulée « La Coupe » : « le moment où l'on sort de soi-même, le moment où l'on brise avec les convenances extérieures avec toute convention, avec toute formalité, pour entrer dans la vie réelle dans sa spontanéité, dans sa force, dans sa puissance [3]. » Il éprouve « un sentiment de liberté et de vérité intérieures [4]. »

Pourtant, inexorablement, le grand âge approche. L'esprit reste vif, le cœur ardent. Mais le corps faiblit. La

---

1. Lettre du 25 octobre 1965 à E. B. S.
2. Lettre du 13 février 1967 à E. B. S.
3. « La Coupe », dans *La Colombe et l'Agneau*, Chevetogne, 1979, p. 60.
4. Lettre du 13 août 1966 à E. B. S.

frêle silhouette du vieux moine se courbe de plus en plus. Lui, dont la démarche était rapide, ailée, se sent lourd. Il marche de plus en plus difficilement. Le plus pénible pour l'écrivain est un tremblement spasmodique des mains qui fait pour lui de l'acte d'écrire parfois une véritable « torture ».

La mort en 1965 de son frère aîné Pierre affecte profondément Lev Gillet. Cependant, prévisible depuis assez longtemps, dénouement d'une longue maladie, elle n'est pas vécue par lui comme un « signe » le concernant personnellement. Ce « signe », cet avertissement, il le déchiffre dans le décès, en 1970, à quelques mois d'intervalle, de deux de ses amis plus jeunes que lui. Evgraf Kovalevsky, devenu évêque Jean de Saint-Denis, meurt en janvier 1970. Quelques mois plus tard, en septembre de la même année, Paul Evdokimov disparaît brutalement à son tour.

« La mort d'Evgraf est un son de cloche pour moi [5] », écrit Lev Gillet en apprenant la nouvelle. Dans le courant du printemps, il se sent poussé à rédiger son testament. Il ne possède « absolument rien », mais décide de faire don de son corps à la médecine. Il lègue à des amis quelques objets personnels : sa croix pectorale et sa Bible dans la version française de Louis Segond. Il écrit : *Je n'ai pas de signes précis d'une fin prochaine, mais j'éprouve un vieillissement croissant de tous les côtés. Le plus pénible de ces signes est la difficulté d'écrire. Ma main tremble. Ma correspondance – abondante – m'est matériellement une torture. J'ai après tout 77 ans. Mais ce sont certains signes intérieurs qui importent. Surtout un appel réitéré, constant, intensif au* self surrender, *au* whole commitment, *à la remise inconditionnelle, immédiate, directe entre les mains de Dieu* [6].

Pendant les mois suivants, Lev Gillet continue pourtant de mener une vie active et itinérante. En avril, il se rend

5. Lettre du 4 février 1970 à E. B. S.
6. Lettre du 21 mars 1970 à E. B. S.

à Beyrouth en passant par Athènes. Il a des entretiens importants avec le primat de l'Église de Grèce, l'archevêque Hiéronymos. Les deux hommes sympathisent et échafaudent des projets de collaboration. D'Athènes, Père Lev se rend au Liban où, ironise-t-il, « on me traite comme une *star* ». De retour à Londres, après une escale à Paris, il se sent comme un « vieil acteur qui vient de prendre sa retraite » [7]. « Un été laborieux » – le Fellowship, les paroisses protestantes, la rédaction de la bibliographie pour l'USGR – le retient en Angleterre. Mais en septembre, la mort subite de Paul Evdokimov l'appelle en France. Aux funérailles en la cathédrale Saint-Alexandre-Nevsky, c'est Lev Gillet qui prononce l'homélie. Le passage sur « l'autre rive » de celui dont l'« amitié attentive et agissante » a été dans sa vie une « émouvante réalité [8] » le touche profondément.

À son retour à Londres, il se sent « brisé et prostré ». « Pour raisons de santé », il renonce à se rendre à Athènes mais revient à Paris dans le courant de l'automne pour la Fraternité orthodoxe et pour ses cours à l'Institut Saint-Serge.

En janvier 1971, il se rend en Suisse. Il en revient « exténué avec un fort refroidissement ». Un prochain séjour au Liban lui permettra, espère-t-il, de retrouver des forces. Il se traîne ainsi pendant plusieurs semaines. Subitement en mars 1971, à la suite, semble-t-il, de vaccinations reçues en vue de son départ pour l'Orient, son état s'aggrave. Délirant, apparemment inconscient, en proie à une forte fièvre et à un « hoquet hurlant », il est admis à l'hôpital Saint-Charles de Londres. Les médecins diagnostiquent une crise d'urémie avec des complications vasculaires et cérébrales. Sa vie semble en danger. Pendant plusieurs jours, il reste plongé dans une sorte de coma. Quand il en émerge, il déclare que,

7. Lettre du 25 mai 1970 à E. B. S.
8. Homélie prononcée au service des funérailles de Paul Evdokimov, *Contacts* nos 73-74, 1971, 1-2, p. 7.

« inconscient en apparence », il ne l'était pas « dans les profondeurs [9] ». Ébranlé physiquement et spirituellement, « foudroyé et broyé », il s'est en même temps senti « comblé de grâces ». « La voix du Seigneur n'a cessé de se faire entendre. » À travers l'événement de cette maladie, affirme-t-il, Dieu lui « a fait signe ».

Sur le sens, pour lui, de ce signe, Lev Gillet s'expliquera quelques mois plus tard, dans une interview accordée à un chercheur du Département de recherches sur l'expérience religieuse (Religious Experience Research Unit) de Manchester College à Oxford [10].

Ce qui, observé du dehors, se présentait comme une discours délirant était en réalité, affirme-t-il, une « dialectique ». À l'origine se trouve un événement en apparence insignifiant mais qui, pour lui, revêt un sens profond.

Dans l'après-midi qui a précédé la crise, Lev Gillet, accompagnant une amie, femme médecin indienne, a rendu visite à une famille persane dont l'enfant, indifférent à tout, semble plongé dans un état autistique profond. Soudain, à l'arrivée d'autres visiteurs, l'enfant se « réveille », demandant instamment du café pour les hôtes. C'est autour de cet « éveil altruiste » de l'enfant « spastique » qui l'a profondément touché que va s'organiser le délire de Père Lev. Voici comment ce dernier en fait le récit : « Je me suis vu couché par terre, dans une plaine très blanche. Aucune lumière, aucune maison ni à droite, ni à gauche. Rien. Seulement sortant de la terre, ici et là, de petits êtres spastiques, semblables à des vers de terre. Quelques-uns prononçaient le mot "café" (en persan *Kawe*). Chacun d'eux est porteur d'une petite lumière comme celle des vers luisants. Soudain, j'ai eu l'impression d'avoir une vision de l'univers en sa

9. Lettre du 14 avril 1971. Les citations qui suivent sont tirées de cette lettre. Quelques informations sur la maladie du P. Gillet ont été fournies par le secrétaire du Fellowship, le révérend Basil Minchin.

10. Voir Edward ROBINSON, *The Time-Bound Ladder*, Oxford, 1977, p. 29-47. L'entretien avec Lev Gillet a dû avoir lieu en février ou mars 1972. Ce dernier y fait allusion dans une lettre datée du 10 mars de la même année.

totalité. Dans notre univers, nous sommes tous, dans un sens, des “enfants spastiques”. Chacun se meut selon son propre spasme qui est peut-être l’ambition, l’argent, le sexe ou encore autre chose. Chacun est prisonnier de son “spasme”. Mais il arrive que l’un ou l’autre prenne conscience des réalités hors de son propre moi : alors il commence à demander du café pour les autres » (*ibid.*, p. 31-32).

Ce rêve, assure Lev Gillet, a un sens profond : sauver le monde, sauver ces êtres spastiques que nous sommes, c’est les réveiller, *nous* réveiller, de notre délire autistique pour devenir enfin des hommes, « des êtres humains pour les autres ».

L’appel – il le sait – le concerne personnellement. Ce qui lui est demandé, est une kénose totale : se vider de tout amour-propre, de tout sentiment de supériorité intellectuelle ou spirituelle : « J’ai compris, explique-t-il, que si je désirais voir les enfants spastiques émerger de la terre la seule chose à faire était de me mettre à plat, à même le sol, en perdant tout sentiment de mon importance en tant qu’individu. Réaliser que tout ce que je fais, tout ce que je dis, tout ce que j’écris n’a guère d’importance. L’important pour moi est de m’étendre par terre, parmi ces êtres spastiques. Alors je deviendrai peut-être capable de les aider à émerger. C’est la seule chose que je puis faire pour eux » (*ibid.*, p. 33).

Le message est clair, rigoureux et incontestable, comme l’était celui reçu jadis au lac de Tibériade. Il n’y a qu’à obéir. Cependant, reconnaît Lev Gillet, la certitude quant à la réalité de ce message n’est pas du même ordre que celle concernant la réalité d’un fait scientifique. Il s’agit d’une expérience proche de ce que Bergson nomme « intuition ». Aussi Lev Gillet critique-t-il l’expression « expérience religieuse » introduite par William James. Elle risque de prêter à malentendu : l’intuition de la foi possède sa propre évidence. Cependant elle n’est pas scientifique, c’est-à-dire expérimentalement vérifiable. Du point de vue épistémologique, la distinction est radicale.

Entre l'ordre de la science et l'ordre de la révélation, l'hétérogénéité est totale et absolue. C'est pourquoi il n'y a pas, il ne saurait y avoir, de conflit entre religion et science : « elles ne se mélangent jamais. »

« Nous vivons donc, d'après vous, dans un monde dualistique ? lui demande son interlocuteur. Exactement, répond Lev Gillet. Du point de vue de la connaissance, nous n'avons pas le droit de mélanger ce qui est vérifiable et ce qui ne l'est pas. Du point de vue épistémologique nous vivons dans un monde dual. Mais je ne prétends nullement que la connaissance scientifique nous livre l'*essence* du monde [11]. »

Le message reçu à travers la maladie du printemps 1971 marquera profondément le climat spirituel des dernières années de la vie de Père Lev. Il le confirme dans ce qu'il appelle sa « vocation de perte ».

De cet « ébranlement de tous les fondements », Lev Gillet sort physiquement très affaibli. La crise a laissé des traces : trous de mémoire, spasmes cardiaques brefs mais angoissants, perte totale de l'odorat, surtout une immense lassitude. De retour à Londres, après une assez longue convalescence passée à Oxford chez son amie Nadejda Gorodetzky, il reprend pourtant ses activités habituelles mais en limitant ses déplacements à l'étranger. Il ne donnera plus de cours à l'Institut Saint-Serge. Il ne retournera plus à l'Institut œcuménique de Bossey. Avec les encouragements de la femme médecin indienne qui le soigne, il accepte cependant l'invitation de ses amis libanais de passer Noël à Beyrouth. L'atmosphère « américaine, bruyante, superficielle » de ce Noël le déçoit. Mais il jouit de la « mer bleue et du ciel bleu ». Sous le soleil méditerranéen il retrouve des forces. C'est probablement pendant ce séjour libanais autour de Noël 1971 qu'il achève de rédiger, à la demande du secrétaire

11. *Ibid.*, p. 47. L'*essence* du monde, dit ailleurs Lev Gillet, c'est « le cœur divin incandescent », *cor ardens*. C'est l'Amour divin crucifié et pourtant victorieux.

du MJO – à l'époque Raymond Rizk –, le chapitre consacré au temps pascal de l'*An de grâce du Seigneur* : chapitre perdu d'un manuscrit resté pendant des années au fond d'un tiroir. L'ouvrage sera publié en novembre 1972.

Dans ses lettres de cette époque, Lev Gillet évoque le « lourd climat politique de Beyrouth », le pressentiment « fataliste » d'une catastrophe inéluctable, d'un « malheur » qu'il voudrait pourtant pouvoir conjurer. L'afflux des Palestiniens, après Septembre noir, déséquilibre démographiquement le pays. Le contraste est choquant entre le luxe et l'opulence d'une partie de la bourgeoisie chrétienne et sunnite, et la misère régnant dans les camps de réfugiés palestiniens. La prise de conscience par quelques jeunes chrétiens d'une immense injustice déclenche une crise au sein du MJO. Un groupe minoritaire de jeunes intellectuels marxisants et « gauchistes », voudrait entraîner le mouvement dans l'action politique, voire violente, propalestinienne. Apôtre de la non-violence évangélique, Lev Gillet est opposé à cette tendance. Mais il comprend les jeunes, partageant leur indignation, leur révolte contre un ordre social injuste. Il admire chez eux la disponibilité au sacrifice total. C'est le cas de sa « chère gauchiste Najat », évoquée dans les lettres des années 1976-1977 : *une Passionaria parlant à demi-voix, prostrée, les yeux fixés au sol. [...] la seule personne orthodoxe,* écrit-il, *dont la conscientisation passionnée, émouvante, sans rhétorique, m'ait révélé ce qui pourrait être une homilétique en profondeur* [12].

De Beyrouth, Lev Gillet aurait dû revenir en Europe en passant par l'Égypte [13] et la Grèce. Trop fatigué, il croit devoir renoncer à ce détour. Au début de 1972, il est de retour à Londres, exténué mais spirituellement réconforté.

---

12. Lettre du 17 février 1977 à E.B.S.

13. Il compte des amis et des lecteurs parmi les chrétiens coptes. Certains de ses livres sont publiés au Caire en langue arabe.

Désormais, ses voyages continentaux se raréfient. Cependant, jusqu'au bout, dans la mesure où ses forces le lui permettent, il répond aux appels venant de petits groupes modestes : la Fraternité orthodoxe parisienne, le groupe genevois dont il sera question plus loin.

À Londres, sa vie reste partagée en semaine entre St. Basil's House et la salle de lecture du British Museum. Il y rédige ses notices bibliographiques et répond aux innombrables lettres qu'il reçoit d'amis et d'enfants spirituels éparpillés à travers le monde, mais aussi de lecteurs inconnus de ses livres. Son ministère pastoral, il l'accomplit désormais, en grande partie, sous forme épistolaire : « Son diocèse était le monde », dit à ce sujet un de ses fils spirituels, le P. Michel Evdokimov.

À St. Basil's House, Lev Gillet continue d'occuper la pièce du sous-sol qu'on lui a attribuée après sa crise cardiaque en 1956. Donnant de plain-pied sur le parc situé à l'arrière de la maison, elle est agréable en été mais humide et glaciale en hiver, car dépourvue de chauffage. Sur les instances du métropolite Antoine, on finit pourtant par y installer un petit radiateur électrique. Chaque samedi matin, Lev Gillet continue de célébrer la liturgie dans *sa* chapelle, parfois pour quelques fidèles, parfois seul. Mais toute la souffrance du monde est présente à sa prière.

À partir du printemps 1972, il reprend ses prédications dominicales, à intervalles plus ou moins réguliers, au temple réformé français de Soho. Il entretient également des relations avec les jeunes du Jesus Movment, un mouvement charismatique qui connaît, à l'époque, un grand succès en Angleterre. Invité par un évêque anglican à une représentation de l'opéra-rock *Godspell* dont le Jésus des Évangiles est le héros, il en sort ravi, saluant avec un enthousiasme juvénile ce « chef-d'œuvre [14] ».

Il enregistre également à la BBC des émissions reli-

14. Lettre du 14 juillet 1972 à E. B. S.

gieuses pour la Grande-Bretagne et pour l'étranger, en particulier pour la Roumanie.

Un nouveau ministère va occuper une place grandissante dans sa vie. Lev Gillet a toujours eu des liens avec Oxford. Il y est souvent l'hôte de son amie Nadejda Gorodetzky. Les milieux universitaires oxfordiens sont d'ailleurs l'un des berceaux du Fellowship de Saint-Alban et Saint-Serge, comme aussi du World Congress of Faiths. À partir de 1973, c'est l'humble paroisse orthodoxe d'Oxford qui va avoir recours au ministère du hiéromoine français : une paroisse nouvelle et d'un type nouveau, annonciateur du dépassement possible de l'ethnocentrisme à la fois ruineux et anticanonique qui prévaut jusqu'ici dans la Diaspora orthodoxe. En effet, elle réunit dans la même communauté liturgique des Russes, des Grecs et quelques Anglais entrés dans la communion de l'Église orthodoxe.

La naissance de cette paroisse est le fruit des efforts persévérants d'un groupe de laïcs parmi lesquels on trouve Nicolas et Militza Zernov et Nadjeda Gorodetzky. Tous trois sont proches de Père Lev. C'est grâce à eux et, en particulier, grâce aux dons rassemblés par Nadejda qu'a été fondée à Oxford la Maison de Saint-Grégoire-de-Nysse et de Sainte Macrine : un centre d'études destiné à promouvoir la connaissance de l'orthodoxie et en particulier de la spiritualité orthodoxe. En 1973, le métropolite Athenagoras de Thyatire, exarque en Grande-Bretagne du patriarcat œcuménique et le métropolite Antoine de Souroge, représentant du patriarcat de Moscou, procèdent conjointement à la bénédiction d'une chapelle édifiée sur un terrain attenant à St. Gregory's and St. Macrina's House. Elle servira de lieu de culte commun aux orthodoxes grecs et russes d'Oxford. À la demande des deux évêques, Lev Gillet devient, non le recteur, mais le premier desservant de cette chapelle en attendant la nomination d'un prêtre, voire éventuellement de deux prêtres réguliers, l'un du patriarcat de Moscou, l'autre de celui de Constantinople. Quand ces nominations deviendront effectives, Lev Gillet continuera de « boucher les trous » en l'absence de l'un ou l'autre des prêtres titulaires. Cet humble ministère est pour lui une source de joie : « En me donnant, je reçois beaucoup et je me sens plus prêtre », confie-t-il à son amie.

Pendant toutes ces années, Lev Gillet continue bien entendu à servir le Fellowship. Il reste le chapelain de St. Basil's House. Il donne des études bibliques et des méditations à la retraite de Pleshey et aux conférences d'été annuelles. Mais il y est présent aussi, « par sa prière silencieuse ». Elle donnait à ces réunions leur qualité spirituelle « exceptionnelle », dira après la mort de Père Lev, le métropolite Antoine de Souroge [15].

Tout un ministère d'accompagnement spirituel exercé par Lev Gillet auprès d'hommes et de femmes jusqu'au dernier jour de sa vie devrait ici être évoqué. Parmi les personnalités très remarquables que Lev Gillet a ainsi aidées à se réaliser selon leur vocation, il faut nommer Mère Mary Gisy [16], fondatrice du premier monastère orthodoxe féminin en Grande-Bretagne et Sister Anna (Hoare) connue pour l'œuvre de réconciliation entre protestants et catholiques à laquelle elle se consacre en Irlande du Nord.

À partir du printemps 1972, Lev Gillet se sent de nouveau suffisamment rétabli pour renouer avec la tradition, instaurée depuis les années soixante de ses tournées continentales. De Londres il se rend de nouveau assez régulièrement à Paris, Genève et Grenoble, selon un ordre variable, subtilement agencé.

Le 11 mai 1972, jeudi de l'Ascension selon le calendrier occidental, il célèbre la liturgie eucharistique dans la chapelle du Moulin-de-Senlis, à Montgeron dans les environs de Paris. Cette célébration inaugure la série de

15. Father LEV GILLET, *A Talk by Metropolitan Anthony Bloom* (polycopié, sans date).

16. Mère Mary Gisy qui avait accompli son noviciat dans ce monastère de bénédictines anglicanes est l'auteur d'une remarquable étude sur *La Prière de Jésus, The Jesus Prayer*, Éd. du monastère de l'Annonciation à Normanby.

journées et week-ends trimestriels de la Fraternité orthodoxe parisienne dans le cadre de cette demeure au charme romantique.

En quête d'un local pour ses réunions après le départ de Massy de Paul Evdokimov, la Fraternité a bénéficié pendant quelque temps de l'hospitalité des dominicains du centre Istina [17] dans le 13e arrondissement de Paris. Fraternellement reçu, Père Lev a célébré la liturgie selon saint Jean Chrysostome, dans la chapelle catholique de ce centre.

Il ne peut cependant s'agir que d'une solution provisoire. À partir de 1972, la Fraternité se réunit à Montgeron, accueillie au foyer pour enfants en difficulté et orphelins que dirige à cette époque la princesse Andronikof [18]. Le lieu est paisible et beau, propice au recueillement, comme aux rencontres amicales. La vieille maison de maître, flanquée de dépendances aux murs envahis par la vigne vierge, donne sur une vaste cour. Au milieu se dresse le vieux puits, symbole cher à Père Lev. Derrière les bâtiments, un bout de parc sauvage offre aux visiteurs ses frondaisons ombreuses. Un peu à l'écart, entourée d'un jardinet fleuri enfoui sous la verdure, la chapelle orthodoxe invite à la prière. L'intérieur de l'Église est orné de fresques et d'icônes très belles, œuvre du grand iconographe, le P. Grégoire Krug. Lev Gillet aime ce lieu où souffle l'Esprit.

L'organisation des « journées » de la Fraternité orthodoxe est assumée collectivement par une équipe informelle qui réunit les animateurs de la revue *Contacts* et des représentants de la jeune génération orthodoxe franco-russe. On y trouve notamment, unis dans l'œuvre commune, les enfants des grands théologiens aux ten-

17. Fondé par le P. Christophe Dumont, le centre Istina est destiné à promouvoir la connaissance de l'orthodoxie orientale et le dialogue entre orthodoxes et catholiques. Il édite l'importante revue qui porte son nom.

18. L'aumônier du foyer est le P. Paul Alderson (futur évêque), un Anglais avec qui Père Lev sympathise et qu'il invite – fait exceptionnel – à concélébrer avec lui.

dances divergentes, mais tous les deux chers au cœur de Père Lev : Paul Evdokimov et Vladimir Lossky. Père Lev se sent à l'aise dans ce milieu. Il y retrouve lui-même une nouvelle jeunesse comme il l'écrit dans une lettre adressée aux organisateurs au lendemain de la première de ces Journées de Montgeron : *Je suis maladroit à travers les mots qu'il faudrait pour traduire ce que j'éprouve. Je dirai donc simplement : vous êtes à moi et je suis à vous. Je disais cela aux premiers fidèles qui se réunissaient auprès de moi lors de l'été 1928 (il y a si longtemps !) et je le dis encore à vous, qui créez pour moi une atmosphère de nouvelle jeunesse... Tant que j'en aurai la force physique, je suis à votre service.* Cela sous quelque forme que ce soit.

Soulignée par lui, la dernière phrase indiquerait-elle que Lev Gillet reste hanté par le rêve d'une charge épiscopale dont il pourrait être investi ? Pourtant, il sait que son charisme n'est pas l'organisation mais le « parler du cœur au cœur » : un don qu'il admirait tant chez le vieil archevêque Vladimir. Et d'ajouter aux lignes qu'il vient d'écrire : *J'ai dit : je suis à vous. Mais je voudrais particulariser cette affirmation et qui que vous soyez, je dis à chacun et à chacune : je suis à toi.* [19]

Lev Gillet tiendra parole. Tant que ses forces le lui permettront, il reviendra à Paris pour les Journées de Montgeron. Il n'en est pas le seul animateur. Mais au cœur de chacune d'elles est la liturgie célébrée par lui, unissant au sacrement l'annonce de l'Évangile. Tous ceux qui ont participé à ces journées s'en souviendront plus tard comme d'événements, de moments de grâce qui ont marqué leur vie [20].

Les orthodoxes qui se réunissent à Montgeron sont d'origine russe, grecque, serbe, libanaise et, de plus en

---

19. Lettre du 8 juin 1972.

20. Une partie des homélies et des méditations données par Lev Gillet à Montgeron ont été enregistrées, notamment une série d'exposés sur la prière de Jésus.

plus souvent, française. Ils appartiennent à toutes les juridictions présentes en France, à celle de Moscou comme à celle de Constantinople ou d'Antioche.

Parmi les participants réguliers, se trouvent aussi des catholiques : tel bénédictin du monastère du Bec-Hellouin, de jeunes intellectuels désorientés ou simplement attirés par la personnalité de ce prêtre hors du commun, ou encore des « charismatiques ». Tous font partie de la famille. À défaut de pouvoir leur offrir l'hospitalité sacramentelle, Père Lev leur offre « l'hospitalité spirituelle » : une hospitalité – cela va de soi pour lui – exempte de toute visée de prosélytisme. Il y voit une des vocations de ces rencontres et, au-delà, la vocation d'une « Orthodoxie occidentale humble et fraternelle ». S'exprimant à ce sujet, il écrit à son amie : *Dans la confusion présente du catholicisme français, ne serait-il pas bon que les Églises orthodoxes en France rappellent avec tact qu'elles représentent une orthodoxie précise, aux affirmations intransigeantes avec emploi de rites plus anciens que la messe tridentine, soit dans les langues originales, soit en français. Il ne s'agit pas de faire du prosélytisme mais d'offrir une certaine hospitalité spirituelle, sinon sacramentelle, à ceux qui voudraient s'asseoir sur la margelle du vieux puits pour puiser aux sources anciennes des eaux nouvelles* [21].

Dans ses prédications, comme dans quelques conférences qu'il donne encore, Lev Gillet délivre un message avant tout spirituel. Il parle de la foi, de la prière, d'une conversion au Christ sans cesse à renouveler. Il rappelle que la foi que le Christ a admirée est celle du centenier païen de Capharnaüm et de la femme syro-phénicienne et non celle des juifs « orthodoxes » de son temps : un fait qui devrait donner à réfléchir aux « orthodoxes d'aujourd'hui ». Mais cette prédication spirituelle n'exclut nullement chez lui l'attention aux événements et aux

21. Lettre à E.B.S., vers 1972.

problèmes présents où chacun, souligne-t-il, doit assumer ses responsabilités [22].

Les Journées de Montgeron sont l'occasion de nombreux contacts personnels. Nombreux sont ceux qui se souviennent d'une conversation avec le vieux moine qui a éclairé une situation douloureuse ou ouvert de nouveaux horizons. C'est sans doute l'aspect à la fois le plus fécond et le plus secret de ce dernier ministère parisien de Père Lev.

La modeste Fraternité des origines – un mouvement essentiellement spirituel dont Lev Gillet avec Paul Evdokimov ont été les inspirateurs – connaît en ces années soixante-dix une mutation. De sa fusion avec un comité de la jeunesse orthodoxe qui s'est constitué vers la même époque, résulte l'émergence, en fait, d'une nouvelle Fraternité plus structurée, aux projets plus ambitieux. La nouvelle organisation se donne des statuts, définit ses buts. Elle se veut « instrument provisoire » au service de la réalisation d'un projet ecclésial, à savoir « la solution pleinement ecclésiale des problèmes de la dispersion orthodoxe en Europe occidentale [23] ». Énoncé de façon prudemment imprécise, le but visé est la formation en France, et plus largement en Europe occidentale, d'une Église orthodoxe locale *une*, se substituant au désordre anticanonique de juridictions juxtaposées fondées sur des critères ethniques : un désordre qui stérilise en partie la présence orthodoxe en Occident et nuit à son rayonnement. Au-delà et à travers une réorganisation de l'institution ecclésiale conformément à l'esprit des canons, le but visé est l'avènement d'une Église orthodoxe pleinement intégrée, dans la fidélité à la foi apostolique, au tissu de la culture occidentale contemporaine, capable de répondre à la quête spirituelle de l'Occident, à son questionnement dans l'ordre de l'éthique personnelle

22. Lettre du 8 octobre 1976 à E. B. S.

23. Ces citations sont tirées d'une circulaire polycopiée de la Fraternité où sont présentés ses statuts et ses buts.

comme de l'éthique sociale. Tout cela, Lev Gillet lui aussi l'a désiré quand il a fondé la première paroisse orthodoxe française en 1928, quand il a bataillé en 1935 pour l'admission dans l'Église orthodoxe du groupe Winnaert, quand dans l'arrière-boutique de la librairie de Jean Balzon, à la fin des années cinquante, il a lancé l'idée d'une fraternité laïque comme fer de lance d'un mouvement de renouveau au sein de l'orthodoxie en Europe occidentale. Mais à présent, il a le sentiment qu'il est pour lui trop tard. « J'appartiens au passé », ne cesse-t-il de déclarer. À d'autres plus jeunes que lui dont les vues peuvent être différentes des siennes et qu'il ne veut pas gêner, de tenter d'incarner dans les structures ecclésiales une vision qui lui reste chère. À l'étonnement et même au chagrin de plusieurs de ses jeunes amis, il croit devoir se tenir en retrait des événements qui jalonnent « la lente émergence d'une Orthodoxie locale [24] » : le premier congrès de la Fraternité à Annecy en 1971 sur le thème « La Résurrection et l'homme d'aujourd'hui », les deux congrès suivants à Dijon (1974) : « La lumière de la vie » et à Amiens (1977) : « L'Église, cœur du monde ».

Les raisons données pour expliquer son abstention sont diverses. Celle-ci ne signifie pas désintérêt. Ces congrès, il les « porte dans [son] cœur et [sa] prière ». Il souhaite que « l'Esprit y souffle [25] ». Il salue « cette jeunesse enthousiaste ». Mais en 1971, il émerge à peine d'une grave maladie. Invité de façon pressante au congrès de Dijon en 1974, il répond que sa présence à cette manifestation, pour la réussite de laquelle il prie, ne lui paraît pas utile : *Là seront beaucoup de personnes compétentes à la fois dans la* theoria *et dans la* praxis. *Mon propre appel n'est ni vers la doctrine, ni vers l'organisation, mais d'être*

24. *Annuaire de l'Église orthodoxe*, 1991, p. 4.
25. Lettre du 24 octobre 1974 à E. B. S.

un évangéliste[26]. C'est « avec un poids sur le cœur[27] » qu'en 1977 il prie de transmettre à Michel Sollogoub, organisateur du congrès d'Amiens, sa réponse négative. Après avoir hésité, il a cru devoir suivre la *guidance* intérieure qui lui commande de répondre à l'invitation d'un petit groupe qui lui demande d'animer à Oxford une retraite dont la date coïncide avec celle du congrès.

En fait, plus il avance en âge, plus Lev Gillet appréhende les grandes assemblées, les débats théologiques et ecclésiologiques, où il se sent mal à l'aise et mal compris. Il ne trouve de « contentement que dans l'Évangile », avoue-t-il à ses amis. Interrogé sur le message qu'il désire envoyer aux congressistes d'Amiens, il répond par un seul mot : « conversion ». Tout le reste (dont il ne se désintéresse pas et dont il reconnaît l'importance en son ordre propre) ne saurait être que le fruit de cette remise totale de soi *(self-surrender)* au Seigneur qu'est tout authentique acte de foi : une conversion sans cesse à renouveler en dehors de laquelle il n'y a que « parlage vide et vaine agitation ».

Il est trop tard pour lui. Il se sent trop vieux, un peu sceptique quant à la réalisation du projet qui se heurtera – il le sait par expérience – à des résistances que ses jeunes auteurs mesurent mal. De cette jeunesse qui a trouvé de nouveaux maîtres à penser, il craint de rester incompris.

Sa vocation à lui, croit-il, est de jeter des semences dans de petits groupes. *« Small is beautiful »*, ce slogan des jeunes des années soixante-dix est souvent cité par lui. De plus en plus affaibli, souffrant de vertiges et de pertes d'équilibre qui font de chacun de ses voyages une aventure risquée, Lev Gillet, en marge de manifestations plus spectaculaires, croit devoir continuer de « servir » le groupe modeste de Montgeron ainsi qu'une autre petite

---

26. Lettre du 24 octobre.
27. Lettre du 7 novembre 1977.

cellule qui, sous son inspiration directe, s'est constituée à Genève.

Dans les douze ou treize dernières années de ministère du P. Lev Gillet, les « retraites » dites « de Genève » – en réalité elles ont lieu dans les environs de cette ville – ont joué un rôle important. Il s'y sent particulièrement engagé dans la mesure où elles dépendent entièrement de lui. Elles cesseront après sa mort.

À l'origine, il y a la rencontre de Père Lev au cours du pèlerinage du Syndesmos à Jérusalem, en août 1965, avec deux jeunes orthodoxes suisses : Irène et André Jung. Le frère et la sœur lui ont été recommandés par le métropolite Antoine (Bloom) qui est l'ami et le confesseur de leur mère : une émigrée russe, orthodoxe fervente, mariée avec un Suisse genevois protestant. Les deux enfants de Mme Jung ont reçu le baptême dans l'Église orthodoxe. Dans le milieu orthodoxe genevois aux paroisses ethniquement cloisonnées, Irène et André, jeunes étudiants brillants, l'un en médecine, l'autre en mathématiques, se sentent en porte à faux. Ils ne sont ni russes, ni grecs. Leur mère appartient à la petite communauté du patriarcat de Moscou desservie par des prêtres envoyés périodiquement d'Union soviétique. En Lev Gillet, ils découvrent le seul prêtre, avec le métropolite Antoine (mais ce dernier se trouve loin, à Londres), capable de répondre à leurs questions et à leurs besoins. Ils le supplient de venir les voir à l'occasion de ses passages à Genève pour l'Institut œcuménique de Bossey. Peu à peu, un petit groupe se crée qui, à chaque passage à Genève du prêtre orthodoxe français, se réunit autour de lui, d'abord à Présinges, dans la maison des diaconesses protestantes, puis à Etoy, dans une communauté religieuse œcuménique. Quelques moniales bénédictines y vivent avec des « sœurs » protestantes, en tentant, disent-elles, de « donner à leur foi la plus large dimension œcuménique possible » : une tentative avec laquelle Lev Gillet ne peut que sympathiser profondément.

Ce sont ces retraites à Présinges, puis à Etoy, qui

finiront par devenir la principale, voire l'unique motivation de Lev Gillet quand il se rend à Genève pendant les dernières années de sa vie. Elles ne rassemblent guère plus de vingt à vingt-cinq personnes : des orthodoxes de langue française et quelques catholiques et protestants. Parmi ces derniers, Paul Bartholdi, un astrophysicien devenu le mari d'Irène Jung. Dans ce petit groupe où il connaît chacun personnellement, le P. Lev Gillet se sent à l'aise, totalement accepté et respecté. Il peut s'exprimer librement. Certaines de ses meilleures homélies ont été prononcées dans ce cadre modeste [28].

Le problème des couples dits « mixtes » se pose très concrètement dans ce milieu genevois : problème qui touche les chrétiens de base et auquel les théologiens et œcuménistes professionnels ne prêtent que trop peu d'attention. Lev Gillet s'y trouve confronté, par le cas du couple formé par Paul et Irène Bartholdi dont il est devenu l'ami et le confident. Des enfants naissent. Comment les baptiser, les unir au Christ et à son Église sans blesser l'un ou l'autre des conjoints ? Prêtre orthodoxe, Lev Gillet propose un baptême protestant donné, en sa présence, par le pasteur, qui sera suivi de l'administration par lui du sacrement orthodoxe de la confirmation. Cette solution est admise aussi par le métropolite Antoine. Le désir légitime, selon Lev Gillet, des couples mixtes de sceller leur union au Christ sous la forme d'une communion eucharistique partagée paraît plus difficile à satisfaire. Dans ce petit laboratoire spirituel que représente pour lui le groupe genevois, Lev Gillet tente une expérience audacieuse, subtilement justifiée dans un article de la revue *Foyers mixtes* du dominicain lyonnais

28. Beaucoup d'entre elles ont été enregistrées. Elles constituent un trésor qui reste encore à explorer et mériteraient d'être éditées.

R. Beaupère [29]. « Il me semble, écrit-il, que théologiquement rien ne s'oppose à ce que des chrétiens, même de confessions différentes, puissent se grouper autour de la même table, autour de l'Évangile, que, soit en rompant le pain et en versant le vin, soit en gardant le silence, ils puissent s'unir dans la mémoire de la Cène et de la Passion du Seigneur. Il faudrait répudier toute prétention de "consacrer". Ce serait plus qu'une "agape", un banquet d'amour. Ce ne serait pas une "liturgie". Ce serait simplement un "parler en actes" comme il y a un "parler en langues [30]". »

De la correspondance de Lev Gillet, il ressort qu'il a mis la théorie exposée ici en pratique, au moins en quelques occasions, au sein du groupe genevois. Curieusement, il la justifie à l'aide de la notion de « communion spirituelle » au sens technique du terme, notion élaborée à partir de saint Augustin par des théologiens catholiques. Il précise que la théologie des sacrements orthodoxes comme celle des réformateurs se situent sur des plans différents qui seraient à examiner [31]. Visiblement, l'important pour lui n'est pas telle ou telle théorie. Ce qui lui importe, c'est de trouver dans le cadre de l'une d'elles, particulièrement subtile et cohérente – en l'occurrence la théologie sacramentaire catholique – la solution, du moins provisoire, d'un problème pastoral aigu et douloureux. De façon caractéristique, la solution proposée par le P. Lev Gillet permet de concilier la liberté de l'Esprit avec le respect des canons et des règles traditionnelles.

L'atmosphère des retraites genevoises conduites par Lev Gillet et la trace laissée par elles dans les âmes

---

29. *Foyers mixtes*, nº 34, janvier-mars 1977, « Le spirituel ordonné au sacramentel » signé Lev Gillet, prêtre orthodoxe. L'article fait suite à un autre intitulé : « La Troisième Force » consacré au mouvement charismatique. Dans le même numéro Irène et Paul Bartholdi rendent compte de l'expérience vécue par eux avec le P. Gillet : « Communion spirituelle. Nous avons partagé le pain et le vin. »

30. *Ibid.*, p. 20.

31. *Ibid.*, n. 1.

sont évoquées par Irène Bartholdi : « Coupés du monde, nous laissions Père Lev nous emmener où il avait décidé de nous conduire (jamais, en effet, nous ne lui demandions de thème). Très vite notre groupe s'est élargi, accueillant des personnes de tout âge et de toute provenance, orthodoxes ou sympathisants. Certains d'entre nous se déplaçaient même de Lausanne, du Valais ou de France pour venir à ces retraites [...] Pour le noyau que nous formions, ces retraites étaient les moments forts de notre vie spirituelle. Nous cheminions d'une rencontre à l'autre en essayant d'assimiler peu à peu ce que nous y avions reçu. Nous voyions toujours arriver la prochaine avec joie et souvent avec un certain étonnement d'y être déjà, car nous n'avions jamais achevé notre travail d'assimilation... Ainsi, peu à peu, nous nous sommes laissé imprégner par ce que Père Lev répandait sur nous. Et notre vision de Dieu, de l'Église et du Monde s'est simplifiée, intériorisée et pour employer une expression du Père Lev "amorisée". Cela, bien sûr, dans la mesure de nos moyens ; mais je crois qu'un peu de lumière s'est, par lui, et à travers lui, faite en nous. Aucun de ceux qui l'ont suivi pendant ces quelques années n'est maintenant exactement le même qu'il était auparavant. Nous qui sommes si souvent inertes spirituellement il nous a fait sentir la Présence du Seigneur Amour [32]. »

L'autre pôle, le pôle oriental du ministère du Père Lev, jusqu'à la fin de sa vie, reste Beyrouth : le Liban. Après la grave crise à la fois somatique et spirituelle du printemps 1971, le P. Lev Gillet, au cours de l'hiver 1971-1972, achève sa convalescence, se fatiguant beaucoup mais renaissant spirituellement. Il passe de nouveau plusieurs semaines à Beyrouth autour de Noël et du nouvel an 1972-1973, puis pendant le grand carême de la même année. Au début de 1974, il se retrouve au Liban « occupé à 100 %, écrit-il, pris dans un engrenage serré d'occu-

32. Irène BARTHOLDI, « Les Retraites genevoises », *Contacts,* n° 116, 1981/4, p. 332-333.

pations diverses ». Il donne des conférences, accorde des entretiens, reçoit des confidences, conseille, console, mais se préoccupe aussi du développement – en relation avec l'université américaine de Beyrouth – d'une orthodoxie arabe anglophone. Ses homélies sont enregistrées sur cassettes. *Je suis un homme mangé*, écrit-il fièrement à son amie[33].

Chaque fois qu'il retourne au Liban, Lev Gillet connaît – malgré le poids croissant des années – une période d'exaltation et d'intense activité. Il se sent proche de la nouvelle génération du MJO représentée par des jeunes hommes et femmes comme Raymond Rizk et Maud Nahas, ou encore le futur métropolite Élias (Andé). Il discerne dans ce milieu une vie spirituelle intense, alliée à une grande lucidité et à une honnêteté intellectuelle et morale qu'il admire. « Les problèmes de conscience sont librement discutés », se réjouit-il. Invité à visiter le nouveau complexe universitaire orthodoxe de Balamond, il constate, non sans déplaisir, que les étudiants, plus qu'à la philosophie religieuse russe, s'intéressent à l'arabisme, à l'islam, au maoïsme et aux problèmes sociaux. Cette jeune orthodoxie arabe enracinée dans le tuf de l'antique tradition antiochienne, en même temps ouverte aux problèmes du monde contemporain, constitue à ses yeux une chance pour l'Église universelle, et un grand espoir pour l'orthodoxie. Il est conscient cependant de la fragilité de cet espoir et des menaces qui planent sur le Liban. S'il se réjouit de la présence, à titre d'invités, à la conférence pan-islamique de Lahore, du patriarche orthodoxe Ignace IV et de l'évêque Georges Khodr (dont il se sent particulièrement proche), il n'ignore pas les dangers qui menacent le fragile équilibre libanais. « Sur tout plane l'ombre toujours présente d'une crise politique majeure. » Tout n'est pas perdu, espère-t-il. Il s'agit de mener le combat pour la paix et la justice : un combat où il se sent engagé aux côtés de ses jeunes amis. « Cette

33. Lettres du 1er, 11 et 23 février 1974 à E. B. S.

responsabilité l'emporte sur tout le reste », écrit-il à ses correspondants européens.

Au printemps 1975, quand éclate la guerre civile, Lev Gillet se trouve à Beyrouth. Dans une lettre à son amie, il décrit la situation telle qu'elle est ressentie par lui : *La situation est très grave. Du sang versé, des émeutes, autobus renversés, etc. On est à la veille ou d'un miracle ou d'une explosion totale. Le Liban que vous avez connu et visité croule sous une immense poussée musulmane et fedayine. Le temps lui-même est en accord avec cela. Sauf quelques rares jours, nous avons vécu sous les tornades, le vent enfonçant portes et fenêtres. Des arbres renversés dans la rue, tempêtes de grêle. Les mêmes orages règnent dans les esprits* [34].

De retour en Europe, Lev Gillet continue de « vibrer » pour le Liban, passant alternativement par des moments de profond abattement et d'espérance exaltée. Le miracle pourrait venir de l'Esprit soufflant à la fois, espère-t-il, sur la jeunesse arabe et sur la jeunesse juive, les soulevant pour combattre ensemble les puissances des ténèbres.

Physiquement et psychiquement, le vieux moine ressent le choc. Il se ressaisit pourtant, retrouvant la paix intérieure dans l'abandon total à Dieu.

Dès le mois de juin, il se remet en route, se rendant à Paris et de là à Genève. À Montgeron, il prêche sur le thème : « Rendre grâces en toutes choses ». Début juillet, il dirige la retraite du Fellowship à Pleshey. En août, il participe à la conférence d'été de High Leigh. Au cours de l'automne, il revient à Montgeron pour une retraite de la Fraternité entièrement conduite par lui centrée sur la prière de Jésus. Pour la première fois de sa vie – et non sans de vives réticences – il se prête à un enregistrement par la télévision, acceptant de répondre à des questions sur la prière de Jésus pour l'émission « Orthodoxie » du dimanche matin. L'enregistrement a lieu en l'église de l'Institut de théologie ortho-

34. Lettre du 20 mars 1975 à E. B. S.

doxe Saint-Serge. Après avoir vivement et vainement protesté contre la « mise en scène » – cierges allumés, icônes, etc. –, il parle comme un ange. L'émission sera l'une des meilleures de l'année, suscitant des lettres d'auditeurs enthousiastes.

Ainsi la vie, malgré tout, continue. En Angleterre, Lev Gillet poursuit ses occupations habituelles. En semaine, chaque matin, ponctuellement vers 10 heures, il retrouve au British Museum sa place attitrée. Le samedi matin, il célèbre *sa* liturgie dans la chapelle de St. Basil's House. Il reste en relations suivies avec la paroisse réformée française de Soho sur laquelle, à cette époque, « souffle un vent charismatique ». Lui-même à deux reprises fait l'expérience du « parler en langues ». Cela l'a laissé, avoue-t-il, « assez désorganisé ». Mais l'essentiel pour lui de ce qu'il nomme la « mouvance charismatique » au sein du christianisme ne sont pas ces phénomènes psychiques quelque peu extraordinaires et discutables. « Le charismatisme, écrit Lev Gillet dans l'article déjà cité de la revue *Foyers mixtes*, c'est l'aspect du christianisme centré ni sur l'Écriture ni sur l'autorité institutionnelle, mais sur la poussée de l'Esprit » (p. 5). Cette tendance a existé dès l'Antiquité et au Moyen Âge. Elle s'est manifestée au temps de la Réforme et « explose » aujourd'hui, « de manière éclatante et contagieuse » *(ibid.)*. À cette mouvance se rattachent également les quakers pour lesquels Lev Gillet éprouve une sympathie particulière et une profonde estime. Ils représentent, écrit-il, « la manifestation la plus consistante, la plus puissante, la plus active en réalisations sociales de cet attachement à l'Esprit pur, à la lumière intérieure, à l'abstention de tout littéralisme, de tout ritualisme, de tout ecclésiasticisme » *(ibid.)*. Le charismatisme représente pour lui une « troisième force » face, d'une part, aux Églises traditionnelles catholique et orthodoxe, d'autre part, à la Réforme protestante. Il s'agirait de découvrir ce qu'il peut apporter à un œcuménisme qui, constate Lev Gillet, dès cette époque, « se trouve devant des impasses ».

Mi-sérieux, mi-provocateur, il lui arrive, dans les conversations avec ses amis de se définir comme un « quaker de rite oriental ». Il n'est pas question pour lui, cependant, de jeter par-dessus bord « les trésors de vérité et de sainteté » amassés et développés pendant vingt siècles de christianisme historique, déclare-t-il dans l'article cité. En même temps qu'au Mouvement charismatique, il s'intéresse aux thèses du théologien catholique Bernard Lonergan qui voit dans les formulations du Symbole de Nicée une étape dans le mouvement vers une expression de la parole de Dieu « transcendant les différences culturelles [35] ».

En mai 1976, Lev Gillet revient à Paris. Le jour de l'Ascension il célèbre la liturgie dans la chapelle de Montgeron. L'après-midi il prend part, avec Albert Laham, son fils spirituel libanais, et Constantin Patélos, jeune théologien gréco-égyptien, à une table ronde consacrée à la crise politico-religieuse au Moyen-Orient. C'est lui qui clôt la journée par une méditation sur l'ivresse de Noé [36]. Comme pour les Pères de l'Église, elle est pour lui le symbole de l'*ek-stase*, de la bienheureuse sortie de soi-même, dépassement du moi égocentrique dans la rencontre commune avec l'Autre et, en lui avec les autres, avec chaque autre. À chacun de s'enivrer en buvant à la coupe offerte : la coupe universelle offerte par le Christ qui est aussi la coupe propre de chacun, celle que Joseph, *typos* du Christ, selon l'exégèse allégorique des Pères a glissé dans le sac de son jeune frère Benjamin, comme le signe d'une élection mystérieuse.

Le vieux moine parle sans notes. Il s'est laissé inspirer, dit-il, par l'icône de la Trinité de Roublev qu'il avait devant lui quand, ce matin, il servait la liturgie. En la contemplant, il a perçu l'appel adressé à chacun de ceux qui sont présents et à lui-même : appel à la « générosité, au don de soi sans mesure, à l'amour sans limites ». Telle est la coupe proposée, sous diverses formes, à

35. Voir USGR, *Booklist* n° 49, p. 10.

36. Sous le titre « La Coupe », elle prendra place dans le recueil *La Colombe et l'Agneau*.

chaque homme et à chaque femme, au couple marié comme au moine et à la moniale. Sommes-nous disposés à la boire, sommes-nous disposés à nous laisser enivrer par le vin divin ? « Ah, si toute grâce bouleversante, si toute grâce catastrophique – dans un sens beau et divin – envoyée par Dieu, offerte par lui, trouve cet homme hésitant, que sera-ce du vin divin ? Ah, s'il est éperdu, hésitant, saura-t-il prendre la coupe ? S'il ne peut boire ce vin, alors qu'en sera-ce pour lui de la vie, de l'amour, de la femme. Qu'en sera-ce pour lui de la mort, de la croix, de la résurrection des morts ? “Pouvez-vous boire la coupe que je vais boire” (Mt 20, 22) [37]. »

La conférence donnée ce soir par Lev Gillet est inspirée. Tous sont frappés par la chaleur, la lumière et la jeunesse qui émanent d'un fragile vieillard.

Au cours de l'été 1976, Lev Gillet remplace pendant quelques semaines le prêtre chargé de la paroisse orthodoxe d'Oxford. Pendant une de ces célébrations, au moment où il s'apprête à prononcer l'homélie, il s'écroule, victime d'une syncope. Il l'a « senti venir et s'y est abandonné », expliquera-t-il plus tard. *J'étais comme sur une sorte de chemin de Damas... Je sentais que j'allais être jeté prostré et cela est arrivé sans violence, mais de façon telle que je sentais ma vie se retirer de moi et que s'écroulait en même temps autour de moi tout ce qui pouvait faire obstacle à une* invasion sans limites *de la grâce* [38].

Depuis cet « effondrement », confie-t-il dans une lettre, il se trouve dans un « état d'exaltation de *surrender,* d'abandon de soi sans conditions, grandement soutenu par le climat charismatique de la paroisse réformée française à Londres ». La lettre où il rend compte de cet événement s'achève sur la citation d'un cantique protestant qu'il a connu et aimé dans sa jeunesse : « Rien, ô Jésus, que ta grâce... »

Ces réminiscences protestantes ne l'empêchent pas de

37. *Ibid.*, p. 70.
38. Lettre du 27 juillet 1976 à E. B. S.

vivre précisément en ces semaines dans une atmosphère « mariale ». Il prêche sur Marie à Oxford en la fête de la Dormition. Il ressent sa présence auprès de lui, telle une eau rafraîchissante [39]. Le fruit de cette expérience sont des méditations sur « Marie, mère de Jésus [40] ». Marie fécondée par l'Esprit Saint est pour lui la figure de la vocation de l'humanité, de tout chrétien et de toute chrétienne.

Au cours de l'automne 1976, Lev Gillet déclare se sentir dorénavant appelé à une *vie retirée, renonçante, silencieuse, ne pensant plus à de grandes choses, mais essayant d'aller pas à pas, au milieu des petites choses et d'âmes simples, plus à l'aise avec Thérèse de Lisieux et Charles de Foucauld qu'avec Dostoïevsky et Soloviev* [41]. Cette boutade ne doit cependant pas être prise à la lettre. La pensée religieuse russe, de Soloviev à Boulgakov, continue de le hanter. Au cours de l'automne 1976 est publiée à Londres une anthologie de textes du P. Serge Boulgakov [42]. L'un des deux éditeurs est Nicolas Zernov. Lev Gillet n'est pas nommé. Mais c'est lui, écrit-il à son amie, qui a *inspiré le choix des textes* [43] : un choix particulièrement judicieux qui permet de survoler l'évolution intellectuelle et spirituelle du grand théologien russe et de dégager les grandes lignes de sa pensée. La lettre où il annonce à son amie la publication du livre est accompagnée de l'exemplaire que lui ont offert les éditeurs. On y trouve soulignés par lui des passages relatifs à Soloviev ainsi que le texte de « Au puits de Jacob » où Boulgakov soutient que, la même et unique Eucharistie étant célébrée dans l'Église catholique et dans l'Église orthodoxe, l'« unité sacramentelle » qui n'est pas vraiment rompue

39. Lettre du 24 août 1976 à E. B. S.

40. « Marie, mère de Jésus », *Contacts*, n° 108, 1979-4.

41. Lettre du 8 octobre 1976 à E. B. S.

42. James PAIN et Nicolas ZERNOV (éd.), *A Boulgakov Anthology*, Londres, SCPK, 1976.

43. Lettre du 8 octobre 1976 à E. B. S.

pourrait être la voie conduisant au dépassement des divergences dogmatiques [44].

L'hiver 1976-1977 sera de nouveau difficile, Lev Gillet souffre du froid humide de Londres. « Mon état de santé n'est pas brillant », écrit-il. Il est sujet à de légers évanouissements, à des pertes d'équilibre et des malaises cardiaques accompagnés de « sentiment d'une impuissance totale et gémissante ».

Son habituel « petit coup de soleil au Liban [lui] a manqué ». La doctoresse indienne qui le soigne lui prescrit de prendre des comprimés de trinitrine et, avoue-t-il, « de temps à autre, un verre de whisky ». Avant tout, elle lui recommande d'« hiberner » : sortir le moins possible, se reposer, lire au lit. Le secrétaire du Fellowship, le révérend Gareth Evans, et son épouse Edwina prennent discrètement soin du vieux moine qu'ils aiment. Leur petite-fille Théa est « le rayon de soleil de sa vie ». Père Lev passe de longs moments à s'entretenir avec la fillette et rêve de lui enseigner le français. Il doit renoncer à se rendre à Paris et à Genève. Dans les deux cas, il propose, pour remplacer ses homélies, des textes écrits qui pourraient être lus [45].

Écrire le fatigue pourtant de plus en plus. Certains jours, il s'en sent totalement incapable. « Il me faut une secrétaire et un garde-malade », plaisante-t-il mélancoliquement.

Au printemps, avec le retour du soleil, son état s'améliore. Pendant les semaines du carême prépascal, il est invité de façon inattendue, comme « consultant spirituel » – l'expression est de lui – au château royal de Windsor. La reine est absente mais il a des entretiens avec des personnes de son proche entourage.

Le matin du dimanche de Pâques, pour la première

---

44. *A Boulgakov Anthology*, p. 112.

45. Une méditation intitulée « Jésus lui dit "Marie" » est ainsi envoyée à la Fraternité parisienne. Elle ouvre le numéro 100, 1977-4 de la revue *Contacts*, un numéro spécial consacré à la vision de la femme dans l'Église orthodoxe.

fois depuis longtemps, il célèbre la liturgie pour la petite communauté qui se rassemble autour de lui dans la chapelle de St. Basil's House.

En juin, il prêche et célèbre la liturgie dans la ville historique de St. Albans, à l'occasion du cinquantenaire de la fondation du Fellowship de Saint-Alban et Saint-Serge. Un des rares survivants de cette époque de grands espoirs œcuméniques, il éprouve un sentiment de mélancolie. « Atmosphère d'automne », écrit-il à son amie. Mais à la conférence d'été annuelle du Fellowship, au début d'août, il apparaît en pleine forme, gai, spirituel, revigoré. Comme chaque année, ses « études bibliques » attirent un auditoire nombreux et attentif.

Sur la suggestion de Père Lev, j'ai été invitée à donner un exposé sur la place de la femme dans l'Église orthodoxe en relation avec la récente consultation d'Agapia à laquelle j'ai participé un an plus tôt. Organisée par le Conseil œcuménique des Églises en collaboration avec l'Église orthodoxe de Roumanie et avec l'accord des autres grandes Églises orthodoxes, cette consultation a constitué un événement [46] : pour la première fois dans l'histoire de l'Église orthodoxe, des femmes ont été invitées de façon officielle à s'exprimer, sur la manière dont elles conçoivent et vivent leur statut dans l'Église, sur leurs aspirations dans le contexte d'une profonde mutation culturelle.

À cette mutation Lev Gillet est particulièrement attentif. Lui-même entretient de nombreuses relations avec nuances diverses de collaboration et d'amitié avec des femmes, certaines cultivées, formées dans le domaine de la théologie, dont il encourage les travaux et les recherches. Il a lu et apprécié l'ouvrage du P. Henri de Lubac, *L'Éternel féminin*, sur un texte de Teilhard de

46. On trouvera un compte rendu de cette consultation avec le texte des principales interventions dans *Orthodox Women. Their Role and Participation in the Orthodox Church* (COE, Genève, 1978). Voir également É. BEHR-SIGEL, *Le Ministère de la femme dans l'Église*, Paris, Éd. du Cerf, 1987, p. 16-17, 170-172.

Chardin. Dans *Amour sans limites* il écrit : *Seigneur Amour, je te rends grâces pour le Principe féminin que tu as introduit dans ton univers et que tu as intimement associé au salut du monde. Souvent par lui, mieux que par la force virile, tu nous a révélé certains aspects de l'Amour divin, de l'Amour humain, de l'Amour cosmique* [47].

Par suite de circonstances historiques défavorables, reconnaît-il, l'Église orthodoxe est mal préparée pour affronter le défi du féminisme contemporain. Pourtant, en la figure de Marie exaltée comme la « Toute sainte » – *panhaghia* –, la « mère de Dieu » – *Theotokos* – et de tant d'autres saintes femmes, connues et inconnues, elle porte en elle l'image d'une féminité pneumatophore, « inspiratrice du meilleur ». Dans la tenue de la consultation d'Agapia, un des hauts lieux du monachisme féminin orthodoxe, Lev Gillet discerne l'amorce d'une prise de conscience ecclésiale du ministère de la femme dans l'Église, réconciliant des aspirations nouvelles avec l'authentique Tradition. Le problème de l'ordination de femmes n'a été évoqué à Agapia qu'en relation avec une possible restauration du diaconat féminin. En ce qui concerne l'ordination à la prêtrise la position de Lev Gillet est hésitante : « Est-ce vraiment la volonté de Dieu ? » se demande-t-il. Plutôt que du domaine de l'institution, le ministère de la femme ne serait-il pas d'ordre charismatique en relation avec le ministère de l'Esprit Saint selon un *theologoumena* développé par son ami Paul Evdokimov ? Cependant, le Christ et l'Esprit n'agissent-ils pas toujours ensemble ? Une distinction trop radicale entre ministère charismatique et ministère institutionnel n'est-elle pas contraire à la vision paulinienne des ministères et à l'authentique Tradition ? De ces questions nous débattons parfois sereinement. Observateur lucide, Lev Gillet prévoit, dès cette époque, que tôt ou tard – et plutôt tôt que tard – des femmes seront ordonnées à la prêtrise dans les Églises de tradition anglicane. C'est dans cette perspective, et afin de faire

47. *Amour sans limites*, Éd. de Chevetogne, 1971, p. 95.

prendre conscience du sérieux et de la réalité du problème, qu'il m'encourage à prendre la parole à High Leigh, m'exhortant à m'exprimer librement, « sans peur ». « Il faut toujours avoir le courage de dire ce que l'on pense », me souffle-t-il, avant de m'introduire auprès d'un auditoire que mes propos risquent de surprendre, voire de choquer.

Au cours de l'automne 1977, Lev Gillet conduit une retraite pour le groupe genevois. Il renonce, en revanche, à participer au congrès de la Fraternité orthodoxe à Amiens. L'hiver constitue, comme d'habitude pour lui, une période difficile. Au début de 1978, il tombe assez sérieusement malade. À la suite d'une légère attaque, il se sent « incapable d'écrire, incapable mentalement et physiquement de faire quoi que ce soit ».

Sa résistance exceptionnelle lui permet pourtant une nouvelle fois de se remettre. Au bout de quelques semaines, il reprend ses sorties quotidiennes pour se rendre au British Museum. Il se sent personnellement concerné à cette époque par la publication de mon livre, une thèse de doctorat consacrée au grand théologien-prophète russe, Alexandre Boukharev [48]. La figure pathétique de ce penseur génial, incompris de ses contemporains – incarnation moderne du « fol en Christ » de l'ancienne Russie – fascine Père Lev. C'est lui qui m'a orientée vers ce thème. « Votre livre donnera à penser », écrit-il, exprimant le désir et l'espoir que *Sobornost*, l'organe du Fellowship, publiera une traduction de l'importante préface que lui a donnée le théologien orthodoxe français Olivier Clément. Ce désir n'est pas exaucé. Lev Gillet s'en afflige.

Mais entre-temps, d'autres préoccupations l'emportent. Le 10 avril 1978, il s'envole pour Beyrouth, où la guerre civile paraît connaître une trêve. On lui demande d'assumer une nouvelle fois les prédications du Grand

48. Élisabeth BEHR-SIGEL, *Alexandre Boukharev. Un théologien de l'Église orthodoxe russe en dialogue avec le monde moderne*, Paris, 1977.

Carême pascal. Trois semaines plus tard, le 2 mai 1978, il est de retour à Londres. Pendant ce qui aura été son dernier séjour au « pays des cèdres » – un pays qu'il a tant aimé – la guerre, contrairement à ce qu'il espérait, a pris un nouveau tournant, plus violent et plus tragique. Au retour, il écrit à son amie : *Ce fut un séjour difficile, pathétique, néanmoins riche en grâces, dans cette ville où l'on continue à se tuer* [49]. Il a été le témoin de dynamitages, de balles tirées par des *snipers* du haut des toits, de la destruction du centre de Beyrouth. *La mort est partout présente.* Mais il a aussi constaté des actes de courage et de solidarité. Il se sent proche d'un évêque tel le métropolite Georges Khodr qui continue d'appeler au dialogue et à la non-violence évangélique [50]. Lev Gillet veut garder confiance. Depuis son départ du Liban, confie-t-il à son amie, il *marche sur les eaux*, le regard fixé sur *le visage de lumière* [51], unique étoile conductrice dans la nuit. Il survit. Mais quelque chose en lui s'est brisé.

Acceptant avec réticences l'invitation de la Fraternité orthodoxe parisienne à venir encore une fois animer une des Journées de Montgeron, il écrit : *J'avoue ne pas voir en quoi je puisse être utile et désirable. Je suis un anachronisme. Je ne pense pas que ce que je dis et écris puisse avoir un écho dans des esprits si différents du mien. Je n'ai jamais dit qu'une chose – « inter et per omnia Christum unice dilexi quem quaesivi* [52] *».* Admirable confession de foi, à laquelle se mêle un sentiment tragique de séparation, d'impossibilité de communiquer. Telle est la « croix » portée par Lev Gillet pendant les dernières années de sa vie. Mais peut-être faut-il dire que dans cet acte de foi, la croix est déjà transfigurée !

Le 15 octobre 1978, la dernière « retraite » animée par lui à Montgeron sera une journée lumineuse. Le temps

49. Lettre du 3 mai 1978 à E. B. S.
50. Lettre du 29 juin 1978 à E. B. S.
51. Lettre du 8 juin 1978 à E. B. S. « Marcher sur les eaux » sera le thème d'une méditation prononcée à la même époque par lui pour le groupe genevois.
52. « En tout et à travers tout j'ai seulement aimé et cherché le Christ. »

est doux. Le soleil d'automne dore les vieilles pierres et flamboie dans les ocres et pourpres de la vigne vierge. Père Lev, de plus en plus frêle (oubliant quelques prières !) célèbre la liturgie. Dans l'homélie il appelle à « entrer aujourd'hui dans l'Évangile ». Parmi les fidèles, il y a beaucoup de jeunes couples, de jeunes adultes que jadis il a baptisés et qui viennent maintenant à lui avec leurs enfants. Le vieux moine, en les embrassant, trace le signe de croix sur les petits fronts levés vers lui. Revenus à Paris, nous traversons en auto le Quartier latin. De façon inattendue, Père Lev exprime le désir de s'arrêter pour prendre une consommation sur la terrasse d'un café. Le crépuscule tombe. Les réverbères s'allument. Il paraît méditatif, peu pressé de s'arracher au spectacle de ce quartier qui évoque pour lui tant de souvenirs chers. Le lendemain, Lev Gillet quitte Paris. Nous pressentons qu'il ne reviendra plus.

CHAPITRE II

LA FIN

À partir de la fin de 1978, Lev Gillet ne quitte plus guère son île-refuge. Il ne se sent plus capable d'affronter seul la cohue des aéroports et craint la fatigue de longs trajets en train. Aussi décline-t-il même les invitations les plus tentantes. Parmi elles, celle qui lui parvient des moines du monastère Sainte-Catherine du mont Sinaï, transmise par une moniale grecque, Sœur Gabriela, avec laquelle il est en correspondance [1]. Il ne se rend plus à Paris. La seule exception à la règle sont ses voyages à Genève. Envers le petit groupe suisse, Père Lev se sent une responsabilité particulière. Pour éviter au vieux moine les anxiétés d'un voyage solitaire, ce dernier lui a trouvé une accompagnatrice : une personne qui fait régulièrement le trajet Londres-Genève l'escorte à l'aller comme au retour.

À Londres, Lev Gillet continue d'assumer son travail « professionnel » : la rédaction du bulletin bibliographique pour l'USGR. Jusqu'à la fin, il prétend ne vouloir tomber à la charge de personne. Jusqu'à la fin aussi, il assure les liturgies hebdomadaires à St. Basil's House. Un petit groupe de recherche spirituelle s'y rassemble régulièrement autour de lui.

Un autre petit groupe dit « de Guilford » a recours à lui pour des études bibliques. Malgré le tremblement des mains qui le gêne, il continue d'entretenir une importante correspondance. Il évite cependant de téléphoner et

1. Lettre du 25 juin 1979.

n'aime pas qu'on lui téléphone, sauf urgence. Tout coup de téléphone imprévu est ressenti par lui comme une atteinte à la fois physique et psychique. Malgré quelques « trous de mémoire », ses facultés intellectuelles restent intactes. Mais il ne parvient plus à contrôler une extrême sensibilité et une émotivité qui sont sa richesse mais qui le rendent vulnérable, paradoxal, incompréhensible pour ceux qui ne le connaissent pas, souvent aussi pour ceux qui le connaissent.

« J'ai soif de silence et de solitude », déclare-t-il à ses amis qui de loin s'inquiètent pour lui. Il se réjouit pourtant quand ils viennent le voir à Londres et se plaint quand ils lui semblent manquer à ce devoir d'amitié.

En vieillissant, il vit de plus en plus dans le passé, commémorant intérieurement l'anniversaire de certains événements décisifs de sa vie : ce jour de septembre 1914 où il a été « blessé sur le front de la Somme et sauvé par miracle », cet autre jour de septembre, dix ans plus tard, quand en septembre 1925 il a « pris à Genève, pour la première fois, le train pour Lvov ». Un départ dont « a dépendu tant de choses [2] ». C'est l'heure pour lui des bilans : « Pourquoi tout cela ? » Quel est le sens de cette longue existence que le Seigneur lui a donné de vivre ? « J'appartiens au passé », ne cesse-t-il de répéter, tout en restant très attentif aux événements et aux problèmes du présent.

Chaque matin, en descendant prendre le métro à Notting Hill Gate, il achète fidèlement *son* journal : *Le Monde*. Le soir, de retour à St. Basil's House, il échange quelques mots sur les événements de jour avec Gareth et Edwina Evans. Il aime cette dernière tout particulièrement et admire le travail qu'elle accomplit à l'hôpital, auprès d'enfants gravement malades.

En 1979 est publié aux Éditions de Chevetogne *La Colombe et l'Agneau* : un mince volume qui rassemble la méditation sur le Christ et l'Esprit qui donne son titre

2. Lettre du 26 septembre 1979 à E. B. S.

à l'ouvrage et deux autres méditations, l'une – « Jésus et la Samaritaine » – antérieurement publiée dans la revue *Contacts*, l'autre – « La Coupe » –, d'après l'enregistrement de la conférence donnée par Lev Gillet, en 1976, à Montgeron, pour la Fraternité orthodoxe.

En août de la même année, Lev Gillet participe, comme d'habitude, à la conférence d'été du Fellowship à High Leigh. Comme d'habitude aussi il y donne des études bibliques. Cette année, elles portent sur les paraboles. Venu écouter son vieil ami, l'archimandrite Kallistos Ware est frappé par la fraîcheur et l'originalité sans cesse renouvelée des commentaires.

Comme s'il sentait que cette rencontre pourrait être la dernière, Lev Gillet a de longs entretiens avec ses fidèles amis du Fellowship. L'un de ces entretiens – il a lieu le jour de ses quatre-vingt-six ans – est évoqué dans ses souvenirs par Helle Georgiadis [3]. Au cours de cette conversation, le vieux moine lance une boutade qui fera long feu et excitera les imaginations. Au point de départ, il est question du livre consacré par l'historien Paul Lesourd à celui qu'il nomme « le Jésuite clandestin, Mgr Michel d'Herbigny [4] ». Lev Gillet y serait nommé, « de façon plutôt désobligeante [5] ». Contrairement à ce que suppose Helle Georgiadis, ce dernier a lu l'ouvrage qui est évoqué par lui dans le bref compte rendu qu'il en donne, dans une de ces *booklists,* comme une sorte de « roman policier » ecclésiastique, témoignant cependant d'une certaine érudition [6]. Comme Lesourd, Lev Gillet qui a connu d'Herbigny et qui a été mêlé aux événements, conteste certaines des accusations portées contre le jésuite,

---

3. Helle GEORGIADIS, « The Witness of Father Gillet », *Chrysostom*, vol. V, nº 8, 1980, p. 235-238. Rien ne permet de douter de l'authenticité de ce récit. C'est l'interprétation qu'en a donnée H. Georgiadis et les conclusions qu'elle en tire qui sont fantaisistes. Voir Kallistos WARE, *Chrysostom*, printemps 1981, p. 16-17.

4. Paul LESOURD, *Entre Rome et Moscou,* Paris, Lethielleux, 1976.

5. Lev Gillet est désigné comme « apostat » ayant « entraîné dans le schisme son malheureux compagnon », le P. Alexandre Deubner (*ibid.,* p. 156).

6. *Booklist*, automne 1978, p. 23.

accusations qui sont à l'origine de sa longue et cruelle disgrâce. « Pourquoi, dans ce cas n'a-t-il pas pris la défense de son ami [7] ? » demandent à Père Lev ses deux interlocutrices. Embarrassé, ce dernier répond que, concernant la politique vaticane en Russie après la Première Guerre mondiale – politique dont Michel d'Herbigny a été le principal inspirateur – il se sent, sous peine d'excommunication, tenu au secret par un serment prêté alors qu'il était le secrétaire particulier du métropolite André Szeptykij à Lvov. Mais quel sens peut encore avoir ce serment pour lui, devenu hiéromoine orthodoxe ? interroge, intriguée, l'ancienne secrétaire du Fellowship. Poussé dans ses retranchements, le vieux moine lance qu'il est tenu de respecter son serment, se considérant comme « un prêtre catholique en pleine communion avec l'Église orthodoxe slave ». Est-ce la révélation d'un secret ? Helle Georgiadis le croit et à partir de là, elle échafaude, de bonne foi, des hypothèses fantaisistes contredites par les faits qui sont connus [8]. En réalité, sous la forme d'une boutade abrupte, paradoxale – non-sens du point de vue canonique –, défendu par des arguments dont il n'ignore pas l'inconsistance comme le montre son embarras quand il revient rasséréné quelques heures plus tard – Lev Gillet n'a fait qu'exprimer une conviction profonde qui l'a accompagné tout au long de son cheminement complexe. Mais celle-ci ne concerne pas son statut canonique qui, comme l'écrit le P. Kallistos Ware [9], a toujours

---

7. Lev Gillet n'a jamais été l'ami de Mgr Michel d'Herbigny, d'ailleurs nettement plus âgé que lui. L'homme, à l'époque du dessein unioniste, semble avoir exercé sur lui une certaine fascination, mais il était en désaccord à la fois avec le but poursuivi par le jésuite – une véritable conquête spirituelle – et ses méthodes. Dans son compte rendu de la biographie de Lesourd, Lev Gillet parle de Mgr d'Herbigny comme d'« un homme d'une grande intelligence et d'une profonde piété qui a commis des imprudences et qui a été la victime d'espions et d'intrigues polonaises ».

8. Voir plus haut les chapitres VIII, « La Crise », p. 131 s. et XI, « Le Dénouement », p. 157 s.

9. Archimandrite Kallistos WARE, lettre à l'éditeur de *Chrysostom* (Helle Georgiadis), *Chrysostom,* printemps 1981, p. 16-17.

été clair, dépourvu de toute ambiguïté. Elle concerne une réalité spirituelle, au-delà de toutes les limites institutionnelles que Lev Gillet, dans la pratique, respecte scrupuleusement, une réalité qui ne peut être qu'objet de foi ; l'unité essentielle, mystique d'Églises sœurs que l'histoire a tragiquement éloignées l'une de l'autre.

L'unité totale de l'Église catholique et de l'Église orthodoxe – cause à laquelle, jeune moine, Lev Gillet aspirait à consacrer sa vie – n'est pas réalisée sur le plan historique. Mieux que beaucoup d'autres, il en est conscient. Cependant, l'unité de l'Église est déjà pour lui suprêmement réelle, en Christ, dans l'éternité de Dieu. Cette unité eschatologique en Christ par l'Esprit, il l'anticipe spirituellement dans son destin personnel de prêtre ordonné dans l'Église grecque catholique unie à Rome, reçu sans abjuration dans l'Église orthodoxe : une Église qu'il se sent appelé à servir loyalement et humblement, de tout son cœur et de toute son intelligence, jusqu'à la fin de son itinéraire terrestre. Cela, tout en discernant le Christ présent hors des limites institutionnelles de toutes les Églises.

En octobre 1979, Lev Gillet se rend en Suisse pour ce qui sera la dernière retraite d'Etoy. Il paraît fatigué, nerveux, irritable. Mais s'étant ressaisi, il célèbre la liturgie et parle de façon émouvante de l'apôtre Paul au chemin de Damas. De retour à Londres, il écrit à son amie : *La santé n'est pas brillante, mais l'esprit fonctionne encore*. Un « encore » où perce une appréhension. De plus en plus, il s'enfonce dans le silence : *seul avec le Seul*. Mais ce silence est parfois rompu par des paroles brûlantes, déconcertantes, peut-être inspirées : signe du feu qui couve sous les cendres du grand âge.

Dans les premiers jours de janvier 1980, il livre au petit groupe qui se réunit autour de lui à St. Basil's House ses *insights* – ses intuitions – concernant l'état actuel du monde, de l'Église et l'avenir proche. Le brouillon de cet exposé, écrit à la main, d'une écriture assez ferme et très lisible, a été retrouvé dans ses papiers après sa mort : un texte sur certains points très clairvoyant, voire prémonitoire, avec des rapprochements inattendus.

D'entrée en matière, Lev Gillet dénonce – comme le pape Jean-Paul II cité par lui – la menace d'une guerre nucléaire aux conséquences apocalyptiques. Mais il note aussi des « symptômes positifs ». Il s'agit d'initiatives modestes, de « petits faits ». Mais déclare-t-il, *« small is beautiful »*. Sont nommés une association d'aide au peuple khmer dont il donne l'adresse, le rassemblement de jeunes organisé à Barcelone par la communauté de Taizé, enfin – ignoré du grand public mais salué par lui comme un événement spirituel – l'« expérience de Geel » : une petite ville de Belgique où des malades mentaux sont reçus dans des familles, y vivant librement, discrètement surveillés et aidés par des psychiatres en vue d'une *thérapie de la personne aux résonances évangéliques*. Lev Gillet a toujours accordé une attention particulière et aimante à ceux que la société considère comme des « anormaux ».

Parmi les « signes » qui doivent faire réfléchir, Lev Gillet nomme la révolution iranienne. Elle est l'indice, écrit-il, de la « situation explosive » qui caractérise le monde islamique. Y déchiffrant une révolte des pauvres contre un Occident riche ressenti et dénoncé comme à la fois corrompu et exploiteur, il exhorte à y répondre non par une « nouvelle croisade » mais par la « compréhension et l'ouverture des cœurs ».

Quant au christianisme, quelle est sa situation ? L'Église de Rome, d'une part, les Églises réunies dans le Conseil œcuménique des Églises, de l'autre, apparaissent comme ses « principales forces ». L'une et l'autre connaissent une crise. L'Église catholique paraît dominée par la forte personnalité du pape Jean-Paul II : personnalité complexe, à la fois attirante et inquiétante. Ses « qualités sont indéniables » mais on semble « loin avec lui de l'esprit de Vatican II ». La disgrâce d'un certain nombre de théologiens catholiques d'avant-garde – Pohier, Schillebeeckx et Küng sont nommés – préludera-t-elle, se demande-t-il, à une crise comparable à celle de la Réforme du XVIe siècle ? Ce n'est pas sûr. Mais sur l'Église catholique romaine, Lev Gillet sent planer comme une « lourdeur », comme la « menace d'une crise latente ».

Le COE (dont Lev Gillet a souvent critiqué l'aspect « bureaucratique ») connaît, lui aussi, une crise due à une profonde mutation. De mouvement dont l'initiative est venue de chrétiens « blancs, européens ou américains, aux intérêts théologiques bien définis », il s'est transformé en un rassemblement beaucoup plus large et plus complexe où les théologiens et les chrétiens laïcs du tiers-monde jouent un rôle important. Les nouveaux venus s'intéressent moins aux problèmes proprement théologiques qu'à *l'expression de l'Évangile en termes politiques et économiques et droits de l'homme*. De là viennent, au sein du COE, des tensions difficiles à gérer. Mais dans cette situation nouvelle, le vieux moine discerne aussi l'appel à une « nouvelle forme de sainteté » vécue dans le monde, un appel au don de soi et au sacrifice, appel auquel les jeunes sont particulièrement sensibles.

Poursuivant son analyse, Lev Gillet constate que les Églises d'Orient paraissent souvent plongées dans une demi-somnolence. Elles connaissent cependant des « renouveaux inattendus », telles la renaissance copte et la dissidence chrétienne en URSS, cette dernière incarnée dans des hommes comme les prêtres Regelson et Iakounine, les laïcs Ogorodnikov et Vladimir Porech.

En conclusion de ce survol, est souligné l'« effondrement de l'idéologie humaniste ». *« Allah akbar »* – Dieu est grand – telle est la confession de foi, écrit Lev Gillet, du pape de Rome, du moindre « salutiste » du quartier de Soho, comme aussi de l'étudiant intégriste d'une mosquée de la Mecque. « Des motivations impures » sont mêlées à ce retour de Dieu : égoïsme national, fanatisme. Il n'en reste pas moins qu'*en des lieux différents, aujourd'hui la souveraineté de Dieu est proclamée et l'appel retentit à la remise totale de soi* (self surrender) *au Seigneur... L'heure est celle de l'*ek-stase *et de la ferveur* [10].

Le même appel retentit dans une prédication de Lev Gillet donnée le 10 février 1980 – quelques semaines avant sa mort – en la cathédrale russe All-Saints de Londres, en présence du métropolite Antoine. Lev Gillet a préparé ce sermon par écrit, ce qu'auparavant il ne faisait pratiquement jamais. Ce texte aussi a été retrouvé dans ses papiers après son décès. Il y est question de l'épiscopat comme vocation à un véritable « suicide spirituel » : don de soi total à l'*Autre* qui est aussi le souverainement *Proche* et aux autres qui sont nos prochains.

C'est à la lumière de cette vision de l'épiscopat qu'il convient de déchiffrer le sens du rêve épiscopal qui, paradoxalement, semble avoir hanté celui qui se définit parfois comme un « quaker de rite oriental ». Lev Gillet voudrait réconcilier, comme il l'écrit dans son article de *Foyers mixtes*, l'« attachement à l'Esprit pur, à la lumière intérieure, l'abstention de tout littéralisme, de tout ritualisme, de tout ecclésiasticisme » avec la fidélité à la tradition authentique, la préservation des « trésors de vérité et de sainteté développés pendant vingt siècles de christianisme historique ». La « Note sur l'épiscopat » rédigée en février 1980 par Lev Gillet et destinée au Comité interépiscopal orthodoxe en France doit être analysée dans la perspective de cette grande tâche qui, au regard du vieux moine, très conscient de sa fin proche, attend aujourd'hui les responsables des Églises chrétiennes. Y œuvrer jusqu'à l'épuisement de ses forces, tel est l'aspiration qui sous-tend ce texte. Père Lev y développe ses vues sur les services qu'il pourrait rendre *au cas où les autorités ecclésiastiques compétentes croiraient pouvoir considérer [son] élévation à un ministère épiscopal.*

10. Parmi les questions graves posées aux Églises, Lev Gillet cite dans le même texte celle concernant l'ordination des femmes et le problème de l'attitude chrétienne envers les homosexuels.

Se définissant comme un homme dont les circonstances ont fait un « trait d'union » entre des groupes différents, entre orthodoxes et anglicans, entre juifs et chrétiens, et entre ces derniers et des croyants de différentes religions, il croit pouvoir rendre service surtout en deux domaines : au sein de l'orthodoxie en France, il pourrait *contribuer à faire une certaine union entre quelques esprits, quelques hommes de bonne volonté que Dieu bénirait et conduirait dans des voies où une aspiration commune rejoindrait une inspiration commune.* En clair, Lev Gillet se propose – si la possibilité lui en est offerte – de rassembler tous ceux qui, dispersés en différentes « juridictions », aspirent à un témoignage orthodoxe commun en France.

Au-delà, s'ouvre une autre perspective plus vaste : celle d'un service non seulement de l'orthodoxie en France, mais de l'orthodoxie francophone hors de France. Continuant à résider à Londres et *tout en donnant au patriarcat œcuménique et aux Églises qui dépendent de lui une collaboration pratique et totale et désintéressée*, il pourrait servir d'« agent de liaison » entre l'orthodoxie en France et les orthodoxes francophones nombreux au Moyen-Orient, au Liban et en Égypte, avec lesquels il se trouve en profonde « communion d'âme ». En même temps, pourrait être mise à profit sa longue expérience du dialogue orthodoxe-anglican pour lequel, avec l'avènement du nouvel archevêque de Cantorbéry [11], *s'ouvrent de nouvelles et grandes possibilités*.

Proche de la mort, souligne-t-il, il n'aspire pas aux « honneurs épiscopaux ». Mais un *titre épiscopal historique [le] reliant à l'Église antique des martyrs et des Pères* valoriserait « objectivement » les quelques services qu'il pourrait rendre dans la « discrétion et le silence ». C'est le titre d'une « pauvre petite Église orientale » qu'il aimerait porter en *s'efforçant de maintenir un style épiscopal d'humilité et pauvreté réelles*. Avec « les croyants non

11. Il s'agit de l'archevêque Ramsey, grand promoteur du dialogue catholique-anglican.

orthodoxes » il désirerait avoir des relations de respect et d'affection « sans syncrétisme ». Dans sa consécration épiscopale il verrait l'appel à un « suicide de charité » dans le Christ, un idéal que résume la parole souvent citée par lui d'un Père du ve siècle : *« Da nihi animas, catere telle »* (Donne-moi les âmes, le reste emporte-le).

Tel est le rêve du vieux moine : une vision lucide quant aux besoins qui existent et qu'il voudrait servir, profondément généreuse, en même temps totalement irréaliste. Pour diverses raisons, ce texte ne sera jamais transmis à ceux auxquels il était destiné. Le « passage sur l'autre rive » de Père Lev le rendra inactuel.

Le samedi 29 mars – samedi de Lazare et veille des Rameaux, selon le calendrier liturgique oriental – Lev Gillet, comme d'habitude, célèbre la liturgie en la chapelle St. Basil's House. Il sort ensuite pour une courte promenade dans le quartier. En quittant la maison, il lance à Gareth Evans sur un ton de plaisanterie : « Cette nuit, j'ai vu un jeune homme vêtu de blanc déposer un billet sur mon lit. Était-ce un rêve ? Que la personne qui fera le ménage regarde quand même sous mon lit ! »

De retour de sa promenade, Père Lev descend dans sa chambre. Avec un livre emprunté à la bibliothèque municipale, il s'installe dans son fauteuil. C'est là que le trouve Edwina, venue, comme d'habitude, lui apporter un léger repas du soir. Il semble assoupi. Le livre a glissé de ses mains. Le moine de l'Église d'Orient s'est endormi de son dernier sommeil.

À cause de la Semaine sainte et des fêtes pascales et parce que Lev Gillet a fait don de son corps à la médecine, les funérailles n'auront lieu que dix jours plus tard, le 9 avril 1980 : la journée est belle, un de ces jours de printemps ensoleillés comme Père Lev les aimait. Ramené la veille de l'hôpital, le corps de Lev Gillet, dans le cercueil ouvert, repose dans la chapelle de St. Basil's House, sous la fresque du Christ de l'Apocalypse. Des deux côtés veillent les saints d'Orient et d'Occident. Le visage est beau et serein. Autour du cercueil, il n'y a qu'une poignée d'amis qui se relaient pour lire des passages de l'Évangile. Nadejda Gorodetzky, déjà très malade, est venue d'Oxford pour un dernier adieu. Autour du cercueil, pas de couronne. Seulement quelques modestes bouquets de fleurs fraîches.

Le service religieux des funérailles est célébré dans la cathédrale grecque puisque Lev Gillet a dépendu canoniquement du patriarcat œcuménique. C'est le métropolite russe, Mgr Antoine de Souroge, qui préside l'office et prononce l'homélie devant une foule ici plus nombreuse où se mêlent orthodoxes, anglicans, protestants, catholiques, quakers et sans doute aussi quelques incroyants. Ce sont les paroles de cette homélie – paroles de foi et d'espérance théologales, paroles aussi d'un ami qui a connu et aimé Père Lev en sa richesse spirituelle comme en sa fragilité humaine – qui serviront de conclusion à ce survol de l'itinéraire tourmenté mais mystérieusement fécond du moine de l'Église d'Orient.

Lors de la Sainte Cène, alors qu'il entrait dans les jours tragiques de sa Passion, le Seigneur dit à ses disciples : « si vous m'aimiez, vous vous réjouiriez de ce que je m'en vais, car je m'en vais vers mon Père. »

Et faisant écho à sa parole, l'Église, pleine de foi et d'espérance, chante aujourd'hui : « Bénie est la route qui s'ouvre devant toi, ô âme humaine, car un lieu de repos t'a été préparé. »

Nos cœurs sont lourds de tristesse aujourd'hui, car nous disons un dernier adieu à un homme que nous avons aimé et respecté. Et cependant nous devons être dans l'allégresse car son vœu le plus cher est maintenant accompli. L'élan de son âme le portait vers ce but. Tout l'effort, toutes les luttes de sa personne, si tourmentée, si déconcertante par moments, n'étaient-ils pas orientés vers une seule fin : la rencontre avec le Seigneur que son cœur avait reconnu et qu'il avait cherché dans l'immense complexité de sa démarche, avec toute la détermination, tout le courage qui lui avaient été impartis. « Pour moi, vivre c'est le Christ, et mourir est un gain », aurait-il dit.

Et maintenant, il a atteint le terme de sa carrière. Il s'est prosterné devant son Seigneur et son Dieu, son Sauveur, dans une silencieuse adoration, dans un mystère de communion.

Le métropolite Antoine enchaîne en lisant quelques textes de l'Écriture sainte que Père Lev avait lui-même choisis, près de cinquante ans plus tôt, pour un service où il commémorait un homme qu'il avait profondément aimé. Il a demandé qu'on les lise à ses propres funérailles.

« Reçois-moi, Seigneur, selon Ta parole, et je vivrai. Et ne me confonds pas dans mon attente » (Ps 118, 116).

« Je crois que mon Rédempteur est vivant et qu'au dernier jour je ressusciterai de terre ; et de nouveau je serai revêtu de mon corps et dans ma chair je verrai Dieu mon Sauveur. Je le verrai moi-même, et non un autre, et mes yeux le regarderont. C'est là mon espérance qui repose en mon sein » (Jb 19, 25-27).

« Je t'ai aimé d'un amour éternel. C'est pourquoi je t'ai attiré, ayant pitié de toi. Je te relèverai et de nouveau tu seras debout » (Jr 31, 3-4).

« Je suis la résurrection et la vie. Celui qui croit en moi, lors même qu'il serait mort, vivra ; et quiconque vit et croit en moi, ne mourra pas à jamais » (Jn 11, 25-26).

« Lorsque ce corps mortel aura revêtu l'immortalité, alors s'accomplira la parole de l'Écriture : la mort a été engloutie dans la victoire. Ô Mort, où est ton aiguillon ? » (1 Co 15, 54-55).

Et cette oraison tirée du missel romain :

« Ô Dieu, dont le propre est d'avoir pitié toujours et de pardonner, nous t'implorons et te supplions pour l'âme de ton serviteur que tu as retiré de ce siècle. Ne la livre point aux mains de l'ennemi et ne l'oublie pas à jamais. Mais ordonne à tes saints anges de la recevoir et de la conduire dans ta patrie du Paradis. Qu'ayant espéré et cru en toi, elle ne souffre point les peines de l'enfer, mais possède la joie éternelle. Par le Christ, notre Seigneur. Amen. »

Puis l'évêque poursuit :

Paroles de foi et d'espérance que nous pouvons adresser maintenant au Seigneur, au nom de Père Lev. Maintenant qu'il repose dans son cercueil, tout ce qui en lui était argile, est poussière. Maintenant que tout le crépuscule de son âme s'est éclairé, toutes les ténèbres se sont dissipées, il ne reste plus que paix, là où était la tempête du devenir humain qui le rendait parfois inapprochable, incompréhensible, troublant pour ceux qui ne le connaissaient point.

Maintenant l'ivraie est séparée de la graine. Terre, elle sera bientôt restituée à la terre. Mais que dire du bon froment ? Ne sommes-nous pas tous, qui en petit nombre sont présents ici, et les centaines, bientôt peut-être les milliers de ceux qu'aura atteints sa parole, entendue ou lue, ne sommes-nous pas tous le champ où il a semé d'une main généreuse, dans l'intimité des conversations privées, dans le cercle étroit de ses amis, dans ses méditations et ses sermons, dans ses livres qui s'adressaient à tous, ce froment, semé à tout vent, qu'était son âme même, vibrante, et qui appelait chacun à veiller et à vivre. Ne sommes-nous pas le sceau de son apostolat ? Et chacun de nous ne doit-il pas se demander où est tombée en lui la semence : sur la pierre, au bord du chemin, dans les ronces ou, peut-être, plaise à Dieu, sur un terrain fertile ?

[...]

Un jour nous serons tous devant la face du Seigneur. Père Lev qui, dès son enfance, a donné son cœur à la pauvreté, se tiendra silencieux, les mains vides devant Dieu. Les mains vides, car il aura tout donné, conscient seulement d'être un pécheur dont la seule espérance repose dans la gratuité de l'amour de Dieu.

Ne sera-t-il pas merveilleux alors pour ceux qui n'auront pas entendu sa voix en vain et qui l'auront aimé activement, de présenter au Seigneur le fruit de leur vie et de lui dire : « je n'ai été qu'un champ, Père Lev a été le semeur, sa parole la semence. Que ma vie tout entière soit maintenant à sa gloire ! »

En ce jour, celui qui aura semé dans les larmes, récoltera dans l'allégresse. Et le semeur et le maître de la moisson se réjouiront d'une joie commune. Et pour que notre vie puisse être un tel témoignage, il nous faut porter fruit. Père Lev a porté et nous a transmis un flambeau. Et le feu qui y brille, le feu qui y brûle, est ce feu même que le Christ a apporté sur terre : l'ardeur de l'Esprit Saint.

C'est au jour de la résurrection de Lazare que Père Lev a quitté cette terre. Il a vécu ses premières pâques là où il n'y a ni souffrance, ni soupir, où la vie éternelle emplit tout, déferle puissamment, victorieusement, où le jour n'a pas de crépuscule.

Nous allons aujourd'hui déposer dans la tombe tout ce qui en lui était cendre, tout ce qui était imparfait, inaccompli, et attendre dans la joie anticipée et l'espérance le jour où nous pourrons dire : « Mort ! où est ton aiguillon ? Où donc est ta victoire ? » Le jour où d'un seul cœur et d'une seule bouche nous proclamerons dans la sobre et sereine exaltation de la vie éternelle : « le Christ est ressuscité ! *Christos voskressé ! Christos anesti !* » Amen [12].

M'unissant au cri de foi et d'espérance de l'Église, je trace ces dernières lignes dédiées à la mémoire de mon ami, le « moine de l'Église d'Orient » : pèlerin de l'Unité, témoin du Dieu souffrant et victorieux, de l'Amour sans limites.

Pâques, 1993.

---

12. *Contacts,* n° 118, 1981-4, p. 259-262.

L'œuvre littéraire de Lev Gillet

L'œuvre littéraire de Lev (Louis) Gillet est considérable. Elle comprend des livres, de nombreuses brochures, des articles publiés dans diverses revues et dans des ouvrages collectifs, des traductions, et enfin les *booklists* ronéotypés, publiés pendant près d'un quart de siècle au service de l'Union pour l'étude des grandes religions (UEGR).

Il est difficile d'établir une liste exhaustive des écrits du P. Lev Gillet. Car, rédigés tantôt en français, tantôt en anglais, publiés en différents lieux, traduits et « adaptés », ces écrits sont aussi signés de différents noms, sigles et pseudonymes, le plus connu étant « Un moine de l'Église d'Orient ».

La liste donnée ici contient des lacunes. Elle manque parfois de précision. Elle présente néanmoins l'intérêt de jalonner l'itinéraire intérieur de ce grand pèlerin, le « moine de l'Église d'Orient ».

PROLÉGOMÈNES

En 1917-1918, Louis Gillet, licencié en philosophie, prépare un certificat de psychologie expérimentale à l'université de Genève. Il s'intéresse aussi à la psychanalyse et traduit en français l'œuvre capitale de Sigmund Freud : *L'Interprétation des rêves*. On ignore si cette traduction a été publiée.

Vers 1923, devenu moine bénédictin, il publie des articles et des chroniques signés « L. Gt. » (« Ecclesia orans », « La Liturgie à l'étranger », etc.) dans la revue *La Vie et les Arts liturgiques*.

En 1924 est publiée la *Règle de saint Benoît*, nouvelle traduction littérale par dom Louis Gillet, préface de dom Wilmart, Paris, Éd. de l'Art liturgique.

ÉCRITS DE LA PÉRIODE « UNIONISTE »

Louis GILLET, « La Répartition actuelle des Églises chrétiennes considérées du point de vue de l'Union », *Revue catholique des idées et des faits*, octobre 1925.

À la même époque L. Gillet commence à publier des études sur la spiritualité orthodoxe russe dans la *Revue liturgique et monastique* de l'abbaye de Maredsous. À signaler une étude sur Sérafim de Sarov.

À partir de 1926, il collabore régulièrement à la revue *Irénikon* des moines de l'Union d'Amay-sur-Meuse :

Dom GILLET, « Vl. Soloviof : le chrétien », *Irénikon* I (1926), 1, p. 20-26.

Hier. LEV, « Roma et Amor », *ibid.*, 2, p. 74-80.

–, « Vl. Soloviof : l'homme, le Russe, le chrétien », *ibid.*, 3, p. 123-128.

–, « M. Portal, chronique russe. L'Académie de théologie orthodoxe de Paris », *ibid.*, 4, p. 199-205.

H. LEV, « Chronique : The Church Times et les moines de l'union ; chronique russe », *ibid.*, 5, p. 250-253.

–, « S. Théodore Studite (826-1926) », *ibid.*, 8, p. 338-343 ; « Échange de vues : Pierre et Jean », *ibid.*, p. 363-364.

Hier. LEV, de la laure de Ouniov (Galicie orientale), « Les Orientations de la pensée russe contemporaine », *ibid.* II (1927), 1, p. 5-12.

Hiéromoine L., « Une forme d'ascèse russe : la folie pour le Christ », *ibid.*, p. 14-19.

Hiéromoine LEV, « *Sedes Sapientiae.* Contributions russes à la théologie mariale », *ibid.*, 5, p. 259-263.

–, « La Philosophie religieuse russe », *ibid.* III (1928), 2, p. 98-101.

Sous une forme probablement quelque peu développée, l'étude sur « Les Orientations de la pensée religieuse russe contemporaine » constitue le premier fascicule d'*Irénikon-Collection* (1927).

PÉRIODE DU MINISTÈRE PARISIEN AU SEIN DE L'ÉGLISE ORTHODOXE RUSSE

« Introduction à la foi orthodoxe », traduction française et commentaire du symbole de Nicée par le hiéromoine LEV, supplément au bulletin paroissial *La Voie* (1930).

Hiéromoine Lev GILLET, *Jésus de Nazareth d'après les données de l'histoire* (en russe), Paris, YMCA-Press, 1934.

Lev GILLET est l'auteur anonyme de la première traduction en français de l'ouvrage du P. Serge BOULGAKOV : *L'Orthodoxie*, Paris, Félix Alcan, 1932.

Il publie (en russe) sous la signature « Hiéromoine Lev Gillet » différents articles dans des revues de pensée et de philosophie religieuses de l'émigration russe parisienne :

« À la recherche de la tradition évangélique primitive », *Pout'* (La Voie), n° 36, 1932.

« La Religion et le Problème social dans la France contemporaine », *Novij Grad* (La Cité nouvelle), n° 4, 1932.

« Le Mouvement chrétien contre la guerre », *ibid.*, n° 3, 1932.

« La Foi messianique », *ibid.*, n° 13, 1938.

« Le Dieu souffrant », *Pravoslavnoié Diélo* (L'Action orthodoxe), n° 1, 1939.

Sous la signature « L. Gillet », il donne à la revue internationale de langue française *Œcumenica* diverses chroniques. Parmi celles-ci : « À propos d'une controverse : la sophiologie du Père Boulgakof » (juillet 1938).

À la même époque, il publie en anglais des articles dans le *Journal of the Fellowship of St. Alban and St. Sergius* qui deviendra en 1937 *Sobornost* :

« Redemption by Christ according the Belief of the Orthodox Church », *Journal of the Fellowship...*, n° 8, 1936.

« The Gift of Tears » (Le Don des larmes), *Sobornost*, décembre 1937.

PENDANT LA GUERRE DE 1939-1945, EN ANGLAIS

Lev GILLET, *Communion in the Messiah. Studies in the Relationship Between Judaïsm and Christianity*, Londres, Redhill, 1942.

–, *An Outline of the History of Modern Jewish Thought*, publié par le Christian Institute of Jewish Studies, série A, n° 1.

A MONK OF THE EASTERN CHURCH, *Orthodox Spirituality*, Londres, SPCK, 1945 (réédition aux Éditions de St. Vladimir's Orthodox Seminary, New York, Crestwood). – Traduction française : UN MOINE DE L'ÉGLISE D'ORIENT, *Introduction à la spiritualité orthodoxe*, Paris, Desclée de Brouwer, 1983.

« Papal Infaillibility and Sobornost », *Sobornost*, juin 1944.

APRÈS LA GUERRE, EN ANGLAIS

A MONK OF THE EASTERN CHURCH, *On the Invocation of the Neame of Jesus*, Fellowship of St. Alban and St. Sergius, 1950.

Lev GILLET, *A Day With Our Lord*, Londres, Mowbrays, 1958.

–, *The Shepherd*, Fellowship of St. Alban and St. Sergius, 1968.

–, *The Burning Bush*, Fellowship of St. Alban and St. Sergius, 1971.

–, *Encounter at the Well*, Londres, Mowbrays, 19...

Archimandrite Lev GILLET, « Biblical Meditations » dans : *Jesus Christ in a Changing World,* publié à Beyrouth pour Syndesmos (1969).

On trouve également des articles et des méditations signés « Lev Gillet » dans *Sobornost* :

« Metropolitan Evlogi », *Sobornost,* II, 1946, n° 34.

« Veneration of the Blessed Virgin », *ibid.*, III, 1948, nº 4.

« Looking into the Crucified Lord », *ibid.*, 1953, nº 13.

« Does God suffer ? », *ibid.*, 1954, nº 15.

Une partie importante de l'œuvre écrite en anglais est constituée par les *booklists*, des polycopiés semestriels diffusés au sein de l'USGR (Union for the Study of Great Religions) dont il a été le rédacteur pendant un quart de siècle, jusqu'à sa mort en 1980.

APRÈS LA GUERRE, EN FRANÇAIS

Aux Éditions du monastère de Chevetogne.

UN MOINE DE L'ÉGLISE D'ORIENT, *La Prière de Jésus* (1re édition en 1951, suivie de plusieurs rééditions corrigées et augmentées, depuis 1974, dans la collection « Livre de vie » aux Éd. du Seuil, Paris).

–, *Jésus. Simples regards sur le Sauveur*, Chevetogne, 1959 (réédité dans la collection « Livre de vie » à Paris, aux Éditions du Seuil).

–, *Présence du Christ*, 1960.

–, *Le Visage de lumière*, 1966.

–, *Amour sans limites*, 1971.

–, *Ils regarderont vers Lui*, 1976.

–, *La Colombe et l'Agneau*, 1979.

Dans la revue *Irénikon* :

L'AUTEUR D'ORTHOTODOX SPIRITUALITY, « Lettre au rédacteur », *Irénikon,* 1947, nº 4.

UN MOINE DE L'ÉGLISE D'ORIENT, « L'Icône de la Trinité de Roublev », *ibid.,* 1963, nº 26.

Dans *1054-1954. L'Église et les Églises :* UN MOINE DE L'ÉGLISE D'ORIENT, « La Signification de Soloviev, 1954 ».

Aux Éditions An-Nour, à Beyrouth, pour le Mouvement de la jeunesse orthodoxe du patriarcat d'Antioche.

Archimandrite Lev GILLET, *Notre Père. Introduction à la foi et à la vie chrétienne* (sans date).

Sois mon prêtre. Quelques mots sur l'appel du Christ à ses prêtres par un prêtre, 1962.

UN MOINE DE L'ÉGLISE D'ORIENT, *L'An de grâce du Seigneur*, 1972.

–, *Notes sur la liturgie*, 1973.

L'ensemble de cette œuvre libanaise a été rééditée à Paris par les Éd. du Cerf en 1988. Le titre *L'Offrande liturgique* réunit *Notes sur la liturgie* et *Sois mon prêtre...* Ces mêmes textes, traduits en anglais, ont été publiés aux États-Unis par les Éditions du séminaire orthodoxe St. Vladimir à New York.

Ces mêmes éditions ont publié une traduction en anglais, par l'évêque Kallistos Ware, de *La Prière* de Jésus.

Autres publications françaises.

Lev GILLET, « Dans la cathédrale », dans : *Allusion à Kafka*, Le Caire, La Part du sable, 1954.

–, « Dieu est lumière », dans : *Vues sur Kierkegaard*, Le Caire, La Part du sable, 1955.

Textes signés tantôt « Lev Gillet », tantôt « Un moine de l'Église d'Orient », publiés entre 1959 et 1979 dans la revue orthodoxe de langue française *Contacts*.

N° 27 (1959), « Les Laïcs dans l'histoire de l'Église ».
N° 30, « Note sur le mot "moine" ».
N° 31, « Trois paraboles des semailles ».
N°s 35-36, « Les Difficultés de croire ».
N° 37, « Note sur le mot "saint" ».
N° 40, « La Colombe et l'Agneau ».
N° 44, « Passion pour Jésus ».
N° 47, « Huit jours après ».
N° 51, « Le Dieu souffrant ».
N° 55, « Cette croix qui vous est offerte... ».
N°s 59-60, « Au gué de Jabbok ».

N° 64, « Homélie ».
N° 66, « Vers une piété cosmique ».
N° 68, « L'Amertume et la Douceur du livre ».
N° 69, « Homélie sur Isaïe 6, 8 ».
N° 71, « Qu'est-ce que la foi ? ».
N° 72, « Méditation : à Toi ».
N°s 73-74, « Paul Evdokimov, adorateur en esprit et en vérité ».
N° 77, « Les murs de Jéricho ».
N°s 85 et 87, « Jésus et la Samaritaine ».
N° 100, « Jésus lui dit : "Marie" ».
N° 108, « Marie, mère de Jésus ».

Des textes inédits du P. Lev Gillet ont été publiés dans le numéro 116 de la revue *Contacts* consacré à sa mémoire.

Des méditations bibliques, signées « Archimandrite Lev Gillet », ont été publiées régulièrement entre 1958-1968 dans le *Messager orthodoxe*, organe français de l'Action chrétienne des étudiants russes. Dans les mêmes années, Lev Gillet a également collaboré à la revue *Foyers mixtes* éditée par le centre Saint-Irénée à Lyon :

Lev GILLET, prêtre orthodoxe, « La Troisième Force », et « Le Spirituel ordonné au sacramentel », *Foyers mixtes*, janvier-mars 1977.

INDEX

Nous renvoyons aux notes de bas de page par l'indication *n*.

Table des matières

TROISIÈME PARTIE

Pèlerin entre plusieurs mondes, 1938-1970

QUATRIÈME PARTIE

Les dernières années, 1970-1980

COLLECTION

L'Histoire à vif

Cardinal Wyszynski : *Notes de prison.*
Jean-Paul Bourre : *Bob Dylan. Vivre à plein.*
François Charles : *La Génération défroquée.*
Frei Betto : *Entretiens sur la religion avec Fidel Castro.*
François Malley : *Le père Morelli, de Dachau à Netza.*
Carl Friedrich von Weizsächer : *Le Temps presse.*
Mgr Teodoro C. Bacani : *Église et politique aux Philippines.*
Daniel Perrot : *Les Fondations de la Mission de France.*
Hélène Falconetti : *« Falconetti ».*
Charles Antoine : *Les Catholiques brésiliens sous le régime militaire (1964-1985).*
Téofilo Cabestrero : *Le Cris du Nicaragua.*
Émile Poulat : *Poussières de raison.*
Giancarlo Zizola : *Dialogue de la Grande Muraille.*
Geneviève Reynaud : *Sortir du ghetto.*
Bernard Ugeux : *Les Petites communautés chrétiennes.*
Pedro Meca Zuazu : *La Vie, la Nuit.*
André Jacques : *Une indomptable énergie. Madeleine Barot.*
Mahmud Darwish : *Poèmes palestiniens.*
Christian Weber : *Vivre en R.D.A. Pourquoi je reste !*
Jean-François Théry : *Pour en finir une bonne fois pour toutes avec la censure.*
Edgar Weber, Georges Reynaud : *Croisade d'hier, djihad d'aujourd'hui.*
Jean-François Mayer : *Confessions d'un chasseur de sectes.*
Nilo Agostini : *L'Option communautaire.*
Meir Mendes : *Le Vatican et Israël.*
Maxime Steinberg : *Les Yeux du témoin et le Regard du Borgne.*
Emilo F. Mignone : *Les Disparus d'Argentine.*
Albert Chambon : *An 2000. Déclin et renouveau de la civilisation occidentale.*
Jean Vinatier : *Le Père Louis Augros. Premier supérieur de la Mission de France.*
Emmanuel Hirch : *Aides solidaires.*
Bat Ye'Or : *Les Chrétiens d'Orient entre jihad et dhimmitude.*
Jean-Marle Gaudeul : *Appelés par le Christ, ils viennent de l'islam.*
Danielle Storper-Perez, Maxime Kaufman Nunn : *Israéliens et Palestiniens.*
Jean Laurain : *De l'Ennui à la joie.*
Henri Maurier : *Les Missions.*
LABEL : *Blasphèmes et libertés.*

Jacob Kaplan : *L'Affaire Finaly.*
Marie-Jo Hazard : *Une Écharpe rouge.*
Michel Legrain : *Le Père Adolphe Jeanjean.*
E. Behr-Sigel : *Lev Gillet, un moine de l'Église d'Orient.*

HORS SÉRIE
Paul Gauthier : *Chronique du Procès Barbie.*
J.-F. Collinot : *Drogue, la tête à l'enfer.*

Achevé d'imprimer en septembre 1993
sur les presses de l'imprimerie Laballery
58500 Clamecy
Dépôt légal : septembre 1993
Numéro d'imprimeur : 306037
Numéro d'éditeur : 9726